Histoire

1re ES/L S

Questions pour comprendre le vingtième siècle

Directeurs d'ouvrage

Frédéric BESSET
Agrégé d'histoire, ancien élève
de l'ENS Ulm, Professeur de Lettres
et Premières Supérieures
Lycée Jean-Pierre-Vernant, Sèvres (92)

Michaël NAVARRO
Agrégé d'histoire
ESPE de l'académie de Lyon,
Université Lyon 1 (69)

Raphaël SPINA
Agrégé d'histoire,
ancien élève de l'ENS Ulm
Aix-Marseille Université (13)
Département Métiers du livre
et du patrimoine de l'IUT

Auteurs

Christian BIREBENT
Certifié d'histoire-géographie
Lycée Couperin, Fontainebleau (77),
chargé de cours à l'Université Rabelais de Tours (37)

Élodie ISOARD
Agrégée d'histoire, ancienne élève
de l'ENS Fontenay-Saint-Cloud
Lycée Jean-Perrin, Rezé (44)

Sylvain LANCELOT
Agrégé d'histoire-géographie
Lycée Louis-Aragon, Givors (69)

Nathalie MARTINE
Certifiée d'histoire-géographie
Lycée Maurice-Genevoix, Bressuire (79)

Jean-François MOURTOUX
Agrégé d'histoire
Lycée Joliot-Curie, Nanterre (92)

Morgane PAGE
Agrégée d'histoire-géographie
Lycée Jean-François Millet, Cherbourg (50)

Christophe POUPAULT
Agrégé d'histoire
Lycée de l'Empéri, Salon-de-Provence (13),
et Professeur de Première Supérieure,
Lycée Frédéric-Mistral, Avignon (84)

PAPIER À BASE DE
FIBRES CERTIFIÉES

hachette s'engage pour
l'environnement en réduisant
l'empreinte carbone de ses livres.
Celle de cet exemplaire est de :
2300 g éq. CO₂
Rendez-vous sur
www.hachette-durable.fr

www.hachette-education.com
I.S.B.N. 978-2-01-395406-8
© HACHETTE Livre 2015, 43, quai de Grenelle
75905 PARIS cedex 15.

DANGER

LE
PHOTOCOPILLAGE
TUE LE LIVRE

Le photocopillage, c'est l'usage abusif et collectif
de la photocopie sans autorisation des éditeurs.
Largement répandu dans les établissements
d'enseignement, le photocopillage menace
l'avenir du livre, car il met en danger son équilibre
économique et prive les auteurs d'une juste
rémunération.
En dehors de l'usage privé du copiste, toute
reproduction totale ou partielle de cet ouvrage
est interdite.

hachette
ÉDUCATION

Sommaire

THÈME 1 — Croissance économique, mondialisation et mutations des sociétés depuis le milieu du XIXe siècle

Sommaire

L/ES S

Sommaire

THÈME 3 Le siècle des totalitarismes

Sommaire

THÈME 4   Colonisation et décolonisation

Sommaire

THÈME 5   Les Français et la République

Sommaire

HISTOIRE DES ARTS L/ES   S

Sommaire

* Pages du chapitre 1 du manuel.

* Pages du chapitre 3 du manuel.

L'ordre des programmes de LES et de S étant légèrement différents, les leçons et numéros de pages ne se suivent pas toujours dans ce sommaire S.

Sommaire

3 Genèse et affirmation des régimes totalitaires*

Comment des régimes nés dans des pays différents ont-ils néanmoins des fonctionnements comparables ?

4 La Seconde Guerre mondiale*

Quelles sont les différentes dimensions de la guerre d'anéantissement et de la Résistance ?

---

* Pages du chapitre 5 du manuel.

* Pages des chapitres 3 et 9 du manuel.

Sommaire

* Pages du chapitre 4 du manuel.

* Pages du chapitre 9 du manuel.

L'ordre des programmes de LES et de S étant légèrement différents, les leçons et numéros de pages ne se suivent pas toujours dans ce sommaire S.

7 La République
et les évolutions
de la société française*

8 Le temps des
dominations coloniales :
l'Empire français*

* Pages des chapitres 2 et 10 du manuel.

* Pages du chapitre 7 du manuel.

Sommaire

PRÉPA BAC **S**

* Pages du chapitre 8 du manuel.

L'ordre des programmes de LES et de S étant légèrement différents, les leçons et numéros de pages ne se suivent pas toujours dans ce sommaire S.

CAPACITÉS ET MÉTHODES	Pages du manuel
I - Maîtriser des repères chronologiques et spatiaux	
1) Identifier et localiser	
– nommer et périodiser les continuités et ruptures chronologiques	16, 84, 88, 90, 104, 156, 164, 176, 234, 294, 334, 335, 336, 337, 344
– nommer et localiser les grands repères géographiques terrestres	
– situer et caractériser une date dans un contexte chronologique	142, 146, 158, 162, 174, 190, 252, 272, 314, 342, 348
– nommer et localiser un lieu dans un espace géographique	
2) Changer les échelles et mettre en relation	
– situer un événement dans le temps court ou le temps long	52, 104, 128, 146, 156, 186, 188, 190, 204, 224, 225, 234, 250, 252, 270, 272, 314, 355
– repérer un lieu ou un espace sur des cartes à échelles ou systèmes de projections différents	
– mettre en relation des faits ou événements de natures, de périodes, de localisations spatiales différentes (approches diachroniques et synchroniques)	77, 100, 106, 112, 118, 125, 213, 239, 261, 283, 355
– confronter des situations historiques ou/et géographiques	41, 58, 138, 140, 164, 228, 323
II - Maîtriser des outils et méthodes spécifiques	
1) Exploiter et confronter des informations	
– identifier des documents (nature, auteur, date, conditions de production)	36, 45, 129, 154, 170, 322, 327
– prélever, hiérarchiser et confronter des informations selon des approches spécifiques en fonction du document ou du corpus documentaire	18, 22, 24, 28, 30, 34, 36, 41, 44, 54, 64, 72, 80, 96, 128, 150, 166, 170, 194, 196, 198, 200, 208, 216, 217, 254, 256, 264, 265, 274, 276, 278, 287, 296, 308, 310, 316, 326, 327, 350
– cerner le sens général d'un document ou d'un corpus documentaire et le mettre en relation avec la situation historique ou géographique étudiée	18, 24, 30, 40, 76, 92, 94, 96, 98, 108, 120, 142, 148, 154, 158, 162, 175, 182, 194, 206, 212, 228, 232, 238, 260, 282, 296, 298, 300, 304, 308, 322, 338, 344, 348, 354, 358, 359, 364
– critiquer des documents de types différents (textes, images, cartes, graphes, etc.)	28, 34, 40, 44, 78, 80, 98, 108, 129, 148, 174, 175, 182, 206, 217, 226, 265, 316, 322
2) Organiser et synthétiser des informations	
– décrire et mettre en récit une situation historique ou géographique	34, 46, 47, 60, 70, 84, 114, 204, 226, 242, 246, 254, 276, 304, 310, 326, 327
– réaliser des cartes, croquis et schémas cartographiques, des organigrammes, des diagrammes et schémas fléchés, des graphes de différents types (évolution, répartition)	
– rédiger un texte ou présenter à l'oral un exposé construit et argumenté en utilisant le vocabulaire historique et géographique spécifique	45, 46, 47, 84, 130, 132, 176, 218, 242, 246, 290, 328
– lire un document (un texte ou une carte) et en exprimer oralement ou par écrit les idées clés, les parties ou composantes essentielles ; passer de la carte au croquis, de l'observation à la description	28, 45, 56, 66, 166, 198, 200, 264, 278, 286, 287, 300
3) Utiliser les TICE	
– ordinateurs, logiciels, tableaux numériques ou tablettes graphiques pour rédiger des textes, confectionner des cartes, croquis et graphes, des montages documentaires	124
III - Maîtriser des méthodes de travail personnel	
1) Développer son expression personnelle et son sens critique	
– utiliser de manière critique les moteurs de recherche et les ressources en ligne (internet, intranet de l'établissement, blogs)	
– développer un discours oral ou écrit construit et argumenté, le confronter à d'autres points de vue	130, 132, 218, 360, 361
– participer à la progression du cours en intervenant à la demande du professeur ou en sollicitant des éclairages ou explications si nécessaire	
2) Préparer et organiser son travail de manière autonome	
– prendre des notes, faire des fiches de révision, mémoriser les cours (plans, notions et idées clés, faits essentiels, repères chronologiques et spatiaux, documents patrimoniaux)	
– mener à bien une recherche individuelle ou au sein d'un groupe ; prendre part à une production collective	124
– utiliser le manuel comme outil de lecture complémentaire du cours, pour préparer le cours ou en approfondir des aspects peu étudiés en classe	

1

CROISSANCE ET MONDIALISATION

À partir du milieu du XIXe siècle, l'Europe, l'Amérique du Nord et le Japon entrent dans une phase de croissance économique portée par le développement spectaculaire de l'industrie. La diffusion progressive du modèle industriel dès la fin du XIXe siècle fait émerger de nouveaux pôles de croissance mondiaux. L'entrée dans l'âge industriel provoque aussi un nouvel élan du processus de mondialisation grâce à la révolution des transports et à la généralisation du capitalisme à l'échelle planétaire.

L/ES **S**

▶ **Comment l'industrialisation a-t-elle accéléré la croissance économique et la mondialisation ?**

THE FORD MOTOR PLANT.
AND 1,000 CARS, A SINGLE DAYS OUTPUT.

L'usine de moteurs Ford. 1 000 voitures en sortent chaque jour.

1 **L'usine Ford de Detroit vers 1910**

En 1908, Henry Ford produit la Ford T, fabriquée en série pour être vendue à un prix raisonnable. Entre 1908 et la fin de sa production en 1927, la Ford T s'écoule à plus de 16 millions d'exemplaires.

1. Quelles sont les innovations de la Ford T dans le secteur de la production automobile ?

2. Expliquez ce que veut montrer le photographe avec cette prise de vue.

Vocabulaire et notions

• **Âge industriel** : transformations économiques et sociales consécutives au processus d'industrialisation et considérées comme tellement radicales qu'elles inaugurent une nouvelle époque.

• **Capitalisme** : système économique fondé sur la propriété privée des moyens de production et sur la loi de l'offre et de la demande.

• **Croissance économique** : augmentation de la richesse, de la quantité de biens et de services produits par les habitants sur un territoire donné. Elle est mesurée par le produit intérieur brut (PIB).

• **Mondialisation** : processus de développement des flux de toutes natures (humains, commerciaux, financiers et culturels) unifiant la planète par-delà les frontières politiques.

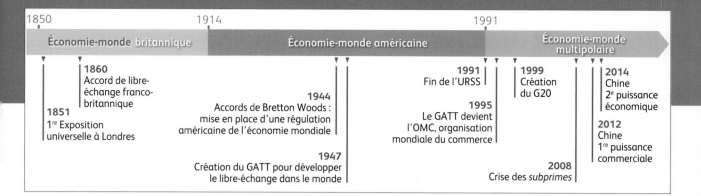

1850	1914	1991
Économie-monde **britannique**	Économie-monde **américaine**	Économie-monde **multipolaire**

1860
Accord de libre-échange franco-britannique

1851
1re Exposition universelle à Londres

1944
Accords de Bretton Woods : mise en place d'une régulation américaine de l'économie mondiale

1947
Création du GATT pour développer le libre-échange dans le monde

1991
Fin de l'URSS

1995
Le GATT devient l'OMC, organisation mondiale du commerce

1999
Création du G20

2008
Crise des *subprimes*

2014
Chine
2e puissance économique

2012
Chine
1re puissance commerciale

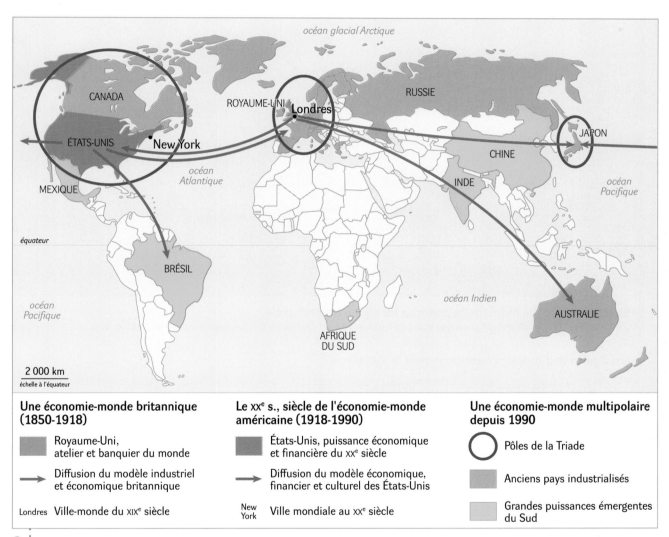

Une économie-monde britannique (1850-1918)

▨ Royaume-Uni, atelier et banquier du monde

→ Diffusion du modèle industriel et économique britannique

Londres Ville-monde du XIXe siècle

Le XXe s., siècle de l'économie-monde américaine (1918-1990)

▨ États-Unis, puissance économique et financière du XXe siècle

→ Diffusion du modèle économique, financier et culturel des États-Unis

New York Ville mondiale au XXe siècle

Une économie-monde multipolaire depuis 1990

◯ Pôles de la Triade

▨ Anciens pays industrialisés

▨ Grandes puissances émergentes du Sud

2 : Une mondialisation autour d'économies-monde successives

• Qu'est-ce qui distingue l'« économie-monde multipolaire » des deux autres économies-monde ?

Notion

• Économie-monde : économie centrée autour d'une ville (Venise par exemple) ou d'un État (le Royaume-Uni par exemple) dont les échanges irriguent une grande partie de la planète et qui est dominante à une époque donnée.

Depuis 1850, la mondialisation entre croissance et crises

Capacité travaillée
I.1.1 Nommer et périodiser des repères chronologiques

Débutée en Angleterre à la fin du XVIIIᵉ siècle, la révolution industrielle marque une rupture avec la croissance faible qui caractérisait les économies agricoles. En 1850, l'essor industriel est soutenu par la ruée vers l'or aux États-Unis et l'extension du chemin de fer en Europe. La croissance économique qui en résulte est durable mais ponctuée de crises. L'industrialisation bouleverse les modes de production, révolutionne les transports, transforme les modes de vie, surtout en ville.

A L'âge industriel

1 Sheffield, une ville industrielle anglaise au milieu du XIXᵉ siècle
L'industrialisation transforme les paysages et le cadre de vie. *View of Industrial Sheffield from the South East*, William Ibbit, 1854.

2 Les 3 phases d'industrialisation depuis le XIXᵉ siècle

	Première industrialisation	Deuxième industrialisation	Troisième industrialisation
Débuts	1780	1880	À partir de 1945
Pays originaires	**Royaume-Uni, France**	**États-Unis, Allemagne**	**États-Unis**
Secteurs moteurs	Textile (coton), fonte de fer	Acier, mécanique, chimie	Aéronautique et aérospatiale, informatique et électronique, biotechnologies
De nouvelles sources d'énergie	Charbon (machine à vapeur)	Électricité et pétrole (moteur à explosion)	Énergie atomique
Mode de production	– Ateliers puis usines – Production concentrée (manufacture) puis mécanisée (usine)	– Usines de plus en plus vastes – Production tayloriste : organisation scientifique du travail	– Firmes de plus en plus liées aux centres de recherche – Délocalisation de l'assemblage dans le Sud
Transports et communications	– Chemin de fer – Marine à vapeur – Télégraphe	– Canaux interocéaniques (Panamá, 1914) – Automobile, avion et navire à turbine – Télégraphe puis téléphone – Radio (TSF) puis télex (1930)	– Téléphonie mobile et informatique en réseau (Internet, 1992) – Porte-conteneurs ; avion à réaction long-courrier
Innovation organisationnelle	– Libre-échange (RU) – Banques de dépôt	– État régulateur de l'économie – Firmes multinationales[2]	– Marchés financiers – Firmes transnationales[1]

1. Firme transnationale : entreprise dont l'actionnariat est international.
2. Firme multinationale : entreprise qui possède des filiales dans plusieurs pays

Vocabulaire

• **Krach** : effondrement brutal de la valeur des actions ou d'autres titres financiers. Le mot d'origine allemande est employé à partir de 1873.

B Une croissance marquée par des crises cycliques

La succession des crises au XIXᵉ siècle a conduit des économistes à déterminer les oscillations de la croissance. Au XXᵉ siècle, le Soviétique Nikolaï Kondratiev identifie des cycles de 50 à 60 ans composés chacun de deux phases : la **phase A** correspond à une période d'expansion liée à des innovations (nouveaux produits, nouvelles méthodes de production) : la production, les prix, les salaires et les profits augmentent. La **phase B** de dépression est caractérisée par la baisse de ces indicateurs mais aussi par la concentration des entreprises – les plus solides rachetant les faibles – et l'accumulation d'inventions encore immatures dont la commercialisation sous forme d'innovations déclenchera une nouvelle **phase A**.

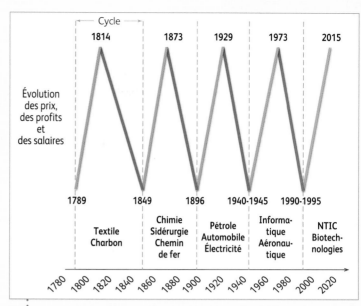

3 Expansion, crise, dépression : les cycles longs de Kondratiev

4 L'alternance des phases de croissance et de crise

1848	1896	1929	1945	1973	1980

Croissance portée par la ruée vers l'or de 1848 — Grande Dépression 1873-1896 — Prospérité de la Belle Époque et des années folles — Dépression des années 1930 — Trente Glorieuses — Croissance dépressive

1873 Crise économique et krach de la Bourse de Vienne

1929 Krach de Wall Street

1973 1ᵉʳ choc pétrolier
1979 2ᵉ choc pétrolier

1997 Crise financière asiatique

2008 Crise des *subprimes*

C La révolution des transports maritimes et des communications

5 Le canal de Panamá, un nouveau passage maritime stratégique

Construit par les États-Unis, le canal de Panamá est inauguré le 15 août 1914. Son passage permet d'aller par bateau des Caraïbes (océan Atlantique) jusqu'au Pacifique, sans contourner l'Amérique au Sud par le cap Horn.

6 CNN, une chaine américaine d'informations continues d'audience mondiale

General Motors face aux crises économiques du XXe siècle

Créée en 1908, General Motors devient dès 1928 le premier constructeur mondial d'automobiles et le reste jusqu'au début du XXIe siècle. Alfred Sloan, qui la dirige de 1923 à 1956, introduit des innovations majeures dans la gestion de l'entreprise comme dans la conception des gammes. General Motors est divisée en marques (Buick, Chevrolet, Cadillac…) – chacune adaptée à un segment de la clientèle. Si l'entreprise traverse bien la crise des années 1930, elle s'adapte mal en revanche à la nouvelle conjoncture après 1973, et est sauvée de justesse après la crise de 2008.

Capacités travaillées
II.1.2 Prélever et confronter des informations.
II.1.3 Mettre en relation ce document avec la situation historique étudiée.

▶ Comment les succès de General Motors dépendent-ils de la stratégie de l'entreprise davantage que de la situation économique des États-Unis ?

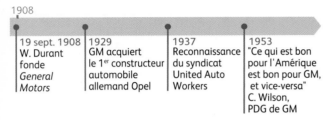

1908

| 19 sept. 1908 W. Durant fonde *General Motors* | 1929 GM acquiert le 1er constructeur automobile allemand Opel | 1937 Reconnaissance du syndicat United Auto Workers | 1953 "Ce qui est bon pour l'Amérique est bon pour GM, et vice-versa" C. Wilson, PDG de GM |

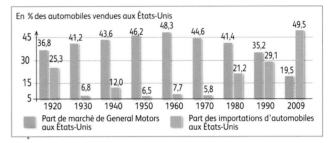

1 General Motors relativement épargnée par la crise de 1929

En 1931 des experts de la banque Crédit Lyonnais publient un rapport sur General Motors face à la crise.

L'étude apporte plusieurs éléments d'importance, à commencer par la propre analyse des dirigeants de la General Motors sur la dépression : ils y évoquent la consommation cyclique de l'automobile, la saturation des marchés ou les ventes à crédit. […] General Motors est un modèle. Modèle d'une firme qui sait tisser les meilleurs rapports avec ses banques, notamment la banque Morgan, dont plusieurs représentants siègent au conseil d'administration. […] General Motors regroupe des activités très nombreuses en dehors de l'automobile et de ses accessoires. L'entreprise se consacre en effet à l'aviation, aux automotrices, à l'électroménager et compte de nombreuses sociétés de services. Ces activités extra-automobiles sont non seulement à même de compenser les difficultés temporaires de l'automobile, mais surtout capables d'entraîner la General Motors vers une nouvelle croissance. Ensuite General Motors a l'avantage de s'appuyer sur de nombreuses divisions automobiles comme Buick, Cadillac, Chevrolet, Pontiac ou Oldsmobile. Tous ces véhicules se partagent une multitude de pièces, de composants et d'éléments mécaniques. Cette stratégie, mise au point par Alfred Sloan, multiplie les économies d'échelle en allongeant les séries, tout en définissant une offre extrêmement variée de modèles et de versions sous des marques distinctes. […] C'est la différence avec Ford qui sur un marché hautement concurrentiel reste rivé jusqu'en 1927 au modèle unique de son éternelle Ford T. Ford est dépassé par la General Motors mais aussi par Chrysler à partir de 1933.

L'industrie automobile 1905-1971, Archives économiques du Crédit Lyonnais, 1999.

2 Part de marché de General Motors dans le marché de l'automobile aux États-Unis

3 General Motors et la crise pétrolière de 1973

Les succès significatifs enregistrés par General Motors depuis qu'au cours de l'entre-deux-guerres, dépassant Ford, le groupe s'était imposé comme premier constructeur mondial, ont eu pour effet de figer ses stratégies et ses conceptions. Celles-ci se révéleront nettement moins efficaces à l'occasion du changement brutal de l'environnement consécutif aux deux chocs pétroliers. GM avait négligé, au début des années 1970, les contrôles anti-pollution, en continuant à construire des véhicules fortement consommateurs en essence. Les nouvelles lois fédérales américaines sur la pollution de l'air et la sécurité routière l'obligent à consentir dans ce domaine de lourds investissements, dans un contexte rendu difficile en raison des chocs pétroliers. La production de masse avait renforcé le conservatisme technologique. L'augmentation du prix du pétrole en 1973 et en 1979 remet en cause la position oligopolistique[1] des grands constructeurs automobiles américains, une partie de la clientèle préférant acheter de plus petites voitures, moins polluantes et moins coûteuses. La taille gigantesque du premier producteur automobile mondial, ainsi que sa forte intégration verticale[2], se transforment en handicap, induisant une lourdeur d'adaptation face au retournement. Ceci crée des opportunités pour les groupes japonais et européens.

Thierry Grosbois, « La stratégie européenne de *General Motors* » in *Revue du Nord,* 2010/4.

1. Oligopolistique : caractère d'un marché dominé par quelques producteurs tout-puissants.
2. Intégration verticale : organisation d'une firme industrielle qui contrôle directement ses sous-traitants sous forme de filiales.

Affiche française du film de Michael Moore
Roger & Moi (Roger Smith était le PDG de
General Motors en 1989).
Dans ce film, le cinéaste Michael
Moore accuse l'entreprise de fermer
ses usines de Flint, aux États-Unis,
au profit de celles du Mexique.

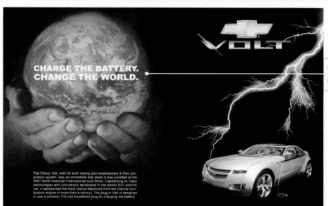

4 : **General Motors délocalise**
Ce site General Motors de Flint,
au Michigan, n'existe plus aujourd'hui.

BAC

Consigne 1. À partir du doc. 1,
analysez les raisons ayant permis
à l'entreprise d'échapper en partie
aux effets désastreux de la crise
de 1929.

Consigne 2. À partir des doc. 2 et
3, montrez que la crise traversée
par General Motors dans les
années 1970 n'est pas liée qu'au
choc pétrolier.

5 : **General Motors en faillite mais
sauvée par l'État en 2009 durant
la crise des *subprimes***

La nationalisation de General Motors est
intervenue après que le plan de restructuration de 2006 – qui comportait 34 000
départs « volontaires » moyennant une
prime de 100 000 dollars pour chacun
d'entre eux – eut échoué. La situation
empirant, General Motors dut licencier 10 000 salariés de plus et fermer
deux sites en 2008. La faillite intervint
à l'été 2009 et l'État, en contrepartie
de l'octroi de prêts massifs, prit alors
80 % du capital. Après la nationalisation
le mouvement de réduction d'effectifs
ralentit. Il ne porta que sur quelques
milliers d'emplois et sur la cession de
Saab acquis cinq ans plus tôt. L'État
imposa un changement de dirigeants
et donna à l'entreprise les moyens de
se redresser.
La participation publique fut peu à peu
réduite au fur et à mesure que des investisseurs confiants dans l'entreprise se
manifestèrent. General Motors avaient
même formé le projet de céder ses filiales
en Europe, dont Opel. Berlin offrit un
prêt de 4,5 milliards d'euros sans que
Bruxelles s'en émeuve, mais General
Motors garda finalement ses filiales
grâce au soutien de l'État américain.
On peut tirer deux enseignements
de cet épisode symbolique : les États
interviennent sans complexe quand ils
l'estiment utile pour soutenir leur industrie... et les performances industrielles
dépendent moins du contexte national
que des stratégies des entreprises

Alain Boublil, *Le nouvel État stratège*,
Archipel, 2014.

Analyser une affiche publicitaire

Chargez la batterie.
Changez le monde.

6 : **General Motors renoue avec l'innovation pour lutter
contre ses concurrents asiatiques et européens.**

Consigne BAC

Après avoir présenté le document, analysez les arguments utilisés par General Motors pour convaincre les consommateurs d'acheter la Chevrolet Volt.

Méthode

1 Présenter l'affiche

Il s'agit ici d'identifier précisément l'auteur et les destinataires de l'affiche
afin de pouvoir cerner correctement le sens général. Il faut aussi préciser le
contexte du document : ici, les innovations dans le secteur automobile.

2 Observer et décrire l'affiche

■ Décrire précisément le sujet, le décor, les objets mais aussi expliciter la
symbolique des différents éléments figurés.
■ Analyser la composition de l'affiche (lignes directrices, jeu sur les différents plans) en étant attentif à la place respective des éléments représentés.
■ Analyser l'accroche et le slogan : pensez à expliquer le nom donné à
la voiture. Pourquoi charger la batterie permet-il de changer le monde ?
Quels sont les arguments utilisés pour convaincre le consommateur ?

3 Interpréter l'affiche publicitaire

■ Étudiez le rapport entre le(s) texte(s) et l'image : en quoi la confrontation des deux éléments permet-elle de comprendre la publicité ? À quoi
veut nous faire penser le publicitaire ?
■ Il faut aussi garder un esprit critique sur le document : l'automobile
électrique est-elle vraiment écologique ?

1 Un phénomène qui a changé le monde : la croissance

L/ES
S
▶ Comment définir la croissance ?

A La croissance, fruit du capital, du travail et de la technique

■ Depuis l'an mille jusqu'à la fin du XVIIIᵉ siècle, l'économie a crû de 0,2 % par an en moyenne ; **entre 1820 et 1914, le rythme d'expansion a été dix fois supérieur, avec un gain de 2 % par an**. Cette accélération change tout : les richesses croissent plus vite que la population ; même si la croissance démographique est forte, le revenu par tête augmente.

■ **Cette croissance est celle d'une nouvelle économie de marché industrielle** : chaque année augmente la valeur des biens et services produits à l'extérieur du cadre domestique et échangés contre de la monnaie. À partir de 1850, un nombre toujours plus grand d'activités effectuées jusque-là hors des circuits marchands sont réalisées dans un cadre capitaliste ; par exemple les paysans vendent leur production plutôt que de la consommer. L'introduction continue d'innovations rend la croissance plus intensive : des innovations technologiques, comme la machine à vapeur, des innovations économiques, avec l'apparition des banques de dépôt et du libre-échange.

■ **Dès le XIXᵉ siècle la croissance n'est pas limitée à l'Occident** puisqu'elle transforme la Russie et le Japon entre 1880 et 1914 ; au XXᵉ siècle elle devient mondiale à tel point que croissance et mondialisation se nourrissent l'une l'autre ; à partir de 1970 tout le continent asiatique bascule progressivement dans une forte croissance.

B La croissance, un phénomène ambigu et irrégulier

■ **Produire des biens ou des services suppose d'en détruire d'autres**. Par ailleurs **toutes les croissances ne se traduisent pas par un même** développement : la forte croissance des pays exportateurs de pétrole ne se traduit pas par un développement des sociétés locales. À l'inverse, les pays riches s'efforcent de maintenir le niveau de vie de leurs habitants avec des croissances faibles ou nulles.

■ **La croissance est surtout irrégulière dans le temps**. La conjoncture connaît une alternance de périodes de croissance et de récession. Le passage de l'une à l'autre constituant une crise. Les économistes comme Kuznets et Kondratiev ont repéré dans le mouvement des prix, des profits et des salaires des variations périodiques, des cycles. Trois grandes crises sont intervenues depuis 1850. Celle de 2007/2008 dite des *subprimes* ne leur est comparable ni en intensité ni par ses conséquences.

C La croissance interrompue par les crises

Étude   pages 18-19 + doc. 3

■ **En 1873 apparaît la première crise de l'ère industrielle, la** Grande Dépression. Elle est d'abord la conséquence de l'irruption sur les marchés des productions agricoles des pays neufs (États-Unis, Canada, Australie). Elle résulte surtout de l'épuisement du système technique de la vapeur et du charbon, et dure jusqu'à ce que se généralise le nouveau système du moteur thermique et de l'électricité vers 1900.

■ **En 1929 se déclenche la crise la plus marquante du XXᵉ siècle**, avec l'effondrement de la Bourse de New York, le jeudi 24 octobre 1929. La crise, d'abord interprétée comme une crise de surproduction industrielle, est aussi une crise de la demande : la production de masse a précédé la consommation de masse. Elle touche en quelques années tous les pays, particulièrement l'Allemagne. Ses conséquences sont considérables sur le plan social (25 % de chômeurs aux États-Unis en 1933) mais aussi politiques – l'avènement d'Hitler en Allemagne, une nouvelle conception des rapports entre l'État et l'économie de marché – sont considérables.

■ **Si la crise de 1973 apparaît d'abord comme un choc pétrolier**, avec le quadruplement du prix du baril de pétrole en octobre 1973, **elle est en réalité bien plus large** : fin de l'ordre monétaire stable de l'après-guerre, épuisement du système technique né vers 1880, irruption de nouveaux producteurs (Japon) qui concurrencent les anciens pays industriels… La croissance depuis est irrégulière en Occident ; elle n'a plus jamais atteint en Europe le niveau élevé de la période des Trente Glorieuses.

1 Chômeur aux États-Unis portant son curriculum sur lui (années 1930).

Biographie

Nikolaï Kondratiev (1892-1938 ?)
Économiste soviétique qui a établi sur le long terme le caractère cyclique de l'économie capitaliste. À une phase d'expansion de 25 à 30 ans succède une phase de décroissance ou de stagnation pendant la même durée.

Vocabulaire et notions

● **Capital** : un des deux facteurs (avec le travail) qui permettent de produire des biens et des services.

● **Travail** : un des deux facteurs (avec le capital) qui permettent de produire des biens et des services.

● **Croissance** : accroissement des richesses produites dans un pays par les agents économiques (administrations, entreprises) nationaux ou étrangers.

● **Banques de dépôt** : type de banques qui apparaît au XIXᵉ siècle. Elles reçoivent l'épargne des particuliers ou des petites entreprises et prêtent à long terme l'argent déposé à court terme.

● **Libre-échange** : absence de droits de douane aux frontières permettant l'accroissement des échanges internationaux.

● **Crise économique** : moment de renversement de la conjoncture économique de la prospérité à la récession.

● **Conjoncture** : situation économique à un moment précis.

● **Trente Glorieuses** : expression créée par l'économiste Jean Fourastié en 1979. Il nomme ainsi la période qui, de 1946 à 1975, a vu les économies d'Europe de l'Ouest connaître une très forte croissance qui a transformé les modes de vie.

2 : Quelques crises économiques depuis le milieu du XIXe siècle

	TYPE DE CRISE	MANIFESTATIONS /CONSÉQUENCES	Fin de la crise	FACTEURS DE SORTIE DE CRISE
1846	Crise agraire et industrielle	– Sous-production agricole et surproduction industrielle – Chômage, disette	vers 1848	– Ruée vers l'or en Californie : gold rush – Construction des grands réseaux ferrés (transaméricain (1869) ou transsibérien entre 1891 et 1916)
1873	Crise boursière et agricole	– Krach à la Bourse de Vienne – Baisse des prix agricoles en raison de l'afflux des productions des pays neufs (Amérique, Océanie) – Exode rural, migrations transatlantiques	vers 1895-1896	– Débuts de l'intervention de l'État dans l'économie – Innovations de la 2e révolution industrielle : moteur thermique, électricité, chimie
1929	Crise boursière et de surproduction	– Krach à Wall Street – Surproduction industrielle et agricole, faute de demande solvable – Chômage de masse – Baisse des prix	Au cours des années 1930, voire après la guerre selon les pays	– Intervention de l'État dans l'économie (États-Unis, Allemagne, France) – Rôle de la guerre qui stimule production et recherche
1973	Crise pétrolière et de surproduction	– Hausse brutale des cours du pétrole – Crise industrielle – Chômage – Hausse des prix – Faible croissance	Dès les années 1980 pour certains pays (Allemagne, États-Unis, Japon)	– Moindre intervention de l'État dans l'économie – Innovations de la 3e révolution industrielle : électronique, informatique
2007/2008	Crise dite des *subprimes*	– Crise du crédit liée à des dettes publiques et privées non remboursées – Faillites d'entreprises et de banques notamment – Chômage	Dès 2013/2014 aux États-Unis	– Intervention de l'État (sauvetage des banques) – Boom du gaz et du pétrole de schiste aux États-Unis

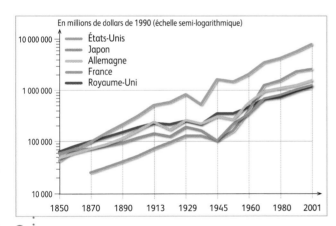

3 : L'augmentation des PIB depuis 1850

4 : Le progrès technique, facteur de croissance économique
Ouvriers dans l'usine chinoise du sous-traitant Foxconn qui fabrique les appareils Apple.

Vocabulaire et notions

• **Produit Intérieur Brut** : somme des richesses produites en une année dans les frontières d'une économie donnée par les agents nationaux ou étrangers.

• **Développement** : état de satisfaction des besoins sociaux (santé, éducation, alimentation) rendu possible par des équipements (écoles, hôpitaux) et des infrastructures (routes, réseaux de communication).

• **Grande Dépression** : nom donné à la longue période de faible croissance ponctuée de reculs de l'activité (récessions) que traverse le monde industriel entre 1873 et 1896. L'expression est parfois aussi utilisée pour désigner la crise de 1929, plus brève (une dizaine d'années) mais plus intense, notamment aux États-Unis et en Allemagne.

Questions

1. En quoi ce document montre-t-il l'ampleur de la crise des années 1930 aux États-Unis (doc. 1) ?

2. Que révèle l'origine des crises sur les transformations économiques mondiales (doc. 2) ?

3. Montrez que la croissance est un phénomène continu mais irrégulier (doc. 3).

Une région industrielle pionnière : le Lancashire

Capacité travaillée

II.1.2 Prélever et confronter des informations

Dès la seconde moitié du XVIIIe siècle, le travail du coton connaît des bouleversements majeurs en Angleterre : la production en série commence avec la première machine à filer en 1765. Quinze ans plus tard, ces mêmes machines seront mues par la vapeur au lieu de la force humaine. En 1806, la première usine de tissage mécanique est fondée à Manchester. Avec la sidérurgie, l'industrie du coton est un des piliers de la domination économique de l'Angleterre dans la seconde moitié du XIXe siècle.

▶ Comment la région cotonnière du Lancaster permet-elle à l'Angleterre d'être l'« atelier du monde » ?

1 : La puissance de l'industrie du coton à Manchester

a) Manchester, 2 juillet 1835.

Caractère particulier de Manchester. La grande ville manufacturière des tissus, fils, cotons, etc., comme Birmingham l'est des ouvrages de fer, de cuivre et d'acier. Circonstance favorable : à dix lieues [50 km] du plus grand port de l'Angleterre (Liverpool), lequel est le port de l'Europe le mieux placé pour recevoir sûrement et en peu de temps les matières premières d'Amérique. À côté, les plus grandes mines de charbon de terre pour faire marcher à bas prix ses machines. À 25 lieues [125 km], le lieu du monde où se fabriquent le mieux ces machines (Birmingham). Trois canaux et un chemin de fer pour transporter rapidement et économiquement dans toute l'Angleterre et sur tous les points du globe ses produits. À la tête des manufactures, la science, l'industrie, l'amour du gain, le capital anglais. Parmi les ouvriers, des hommes (les Irlandais) qui arrivent d'un pays où les besoins de l'homme se réduisent presque à ceux du sauvage, et qui travaillent à très bas prix.

Alexis de Tocqueville, *Voyage en Angleterre*, 1835.

b) [Les chefs des maisons industrielles ou commerciales] ont les capitaux, les grandes visées, la responsabilité, les dangers. […] Ils ont leurs délégués et leurs représentants aux quatre coins du monde ; ils sont tenus de connaître au jour le jour l'état et les ressources des pays environnants ou lointains […]. Un quart de million sterling, un demi-million sterling, voilà les mots qu'on entend répéter à propos de leurs entreprises, achats et ventes, valeurs des navires nolisés[1] ou des produits emmagasinés. Ils envoient reconnaître tel ou tel district du globe ; ils découvrent des débouchés ou des approvisionnements au Japon, en Chine, en Australie, en Égypte, en Nouvelle-Zélande[2] ; ils poussent à l'élevage des moutons, à l'acclimatation du thé, à la culture du coton dans une contrée nouvelle.

Hippolyte Taine, *Notes sur Angleterre*, 1872.

1. Affrétés.
2. Les trois derniers territoires cités appartiennent à l'Empire britannique.

2 : Le Lancashire, une grande région industrielle d'Angleterre vers 1850

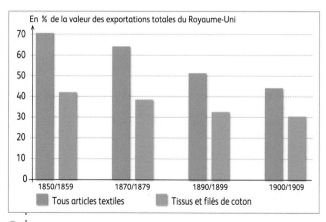

3 : Les exportations d'articles textiles

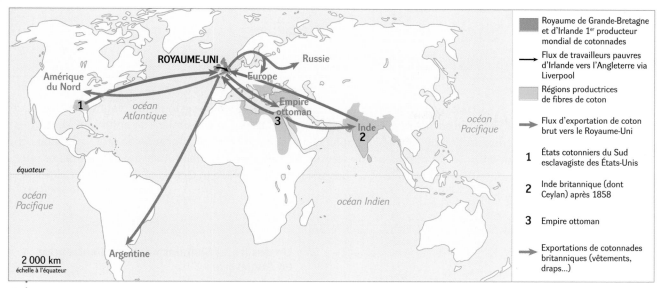

4 Le commerce du coton entre le Royaume-Uni et le reste du monde (1850-1870)

5 **Le Lancashire, une région industrielle en déclin à la fin du XIXᵉ siècle**

De 1875 à 1880, l'augmentation sensible de la concurrence étrangère et surtout les droits élevés imposés par le gouvernement de l'Inde sur l'entrée des marchandises de coton fabriquées en Angleterre produisirent dans le Lancashire les effets les plus désastreux. Les manufacturiers éprouvèrent de grosses pertes, se découragèrent, et, quoique à contrecœur, cherchèrent à compenser leurs pertes par l'abaissement des salaires. [...] Le Lancashire n'a plus à compter pour l'écoulement de ses produits sur les marchés de l'Inde, devenue aujourd'hui sa rivale. En effet, à Bombay et sur d'autres points de l'Hindoustan, on a élevé des manufactures importantes, qui ont prospéré d'une manière étonnante [...]. La concurrence faite par les autres nations de l'Europe et par l'Amérique a aussi augmenté dans de vastes proportions. De plus, quelques-unes de ces nations ont des lois de protection qui font défaut à l'Angleterre, et le fameux tarif MacKinley[1] a pour but de réserver aux seuls manufacturiers des États-Unis le privilège de fournir aux soixante-deux millions d'habitants de ce vaste pays tous les produits de l'industrie cotonnière. En somme, pendant les dix dernières années, les bénéfices des fabricants du Lancashire ont été presque nuls. [...] Le Lancashire s'éteindra péniblement, peut-être au milieu de convulsions sociales et de cataclysmes commerciaux.

M. W. A. Abraham, *L'Industrie cotonnière dans le comté de Lancaster,* Blackwood's Magazine, juillet 1892.
1. Tarif MacKinley : droit de douane de 50 % en moyenne imposé par les États-Unis en 1890.

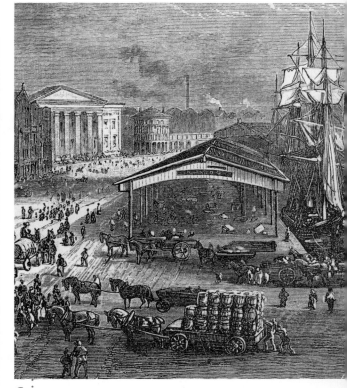

6 **Le port de Liverpool à la fin du XIXᵉ siècle**
« Strand Street et douane, Liverpool, Lancashire », tiré de *Villes du monde,* publié en 1893, collection privée.

BAC

Consigne 1. À partir des documents 1 et 4, montrez comment l'industrie cotonnière de la région de Manchester permet à l'Angleterre d'être l'atelier du monde pour le coton vers 1850.

Pour vous aider pensez à :
– Relever les atouts de la région du Lancashire qui permettent le développement de l'industrie cotonnière.

– Identifier les espaces d'approvisionnement et de débouchés pour cette industrie.

Consigne 2. Analysez, à partir du document 5, le déclin de l'industrie cotonnière dans le Lancashire.

Pour vous aider pensez à :
Identifier les manifestations du déclin de l'industrie et relever les causes des difficultés du coton du Lancashire.

Siemens, une des premières multinationales

Capacités travaillées

II.1.2 Prélever et confronter des informations

II.1.3 Mettre en relation ce document avec la situation historique étudiée

À 30 ans, Werner Siemens, un ingénieur inventeur d'un système de télégraphie électrique, fonde en 1847 l'entreprise Siemens & Halske. Celle-ci obtient de nombreux contrats de construction de lignes télégraphiques et connaît une croissance rapide grâce à la recherche et à l'innovation, moteurs de son succès. Le Konzern devient alors une des premières multinationales de l'histoire et un des symboles du « made in Germany », gage de qualité.

▶ **Comment une des premières firmes multinationales de l'histoire a-t-elle accéléré la mondialisation ?**

2 : Un des frères Siemens implante l'entreprise en Angleterre

C'est par Wilhelm Siemens (1823-1883) que l'entreprise commence sa mutation en une multinationale. À la tête de la filiale anglaise, il contribue à deux aspects de la puissance britannique du XIXe siècle : la production d'acier et les communications télégraphiques avec l'Empire.

Wilhelm mourut subitement en 1883 à l'âge de soixante ans. À ce fils adoptif, l'Angleterre sut rendre grâce en lui dédiant un vitrail de l'abbaye de Westminster ; peu avant sa mort, Wilhelm avait été fait baronnet par la reine et était devenu sir William. Du parcours exceptionnel de Wilhelm, on retiendra que parti de rien, il réussit à s'adapter à un milieu qui lui était étranger et à s'y imposer. On remarquera aussi la pluralité des secteurs d'activités que Wilhelm bouleversa de ses inventions. Si c'est à ses travaux sur l'énergie thermique[1] qu'il consacra le plus de temps, il maîtrisait aussi les techniques électriques ; le premier il attira l'attention sur l'importance du courant fort et de l'éclairage électrique. Aussi bien son compteur d'eau[2] que le fruit de ses recherches en métallurgie, le procédé Siemens-Martin[3], modifièrent les pratiques de production et de consommation de son temps. Son audace le conduisit à entreprendre de grandioses réalisations, notamment la pose de milliers de kilomètres de câbles télégraphiques. Malgré les relations quelque peu tendues avec Werner, les deux frères restèrent soudés. Werner et l'entreprise Siemens doivent beaucoup à Wilhelm qui diffusa en Angleterre les idées et inventions de son aîné.

Clotilde Cadi, *Siemens du capitalisme familial à la multinationale*, Éditions Hirle, 2010, p. 57.

1. C'est-à-dire sur l'amélioration de la machine à vapeur.
2. Développé pour facturer les ménages au prorata de leur consommation d'eau courante qui se généralise chez les particuliers des grandes villes d'Europe de l'Ouest dans la seconde moitié du XIXe siècle.
3. Obtention d'un acier de qualité à partir de déchets dans un four à très haute température.

Échelle logarithmique

100 000
50 000

Tramway électrique **1881**

Câbles téléphoniques transmanche **1907-1911**

10 000
5 000

Central téléphonique **1881**

1 000
500

Aspirateur **1906**

100
50

Télégraphe **1848**

10
5

1847 : Werner Siemens fonde la compagnie.

Dynamo **1866**

—— Nombre d'employés

—— Chiffre d'affaires en millions de marks

10 000

1847   1860   1870   1880   1890   1900   1910

1 : Siemens, 70 ans d'innovations

L'axe des ordonnées suit une échelle logarithmique qui permet de mettre en valeur les évolutions. Par exemple, en 1880, le chiffre d'affaires de Siemens est d'environ 5 milliards de marks et l'entreprise compte quelque 750 employés.

Les débuts : 4 frères Siemens, 4 pays

• Werner (1819-1895) : le fondateur, resté à Berlin.

• Wilhelm (1820-1883) : il crée la première filiale du groupe en **Angleterre**.

• Friedrich (1826-1904) : dirige des filiales en Allemagne, en **Autriche** et dans toute l'**Europe orientale**.

• Carl (1829-1906) : représente la firme à **Londres** pour l'Exposition universelle de 1851 puis travaille à **Paris**. Il développe Siemens en **Russie**.

Vocabulaire et notions

• **Innovation** : application d'une invention à un processus de production.

• **Konzern** : groupe d'entreprises contrôlé par une seule famille, typique du capitalisme allemand.

• **Multinationale** : entreprise dont les activités sont réparties entre plusieurs États.

• **Société anonyme par actions** : entreprise dont le capital est divisé en actions échangeables à la Bourse. Chaque détenteur d'une action reçoit une fraction des bénéfices (dividendes) de la société.

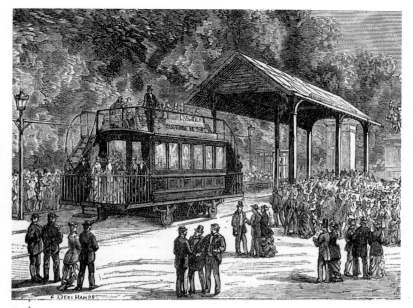

3 **Tramway électrique Siemens à l'Exposition universelle d'électricité à Paris (1881)**

Mis en service la même année près de Berlin, il est présenté à Paris où il transportait 40 personnes à la fois de la place de la Concorde au Palais de l'Industrie. Gravure de Deschamps d'après un dessin de G. Guiraud.

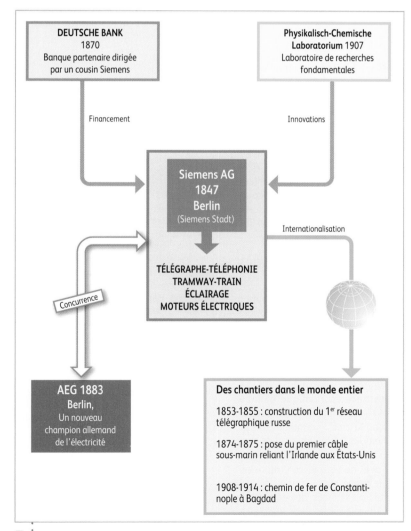

5 **Siemens, un groupe industriel puissant en 1913**

4 **Siemens au service de la percée de l'Empire allemand au Moyen-Orient (1908-1914)**

Nouvelle venue parmi les puissances impérialistes au Moyen-Orient, l'Allemagne investit financièrement dans l'Empire ottoman depuis la fin du XIXe siècle. Né de la conjonction des activités de la Deutsche Bank[1] et des prouesses technologiques de l'industrie allemande – Siemens en premier lieu – le célèbre Bagdad-Bahn, le chemin de fer de Bagdad, établit une liaison directe de Berlin à Bagdad le 2 juin 1914. En effet c'est à cette date qu'est achevé le tronçon de 1 600 kilomètres reliant Konya en Anatolie à Bagdad au cœur de la Mésopotamie via Adama, Alep et Mossoul. Chef-d'œuvre d'ingénierie, le Berlin-Bahn remplissait un but commercial et stratégique : établir une liaison directe vers l'Orient et au-delà vers l'Inde sans emprunter le canal de Suez au cas où un conflit en bloquerait l'accès aux navires allemands. Le projet original prévoyait de prolonger la ligne jusqu'à Bassorah et d'établir un port au fond du golfe Persique sur les plages désertiques de l'Émirat de Koweït.

Taline Ter Minassian, *Reginald Teague-Jones au service de l'Empire britannique*, Grasset, 2012.

1. Deutsche Bank : grande banque privée dont l'un des fondateurs est Johann Georg von Siemens, neveu des frères Siemens.

BAC

Consigne 1. À l'aide des documents 1 et 2, expliquez de quelles manières l'innovation est au cœur de la croissance de l'entreprise Siemens.

Pour vous aider pensez à :

– Montrer comment les innovations permettent à Siemens de diversifier ses productions (doc. 1 et 2).
– Identifier les formes que prend la croissance de la société (doc. 1 et 2).

Consigne 2. À partir de l'étude du document 2, analysez les moyens utilisés par la firme Siemens pour devenir une entreprise multinationale.

Consigne 3. À partir du document 4, montrez que la puissance de l'entreprise Siemens est au service de la puissance de l'État allemand.

Pour vous aider pensez à :

– Expliquer comment la firme sert les intérêts internationaux de l'État allemand (doc. 4).

2 L'économie-monde britannique (1850-1914)

▶ Comment le Royaume-Uni s'impose-t-il comme le centre de la première économie-monde au milieu du XIXe siècle ?

A La richesse du libéralisme, la manne du charbon

Étude pages 22-23

◾ **Le Royaume Uni est la terre du libéralisme politique et économique.** Le pluralisme politique instauré depuis la « *Glorious Revolution* » de 1688 (le « modèle de Westminster ») est adopté dans les dominions. Le libéralisme est aussi une doctrine économique : la liberté d'entreprendre théorisée par les économistes Adam Smith (1723-1790) et David Ricardo (1772-1823) favorise l'innovation et les échanges.

◾ **Le Royaume-Uni est le premier pays à appliquer le libre-échange.** Le pays développe une marine pour se défendre et commercer. Les échanges avec l'Amérique du Nord s'avèrent décisifs au XIXe siècle. États-Unis et Canada deviennent une source illimitée de matières premières (coton, tabac, minerai de fer) et un immense marché pour l'industrie du Royaume-Uni. L'Inde est aussi au service de l'économie britannique, la colonisation s'étant accompagnée de la destruction de l'industrie cotonnière locale.

◾ **De ses contraintes géographiques la Grande-Bretagne a su tirer des atouts.** Sans grande richesse agricole, le pays peut compter sur de vastes réserves de charbon, au pays de Galles, qui seront la force de l'industrie britannique jusque vers 1950.

B Le monopole des innovations techniques et industrielles jusqu'en 1850

Étude pages 24-25 + doc. 1 et 2

◾ **La machine à vapeur améliorée par James Watt en 1769** révolutionne le secteur des mines (pompage de l'eau) ou des transports (train, navires). L'énergie de la vapeur anime aussi des métiers à tisser mécaniques : le Royaume-Uni exporte dans le monde entier des produits textiles à bas prix (les cotonnades de Manchester).

◾ **La production d'acier très coûteuse est un des fondements de la puissance industrielle britannique.** Le procédé d'Henry Bessemer en révolutionne la production en 1856 : l'acier devient un matériau bon marché pour le bâtiment, le chemin de fer ou la construction mécanique. En 1851, Londres organise la première Exposition universelle de l'histoire au Crystal Palace, un spectaculaire hall de verre et d'acier.

◾ **Dès 1838, le télégraphe électrique permet les échanges d'informations (cours de la Bourse, ordres aux armées).** À la fin du siècle, Londres est la seule nation à détenir un réseau télégraphique intercontinental de câbles sous-marins, la « All Red Line ».

C Une puissance financière qui masque un déclin industriel à partir de 1880 doc. 3

◾ **Dès 1880, l'industrie britannique est dépassée** par celle des États-Unis puis, à partir de 1900, par celle de l'Allemagne. Ces pays maîtrisent mieux les innovations de la deuxième révolution industrielle dans le domaine de l'automobile ou de l'électricité (spécialité de la firme allemande Siemens), thème de la grande Exposition universelle de Paris en 1900. **L'industrie manque d'investissements** car les capitaux sont utilisés par la Bourse ou filent vers l'étranger : 32 % du revenu britannique y est investi en 1914.

◾ **Mais en 1914, Londres demeure la première puissance économique globale.** Le rôle dominant du pays dans les échanges mondiaux – un quart de la production britannique est exporté en 1914 – fait de la livre sterling la première monnaie internationale. Les profits engrangés par les firmes britanniques renforcent les banques de la place financière de Londres, la City.

◾ **L'économie-monde britannique s'étend bien au-delà de son vaste empire colonial** (1/5 des terres émergées) : Paris – longtemps le grand rival – signe en 1860 un traité de libre-échange avec Londres ; de petites puissances deviennent de véritables satellites économiques : l'Argentine vers 1914 est couramment appelée le « 5e dominion ». Le choix en 1884 du méridien de Greenwich comme origine des fuseaux horaires symbolise cette domination britannique sur le monde.

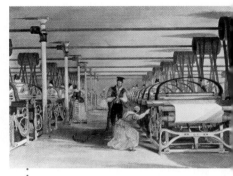

1 **Un métier à tisser mécanique à vapeur vers 1860**

Les métiers à tisser mécaniques, innovation anglaise, permettent au Royaume-Uni d'être la première puissance textile. À gauche, une courroie de transmission relie le métier à une machine à vapeur. Ces métiers sont en outre achetés dans le monde entier.

Vocabulaire et notions

• **Dominions** : anciennes colonies au peuplement européen comme le Canada, la Nouvelle-Zélande, l'Australie et l'Afrique du Sud qui reçoivent une indépendance limitée, leur politique étrangère restant contrôlée depuis Londres…

• **Machine de Watt** : machine à vapeur perfectionnée construite par James Watt en 1769. Elle sera la base du machinisme jusqu'à l'invention des moteurs thermiques et électriques un siècle plus tard.

• **Libéralisme** : doctrine politique qui affirme la liberté mais aussi la propriété comme des droits essentiels des individus.

• **Glorious Revolution** : c'est la seconde révolution anglaise. Elle se traduit en 1688 par l'avènement d'une nouvelle dynastie, la fin de l'absolutisme et un rôle accru du Parlement : le roi est soumis à la loi.

• **Libre-échange** : échange sans droits de douane, à l'inverse du protectionnisme.

• **Méridien de Greenwich** : méridien passant par l'observatoire astronomique de Greenwich dans la banlieue de Londres. En octobre 1884, la conférence internationale du Méridien adopte un temps universel de 24 heures, débutant à minuit à Greenwich.

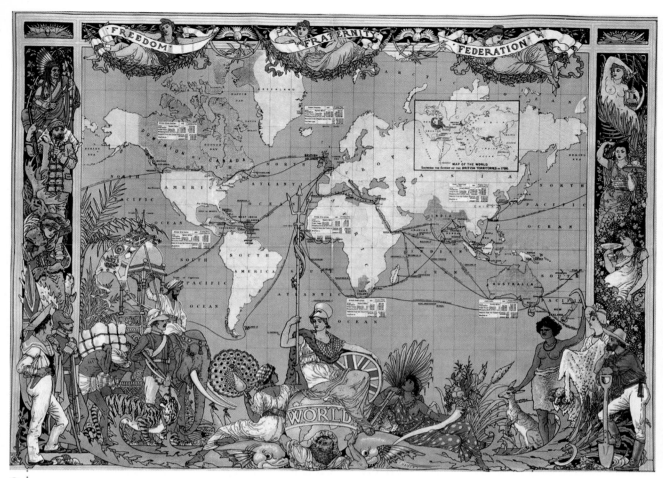

2 : L'Empire britannique, un des piliers de la puissance britannique
Carte de l'extension de l'Empire colonial britannique en 1886.

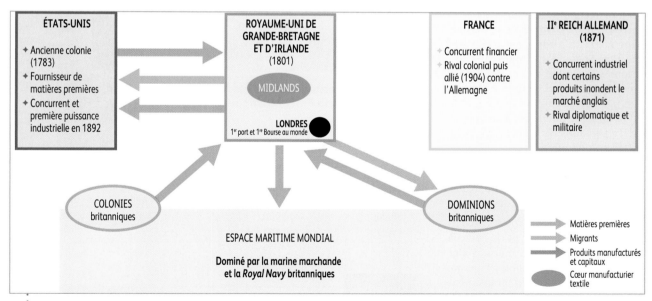

3 : L'économie-monde britannique vers 1914

 ┌─ Questions ─┐

1. Montrez comment l'Empire colonial contribue à la mise en place d'une mondialisation britannique (doc. 2).

2. Identifiez les éléments qui fondent la puissance britannique vers 1914 (doc. 3).

3. Expliquez comment les échanges au sein de l'économie-monde britannique sont au service de la Grande-Bretagne (doc. 3).

Le fordisme, un capitalisme du bien-être ?

Capacités travaillées

II.1.2 Prélever et confronter des informations

II.1.4 Critiquer un document

II.2.4 Passer de l'observation à la description

Henry Ford motive les ouvriers par le « *5 dollars a day* » (journée de travail à 5 dollars, le double du salaire habituel). Ce « *welfare capitalism* » (capitalisme du bien-être) où l'ouvrier est bien payé grâce au fordisme et où il se fatigue moins grâce à l'organisation scientifique du travail a pour contrepartie une surveillance de tous les instants.

▶ **Comment une méthode d'assemblage des automobiles a-t-elle transformé la condition ouvrière ?**

A   Une organisation scientifique du travail

1   Mieux organiser le travail

Une voiture Ford est composée d'environ cinq mille pièces […]. Notre première manière de faire l'assemblage consistait à monter notre voiture sur place, les ouvriers apportant les pièces au fur et à mesure qu'il en était besoin […]. L'augmentation rapide de la production nous obligea à imaginer un système pour éviter que les ouvriers ne se gênassent mutuellement. Les travailleurs mal dirigés passent plus de temps à courir après les matériaux ou les outils qu'à travailler, et ils touchent un faible salaire, parce que la marche à pied n'est pas une occupation rémunératrice. Notre premier progrès dans l'assemblage consista à apporter le travail à l'ouvrier. Aujourd'hui, toutes nos opérations s'inspirent de ces deux principes. Nul homme ne doit avoir plus d'un pas à faire ; autant que possible, nul homme ne doit avoir à se baisser. Il n'y a pas dans les ateliers une pièce qui ne soit en mouvement. Les unes, suspendues en l'air par des crochets à des chaînes, se rendent à l'assemblage dans l'ordre exact qui leur est assigné. […] Le résultat de l'application de ces principes est de réduire pour l'ouvrier la nécessité de penser et de réduire ses mouvements au minimum. Il doit parvenir autant que possible à faire une seule chose avec un seul mouvement. […] En octobre 1913, il fallait 9 h 54 minutes pour assembler un moteur. Six mois plus tard, par l'assemblage mouvant, ce temps avait été réduit à 5 h 56 minutes.

Henry Ford, *Ma vie, mon œuvre*, Paris, Payot, 1925.

Treuil limitant les efforts et les déplacements des ouvriers.

Convoyeurs : rails sur lesquels défilent lentement les pièces devant les ouvriers.

Vis et écrous classés par taille à disposition dans des bacs.

2   Ligne de production de volants dans l'usine Ford de Highland Park, Michigan, en 1913

3   Le fordisme : toujours plus, plus vite et moins cher

Année	Nombre d'automobiles produites dans les usines Ford	Temps de construction pour la Ford T	Prix d'une Ford T
1910	120 000	14 heures	900 dollars
1913	200 000	12 heures	500 dollars
1927	5 000 000	1 heure	290 dollars

Biographie

Henry Ford (1863-1947)

Fils de fermiers immigrés d'Europe, il travaille d'abord comme ingénieur dans une des sociétés de Thomas Edison. Puis il fonde la Ford Motor Company en 1903. Il y adapte les théories de l'organisation scientifique du travail de F.W. Taylor – le taylorisme –, inaugurant le 7 octobre 1913 la première ligne de montage de l'histoire dans son usine d'Highland Park (Michigan).

Notion

• **Fordisme** : méthode de production appliquée au départ par Ford dans l'automobile combinant la décomposition du travail industriel en tâches élémentaires (taylorisme) et la distribution d'augmentations de salaires proportionnelles aux gains de productivité.

B Un *welfare capitalism* (capitalisme de bien-être) ?

4 : La théorie des hauts salaires ouvriers

La fixation du salaire de la journée de huit heures à cinq dollars fut une des plus belles économies que j'aie jamais faite ; mais en le portant à six dollars j'en fis une plus belle encore.

[...] En sous-payant les hommes nous préparons une génération d'enfants sous-alimentés et sous-développés, aussi bien physiquement que moralement : nous aurons une génération d'ouvriers faibles de corps et d'esprit, et qui pour cette raison se montreront inefficaces quand ils entreront dans l'industrie. En définitive c'est l'industrie qui paiera la note. Notre propre réussite dépend en partie de ce que nous payons. Si nous répandons beaucoup d'argent cet argent est dépensé ; il enrichit les négociants, les détaillants, les fabricants et les travailleurs de tous ordres ; et cette prospérité se traduit par un accroissement de la demande pour nos automobiles.

Henry Ford, *Ma vie, mon œuvre*, Paris, Payot, 1925.

5 : « C'est de chimpanzés dont nous avons besoin »

Le docteur Céline qui a publié des études sur le service sanitaire des usines Ford donne ici la parole à son narrateur, Ferdinand Bardamu qui cherche du travail à Détroit.

« Ça ne vous servira à rien ici vos études, mon garçon ! Vous n'êtes pas venu ici pour penser, mais pour faire les gestes qu'on vous commandera d'exécuter... Nous n'avons pas besoin d'imaginatifs dans notre usine. C'est de chimpanzés dont nous avons besoin ... »

Une fois rhabillés, nous fûmes répartis en files traînardes, par groupes hésitants en renfort vers ces endroits d'où nous arrivaient les fracas énormes de la mécanique. Tout tremblait dans l'immense édifice et soi-même des pieds aux oreilles possédé par le tremblement, il en venait des vitres et du plancher et de la ferraille, des secousses, vibré de haut en bas. On en devenait machine aussi soi-même à force et de toute sa viande encore tremblotante dans ce bruit de rage énorme…

Louis-Ferdinand Céline, *Voyage au bout de la nuit*, Gallimard, 1932.

6 : L'extension du fordisme aux services

« Trente minutes pour prendre la commande, préparer la pizza, la faire cuire et la livrer par tous les temps, cela demande une main-d'œuvre docile. Et une bonne dose de management à la dure. » [...] Dans la restauration rapide, le client doit être vite servi, le travail doit être vite exécuté. Tout est chronométré, pas de gestes inutiles, pas de parole en l'air, le client attend. [...] Dans les centres d'appel, l'organisation du travail est aussi taylorisée. Chez Timing, un sous-traitant de SFR, les 500 opérateurs répartis sur 5 niveaux traitent jusqu'à 80 000 appels par jour. 48 secondes : c'est la durée moyenne des communications avec 7 secondes de pause entre chaque appel. [...] La division du travail est forte : prise de commande, renseignement de type annuaire…, ces services se prêtent à une hyper-spécialisation, à des cadences soutenues, le tout agrémenté d'écoutes, de surveillance de la part des supérieurs.

E. Jardin, « L'univers taylorien appartient-il au passé ? », *Mutation et organisation du travail*, Bréal, 2005.

7 : Une organisation fordiste dans une chaîne de fast-food, McDonald's

S'initier au travail de l'historien

A Vous allez définir le fordisme en vous appuyant sur les écrits de son inventeur

1. Expliquez en quoi consiste l'organisation scientifique du travail appliquée dans les usines Ford et son intérêt (doc. 1).

2. Comment Henry Ford justifie-t-il sa politique de hauts salaires versés aux ouvriers (doc. 1) ?

B Comment le fordisme a-t-il changé l'économie mondiale ?

3. Décrivez la photographie en montrant en quoi l'application du fordisme est moderne. Quelle place laisse-t-il aux ouvriers (doc. 2 et 4) ?

4. Comment se traduit l'application du fordisme dans le secteur des services (doc. 6 et 7) ?

C Quelle critique peut-on adresser au fordisme ?

5. À quelle déqualification du travail Bardamu fait-il allusion à travers la métaphore de l'ouvrier-chimpanzé ? (doc. 5)

6. Le contrôle du travailleur que mentionne le document 6 est-il propre au secteur des services ?

Consigne BAC L/ES

Critiquez la notion de *welfare capitalism* présentée dans le document 4 en vous aidant du document 6.

L'informatique, une nouvelle technologie américaine au service de la mondialisation

L'informatique est née des besoins de l'armée en cryptographie (chiffrage) et en calcul balistique durant la Seconde Guerre mondiale. Cette technologie va accélérer la mondialisation à la fin du XXᵉ siècle grâce à l'ordinateur individuel (années 1970) puis au réseau Internet inventé pour les besoins militaires en 1969 (ARPANET) et disponible pour le grand public dans les années 1990.

▶ **Pourquoi l'informatique est-elle dominée par les États-Unis depuis sa création ?**

1939					2000	

1939
Fondation de la première entreprise de la SILICON VALLEY, Hewlett-Packard

1965
Première loi de Gordon MOORE, « La complexité des circuits intégrés double tous les deux ans à prix constant »

1971
Premier microprocesseur INTEL (É.-U.)

1975
Création de Microsoft

1977 Création d'Apple

1990
Naissance du World Wide Web

2010
350 millions d'ordinateurs vendus dans le monde cette année-là

1 Le premier ordinateur, un outil au service de l'US Army

La construction de l'ENIAC (Electronic Numerator, Integrator, Analyzer and Computer) a été réalisée en novembre 1945 à l'université de Pennsylvanie. Lors de sa première démonstration publique en 1946, l'ENIAC additionna 5 000 nombres en une seconde et calcula en 20 secondes la trajectoire d'un projectile (là où un calculateur humain mettait 3 jours) : il devait servir aux calculs balistiques de l'artillerie américaine.

2 Une approche américaine des relations dans l'entreprise

Hewlett-Packard est la première entreprise d'électronique puis d'informatique fondée dans la Silicon Valley, dans un garage de Palo Alto en 1939. Ses deux créateurs Bill Hewlett et David Packard ont révolutionné le management.

David Packard et William Hewlett ne se sont pas contentés de créer l'un des plus grands groupes de high-tech. Ils ont révolutionné le management et inspiré des milliers de fondateurs de start-up. Leur apport : considérer que ce sont les salariés, et non les produits, qui constituent la ressource la plus précieuse d'une entreprise. Une approche désormais connue sous le nom de « The HP Way ». [...] À l'époque, les méthodes de management classiques reposent sur une structure hiérarchisée et l'obéissance silencieuse de l'employé. Hewlett et Packard imaginent une autre voie. « Nous croyions énormément aux gens. Pour nous, l'objectif était que chacun cherche à s'amuser et à s'accomplir dans son travail », écrira plus tard David Packard dans *The HP Way*. [...]
Dès les années 1950, HP travaille en *open space*. [...] L'entreprise fut aussi l'une des premières à promouvoir le travail à temps flexible, à proposer des cours du soir, des bonus proportionnels aux résultats et un système d'assurance maladie. En 1957, lorsque Hewlett-Packard fit son entrée en Bourse, tous les employés se virent accorder des actions.

Imanol Corcostegui, *Capital*, juillet 2010.

Vocabulaire et notions

• **Informatique** : traitement automatique de l'information dont les usages se développent à partir des années 1960. Ses applications sont à la fois les logiciels et les ordinateurs. La mise en réseau de ceux-ci débouche au début des années 1990 sur l'actuel internet grand public.

• *Management* : ensemble des méthodes de gestion du personnel au sein de l'entreprise visant à accroître la motivation et l'efficacité, en particulier des cadres.

• **Silicium** : élément chimique qui entre dans la composition du verre mais aussi, depuis le milieu du XXᵉ siècle, dans les transistors informatiques.

• **Technopole** : regroupement d'entreprises de haute technologie autour d'un ou plusieurs centres universitaires et de recherches : la Silicon Valley en est le modèle.

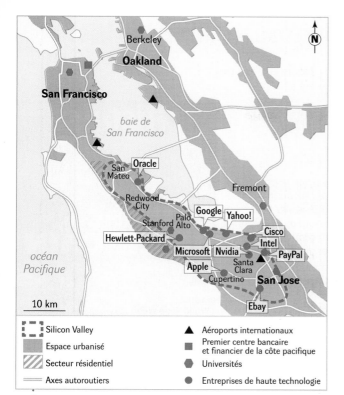

3 : **La Silicon Valley près de San Francisco en 2015**
La « vallée du silicium », berceau de l'informatique et des
technopoles.

Légende de la carte :
- Silicon Valley
- Espace urbanisé
- Secteur résidentiel
- Axes autoroutiers
- Aéroports internationaux
- Premier centre bancaire et financier de la côte pacifique
- Universités
- Entreprises de haute technologie

5 : **L'informatique, un moteur du capitalisme américain**

Aucune autre technologie nouvelle que l'informatique
n'a été à ce point dominée par l'industrie américaine.
[...] Les firmes et les entrepreneurs américains ont été
massivement présents à chacune des étapes décisives
de cette technologie. Ils ont même inventé ces étapes.
Du lendemain de la guerre à la fin des années 1970, les
ordinateurs sont des machines coûteuses et complexes
qu'exploitent des ingénieurs au service de l'armée ou
des grandes compagnies. [...]
La seconde étape à partir des années 1980 est celle de
la micro-informatique, soit l'appropriation individuelle
du computer qui rentre dans le bureau des cols blancs
puis dans leur salon ; de nouveaux champions apparaissent qui dépassent voire déclassent les géants de
l'ère précédente : APPLE, MICROSOFT, HP ou DELL qui
révolutionne aussi la façon de vendre des ordinateurs.
Enfin avec l'informatique en réseau apparaissent des acteurs
entièrement nouveaux – GOOGLE, AMAZON, FACE-
BOOK – qui constituent avec APPLE les « fantastic four[1] »
de l'industrie américaine des années 2000, mais aussi les
nouveaux géants du New York Stock Exchange, reléguant
loin derrière les GM, EXXON et autres WAL MART. [...]
Le secteur de l'informatique est l'exemple même des
capacités de renouvellement et de réinvention du capitalisme américain.

Philippe Destrier-Chassaing, « L'informatique
une odyssée américaine », *L'Usine nouvelle*, 2010.

1. Les « quatre fantastiques », nom d'un groupe de super-héros
de bande dessinée imaginé par la société Marvel comics. Employé
ici métaphoriquement pour désigner les géants de l'informatique
comme APPLE dont la capitalisation boursière atteint les premiers
rangs mondiaux.

4 : **Le cyberespace, un territoire américain ?**

Internet est une infrastructure de communication dépourvue d'autorité centrale. [...] Le département américain du
Commerce a donc confié à l'IANA la gestion du système
des noms de domaine, le DNS (*Domain Name System*), qui
permet de convertir les adresses IP, c'est-à-dire l'adresse
numérique attribuée à chaque ordinateur raccordé à
Internet, en noms intelligibles et mémorisables, les noms
de domaine (comme <ladocumentationfrancaise.fr>).
[...]. Or, bien que géré par l'IANA, le DNS est resté sous
la supervision du département américain du Commerce.
Cette concentration de pouvoir étant à l'origine de tensions internationales, la gestion du DNS fut confiée, en
1998, à une organisation californienne de droit privé,
l'*Internet Corporation for Assigned Names and Numbers*[1]
qui assure désormais les fonctions de l'IANA.

D'après Bernard Benhamou, « Les nouveaux enjeux
de la gouvernance d'Internet », in *Regards sur l'actualité*
n° 327, *La Documentation française*, janvier 2007.

1. Internet Corporation for Assigned Names and Numbers (ICANN)
ou Société pour l'attribution des noms de domaine et des numéros
sur Internet : entreprise privée de droit californien à but non lucratif ;
son autorité de régulation de la Toile mondiale s'impose de fait à
l'ensemble du monde.

6 : **Magasin Apple en Chine**

BAC

Consigne 1. À l'aide des documents 2 et 5, expliquez
comment le secteur de l'informatique aux États-Unis a
métamorphosé le capitalisme américain.

Pour vous aider pensez à :
– Expliquer les nouvelles relations de travail mises en
place au sein de l'entreprise HP (doc. 2).
– Montrer comment l'informatique a fait naître à chacune des étapes de son développement technologique
une nouvelle génération de firmes (doc. 5).

Consigne 2. À l'aide du document 1 et de la chronologie,
caractérisez l'évolution des appareils informatiques
conçus aux États-Unis depuis la fin de la Seconde Guerre
mondiale.

Consigne 3. En vous appuyant sur l'analyse des documents
1 et 4, montrez que l'informatique est au service de la
puissance économique et stratégique des États-Unis.

Pour vous aider pensez à :
– Relever les applications des innovations informatiques
(doc. 1 et 4).
– Expliquer le fonctionnement du réseau Internet (doc. 4).

▶ Pourquoi le XXᵉ siècle est-il qualifié de « siècle américain » ?

A Les États-Unis dominent l'industrie mondiale en s'appuyant sur les ressources de la nature et du capitalisme

Étude pages 28-29 + doc. 1

■ **Les États-Unis doivent leur domination industrielle à d'immenses ressources naturelles** valorisées par le capitalisme et la technologie. Au cours du XXᵉ siècle, le blé des Grandes Plaines, le minerai de fer ou le charbon des Appalaches et des Grands Lacs, le pétrole du Texas puis de l'Alaska, et le gaz de schiste du Dakota au début du XXIᵉ siècle ont alimenté l'industrie. **De grandes firmes industrielles**, comme US Steel (acier) ou la Standard Oil (pétrole), **transforment ces matières premières**.

■ **Les entreprises américaines sont à la pointe d'innovations majeures**. General Electric commercialise entre autres les premières ampoules électriques. Le fordisme mis au point dans l'entreprise que Henry Ford a créée en 1903 favorise la production de masse et l'essor d'une société de consommation dès les années 1920. Steve Jobs (1955-2011), le fondateur en 1975 de la firme Apple, s'inscrit dans la continuité de ces entrepreneurs.

■ **La première des ressources des États-Unis sont les grands espaces américains : ils attirent les migrants du monde entier, entrepreneurs ou simples fermiers** ; d'Europe jusqu'aux années 1920 puis d'Amérique latine et d'Asie à partir des années 1960. En 1990, un Américain sur huit n'est pas né aux États-Unis. Un immense marché intérieur en résulte : les États-Unis atteignent 100 millions d'habitants en 1914, 200 millions en 1965, 300 millions en 2005.

B Les conflits mondiaux renforcent la domination et l'internationalisation de l'économie américaine Doc. 1

■ **La Grande Guerre endette l'Europe et enrichit l'Amérique** dont l'économie est dopée par les livraisons et les prêts aux pays de l'Entente. En 1918, New York remplace Londres comme premier port mondial. Une preuve indirecte du poids mondial de l'économie américaine est fournie par la crise de 1929 qui, née aux États-Unis, s'internationalise en quelques mois.

■ **Mais « le siècle américain » proprement dit commence en 1941** lorsque les États-Unis entrent dans la Seconde Guerre mondiale. En 1945 le pays possède 80 % des réserves d'or et assure 50 % de la production manufacturée mondiales.

■ **La *pax americana* – la paix américaine** – s'étend après guerre à travers un ensemble d'institutions qui réorganisent aussi l'économie du monde : la Banque mondiale ou le Fonds monétaire international qui siègent à Washington ; le GATT qui témoigne que les États-Unis auparavant protectionnistes ont désormais intérêt au libre-échange. La guerre froide conduit à une internationalisation économique croissante du camp occidental, notamment par le plan Marshall, à l'opposé du « splendide isolement » britannique du XIXᵉ siècle.

C Des technologies et un mode de vie qui changent le monde

Étude pages 30-31 + doc. 2

■ L'*American Way of Life* est une idéologie du bien-être que les grandes firmes diffusent avec leurs produits dans le monde entier. Certains font rêver à l'instar des « Belles Américaines », les énormes automobiles fabriquées à Detroit ou les avions à réaction comme le Boeing 747 ; d'autres transforment le quotidien comme les produits d'hygiène de Procter & Gamble ou les barres chocolatées de la firme Mars.

■ **Les États-Unis diffusent une culture de masse et une contre-culture. Les films d'Hollywood colonisent les imaginaires** : avec le western les Américains font de leur propre histoire un genre cinématographique en soi. Les chansons rock ou rap disent la révolte des jeunes ou des minorités ethniques. En 1973, à Hawaï, Elvis Presley donne le premier concert retransmis par satellite : plus d'un milliard de personnes dans 54 pays en bénéficient.

■ **Dès les années 1960 les États-Unis prennent la tête de la 3ᵉ révolution industrielle** qui leur permet, dans les années 1980, de rebâtir leur hégémonie économique ébranlée par la crise des années 1970. Autour de l'informatique, une nouvelle génération d'entreprises mondiales émerge alors comme Apple ou Microsoft.

1 *Hard et soft power* **des États-Unis.** Collections de l'*Histoire* n° 56, juillet 2012.

Biographie

Thomas Edison
(1847-1931)
Thomas Edison dépose près de 1 000 brevets concernant le phonographe, le télégraphe, la pile alcaline, l'ampoule à incandescence… Type même de l'inventeur entrepreneur, il fonde la firme General Electric dès 1889 et y coordonne des centaines de chercheurs : « C'était notre Edison », déclare le président Obama en 2011 à la mort de Steve Jobs.

Vocabulaire et notions

• **Banque mondiale et Fonds monétaire international (FMI)** : institutions économiques du système onusien dont le siège est à Washington. Elles sont créées en 1944 pour assurer le développement et les grands équilibres financiers du monde.

• **GATT** : accord général sur les tarifs douaniers et le commerce. De 1947 à 1994, cette organisation négocie entre ses membres une baisse graduelle des droits de douane de 40 % environ à 4 % au moment où l'OMC la remplace.

• *Hard power* (« puissance dure ») : pouvoir de contraindre le plus souvent militaire.

• **Internationalisation (d'une économie)** : accroissement des échanges commerciaux avec l'étranger mais aussi des investissements directs extérieurs (IDE).

• **Plan Marshall** : plan d'aide à l'Europe et à la Turquie présenté par le secrétaire d'État George Marshall en 1947 et appliqué de 1948 à 1952.

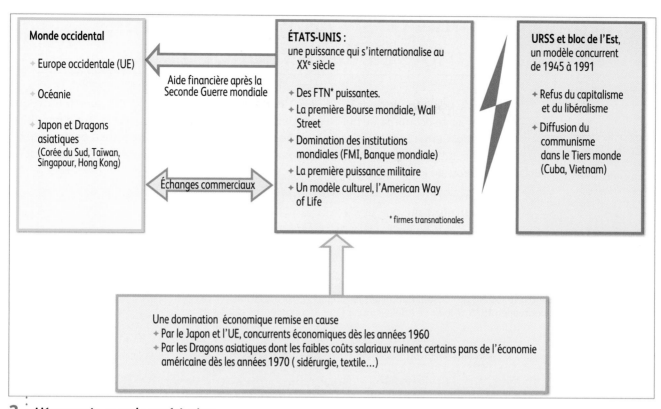

2 L'économie-monde américaine

3 Innovations et immigration aux États-Unis dans la seconde moitié du XXᵉ siècle

Un pays dont la croissance nourrie par l'innovation attire les migrants du monde entier.

	1940-1949	1950-1959	1960-1969	1970-1979	1980-1989	1990-1999
Inventions-clés	– Ordinateur – Bombe atomique (Oppenheimer, né aux États-Unis, et Fermi, réfugié d'Italie fasciste)	– Jet à réaction civil – Contraception hormonale	– Vaisseau lunaire (Werner von Braun, né en Allemagne) – Laser	– Microprocesseur (1969, par Marcian Hoff, né aux États-Unis, et Federico Faggin, né en Italie, pour la société Intel)	– Navette spatiale – Ordinateur portable – Organisme génétiquement modifié (OGM)	– Nanotechnologie – Réseau Internet
Taux de croissance annuel moyen du PIB (en %)	6	2,5	3,7	3,2	3,5	3,9
Cumul des migrants sur la décennie (en millions)	1	2,5	3,3	4,2	6,2	9,9
Population totale en début de décennie (en millions)	132	151	179	203	227	249

Vocabulaire et notions

• *Soft power* (« puissance douce ») : capacité d'influence et d'attraction d'un modèle culturel.

• **Troisième révolution industrielle** : nouvelles technologies apparues après la Seconde Guerre mondiale : nucléaire, génomique, aérospatial, informatique.

Questions

1. En quoi la couverture de ce magazine montre-t-elle la puissance globale des États-Unis (doc. 1) ?

2. Relevez les éléments qui permettent la mise en place d'une mondialisation américaine au XXᵉ siècle. Quels sont les freins à cette mondialisation (doc. 2) ?

3. Quelle place occupe l'immigration dans la croissance démographique américaine et dans l'émergence de nouvelles technologies (doc. 3) ?

1990-2015 : comment la Chine change-t-elle le monde ?

L/ES | **S**

Capacités travaillées

II.1.2 Prélever et confronter des informations

II.1.4 Critiquer un document

II.2.1 Décrire une situation historique

Pays du tiers-monde dans les années 1960, la Chine connaît depuis 1980 une fantastique croissance économique qui en a fait, en une génération, un nouveau centre d'impulsion du monde. Cette réussite repose sur le choix fait par les autorités chinoises à partir de la fin des années 1970 d'ouvrir le pays au commerce mondial. Le rayonnement de la Chine est un des aspects de la mise en place d'une économie-monde multipolaire.

▶ **Comment la Chine est-elle devenue un nouveau centre d'impulsion au tournant du XXIe siècle ?**

1949 — 2012

1949-1976
Fermeture de la Chine communiste de Mao aux influences économiques occidentales

1978
Politique de réformes de Deng Xiaoping : ouverture commerciale et libéralisation de l'économie

2010
Exposition universelle de Shanghai

2012
Chine, 1re puissance commerciale mondiale

1 330 milliards de dollars de réserve

Je suis terriblement désolé… mais si les choses ne changent pas… je vais être obligé de prendre des sanctions commerciales afin de…

Réévaluez le yuan !!

Merci beaucoup pour ce conseil !

Juste une petite question… Avez-vous votre maillot de bain ?

1 — Les États-Unis et la Chine parlent argent…

La faiblesse de la monnaie chinoise, le yuan, favorise les exportations du pays mais alourdit le déficit commercial des États-Unis.
En cas de réévaluation du yuan, cependant, les Chinois inonderaient le marché financier américain, ce qui provoquerait une dévaluation du dollar.
Caricature de Kevin Kallaugher.

Notion

• **Économie-monde multipolaire** : économie-monde qui n'est plus organisée par une seule puissance économique mais autour de différents pôles de puissance.

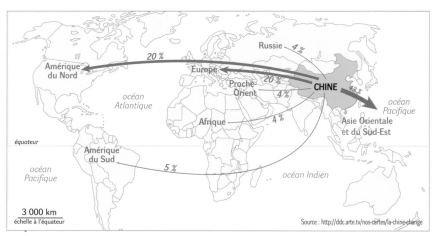

Source : http://ddc.arte.tv/nos-cartes/la-chine-change

2 — Les principales destinations des exportations chinoises en 2011

3 La Chine, nouvelle puissance économique

Les réformes engagées à partir de 1978 par le « petit timonier » [Deng Xiaoping], l'inventeur du socialisme de marché, ont entraîné un décollage spectaculaire de l'économie chinoise. Le secret de ce pari gagnant ? À la stratégie maoïste de la forteresse (« compter sur ses propres forces »), Deng a substitué la stratégie de l'ouverture (« utiliser la force des autres »). La mondialisation devient un gigantesque levier qui apporte à la Chine ce qui lui manque à l'origine, capitaux et technologies, puis lui fournit les carburants de sa croissance, les marchés des pays riches, les ressources naturelles des pays en développement. [...] [La] pluie d'investissements qui a implanté 60 000 entreprises étrangères et qui fournit du travail à 25 millions de salariés a transformé la Chine en « usine du monde », une usine qui fabrique 85 % des tracteurs mondiaux, 75 % des montres et horloges, 70 % des jouets... [...] Le déferlement des produits chinois en Occident est particulièrement spectaculaire en matière de textile et vêtements.

Régis Bénichi, « Made in China », in *Les Collection de l'Histoire* n° 38, janvier 2008.

La peur américaine face à la Chine

Panda qui symbolise la Chine

Empire State Building situé à Manhattan, il est un des symboles de la puissance américaine

4 La concurrence Chine – États-Unis

Couverture de *The Economist*, 19 mai 2007.
Le montage reprend une scène mythique du cinéma américain : dans le film *King Kong* de 1933, le gorille géant escalade cet l'Empire State Building pour échapper à ses poursuivants.

5 La Chine, nouveau centre d'impulsion du monde

Tout au long de la poursuite de son développement économique, la Chine a œuvré pour une croissance économique forte. Entre 1978 et 2008, l'économie chinoise a connu une croissance annuelle moyenne de 9,8 %. Dès le début de la crise financière internationale, la Chine a mis en œuvre un plan d'ensemble et des mesures d'accompagnement qu'elle n'a cessé d'enrichir, apportant sa part de contribution à la relance économique régionale et mondiale par une croissance de 8,7 % de son économie en 2009. Depuis le début de 2010, l'économie chinoise maintient un bon élan de développement avec une croissance de 11,9 % au premier trimestre. [...]

Depuis le début de la crise financière internationale, la Chine a accordé une assistance aux pays en développement par divers moyens et canaux. Elle a contribué à hauteur de 50 milliards de dollars US pour accroître les ressources du FMI en demandant explicitement que ces ressources soient utilisées, en premier lieu, pour aider les PMA. [...] En plus d'un crédit de 10 milliards de dollars US accordé aux autres États membres de l'Organisation de coopération de Shanghai, la Chine a également pris la décision de fournir 10 milliards de dollars US de prêts préférentiels aux pays africains, d'annuler les dettes des PMA africains et d'accorder progressivement le traitement de tarif zéro à 95 % des produits provenant des PMA africains ayant des relations diplomatiques avec elle. Je voudrais, au nom du gouvernement chinois, prendre l'engagement solennel que la Chine continuera à aider les autres pays en développement dans la mesure de ses possibilités dans le cadre de la coopération Sud-Sud, et à faire tout son possible pour aider les autres pays en développement à réaliser le développement. »

Discours de M. Hu Jintao, président de la République populaire de Chine au 4e Sommet du G20 (Toronto, 27 juin 2010).
Source : site Internet du gouvernement chinois.

1. Monnaie chinoise. – 2. ASEAN : Association des nations de l'Asie du Sud-Est, forum diplomatique né en 1967 et qui compte 10 pays en 2014.

BAC

Consigne 1. En vous appuyant sur les documents 2 et 3, montrez comment la Chine est devenue une puissance mondiale.

Consigne 2. En analysant les documents 1 et 4, expliquez pourquoi la Chine est un rival sérieux pour les États-Unis.

Pour vous aider pensez à :
– Décrire la scène représentée en une du magazine et donner le sens de cette image (doc. 4).
– Caractériser la place des États-Unis dans le commerce extérieur chinois (doc. 1).

Consigne 3. En utilisant les informations du document 5, montrez que la Chine est un nouvel acteur majeur sur la scène internationale.

Pour vous aider pensez à :
– Expliquer comment et pourquoi la Chine cherche à développer la « coopération Sud-Sud ».
– Identifier les États concurrencés par la stratégie chinoise de coopération avec le Sud.

La mondialisation à travers la bande dessinée, *Largo Winch*

Capacités travaillées

II.1. Identifier un document

II.1.2 Prélever et confronter des informations

Dans sa série *Largo Winch*, le dessinateur Philippe Francq et le scénariste Jean Van Hamme mettent en scène Largo, héritier du groupe W, firme fictive représentant un empire industriel et financier de plus de 10 milliards de dollars de chiffre d'affaires.

▶ **Comment la bande dessinée *Largo Winch* expose-t-elle les mécanismes de la mondialisation ?**

MAIS POUR VOUS, M. WINCH, LA MONDIALISATION, QU'EST-CE QUE C'EST ?

UN NOUVEAU NOM POUR UN PROCESSUS ANCIEN ET ENCORE IMPARFAIT D'OUVERTURE DES FRONTIÈRES, QUI S'EST BRUSQUEMENT ACCÉLÉRÉ AVEC L'EFFONDREMENT DU BLOC DE L'EST.

UNE BONNE CHOSE ?

> Effondrement du bloc de l'Est communiste à partir de 1989 avec la chute du mur de Berlin

AUX STUDIOS D'ABS, S'IL VOUS PLAÎT.

DISONS QUE C'EST UN MÉCANISME DE RAPPROCHEMENT OÙ L'ÉCONOMIQUE PRÉCÈDE LE CULTUREL ET LE SOCIAL, COMME C'E ST LE CAS DANS L'UNION EUROPÉENNE. LE PRINCIPE EN SOI EST BON, CAR C'EST UN FACTEUR DE PAIX, LE PROBLÈME VIENT DES DISTORSIONS QUE CETTE PLANÉTARISATION CAPITALISTE VA FORCÉMENT ENTRAÎNER.

> La mondialisation entraîne de nombreuses distorsions, déséquilibres de richesse et de développement, notamment entre les territoires et les sociétés de la planète.

POUR UN GROUPE INTERNATIONAL COMME LE VÔTRE, CET ÉLARGISSEMENT DES MARCHÉS EST UNE AUBAINE ?

CELA NOUS FACILITE LA VIE, C'EST ÉVIDENT.

SURTOUT POUR LES DÉLOCALISATIONS D'ENTREPRISES, JE SUPPOSE...

JE M'APPELLE DENNIS TARRANT ET JE SUIS INVITÉ À L'ÉMISSION "LE PRIX DE L'ARGENT" DE ROYCE MC CREED.

J'ESPÈRE QUE JE NE SUIS PAS EN RETARD.

1 Le groupe W, une firme insérée dans la mondialisation

Van Hamme, Francq, *Largo Winch*, *Le prix de l'argent*, tome 13, Dupuis, 2004.

> Délocalisation : transfert d'activités d'une firme d'un pays vers un autre souvent où la main-d'œuvre est moins chère.

HISTOIRE DES ARTS — **La bande dessinée**

• Née en Suisse en 1827 avec les aventures de monsieur Jabot de Rodolphe Töpffer, la bande dessinée se diffuse rapidement grâce à sa parution dans les journaux.

A Présenter la bande dessinée

– le ou les auteur(s), parfois célèbres (Hergé par exemple)
– le destinataire de l'œuvre : public d'adultes ou public d'enfants
– le contexte de création, qui permet de comprendre les influences qu'ont pu avoir les auteurs (ici, en 1990, la mondialisation s'accélère)
– le thème général de la planche proposée en étude

B Analyser la bande dessinée

– Il s'agit à la fois d'expliquer ce que l'artiste a écrit et ce qu'il a dessiné.

– Il faut donc décrire les vignettes (les cases) de manière précise, en étudiant les procédés artistiques utilisés par l'auteur : choix des couleurs, graphisme, taille des vignettes, place accordée au texte des bulles...
– Il faut aussi présenter le contenu apporté par chaque vignette dans l'avancée du scénario.

C Interpréter la bande dessinée

– Il faut décrypter le message porté par la planche de la bande dessinée, et s'interroger sur les motivations de l'auteur, sur ce qui le pousse à défendre un point de vue.
– Il faut également avoir un regard critique sur le document, en le confrontant par exemple à d'autres sources, à des connaissances que l'on a sur ce sujet.

Le personnage parle de la Fenico, une FTN fictive.

La scène se déroule au siège social du groupe W, à New York, près de Central park.

Holding : grande société qui gère et contrôle d'autres firmes mais qui ne produit rien elle-même.

Les parts du groupe W sont détenues par la Zukunft Anstalt au Liechtentein, paradis fiscal.

2 La concurrence entre les grands groupes mondiaux
Van Hamme, Francq, *Largo Winch*, OPA, tome 3, Dupuis, 1992.

Questions

1. Expliquez pourquoi la mondialisation s'accélère après 1989. Comment se traduit cette accélération (doc. 1) ?

2. Montrez en quoi la mondialisation est favorable aux activités des FTN (doc. 1 et 2).

3. Justifiez le fait que les métropoles sont les lieux privilégiés et de commandement de la mondialisation impulsée par les FTN (doc. 1 et 2).

4. Comment la bande dessinée traduit-elle le fait que la mondialisation actuelle est caractérisée par l'importance des activités financières (doc. 2) ?

Consigne BAC

En confrontant les deux documents, caractérisez le fonctionnement des FTN dans la mondialisation mis en avant sur ces planches. Vous expliquerez quel regard les auteurs portent sur la mondialisation.

4 Depuis 1990, un monde multipolaire

L/ES
S

▶ **Comment une économie mondiale multipolaire a-t-elle remplacé l'économie-monde américaine ?**

A La nouvelle géographie de la croissance

Études pages 34-35 et 36-37 doc. 4 et 5

■ **Depuis les années 1990, la croissance gagne les pays des sud, de mieux en mieux insérés dans les échanges mondiaux** : c'est le phénomène d'émergence. Les plus importantes puissances émergentes ont été regroupées au début du XXIe siècle sous le nom de BRICS – Brésil, Russie, Inde, Chine, Afrique du Sud (South Africa). Parmi elles, seule la Chine fait figure de superpuissance émergente, c'est-à-dire une puissance globale économique mais aussi militaire et scientifique.

■ **La croissance économique gagne d'anciens pays du tiers-monde qui s'intègrent dans la mondialisation** : la Colombie, le Chili, le Qatar, la Turquie, l'Afrique du Sud, le Vietnam ou la Thaïlande par exemple. Même l'Afrique au sud du Sahara, après une décennie tragique dans les années 1990, accède à la croissance depuis les années 2000.

■ **Les États-Unis demeurent la première économie mondiale** dans la seconde décennie du XXIe siècle. Ils ont été à l'origine en 2007-2008 de la crise des *subprimes* qui s'est étendue hors de leurs frontières. Mais la croissance aux États-Unis est repartie, portée par la haute technologie et l'exploitation des hydrocarbures de schiste.

■ **Le Japon et l'Europe sont en difficulté.** Le Japon est le champion de la croissance et des exportations jusqu'aux années 1980 ; son élan s'interrompt dans les années 1990. Le déclin démographique, l'endettement et le coût de l'énergie pèsent désormais sur son économie. L'Union européenne apparaît en panne, affaiblie par le chômage de masse (26 millions de demandeurs d'emploi en 2014) et le recul de l'emploi industriel. Mais certains pays – l'Allemagne, le Danemark ou même l'Italie – restent compétitifs sur les marchés internationaux.

B La mondialisation redistribue la richesse mondiale

Étude pages 34-35 + doc. 1 et 3

■ **La mondialisation réduit le fossé Nord/Sud.** Non seulement les pays du Nord n'ont plus le monopole de la fabrication des produits industriels mais ils ne sont plus les seuls à en concevoir : en témoignent Ranbaxy (Inde, pharmacie), Huawei (électronique, Chine), Embraer (aviation, Brésil). Des entrepreneurs du Sud rachètent des firmes historiques du Nord : l'Indien Tata a racheté la prestigieuse firme britannique Jaguar, des investisseurs chinois ont pris le contrôle du Club Méditerranée…

■ **Les pays émergents constituent à leur tour des marchés** : la Chine est le pays au monde où se vendent le plus d'automobiles. Les entreprises de ces pays accèdent au marché mondial ; les infrastructures se développent, une classe moyenne apparaît.

■ **Désormais la croissance est au Sud et la dette au Nord.** La dette publique du Japon représente plus de deux ans de son PIB et le Brésil prête de l'argent au Portugal. Ce basculement de la richesse modifie les équilibres politiques mondiaux : depuis 2008, le G20 s'est imposé comme une organisation plus légitime que le G8. Les Occidentaux n'ont plus le monopole de la modernité : d'autres parties du monde se l'approprient à l'image des gratte-ciel audacieux de Dubaï, Shanghai ou Mumbai.

C De nouveaux déséquilibres sociaux et écologiques doc. 4

■ **Le Sud rattrape le Nord mais les écarts de richesses au sein de chaque pays continuent de se creuser.** Tous les pays ne participent pas également à la croissance ; par ailleurs le développement n'accompagne pas toujours celle-ci. Les BRICS sont les pays les plus inégalitaires du monde. Mais le nombre de sans-domicile-fixe et de travailleurs pauvres s'accroît aussi dans les pays développés ; ainsi les États-Unis sont redevenus une société aussi inégalitaire que dans les années 1920.

■ **La croissance universelle paraît incompatible avec les limites naturelles de la planète.** La diminution de la biodiversité comme le changement climatique menacent la prospérité et jusqu'à la survie de l'humanité. Les quelque 10 milliards de Terriens au milieu du XXIe siècle ne pourront pas tous avoir le niveau de vie des Américains. Peut-on espérer une croissance « verte » reposant sur des technologies toujours plus sobres et efficaces ? C'est la promesse portée par le développement durable. Plus radicaux sont les partisans d'une décroissance.

1 **Du G5 au G20 : l'élargissement de la gouvernance économique mondiale**

	Du G5 au G8	G20
Pays membres	États-Unis, Japon, Allemagne, France, Royaume-Uni **G7 :** G 5 + Italie + Canada **G8 :** G 7 + Russie	G 7 + UE[1] + Australie + Corée du Sud + 10 économies émergentes : Afrique du Sud, Arabie Saoudite, Argentine, Brésil, Chine, Inde, Indonésie, Mexique, Russie, Turquie .
Création	**G5 :** 1974 **G7 :** 1976 **G8 :** 1998	1999 création ; 2008 rôle actif
Part du PIB mondial (année de création)	**G5 et G7 :** 60 % **G8 :** 49 %	90 %

1. L'UE est représentée par le président de la Commission européenne et celui du Conseil européen.

Vocabulaire et notions

• **Gouvernance** : forme de gouvernement informel associant différents types d'acteurs (responsables politiques, ONG, agences onusiennes) pour résoudre des problèmes qui débordent le cadre national.

• **Nord/Sud** : expression qui s'est substituée à celle de tiers-monde, dans laquelle le Nord désigne les pays développés et le Sud les pays en développement. Au sein du Sud, les écarts de richesse et de développement entre États justifient l'appellation actuelle de « Suds ».

• **G20** : en 1999, l'UE et l'ancien G7 des pays industrialisés rejoignent 12 pays émergents pour organiser des réunions périodiques de leurs dirigeants. Ils totalisent les deux tiers de la population et 90 % du PIB mondial.

• **Développement durable** : notion née en 1987 et désignant un développement compatible avec les capacités écologiques de la planète et ainsi avec les besoins des générations futures.

• **Économie émergente** : pays caractérisé par un PIB par habitant encore inférieur à celui des pays développés ; un rattrapage rapide grâce à une croissance soutenue portée par le commerce international ; des transformations institutionnelles (législation, éducation…).

• **Décroissance** : théorie qui refuse la poursuite de la croissance économique et même démographique de l'humanité au nom de la préservation, voire de la primauté de la nature.

38

2 : Les États émergents (2014)

	Populations (en millions d'habitants)	PIB (en milliards de dollars)	Exportations de biens et de services (en valeur) (en milliards de dollars)
Puissances mondiales			
Chine	1 388,3	10 300	2 700
Brésil	1 257,1	2 250	283
Inde	210,0	2 050	510
Russie	143,5	2 040	580
Puissances régionales			
Mexique	118,7	1 300	400
Turquie	76,6	630	158
Afrique du Sud	52,9	300	93
Indonésie	248,4	228	55
Arabie Saoudite	26,1	150	75
France	63,6	2 800	780
Monde	7 200	75 000	24 000

Sources : ONU et Banque mondiale, 2014.

3 La plus haute du tour du monde, Burj Khalifa (Dubaï, 828 m)

Les nouveaux gratte-ciel n'abritent plus seulement des bureaux mais des hôtels, des galeries commerciales et même des appartements de luxe.

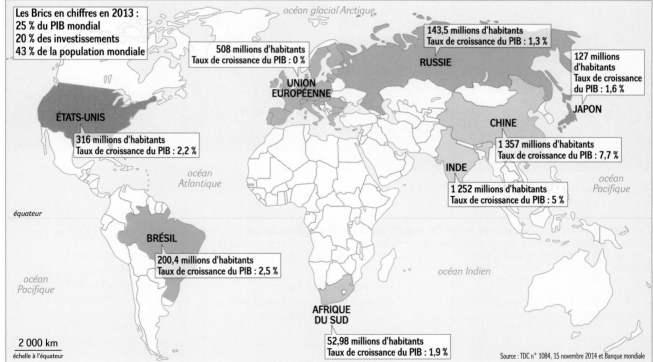

Les Brics en chiffres en 2013 :
25 % du PIB mondial
20 % des investissements
43 % de la population mondiale

océan glacial Arctique

508 millions d'habitants
Taux de croissance du PIB : 0 %

143,5 millions d'habitants
Taux de croissance du PIB : 1,3 %

127 millions d'habitants
Taux de croissance du PIB : 1,6 %

UNION EUROPÉENNE

RUSSIE

JAPON

ÉTATS-UNIS

CHINE

316 millions d'habitants
Taux de croissance du PIB : 2,2 %

1 357 millions d'habitants
Taux de croissance du PIB : 7,7 %

océan Atlantique

INDE

océan Pacifique

1 252 millions d'habitants
Taux de croissance du PIB : 5 %

équateur

BRÉSIL

200,4 millions d'habitants
Taux de croissance du PIB : 2,5 %

océan Pacifique

océan Indien

AFRIQUE DU SUD

52,98 millions d'habitants
Taux de croissance du PIB : 1,9 %

2 000 km
échelle à l'équateur

Source : TDC n° 1084, 15 novembre 2014 et Banque mondiale

4 : Les BRICS et la Triade (États-Unis, Union européenne, Japon) en 2013

Questions

1. Expliquez les différences entre puissances émergentes mondiale et régionale (doc. 2).

2. Pourquoi peut-on dire qu'il y a un « basculement du monde » en ce qui concerne la croissance (doc. 4) ?

Travailler à partir d'un film *Le Loup de Wall Street* de Martin Scorsese (2014)

En 2014, Martin Scorsese raconte l'histoire vraie de l'ascension vertigineuse de Jordan Belfort, courtier chez LF Rothschild en 1987 puis star de *Wall Street*. Le film dénonce le monde de la finance et ses dérives en mettant en scène les courtiers.

▶ Comment le film *Le Loup de Wall Street* dénonce-t-il le monde de la finance déréglementée ?

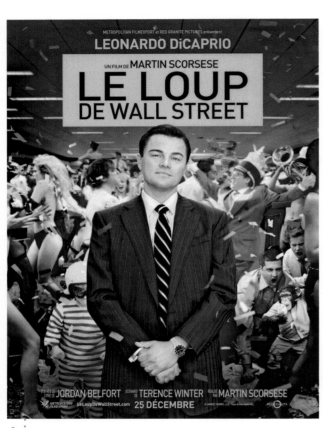

1 Affiche du film *Le Loup de Wall Street*

2 Dans la firme de courtage, Stratton Oakmont

Synopsis

Après avoir perdu son emploi de courtier chez LF Rotschild en 1987, Jordan Belfort crée en 1989, Stratton Oakmont, une firme de courtage qui lui permet, en utilisant des méthodes immorales, d'accumuler en très peu de temps une fortune considérable. Commence alors pour lui une vie de débauche et d'argent facile. Mais son succès trop rapide éveille les soupçons du FBI. Alors qu'il est accusé de malversations, il voit le monde qu'il s'était construit s'écrouler.

Questions

Visionner les 16 premières minutes du film.

1. Le monde de Wall Street

a. Comment le réalisateur montre-t-il la puissance de la Bourse de Wall Street ?

b. Recherchez la symbolique de l'ours et du taureau à Wall Street.

c. Comment peut-on caractériser les conseils donnés à Jordan par son mentor Mark Hanna pour réussir dans le monde de la finance ?

d. Qu'est-ce que le « Lundi noir » du 19 octobre 1987 ? Comment cela se traduit-il pour Jordan Belfort ?

2. L'univers des courtiers

e. Décrivez l'ambiance qui règne dans la firme de courtage créée par Jordan Belfort (doc. 2).

f. Caractérisez le mode de vie des courtiers présenté dans le film en vous appuyant sur des exemples précis.

3. Interpréter le titre du film

g. Pourquoi Jordan Belfort est-il comparé à un loup de « Wall Street » ?

h. Quelle vision le réalisateur donne-t-il du monde de Wall Street et de ses courtiers ?

Les mécanismes comparés des crises de 1929 et de 2008

Capacités travaillées

I.2.4 Confronter des situations historiques

II.1.2 Prélever et hiérarchiser les informations

Lorsque la crise de 2008, dite des subprimes, éclate, les observateurs économiques se sont penchés sur l'histoire pour en comprendre les mécanismes. Certains trouvent des similitudes importantes avec la crise de 1929, d'autres considèrent que la crise de 2008 est totalement différente.

▶ **Peut-on comparer les mécanismes des crises de 1929 et de 2008 ?**

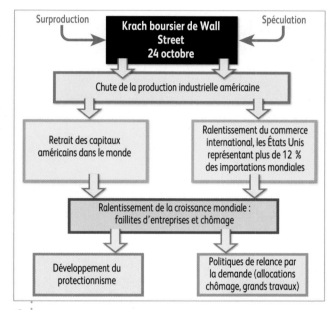

1 **Les mécanismes de la crise de 1929**

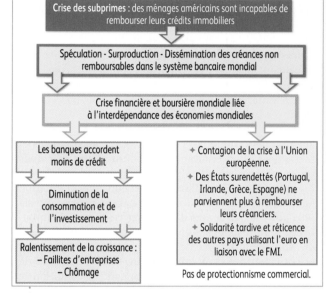

2 **Les mécanismes de la crise de 2008**

3 **Une analyse de la crise de 2008**

La crise actuelle n'est pas comparable aux crises mineures que l'on a connues depuis 1945. En effet, dans certains de ces aspects, elle peut ressembler à la crise de 1929 puisque le risque d'un effondrement généralisé du système bancaire n'est pas encore circonscrit malgré les efforts des autorités financières. Comme en 1929, la crise est une crise profonde du système financier et traduit une remise en cause importante du modèle financier de croissance américain tel qu'il s'était développé depuis les années 1980. [....] De 2000 à 2007, les ménages américains ont connu une véritable érosion salariale [...] avec des charges fixes qui ont explosé (+ 68 % pour les dépenses de santé et + 46 % pour les dépenses d'éducation). Deux solutions conjointes s'offraient aux ménages désireux de maintenir leur pouvoir d'achat : l'endettement et l'achat de logement dans une perspective spéculative. La crise n'est donc pas que financière. Nous sommes alors, comme en 1929, face à une crise qui touche conjointement la finance et les modes de répartition de la richesse. Les ménages sont touchés aujourd'hui par un effet de richesse négatif qui aura un impact sur la demande solvable dans tous les pays qui ont développé un capitalisme de marché financier. [...] Comme le relève Jacques Sapir dans un très intéressant article paru dans la *Revue de la régulation* (n° 3, 2e semestre 2008), les pays les plus endettés ne sont pas ceux que l'on croit. La crise devrait être très difficile pour les pays qui ont mis en pratique le modèle anglo-saxon (Royaume-Uni, Espagne, Australie...) et, peut-être, faire le bonheur de pays qui ont limité la financiarisation de leur économie (comme le Japon). En ce sens, nous assistons peut-être au basculement géoéconomique du monde vers l'Asie.

Entretien avec Claude Dupuy, professeur de sciences économiques à l'université Bordeaux IV, publié sur le site de la Documentation française, novembre 2008.

Question

Recopiez et complétez ce tableau à l'aide du texte et des schémas.

Les crises de 1929 et 2008	Points communs	Différences
Origines		
Manifestations		
Solutions mises en œuvre		

Exercices

1 Étudier un texte : Londres en 1860

D'abord on est ébloui des richesses et des merveilles de Londres, mais bientôt on s'aperçoit que cette Babylone[1] se compose de plusieurs villes entièrement distinctes et n'ayant guère rien de commun que le dôme de fumée qui les recouvre. Chacun de ces quartiers forme comme un monde à part qu'il faut étudier séparément. [...] Le principe de la division du travail, qui a fait la puissance de l'Angleterre, a été introduit à Londres avec la rigueur la plus impitoyable dans la hiérarchie des classes et dans la distribution de leurs demeures. D'un côté, sur le bord de la noire Tamise, toute grouillante d'embarcations, sont les quartiers du grand commerce avec leurs processions de navires, leurs ignobles jetées, encombrées de marchandises, leurs docks où sont empilées des richesses suffisantes pour acheter un royaume d'Asie ou d'Afrique. Dans les faubourgs de l'est et du nord sont les quartiers industriels avec leurs ruelles sombres et tortueuses, leurs montagnes de houille, leurs fabriques toujours frémissantes, leurs cheminées qui plongent dans un éternel brouillard de charbon, leur population hâve[2] et déguenillée qui se traîne dans la dégradation la plus abjecte. Au centre de Londres résident les innombrables *shopkeepers*[3] et marchands de toute espèce, qui sont le fond même de la nation et dont les magasins et les échoppes, mis bout à bout, feraient le tour de l'Angleterre. Ils ont pour club, pour centre de réunion, le quartier de la Cité où leurs banquiers, pressés à l'étroit, dans les ruelles sombres qui environnent la Bourse et la Banque, voient affluer dans leurs comptoirs l'or de tous les continents. Là se concluent en quelques heures les opérations les plus gigantesques et s'ourdissent[4] sans bruit des spéculations commerciales qui entraînent les conséquences les plus importantes et font davantage pour la ruine et la prospérité des empires que toutes les subtilités des diplomates.

Extrait du *Guide du voyageur à Londres et aux environs*,
Élisée Reclus[5], Paris, Hachette 1860.

1. Ville de la Mésopotamie antique, symbole biblique de la société urbaine mercantile et pervertie.
2. Hâve : maigre et pâle.
3. *Shopkeeper* : boutiquier, commerçant.
4. S'ourdissent : se préparent.
5. Élisée Reclus : géographe français employé par Hachette pour écrire des guides de voyage.

Consigne BAC

Montrez que ce document témoigne des différents aspects qui font de Londres le centre d'impulsion de l'économie-monde britannique au milieu du XIXᵉ siècle.

Pour vous aider pensez à :

1. Relever et expliquer les fondements de la domination britannique présents à Londres.
2. Montrer comment la puissance économique britannique se traduit dans l'espace urbain.

2 Analyser une affiche publicitaire

Usine du quai de Javel à Paris.

Le nombre est renseigné à la main.

10 HP – Premier modèle de la marque plus tard appelé Type A.

Affiche publicitaire de l'entreprise Citroën, années 1920

Consigne BAC

Après avoir présenté ce document dans son contexte, expliquez comment cette affiche publicitaire nous renseigne sur les transformations du secteur automobile dans les années 1920.

Pour vous aider pensez à :

1. **Présenter l'affiche dans votre introduction en identifiant** précisément l'auteur, les destinataires de l'affiche et le contexte du document.

2. **Observer et décrire l'affiche**
– Analysez le sujet, le décor, les objets et leur symbolique.
– Étudiez la composition de l'affiche (lignes directrices, jeu sur les différents plans).
– Expliquez le sens du slogan.

3. **Interpréter l'affiche publicitaire**
Indiquez les arguments utilisés pour convaincre les consommateurs d'acheter Citroën.

3 Analyser un tableau statistique

La compétition industrielle entre trois grandes puissances

	Production de charbon en millions de tonnes		Production d'acier en millions de tonnes		Consommation de coton brut en millions de tonnes		Chemins de fer construits en milliers de km		Tonnage des navires marchands en millions de tonnes.	
	1870	1913	1870	1913	1870	1913	1870	1913	1870	1913
Royaume-Uni	112,2	292	6	10,4	489	988	24,7	38,1	5,7	12,1
États-Unis	18,5	433,5	1,7	30,8	181	1312	57,9	235,8	4,2	7,9
Allemagne	34	277,5	1,2	16,7	112	478	18,8	63,3	0,9	3,3

Source : B. R. Mitchell, cité dans B. Lemonnier, *Un siècle d'histoire industrielle du Royaume-Uni, 1873-1973*, SEDES, 1997.

Consigne BAC

En analysant ce tableau statistique, montrez comment la fin du XIXᵉ siècle est un tournant majeur dans l'évolution de la géographie économique mondiale.

Pour vous aider pensez à :

1. Transformer les données brutes du tableau en valeur relative en calculant les augmentations en pourcentage des productions des trois pays pour le charbon, le fer et le coton.

Utilisez cette formule : (valeur de 1913 − valeur de 1870)/ valeur de 1870 × 100.

2. Tirer des conclusions des calculs effectués précédemment.

3. Expliquer la forte croissance du réseau de chemin de fer aux États-Unis.

4. Identifier dans quel domaine le Royaume-Uni reste devant les autres puissances et donner une explication.

4 TICE Réaliser un diaporama sur les Expositions universelles de Paris 1889 et 1900, reflets des transformations industrielles

Question

À partir de l'exemple des deux Expositions universelles qui se sont tenues à Paris en 1889 et 1900, vous montrerez en quoi celles-ci sont caractéristiques du passage entre les deux premières industrialisations. Vous étudierez plus précisément les monuments suivants : la tour Eiffel et le palais de l'Électricité.

Vue aérienne de l'Exposition universelle de Paris, 1900

HISTOIRE DES ARTS

Les Expositions universelles

• Symboles de la révolution industrielle, les Expositions universelles sont les vitrines techniques et artistiques des différents pays du monde.

• La première Exposition universelle est organisée à Londres en 1851, à Hyde Park, dans le Crystal Palace, premier bâtiment construit en verre et en acier.

• Devant le succès de cette manifestation, de nombreux pays vont organiser des expositions similaires pour faire découvrir à un large public leur réussite. La compétition y est omniprésente, des concours permettent aux industriels les plus méritants d'obtenir des médailles. La dernière Exposition universelle a eu lieu à Shanghai en 2010.

Coup de pouce

1. Vous vous appuierez sur les sites suivants :
– www.histoire-image.org
– expositions.bnf.fr/universelles/
– www.mediatheque-patrimoine.culture.gouv.fr
– www.expositions-universelles.fr

2. Utilisez un logiciel de présentation pour présenter votre travail :
– Les diapositives doivent mettre en évidence le plan, les grandes idées et les documents importants.
– Elles doivent contenir peu de texte pour être lisibles (titres et phrases courts, mots-clés). Les illustrations et documents doivent être de grande taille et légendés.

Étude critique de deux documents L/ES
Analyse de deux documents S

Les « Trente Glorieuses »

1 PIB[1] et équipement en biens de consommation dans certains pays d'Europe de l'Ouest

	PIB (en millions de dollars équivalents 1990)		Automobile (en nombre de véhicules pour 1 000 habitants)		Téléviseur (en nombre d'appareils pour 1 000 habitants)	
	1955	1974	1955	1974	1955	1974
RFA	406 922	952 571	30	245	5	280
Autriche	35 105	88 588	50	200	1	210
Espagne	81 457	286 732	5	75	-	180
France	274 098	704 012	70	265	6	220
Italie	227 389	610 040	20	200	4	190
Royaume-Uni	400 850	666 755	70	220	105	305

D'après Angus Maddison, *L'Économie mondiale au XXe siècle*, OCDE, 1989. Repris in F. Berger et G. Ferragu, *Le XXe siècle*, Hachette Supérieur, Paris, 2009 et *L'Économie mondiale*, OCDE, 2003.

1. Le produit intérieur brut (PIB) mesure l'ensemble des valeurs ajoutées (le travail) créées en une année à l'intérieur des frontières nationales par les agents économiques domestiques ou étrangers.

Consigne Après avoir **présenté** les deux documents, **montrez que** la croissance des Trente Glorieuses s'est traduite par **des transformations concrètes des modes de vie** fondées sur l'enrichissement global de la population.

Pour vous aider

- Soyez attentifs à la nature différente des deux documents (texte, graphique, tableau statistique, carte, document iconographique).

- Recherchez dans les deux documents les éléments qui permettent de prouver que la croissance des Trente Glorieuses s'accompagne de changements majeurs dans les modes de vie.

- Il s'agit ici de montrer en quoi cette époque est à la fois une époque de changements importants mais qui se réalise dans la durée, sans rupture brutale.

2 Les transformations de la vie d'un ouvrier pendant les Trente Glorieuses

Dès le départ, Richard savait que sa vie se passerait autour des machines, les pieds dans l'huile. Le 23 mai 1947 à 14 ans, il obtient son certificat d'études. Le lendemain, il entre comme apprenti chez Albert S., chaudronnier d'art à Étain dans la Meuse. Les temps sont durs. Avec leurs trois bicyclettes, les membres de la famille vont donner quelques coups de main à des cultivateurs, histoire de desserrer les fins de mois. « Chez S., je gagnais 0,55 euro[1] de l'heure. Et le paquet le moins cher de cigarettes, les "élégantes", valait 1,10 euro…». Dans leur trois-pièces-cuisine, sans douche ni salle de bains, Les Schnelle vivent au jour le jour. [...]

« C'est vers 1960 que j'ai senti ma situation s'améliorer », dit-il. Cette année-là, il touche 1 170 euros[1] et il fête un grand événement, sa première voiture, une 2 CV achetée d'occasion, à crédit, 4 722 euros. [...] En 1970, Richard gravit un nouvel échelon en achetant une GS [une Citroën de milieu de gamme] pour 14 833 euros ; il en est à 2 119 euros de salaire mensuel.

P. Beaudeux, *Demain la France (1945-2000)*, numéro spécial de *L'Expansion*, octobre-novembre 1985.

1. Les valeurs ont été converties en euros.

POINT MÉTHODE

1 Lire et comprendre le sujet et la consigne
  – Relevez les verbes d'action qui indiquent ce que vous devez faire.
  – Faites ressortir le(s)mot(s)-clé(s) de la consigne. Ici, il faut mettre en relation croissance économique des Trente Glorieuses et transformations du cadre et du mode de vie.

2 Confronter les deux documents
  Dégagez tout d'abord les idées générales des deux documents.
  – Pour le tableau de statistiques, calculez l'augmentation en pourcentage du PIB entre 1955 et 1974 pour chaque pays. Comparez les évolutions par pays.
  – Mettez en relation les éléments qui sont communs aux deux documents et ceux qui sont complémentaires.

3 Rédiger la réponse organisée
  – Introduction : présentez les documents en insistant sur la différence de nature.
  – Établissez un plan en deux parties.
  – Conclusion : expliquez l'intérêt de la confrontation des deux documents.

Pour vous aider

- Utilisez cette formule : valeur de 1974/valeur de 1955 × 100.

- Utilisez un code couleur pour faire apparaître ces éléments.

- Pensez à critiquer les documents L/ES ou à en montrer les limites S.

L/ES S

Capacités travaillées

II.1.1 Identifier un document

II.2.3 Rédiger un texte construit

II.2.4 Lire un document : passer de l'observation à la description

---

Les différents types de graphiques

– Graphique circulaire/semi-circulaire pour visualiser une répartition dans un ensemble.

– Courbe pour visualiser une évolution dans le temps.

– Graphique en barres ou histogrammes pour visualiser une répartition et une évolution au sein d'un même ensemble.

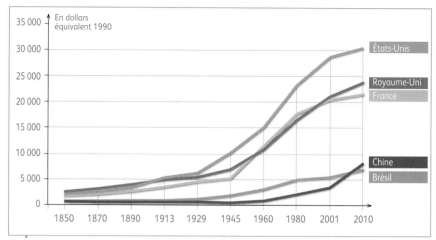

L'évolution du PIB/hab. depuis 1850

Consigne Après avoir présenté le document, identifiez les recompositions de l'espace économique mondial qu'il met en évidence depuis 1850.

Pour vous aider

Le terme-clé de la consigne est « identifier » qui indique que vous devez définir les caractéristiques des changements dans la hiérarchie des puissances économiques depuis 1850.

Pensez aux trois économies-monde successives

Pour vous aider

Lisez le graphique en comparant les valeurs de départ et d'arrivée pour chacun des pays.

Confrontez les évolutions portées par les courbes des différents pays.

Utilisez votre cours ou les cours du manuel.

Pour vous aider

1re partie : l'évolution globale : une croissance économique pour tous les pays depuis 1850.

2e partie : les évolutions dans le temps des différents pays.

POINT MÉTHODE

1 Présenter le document

Identifiez le type de graphique, son thème et sa source.

– Repérez les unités employées : valeurs brutes (tonnes ou dollars…) ou relatives (%), ainsi que la période concernée.

2 Analyser le graphique

– Dégagez la tendance générale de chaque courbe. L'évolution globale est-elle comparable pour l'ensemble des pays représentés ?

– Décrivez plus précisément les évolutions en relevant les moments de rupture. Pour chacune des courbes, identifiez les nuances qui existent entre les différents pays.

– Faites appel à vos connaissances personnelles pour trouver des explications à l'évolution globale ainsi qu'au rythme d'évolution propre à chaque pays. Comment expliquer ces fluctuations dans le temps et dans l'espace ?

– S'il y a plusieurs graphiques, confrontez-les.

3 Rédiger la réponse

Présentez le document en insistant sur la notion de PIB.

– Construisez un plan en deux parties (mais d'autres plans sont possibles).

– Concluez en expliquant l'intérêt de ce document.

Exercice d'application

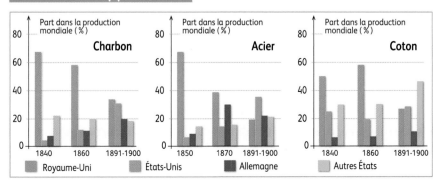

Consigne

À partir de l'analyse de ces graphiques, caractérisez les changements de l'organisation économique mondiale au tournant du XXe siècle.

Pensez à identifier la hiérarchie des puissances et les secteurs dominants.

Composition

Analyser un sujet de composition et déterminer la problématique L/ES

La composition correspond à la première partie de l'épreuve d'histoire-géographie. Le candidat doit y montrer qu'il sait analyser un sujet (en définir les termes et montrer les relations entre eux) qu'il maîtrise et sait organiser ses connaissances en un plan structuré avec des idées directrices justifiées par des arguments eux-mêmes illustrés par des exemples. Une composition est donc une démonstration argumentée, répondant à une question problématique et organisée selon une progression cohérente.

Étape 1 — Analyser le sujet (au brouillon)

L'analyse du sujet est indispensable pour éviter le hors-sujet et cerner les enjeux du sujet.

Quelles limites chronologiques ?
Justifiez ces deux limites chronologiques
1918 – 1991

Quelles sont les évolutions de la puissance économique des États-Unis dans le monde ?
Sur quels espaces exerce-t-elle son influence ?

Le XXᵉ siècle : une économie-monde américaine ?

Qu'est-ce qu'une économie-monde ?
(voir définition p. 15)

La domination économique des États-Unis est-elle totale ?
Existe-t-il des limites, des freins à l'économie-monde américaine ? Les États-Unis sont-ils concurrencés ?

– Repérer les mots-clés et en déterminer le sens grâce à ses connaissances. Dans l'introduction, vous indiquerez précisément la définition de la ou des notions essentielles afin de montrer au correcteur que vous les maîtrisez.

– Repérer les mots de liaison (« et », « ou »...) et les points d'interrogation.

– Préciser les limites chronologiques et spatiales du sujet. Quand elles n'apparaissent pas, il faut les déterminer en justifiant votre choix.

Ce travail d'analyse du sujet vous permet de faire un tri entre les connaissances que vous avez mises en vrac sur votre brouillon. Il permet d'éliminer les connaissances qui ne répondent pas au sujet posé et conditionne toute votre réflexion ultérieure.

Pour vous aider

• Au brouillon, ne rédigez pas tout, vous perdriez trop de temps.

• Notez vos idées sous forme de tirets, en précisant les dates-clés, les noms de personnages ou les événements qu'il ne faut pas oublier pour ce sujet quand on passe à l'étape de la rédaction.

Étape 2 — Déterminer la problématique

POINT MÉTHODE

La problématique est le ressort qui tend votre devoir. Bâtir votre plan, c'est concevoir une réponse hiérarchisée à la question que pose votre problématique. Notez que celle-ci n'est pas une simple paraphrase ou reformulation du sujet.

Le correcteur attend souvent la problématique sous la forme interrogative : une ou deux questions (mais nécessairement liées).

Choisissez parmi les problématiques suivantes celle qui paraît la plus adaptée au sujet proposé en justifiant votre choix.

a) « Dans quelle mesure peut-on affirmer que le monde au XXᵉ siècle est marqué par la domination de l'économie-monde américaine ? »

b) « Quels sont les fondements de l'économie-monde américaine au XXᵉ siècle ? »

Ces deux étapes vous serviront lors de la rédaction de l'introduction qui doit dégager les enjeux du sujet et comporter une problématique.

Sujet blanc pour vous entraîner — Croissance économique et industrialisation depuis 1850.

Prépa BAC **4**

S

Capacités travaillées
II.2.1 Décrire et mettre en récit
une situation historique
II.2.3 Rédiger un texte construit
et argumenté

Composition

Analyser un sujet de composition et déterminer la problématique S

La composition correspond à la première partie de l'épreuve d'histoire-géographie. Dans une composition, le candidat doit montrer qu'il sait analyser le sujet et qu'il maîtrise les connaissances nécessaires pour le traiter. La composition est une réponse à un sujet structurée en paragraphes.

Étape 1 Analyser le sujet (au brouillon)

L'analyse du sujet est indispensable pour éviter le hors-sujet et cerner les enjeux du sujet.

> Définir la notion de croissance économique (voir p. 14)

> Le « et » rappelle ici qu'il ne faut pas oublier les phases de la croissance, c'est-à-dire ses rythmes successifs

> Quels sont les rythmes de la croissance économique depuis 1850 ?

La │croissance économique│et │ ses │différentes phases│ depuis 1850

> Il n'y a pas de limites spatiales apparentes. Quel est l'espace concerné par le sujet ?

> Le sujet s'inscrit dans le temps long. Il faut donc montrer les éléments de continuité mais aussi les ruptures de la croissance

Pour vous aider

- Pensez à définir précisément les phases de la croissance avec des bornes chronologiques claires.

- Au brouillon, ne rédigez pas tout, vous perdriez trop de temps (notez vos idées sous forme de tirets).

– Repérer les mots-clés et en déterminer le sens grâce à ses connaissances. Dans votre devoir, vous indiquerez la définition de ces notions essentielles.
– Repérer les mots de liaison (« et », « ou »...) et les points d'interrogation.
– Préciser les limites chronologiques et spatiales du sujet. Quand elles n'apparaissent pas, il faut les déterminer en justifiant votre choix.

Ce travail d'analyse du sujet vous permet de faire un tri entre les connaissances que vous avez mises en vrac sur votre brouillon. Il permet d'éliminer les connaissances qui ne répondent pas au sujet posé et conditionne toute votre réflexion ultérieure.

Étape 2 Déterminer le fil directeur

POINT **MÉTHODE** ....

L'analyse du sujet est nécessaire pour trouver la ou les questions centrales de ce dernier. Le fil directeur doit vous permettre de bâtir votre plan détaillé dans lequel vous rassemblez et organisez vos connaissances.

Conseil : le libellé du sujet en série S étant très proche des intitulés de programme, vous pouvez donc vous appuyer sur le fil directeur ou la problématique de votre cours ou du chapitre du manuel.

Dans votre introduction, vous pouvez présenter le fil directeur sous une forme affirmative après avoir rapidement présenté le sujet.

Choisissez parmi les fils directeurs suivants celui qui paraît le plus adapté au sujet proposé en justifiant votre choix.
a) « Nous étudierons les caractéristiques et évolutions de la croissance économique depuis 1850. »

b) « Nous verrons quelles sont les causes et les conséquences de la croissance économique depuis 1850. »

Pour vous aider

- Le fil directeur, en série S, se rapproche de la problématique que vous avez appris à définir en seconde.

Sujet blanc pour vous entraîner   **Les trois économies-monde successives depuis 1850.**

L/ES   S

Croissance et mondialisation

1850	1873	1896	1929	1945	1975	2008
Croissance	Grande Dépression	Prospérité	Dép. des années 1930	Trente Glorieuses	Croissance dépressive	Crise...

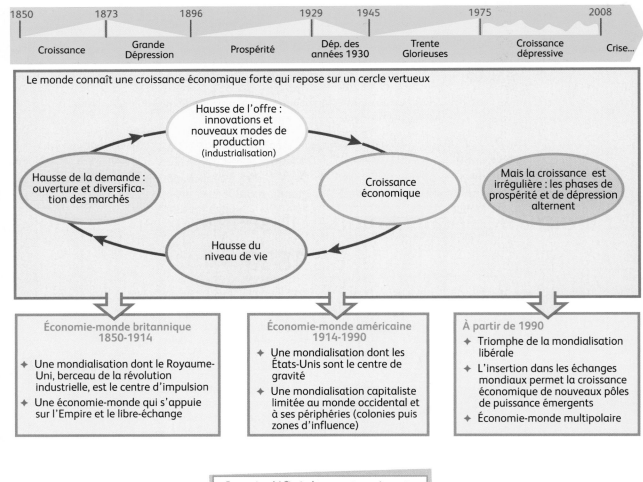

Le monde connaît une croissance économique forte qui repose sur un cercle vertueux

Hausse de l'offre : innovations et nouveaux modes de production (industrialisation)

Hausse de la demande : ouverture et diversification des marchés

Croissance économique

Mais la croissance est irrégulière : les phases de prospérité et de dépression alternent

Hausse du niveau de vie

Économie-monde britannique 1850-1914

✦ Une mondialisation dont le Royaume-Uni, berceau de la révolution industrielle, est le centre d'impulsion
✦ Une économie-monde qui s'appuie sur l'Empire et le libre-échange

Économie-monde américaine 1914-1990

✦ Une mondialisation dont les États-Unis sont le centre de gravité
✦ Une mondialisation capitaliste limitée au monde occidental et à ses périphéries (colonies puis zones d'influence)

À partir de 1990

✦ Triomphe de la mondialisation libérale
✦ L'insertion dans les échanges mondiaux permet la croissance économique de nouveaux pôles de puissance émergents
✦ Économie-monde multipolaire

Je sais définir les mots suivants

- **Capitalisme** : système économique fondé sur la propriété privée des moyens de production, la libre concurrence et le libre-échange. Il a comme but la recherche du profit.

- **Croissance économique** : augmentation continue de la richesse, de la quantité de biens et de services produits par les habitants sur un territoire donné. Elle est mesurée par le produit intérieur brut (PIB).

- **Économie-monde** : espace économique intégré par des flux et des relations divers entre un centre, une puissance économique majeure, et des régions périphériques dominées et dépendantes.

- **Libéralisme (économique)** : doctrine fondée sur la liberté de produire et d'échanger et la non-intervention de l'État dans l'économie.

- **Mondialisation** : processus de développement des échanges et des flux de toutes natures (humains, commerciaux, financiers et culturels) et d'extension du système capitaliste à l'ensemble de la planète en une « compression de l'espace et du temps » (Antony Giddens).

- **Puissance** : État qui se distingue par son poids territorial, démographique et économique mais aussi par l'ensemble des moyens dont il dispose pour s'assurer un rayonnement qui passe par la capacité de produire, de détruire et de séduire.

Je connais les dates importantes

- **1929** : première grande crise économique mondiale
- **1947** : GATT (OMC en 1995)
- **1973 et 1979** : les deux chocs pétroliers
- **1991** : fin de l'URSS, triomphe du capitalisme libéral sur toute la planète

● **À partir de 1850, le monde entre dans une phase de croissance économique** importante qui permet la hausse du niveau de vie. Si l'Europe occidentale, les États-Unis puis le Japon en bénéficient dès le milieu du XIXe siècle, de nombreux territoires en Afrique et en Asie restent encore largement à l'écart.

● Les mutations du capitalisme industriel, la constitution de firmes multinationales et la généralisation du libre-échange après 1945 caractérisent désormais **la mondialisation économique**.

● **La croissance économique est irrégulière.** Après une phase de croissance modérée (1850-1945), les pays industrialisés traversent une phase de croissance très forte durant près de 30 ans. Au milieu des années 1970, la croissance économique devient irrégulière dans le temps mais aussi dans l'espace : elle ralentit dans le monde industrialisé mais s'éveille dans de larges parties de l'ancien tiers-monde.

● **Entre 1850 et 1914, le Royaume-Uni est au cœur d'une économie-monde** fondée sur sa puissance industrielle et financière, son empire colonial et le libre-échange.

● **Au XXe siècle, la puissance des États-Unis est globale** : économique et financière mais aussi culturelle, militaire et diplomatique.

● **Depuis 1991, l'espace mondialisé est une économie-monde multipolaire** avec l'émergence de nouveaux pôles de puissance, les BRICS.

Je connais le personnage suivant

● Henry Ford
p. 28

 **À voir**

Films
● René Clair, *À nous la liberté*, 1931
● Charlie Chaplin, *Les Temps modernes*, 1936
● Oliver Stone, *Wall Street*, 1987
● Danny Boyle, *Slumdog Millionaire*, 2008
● J. C. Chandor, *Margin Call*, 2012
● Martin Scorsese, *Le Loup de Wall Street*, 2014

Documentaires
● Jonathan Nossiter, *Mondovino*, 2003
● Hubert Sauper, *Le Cauchemar de Darwin*, 2004 (polémique)
● Gilles Perret, *Ma mondialisation*, 2006
● Al Gore, *Une vérité qui dérange*, 2006

Pour aller plus loin

 **À visiter**

● CNAM à Paris (75)
● Musée de la toile de Jouy à Jouy-en-Josas (78)
● Musée d'art et d'industrie de Saint-Étienne (42)
● Musée du chemin de fer et Cité de l'automobile à Mulhouse (68)
● Musée d'histoire du fer à Jarville (54)
● Écomusée du Creusot (71)
● Centre historique minier de Lewarde (59)
● Musée de la mine du puits Couriot de Saint-Étienne (42)

 **À lire**

● Jules Verne, *Une ville flottante*, 1871 ; *Les Indes noires*, 1877 et *Le Tour du monde en 80 jours*, 1872
● Hergé, *Tintin en Amérique*, 1931
● John Dos Passos, *La Grosse Galette*, 1936
● Daniel Cohen, *La Mondialisation et ses ennemis*, 2011

À consulter

● http//www.archivesnationales.culture.gouv.fr/camt/fr/se/indexmb.html qui présente l'histoire de la filature Motte-Bossut à Roubaix.
● www.erih.net sur l'histoire industrielle de l'Europe et recensement des différents musées et points d'intérêt par pays.
● http ://archivesexpo.cg54.fr/Expo/Longwy.htm une exposition des archives du conseil général de Meurthe-et-Moselle sur la sidérurgie.

2 LES MUTATIONS DE LA SOCIÉTÉ FRANÇAISE DEPUIS 1850

Depuis 1850, la population active a connu de profonds bouleversements. La rapidité de la transition démographique du XIXe siècle favorise une politique d'immigration plus précoce en France qu'ailleurs ainsi que des mutations de l'emploi. Avec les révolutions industrielles, la France passe progressivement d'une société rurale à une société industrielle puis tertiarisée post-industrielle.

L/ES **S**

▶ **Comment les phases de croissance et de crise depuis 1850 (1914 S) ont-elles transformé la population active en France ?**

1 **Salariées travaillant le dimanche dans une grande surface de bricolage à Gennevilliers, septembre 2013**

❶ « Oui à l'ouverture le dimanche ».

- Identifiez les mutations de l'emploi aujourd'hui.

Grande Dépression

Crise années 1930

Trente Glorieuses

1914-1918
10 % des hommes actifs sont morts

1930
Environ 1/3 des actifs dans chacun des trois secteurs

1936
Congés payés

mai 1968
Crise étudiante et sociale

1982
5ᵉ semaine de congés payés

2015
10 % des actifs chômeurs

1872
Agriculteurs = 50 % de la population active

1931
Début de la crise en France

1970
50 % de la population active dans le secteur tertiaire

1981
6 % des actifs chômeurs

1973
1ᵉʳ choc pétrolier

2012
Agriculteurs = 2,5 % de la population active

1864
Légalisation du droit de grève

2 : Un immigré naturalisé français

Le 20 janvier 2015, le Malien Lassana Bathily est naturalisé français en présence du ministre de l'Intérieur et du Premier ministre. Lors de la prise d'otage au magasin Hyper Cacher, le 9 janvier, il a caché des clients et aidé la police.

- Comment cette photo peut-elle illustrer l'intégration des immigrés dans la société française ?

Vocabulaire

- **Immigré** : personne née hors du pays où elle réside.

- **Population active** : population constituée des personnes en âge de travailler ayant ou recherchant un emploi ; elle comprend donc les chômeurs mais pas les personnes en formation.

Capacité travaillée
I.2.1 Situer un événement dans le temps court et le temps long

La France connaît au XIXᵉ siècle une transition démographique rapide. Alors que la Grande-Bretagne voit d'abord chuter sa mortalité puis sa natalité, le taux de natalité français baisse pratiquement en parallèle avec le taux de mortalité. Elle perd ainsi son rang de première puissance démographique européenne : l'Allemagne la dépasse en 1871, puis le Royaume-Uni (1901) et l'Italie (1930). La France, qui manque de main-d'œuvre, a un taux d'activité féminine supérieur aux autres pays européens et devient une terre d'immigration précoce dans la deuxième moitié du XIXᵉ siècle, attirant d'abord des actifs frontaliers (Belges, Italiens).

A Une transition démographique rapide qui entraîne une immigration plus précoce que dans d'autres pays européens

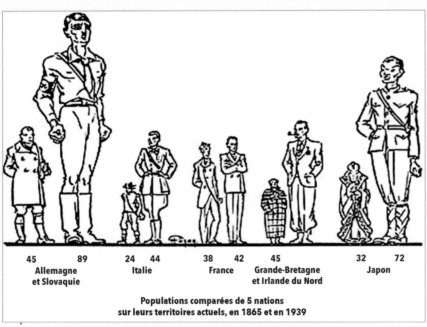

45   89
Allemagne et Slovaquie

24   44
Italie

38   42
France

45
Grande-Bretagne et Irlande du Nord

32   72
Japon

Populations comparées de 5 nations sur leurs territoires actuels, en 1865 et en 1939

❶ Inquiétude face au potentiel humain et militaire des totalitarismes.
❷ Faible accroissement naturel de la France lié à une transition démographique achevée plus vite que dans les autres pays occidentaux.

1. Association créée dès 1896 qui milite pour une politique familiale auprès des pouvoirs publics et lance des campagnes d'information.

1 La hantise du déclin démographique
Source : F. Boverat, *Comment nous vaincrons la dénatalité*, Édition de l'Alliance nationale contre la dépopulation[1], Paris, 1939.

2 Une France en manque de main-d'œuvre

Dates	Évolution de la population française (en millions)	Étrangers[1] présents sur le territoire national (en millions)
1851	35,7	0,38
1866	38	0,65
1876	36,9	0,80
1891	38,1	1,13
1901	38,4	1,03
1911	39,1	1,15
1921	38,7	1,53
1931	41,2	2,71
1946	40,1	1,7

Source : O. Marchand, C. Thélot, *Le Travail en France*, Nathan, 1998 ; G. Noiriel, *Population, immigration et identité nationale en France, XIXᵉ-XXᵉ siècle*, Hachette Supérieur, 1992.

1. Ne pas confondre étrangers et immigrés, voir p. 53.

Vocabulaire et notions

• **Démographie** : étude de la composition et de l'évolution d'une population.

• **Immigration** : population résidant en dehors de son pays d'origine.

• **Taux de mortalité** : rapport entre le nombre de décès et la population totale sur une année.

• **Taux de natalité** : rapport entre le nombre de naissances et la population totale sur une année.

• **Transition démographique** : passage de l'ancien régime démographique au nouveau régime démographique. Le taux de mortalité baisse dans un premier temps avec un maintien d'une natalité élevée d'où une forte croissance de la population. Dans un second temps, le taux de natalité baisse d'où un ralentissement de la croissance démographique.

B Une évolution de la place de la femme dans la population active

3 La fin du XIXᵉ siècle, un travail féminin très répandu, souvent peu qualifié et pas toujours rémunéré. Jules Breton, *La Fin du travail*, huile sur toile, 84 ×120 cm, 1887. Brooklyn Museum, New York.

4 La fin du XXᵉ siècle, des emplois salariés plus qualifiés mais une égalité homme-femme incomplète
Caricature de Plantu, 1979.

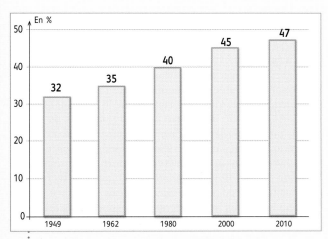

5 Évolution de la part des femmes dans la population active

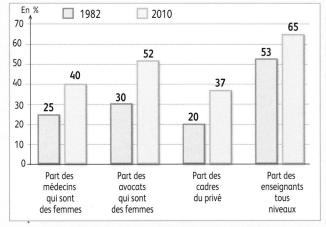

6 Évolution de la proportion de femmes dans différents métiers

C Immigré et étranger, quelle différence ?

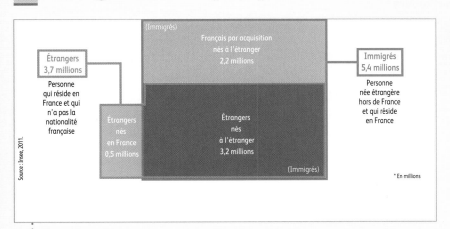

7 Des immigrés de nationalité française ou étrangère en 2011

Vocabulaire
• **Étranger :** personne n'ayant pas la nationalité du pays où elle réside.

La mutation des campagnes depuis 1850

En 1850, le monde rural concentre plus de 75 % de la population française. Si le monde paysan y est majoritaire, l'économie des terroirs est aussi tributaire des artisans et commerçants et abrite parfois une petite industrie rurale. Mais l'exode rural du XIXᵉ et du XXᵉ siècle, les progrès techniques et la PAC modifient profondément les campagnes, entraînant un dépeuplement de l'espace rural, une diminution des surfaces cultivées et une spécialisation des espaces agricoles. Il devient aussi un espace résidentiel et parfois touristique.

Capacité travaillée
II.1.2 Prélever, hiérarchiser et confronter des informations selon des approches spécifiques en fonction du document ou du corpus documentaire

▶ **Quelles sont les transformations économiques et sociales qui ont affecté le monde rural français depuis 1850 ?**

1850 ————————————————————— 1950 —— 1977 —— 2000

Exode rural

1872
Secteur primaire = 50 % de la population active

1931
La population urbaine dépasse la population rurale

1962
Début de la PAC

2000
80 % de la population vit dans un espace à dominante urbaine

2012
Secteur primaire = 2,5 % de la population active

1 **Le travail de la moisson au XIXᵉ siècle**
Tableau de Julien Dupré (1851-1910). Collection particulière.

Années	1850	1930	1960	2010
Part de la population à la campagne	73 %	50 %	25 %	18 %
Part des actifs occupés dans l'agriculture	50 %	30 %	20 %	2,5 %

3 **L'exode rural**

2 **Les débuts d'une modernisation**

Des fermiers aisés et avertis suivaient de près ce qui se faisait à la ferme-école. […]. Grâce aux expériences faites à la ferme-école, la charrue en fer Dombasle fut bientôt connue et appréciée. M. Massé de la Jaunelière fut le premier cultivateur qui adopta cette charrue en 1856. Ce fermier intelligent m'a répété que le premier labour qu'il fit avec une Dombasle fut visité par plus de deux cents personnes. Il ne faudrait pas croire que les paysans abandonnèrent sans hésitation l'ancienne machine par la nouvelle. Beaucoup prétendaient qu'elle faisait un labour trop profond et ramenait la mauvaise terre à la surface du sol, au grand désavantage de la culture. Mais quand on vit les belles récoltes obtenues, il fallut bien se rendre à l'évidence ; ce qui contribua encore à faire adapter la charrue en fer, c'est que les labours profonds firent disparaître les fougères, le plus grand ennemi des céréales à cette époque qu'il était impossible de détruire avec des charrues en bois. […] Et il est bon de noter qu'à partir de cette date[1], les maréchaux du pays se multiplièrent et fabriquèrent beaucoup de charrues […]. En même temps la superficie des emblavures[2] augmentait. Ces progrès très nets, et qui portent surtout sur le blé et l'avoine tiennent à l'abandon progressif des longues jachères, grâce au développement des prairies artificielles qui permettent d'entretenir un bétail plus nombreux et d'avoir davantage de fumier. […] Jusqu'aux environs de 1880, on se servit de faucille – non pas même de faux pour faucher et moissonner. C'était un travail extrêmement pénible qui nécessitait une nombreuse main-d'œuvre et c'est pourquoi les domestiques étaient engagés aussi cher pour trois mois d'été (de la Saint-Jean le 24 juin à la Saint-Michel le 29 septembre) que pour neuf mois d'hiver (de la Saint-Michel à la Saint-Jean).

Roger Thabault, *Mon village, ses hommes, ses routes, son école*, Paris, Delagrave, 1943.

1. Vers 1860. – 2. Terre ensemencée.

4 **Le travail à domicile (tissage) dans le milieu rural au XIXᵉ siècle**

Le Tisserand, tableau de Paul Sérusier, 1888, huile sur toile, 72,2 × 58,9 cm. Musée d'Art et d'Archéologie, Senlis.

6 **Des agriculteurs minoritaires dans le monde rural contemporain**

– Ils ont d'abord le sentiment d'être incompris de la société dans laquelle ils travaillent. Si en tant qu'individus, les agriculteurs sont souvent regardés avec compréhension et même sympathie – on sait qu'ils travaillent beaucoup mais sont peu payés – leur métier et la façon dont ils l'exercent est sans cesse remis en cause, débattu publiquement, souvent de manière rudimentaire par une opinion publique qui ne connaît pas le métier. […]
– *Ce n'est donc pas seulement une crise économique mais une crise de sens…*
– Oui, la notion même de production agricole est en question. Si certains agriculteurs exercent encore ce métier par passion, d'autres ne perçoivent plus très bien leur utilité sociale et ne savent plus pourquoi ils travaillent. Ils sont insérés dans des logiques de filière et ne sont plus qu'un des maillons du monde de la transformation agricole. Les producteurs sont devenus dépendants de l'industrie agroalimentaire, avec un cahier des charges, des procédures de contrôle et de traçabilité strictes à respecter. […] D'ailleurs, ceux qui cherchent à redonner du sens à leur métier se tournent souvent vers la vente directe, qui permet de rétablir un contact avec les consommateurs, qui sont aussi des citoyens.

Propos recueillis par S. Husson, entretien avec le sociologue Roger Le Guen, *La Croix*, 5 novembre 2014.

5 **L'industrie en milieu rural**
Une usine en milieu rural à Héming en Lorraine.

7 **Témoignages féminins dans des familles périgourdines d'origine paysanne (1950-1960)**

« C'était le père qui gérait, qui nous faisait supporter les dépenses et distribuait le surplus. C'était généralement très maigre, au final on n'avait pratiquement pas de revenu. Les choses ont duré comme ça tant que les jeunes n'ont pas eu les moyens ou l'idée d'aller ailleurs pour gagner leur propre salaire. Mais après la guerre les choses ont commencé à bouger. C'est le développement des usines de La Porte Saint-Roch qui a bouleversé les mentalités. Beaucoup de fils de paysans des coteaux se sont embauchés dans ces usines. Ils ont alors eu leur salaire. […] »
« On a commencé à développer les deux élevages de volailles fermières, les canards pour les foies gras et les oies à rôtir pour Noël. […]. Et j'ai vendu. Et comme je vendais bien, la demande existait, j'ai eu des idées de nouvelles productions. […] On a fait transformer l'ancien fournil[1] de la ferme en pièce de travail et d'accueil pour que les clients viennent directement ici. […] Le vieux séchoir à tabac en belles pierres, on l'a transformé en chambres d'hôtes avec notre table d'hôtes. » (Aline Espinasse)

B. Stéphan, *Paysans : Mémoires vives 1900-2000. Récits d'un monde disparu*, éditions Autrement, 2006.
1. Pièce où se situe le four à pain.

BAC

Consigne 1. Décrivez les caractéristiques du travail dans le monde rural de la fin du XIXᵉ siècle (doc. 1 et 4).

| **Pour vous aider** | pensez à :

– Insister sur le contexte spécifique français (utilisez la page Repères).
– Repérer les différents éléments dans les tableaux : nombre de personnages, objets.

Consigne 2. Montrez les mutations qui touchent le monde rural et le monde agricole à partir des années 1950 ainsi que leurs conséquences (doc. 5 et 7).

Consigne 3. Après avoir situé les documents 2 et 6 dans leur contexte, montrez l'évolution des mutations auxquelles est confronté le monde agricole français.

Vocabulaire et notions

• **Exode rural** : déplacement durable des populations de la campagne qui viennent s'installer en ville.

• **Monde rural** : territoire constitué d'un paysage de campagnes qui a vu évoluer sa densité de population et les activités selon les époques.

• **PAC** : politique agricole commune lancée en 1962 dans le cadre de la CEE (Communauté économique européenne) pour moderniser l'agriculture européenne et atteindre l'autosuffisance alimentaire et qui se traduit par des aides financières.

• **Terroir** : espace rural marqué par des caractères spécifiques à la fois géographiques et culturels qui font son unité.

Les Raboteurs de parquet, Gustave Caillebotte : représenter le travail manuel

Gustave Caillebotte réalise *Les Raboteurs de parquet* en 1875. Il fait évoluer, dans un décor bourgeois, un prolétariat ouvrier en plein effort ; sa toile est refusée au Salon officiel, le style naturaliste et le thème de l'œuvre déplaisant au jury. Pour autant, Caillebotte a continué à peindre son quotidien, le Paris moderne haussmannien, en ayant souvent recours à une composition ou à un cadrage original proche de la photographie qu'il pratique avec son frère. Peintre réaliste, ce grand bourgeois se distingue dans son œuvre et dans ses goûts artistiques des normes de la société de l'époque.

Capacité travaillée

II.2.4 Lire un document et en exprimer les idées clés, les parties ou composantes essentielles

▶ Pourquoi cette représentation du monde du travail a-t-elle pu heurter ses contemporains ?

1 **Gustave Caillebotte, *Les Raboteurs de parquet*, 1875**
Huile sur toile, 1,02 m × 1,47 m. Musée d'Orsay.

❶ Ferronnerie du balcon.
❷ Décor de l'appartement.
❸ Représentation du corps des personnages.
❹ Outils. ❺ Bouteille de vin.

A Présenter le tableau

– Présentez le tableau : auteur, titre, technique utilisée, lieu de conservation, dimensions, contexte.
– Repérez la date pour dégager le contexte de l'œuvre.
– Réalisez une recherche sur l'auteur (site du musée d'Orsay par exemple).
– Situez ce tableau dans l'œuvre générale de l'artiste.
– Lisez l'encadré sur le réalisme, courant artistique auquel il se rattache.

B Décrire le tableau

Comment le peintre a-t-il structuré son tableau ? Cherchez des lignes de fuite. Comment joue-t-il avec la lumière (doc. 2) ?
– Décrivez le décor et les éléments présents.
– Comment les personnages sont-ils représentés ?

C Interpréter le tableau

– Quelle est la fonction des objets dans le tableau ?
– Pourquoi le peintre a-t-il représenté les ouvriers de cette manière ?
– Pourquoi met-il en avant le décor de l'appartement ?
– Pourquoi ce tableau a-t-il pu heurter ses contemporains ?

HISTOIRE DES ARTS

Le point sur la peinture réaliste en France au XIXᵉ siècle

• Le réalisme est un courant artistique présent à la fois dans la littérature (Balzac) et la peinture (Courbet). Les artistes réalistes souhaitent s'éloigner des représentations mythologiques ou historiques en vogue au XIXᵉ siècle. Sans vouloir simplement copier la réalité qui les entoure, ces peintres s'emploient à représenter le quotidien, souvent du monde rural, tout en donnant parfois une tonalité dramatique ou en apportant une critique du fonctionnement de la société. Malgré leur succès, certains tableaux de Gustave Courbet ont ainsi fait scandale comme *Un enterrement à Ornans* (1849) qui décrit, dans des dimensions monumentales, un simple enterrement de village.

2 La composition du tableau

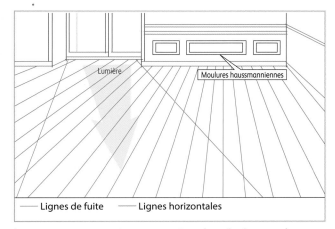

Lumière

Moulures haussmanniennes

— Lignes de fuite   — Lignes horizontales

Les personnages sont vus en contre-plongée. Le monde extérieur entre dans la pièce par la diffusion de la lumière (observez les couleurs utilisées) qui vient frapper les corps des ouvriers mais aussi les copeaux de bois et les lames du parquet. La lumière participe ainsi à la structure du tableau.

3 Un critique d'art commente *Les Raboteurs de parquet*

Que M. Gustave Caillebotte sache son métier, c'est ce qu'il ne viendra à personne l'envie de contester. Il y a certainement un savoir-faire assez habile dans les deux tableaux qu'il vient de consacrer à la gloire de MM. les raboteurs de parquet, qui, peut-être, ne s'attendaient pas à tant d'honneur. Le sujet est vulgaire sans doute, mais nous comprenons pourtant qu'il puisse tenter un peintre. Tous ceux qui ont eu le plaisir ou l'ennui de faire bâtir connaissent la façon de travailler de ces robustes gaillards, qui mettent franchement de côté tout costume gênant, ne gardant du vêtement que sa partie la plus indispensable, et livrent ainsi à l'artiste désireux de faire une étude de nu, un torse et un buste que les autres corps de métiers n'exposent pas aussi librement. Les raboteurs de M. Caillebotte ne sont certes point mal peints, et les effets de perspective ont été étudiés par un œil qui voit juste. Je regrette seulement que l'artiste n'ait pas mieux choisi ses types, ou que, du moment où il acceptait ce que la réalité lui offrait, il ne se soit pas attribué le droit contre lequel je puis l'assurer que personne n'eût protesté, de les interpréter plus largement. Les bras de ses raboteurs sont trop maigres et leurs poitrines trop étroites.

Louis Enault, *Le Constitutionnel*, 10 avril 1876.

Vocabulaire et notions

• **Ligne de fuite** : pour donner l'illusion de la profondeur, le peintre crée une ligne horizontale vers laquelle il fait converger des lignes de fuite.

• **Salon officiel** : exposition annuelle d'œuvres choisies par un jury issu de l'Académie des beaux-arts, (une des sections de l'Institut de France) réticente aux innovations artistiques au XIXᵉ siècle.

• **Style haussmannien** : nom donné aux nouveaux bâtiments construits à Paris dans le cadre de la politique de Napoléon III pour moderniser la capitale et qui fut conduite par le baron Haussmann. La nécessité d'améliorer la circulation et l'hygiène conduit à la destruction de nombreux quartiers pour percer de grands boulevards, le long desquels on reconstruit des immeubles dont on qualifie le style d'haussmannien : usage de la pierre de taille, plusieurs étages, balcons en ferronnerie.

Questions

1. Comment le travail manuel est-il mis en valeur (doc. 1) ?

2. En quoi la composition est-elle aussi source de modernité (doc. 2) ?

3. En vous appuyant sur les documents 1 et 3, caractérisez le style réaliste.

Consigne BAC

Après avoir présenté le document 1, montrez en quoi ce tableau confronte la réalité du travail au faste du décor bourgeois.

Du grand magasin à l'hypermarché

Les révolutions industrielles bouleversent les circuits commerciaux. La forte hausse du pouvoir d'achat durant les Trente Glorieuses favorise l'entrée des Français dans la société de consommation avec les supermarchés puis les hypermarchés et les enseignes spécialisées au détriment du commerce traditionnel. Ainsi, la part des emplois dans le secteur de la distribution augmente considérablement entre 1850 et aujourd'hui.

Capacité travaillée
I.2.4. Confronter des situations historiques

▶ **Comment le secteur de la distribution se développe-t-il entre 1850 et aujourd'hui ?**

1850	1900	1950

1850
A. Boucicaut modernise Le Bon Marché

1894
Fondation des Galeries Lafayette

1931
Magasins Prisunic lancés par Le Printemps

1949
1re épicerie E. Leclerc

1954
Création de la FNAC

1958
1er supermarché

1963
1er hypermarché

1 **Les nouveaux agrandissements du Bon Marché.** *L'Univers illustré*, 1880.

Vocabulaire et notions

- **Distribution** : activités commerciales de vente aux particuliers.

- **Grand magasin** : commerce de centre-ville avec une grande surface de vente pour l'équipement de la personne et de la maison.

- **Hypermarché** : commerce de vente au détail en libre-service, surtout de produits alimentaires, d'une surface supérieure à 2 500 m².

- **Société de consommation** : société dans laquelle la croissance économique et la hausse du niveau de vie favorisent l'accès à un grand nombre de biens.

- **Supermarché** : commerce de vente au détail en libre-service, surtout de produits alimentaires, dont la surface est comprise entre 400 et 2 500 m².

2 L'essor du commerce de distribution dans les grandes villes

En 1882, Émile Zola visite plusieurs grands magasins parisiens, dont le Bon Marché décrit ici, et rassemble ainsi des informations en vue de l'écriture d'un nouveau roman : Au bonheur des dames.

Tout est bâti en brique et fer. La façade en belle pierre. Les halls très légers, très hauts. Rez-de-chaussée cinq mètres, premier étage quatre mètres, deuxième trois mètres cinquante. [...] Le principe du magasin est de ne laisser aucun coin désert, mort, sans affaire. Au deuxième étage seulement, aux tapis, aux meubles et à la literie, on tolère que la foule ne s'écrase pas. Mais, en bas, aux portes surtout dans le premier hall, on s'arrange pour mettre des soldes, des rubans à bon marché, toutes sortes d'articles qui tentent la foule et la font s'écraser à la porte. [...] Il faut vendre beaucoup, et pour cela vendre bon marché ; en outre, il faut attirer le client par la présence de toutes les marchandises imaginables (utiles à la femme) dans un seul lieu. De là l'idée de ces bazars pour la femme, où elle trouve tout ce qui lui faut, jusqu'à du superflu (et même quelques bibelots pour les hommes, qu'elle peut acheter, cannes, articles de Paris). Deux mille cinq cents employés en tout qui varient dans les rayons de vingt à soixante-dix. [...] Un chef de rayon a sous lui un premier second et un deuxième second qui sont intéressés[1]. Puis les vendeurs qui peuvent arriver à deux mille francs d'appointements. Il y a les premiers vendeurs et les vendeurs en sous-ordre. Le service de l'expédition compte deux cent vingt-six employés. C'est le service des commandes par lettres.

Une des forces des grands magasins est la réclame et la marque[2] en chiffre connu. Bien qu'ils le nient, ils affichent souvent un article plus bas qu'ils ne l'ont acheté, pour faire de la réclame ou pour faire concurrence. Tous les articles qu'ils annoncent, ils les donnent à 20 % de moins que le petit commerce. Ce sont ces annonces qui attirent la femme. Les articles sérieux, ceux qui ne sont pas annoncés, coûtent aussi cher dans les grands magasins qu'ailleurs.

Carnet d'enquêtes d'Émile Zola, Plon, coll. « Terre humaine », 1987.
1. Pourcentage sur les ventes réalisées.
2. Rapport entre la marge bénéficiaire et le prix de vente.

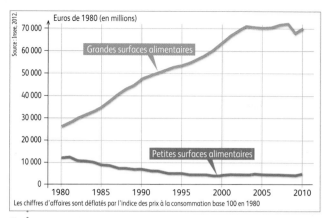

Source : Insee, 2012.

Euros de 1980 (en millions)

Les chiffres d'affaires sont déflatés par l'indice des prix à la consommation base 100 en 1980.

3 ⋮ L'essor de la grande surface après 1945

5 ⋮ Une activité tertiaire vers un nouveau taylorisme

Les grandes lignes à retenir : scanner les articles (un coup d'œil au passage pour voir si le prix n'est pas aberrant), faire le sous-total, indiquer le montant au client, demander la carte de fidélité, prendre le moyen de paiement, rendre la monnaie, la pièce d'identité si c'est un chèque, le ticket de caisse. Le tout avec le sourire le plus sincère. Bien sûr. Et hop : « *AurevoirBonnejournée* » et client suivant. Je reprends ? […]

Il est 21 h 05. C'était votre première vraie journée. Vous venez d'encaisser votre dernier et 289e client. Vous avez enchaîné huit heures de caisse avec deux pauses de quinze minutes. Vous êtes lessivée. Vous ne rêvez que d'une chose : retrouver votre lit et dormir jusqu'à demain 6 heures.

– Eh oh, réveillez-vous ! La journée n'est pas terminée ! Il vous reste encore à astiquer votre poste de travail (vous n'auriez quand même pas la naïveté de penser qu'une femme de ménage va le faire à votre place ?) et à compter votre caisse (vous n'auriez quand même pas le culot de croire qu'on vous paie à rien faire ?) Estimez-vous heureuse, ici, ce n'est pas vous qui nettoyez les rayons. […]

– 15-20 articles à enregistrer par minute. Cette moyenne peut passer à 45 chez certaines enseignes hard discount – la caissière est alors obligée de traiter les courses du client sans ménagement. Bonjour les dégâts s'il ne suit pas la cadence, ce qui, bien sûr, est presque toujours le cas. Eh, lui n'est pas payé au rendement, la caissière non plus d'ailleurs…

– 700 à 800 articles enregistrés par heure.

– De 21 000 à 24 000 articles enregistrés par semaine.

– 800 kilos d'articles soulevés par heure (la tonne horaire est dépassée les bonnes journées).

– De 96 à 120 tonnes soulevées par semaine (l'équivalent de quatre poids lourds, quand même !) […]

– Vous un robot ? Mais non. Un robot ne sourit pas.

– 850 euros net : votre paie à la fin du mois.

– 30 heures de travail par semaine (ou 26, 24, 20, mais rarement 35).

Je vous rassure tout de suite : pas la peine de chercher un autre emploi avec votre contrat à temps partiel. Votre direction vous réserve des plannings qui changent toutes les semaines.

Anna Sam[1], *Les Tribulations d'une caissière*, Stock, coll. « Les Documents », 2008.

1. Étudiante, elle travaille comme caissière pour financer ses études et finit par décrocher un DEA en littérature. Elle témoigne de son expérience dans un blog puis écrit ce livre.

4 ⋮ Édouard Leclerc, la mutation des Trente Glorieuses

Les débuts de l'épicier Édouard Leclerc à Landerneau (Bretagne), 1959.
À partir de 1949, Édouard Leclerc décide de vendre ses produits alimentaires au prix des grossistes et non au prix de détail en se fournissant directement auprès des producteurs. Édouard Leclerc regroupe des épiciers ayant les mêmes méthodes commerciales. C'est le début d'une lutte avec les petits commerçants.

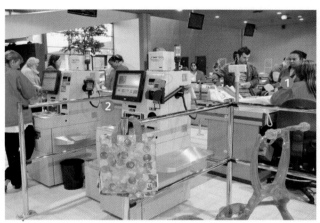

6 ⋮ Supermarché à Chelles, 2009
❶ Hôtesses de caisse – ❷ Caisses en libre-service.

• • • • **BAC** •

Consigne 1. Après avoir présenté les documents 1 et 2, caractérisez ce qu'est un grand magasin au XIXe siècle.

Pour vous aider pensez à :

– Repérer les différents éléments du décor et la fonction des personnages (doc. 1 et 2).

– Décrire la structure d'organisation du personnel du magasin (doc. 1).

– Identifier au brouillon les techniques de vente relevées par Zola (doc. 1).

Consigne 2. Après avoir présenté les documents 3 et 4, décrivez les mutations du commerce alimentaire depuis l'après-guerre.

Consigne 3. Après avoir présenté les documents 5 et 6, montrez la situation de l'emploi dans la grande distribution au début du XXIe siècle.

Pour vous aider pensez à :

– Utiliser le statut de l'auteur du doc. 5.

– Relever et qualifier les conditions de travail décrites.

Qu'est-ce que les Trente Glorieuses ?

L/ES   S

Les Trente Glorieuses est le titre d'un livre de l'économiste Jean Fourastié paru en 1979 avec pour sous-titre « La révolution invisible ». Il lui est inspirée par les « Trois Glorieuses », les trois journées de la révolution de juillet 1830. Fourastié décrypte dans son ouvrage les mutations que connait la France de 1946 à 1975. Il met en évidence la croissance exceptionnelle dont a bénéficié l'économie française entre 1945 et 1975 et ses effets sur les modes de vie. Pour mieux illustrer son propos, il compare le développement de deux villages, Madère et Cessac. Il s'agit en fait du même village, Douelle (Lot), mais décrit à deux époques différentes, en 1946 (Madère) et en 1975 (Cessac).

Capacité travaillée
II.2.1 Décrire et mettre en récit une situation historique

▶ Par quels moyens un historien peut-il montrer les mutations d'une société ?

1 : Madère-Douelle en 1946

Des 534 habitants de Madère, 279 sont recensés dans la population active [...]. De ces 279 actifs, 208 sont agriculteurs, 27 artisans (maçons, menuisiers, charpentiers, maréchaux-ferrants, meuniers, cordonniers, tailleurs...) et 12 commerçants : il y a en effet un très petit commerce, trois ou quatre « boutiques », deux épiceries-merceries, une boulangerie, une boucherie. Le boucher ne travaille d'ailleurs qu'à temps partiel ; il ne vend en général que du mouton, et seulement deux jours par semaine. Les 19 personnes recensées comme « employés » sont 5 instituteurs ou institutrices, le receveur des postes et le facteur, la secrétaire de mairie, le garde champêtre et quelques femmes de ménage, journalières, laveuses et « bonnes à tout faire ». Une douzaine d'ouvriers non agricoles (cantonniers, mécaniciens...) complètent les 279, qui ne comprennent que 2 « cadres ou techniciens », le curé et un docteur en médecine, qui, d'ailleurs, a quitté Madère peu après le recensement, non bien sûr faute de malades, mais de clients solvables. [...] Ces 208 travailleurs agricoles ne disposent en tout que de deux tracteurs, souvent hors d'usage par bris d'une pièce [...]. L'engrais chimique est très peu utilisé ; on « fume » la terre avec le fumier des grands animaux, [...]. En année moyenne, le blé rend 7 à 8 fois la semence (12 quintaux bruts à l'hectare). [...] L'alimentation forme les trois quarts de la consommation totale. Elle est cependant pour sa moitié composée de pain et de pommes de terre ; chaque exploitation agricole élève un porc et une trentaine de têtes de petits animaux, dont la consommation fournit les trois quarts de la consommation de viande de la famille ; [...]. Les dépenses de loisirs sont très faibles ; ni les jeunes, ni les adolescents ne reçoivent d'argent de poche. En dehors du service militaire et de la guerre, la grande majorité des habitants de Madère n'a fait de voyage que son voyage de noces et quelques pèlerinages.

Jean Fourastié (1907-1990), *Les Trente Glorieuses*, Fayard, 1979.

2 : L'évolution de Douelle entre 1946 et 1975

	Madère-Douelle	Cessac-Douelle
Population totale	534	670
Population active	279	215
Dont agriculteurs	208	53
Ouvriers non agricoles	12	35
Artisanat	27	25
Tertiaire	32	102
Rendement à l'hectare pour le blé	12	35
Nombre de tracteurs	2	40
Durée de travail pour acheter 1 kg de poulet	8 h	45 mn

Habitat, équipement	Madère-Douelle	Cessac-Douelle
Nombre de logements (maisons individuelles) Dont maisons neuves (moins de 20 ans)	163 3	212 50
Cuisinières à gaz butane ou électrique	3	197
Réfrigérateurs	5	210
Machines à laver le linge	0	180
Téléphones	5	110
Automobiles	5	280
Radios	50	250
TV	2	200

Jean Fourastié, *Les Trente Glorieuses*, Fayard, 1979.

Extrait de *Farrebique*, 1947

Extrait de *Biquefarre*, 1983

3 : Les mutations des Trente Glorieuses au cinéma
Le cinéaste G. Rouquier filme le village d'origine de sa famille, Farrebique (Aveyron), à presque quarante ans d'intervalle. Il montre le passage du monde rural de la tradition à la modernité.

4 : Expliquer les Trente Glorieuses

Ainsi des changements fantastiques sont survenus en trente années, dans la condition d'une humanité millénairement stagnante. Pourquoi ces changements ? Comment ont-ils pu être réalisés ? [...] Le facteur décisif est la production nationale par tête de population active. Si cette production par tête est forte, si donc le travail de transformation de la nature est efficace, alors le salaire réel peut être élevé, le niveau de vie est fort, la nation est riche. [...] L'efficacité du travail se mesure donc par la quantité de travail obtenue par tête de travailleur, soit en une année de travail, soit en un jour, soit en une heure ; on appelle productivité du travail ce rapport du volume physique de la production à la durée du travail nécessaire à cette production. [...] La productivité ne s'élève pas par un plus grand effort du travailleur, mais par l'effet de procédures techniques plus efficaces : organisation du travail, organisation de l'entreprise et de la nation, emploi de procédures plus simples et plus rapides, déduites des « inventions » et « découvertes » des sciences expérimentales, emploi de machines et d'installations, emploi d'énergie mécanique...

Jean Fourastié, *Les Trente Glorieuses*, Fayard, 1979.

6 : L'analyse d'un économiste sur les Trente Glorieuses en 2011

Avec Alfred Sauvy, Jean Fourastié saisit très tôt que le moteur de la croissance n'est pas l'accumulation du capital, comme on le croyait au XIXᵉ siècle, mais le progrès des techniques. De la machine à vapeur à l'électricité et au moteur à explosion, ce sont les technologies nouvelles qui permettent au travail humain d'être toujours plus productif. Or, sauf à imaginer une inventivité inouïe, la productivité horaire des ouvriers ne pouvait durablement tripler tous les trente ans. Tel est en substance, le cœur de la démonstration proposée. [...]

La cause retenue aujourd'hui par les économistes pour expliquer l'arrêt inéluctable des Trente Glorieuses est toutefois à peine évoquée par Fourastié : la fin du rattrapage américain. On comprend en effet aujourd'hui que les Trente Glorieuses marquent en réalité une période de convergence vers les États-Unis. [...]

À travers cet exemple, Fourastié dévoile ce qui peut compter comme sa découverte majeure, qu'il partage dans le monde anglo-saxon avec Colin Clark. Le monde moderne ne se résume pas au passage d'une société rurale à une société industrielle. Il tend en fait vers un troisième terme : une société de services. Dès son premier ouvrage célèbre *Le Grand Espoir du XXᵉ siècle* paru en 1948, il désigne ce qui lui apparaît comme le véritable sens du progrès : « Tout se passe comme si le travail humain était en transition de l'effort physique vers l'effort cérébral. » La tertiarisation aujourd'hui accomplie est-elle à la hauteur du grand espoir qu'elle a fait naître ? La condition ouvrière s'est bel et bien tertiarisée. Mais elle signifie aujourd'hui davantage de tâches de réparateurs, de manutentionnaires. Le grand espoir est devenu un grand désespoir. Les ouvriers sont soumis à la dictature du client, du « juste à temps », plutôt qu'à celle des patrons. [...]

Préface de Daniel Cohen à Jean Fourastié, *Les Trente Glorieuses*, réédition 2011, Hachette Pluriel.

5 : Les Trente Glorieuses marquent l'entrée dans la société de consommation
Le panier de la ménagère, 1954.

S'initier au travail de l'historien

A Dégagez des thèmes permettant une analyse à partir des données relevées par Jean Fourastié (doc. 1 et 2)

1. Classez les métiers par secteurs d'activité.
2. Faites une rubrique sur la productivité.
3. Relevez les données qui concernent l'habitat.

B Montrez la modernisation de Douelle entre 1946 et 1975 (doc. 1 et 2).

4. Utilisez les critères que vous avez dégagés plus haut.
5. Que peut-on dire sur les loisirs ? Sur l'ouverture au monde ?
6. Montrez la progression du confort domestique.
7. Pourquoi l'accès à ces nouveaux biens de consommation devient-il possible ?

C Confrontez les documents 4 et 6 à travers une démarche critique : comparer les analyses des deux économistes.

8. Quelles sont les causes des Trente Glorieuses selon Jean Fourastié ? Selon Daniel Cohen (doc. 6) ?
9. Comment expliquer ces différences entre eux ?

Consigne BAC

En vous aidant des analyses respectives de Jean Fourastié et de Daniel Cohen, identifiez les facteurs de transformation de l'économie française de 1945 à 1975 d'une part, depuis 1975 d'autre part

1 D'une société rurale à une société postindustrielle

▶ Comment la structure de la population active française évolue-t-elle ?

A Le lent déclin d'une société rurale

(Études) pages 54-55 et 60-61 + doc. 3

■ **Vers 1850, dans une France largement rurale, la** population active **agricole atteint son maximum** : 9,3 millions (un peu plus d'un actif sur deux appartient au monde rural). Elle est composée de propriétaires exploitants, de fermiers qui louent la terre qu'ils cultivent mais aussi de nombreux journaliers, simples ouvriers agricoles. La baisse des actifs agricoles commence, mais elle est moins forte qu'ailleurs. La France qui entre en guerre en 1914 est encore largement terrienne : nombre de « poilus » sont des paysans, tel Ephraïm Grenadou. En 1930, un actif sur trois appartient encore au monde agricole dont la Troisième République célèbre les valeurs.

■ **La modernisation de la France rurale date surtout des années 1950-1960.** L'État joue un rôle décisif, qu'appuient le Crédit agricole, le syndicalisme paysan, la Communauté européenne enfin avec la politique agricole commune (PAC). L'exode rural accompagne les Trente Glorieuses : au moment où la France devient vers 1970 un grand exportateur de produits agricoles, elle a cessé d'être une société rurale : de 6 millions en 1945 les agriculteurs ne sont plus en 1970 que 2 millions. En 2010, il restait moins de 500 000 agriculteurs.

B Apogée et déclin du monde ouvrier

(Étude) pages 56-57 – Repères pages 50-51 + doc. 3

■ **L'emploi industriel décolle avec les révolutions industrielles du XIXᵉ siècle.** Les ouvriers à domicile de la proto-industrie se raréfient. Les grandes usines se multiplient comme les forges Schneider au Creusot. Mais la majorité des 6 millions de salariés de l'industrie en 1911 (1/3 des actifs) travaillent dans de petits établissements où les ouvriers qualifiés sont encore très représentés.

■ **Le monde ouvrier des « cols bleus » connaît son apogée pendant les Trente Glorieuses** avec la généralisation du taylorisme : l'ouvrier type est un ouvrier spécialisé (OS) qui travaille à la chaîne dans une grande usine automobile comme celle de Renault à Boulogne-Billancourt. En 1974, l'industrie occupe 35 % des actifs mais une partie des 8,3 millions d'emplois ainsi répertoriés sont des « cols blancs » : techniciens, administratifs ou ingénieurs.

■ **Depuis les années 1980 l'emploi industriel est en crise.** Nombre de PME disparaissent, ruinées par la concurrence des nouveaux pays industriels. Les grandes entreprises automatisent leur production ou recourent à la sous-traitance dans les pays à bas salaire. La désindustrialisation frappe d'abord les secteurs traditionnels comme le textile ou la mine : la dernière mine de charbon ferme en 2004 alors qu'il y avait 360 000 mineurs en 1950. Depuis la crise économique de 2008, la France est un des pays d'Europe où la désindustrialisation est la plus vive : dans l'industrie manufacturière le nombre d'emplois est passé de 4 millions en 2001 à 3,2 millions en 2013.

C Vers une société de services à deux vitesses

(Étude) pages 58-59 + doc. 1, 2 et 3

■ **Dès le XIXᵉ siècle se développent la fonction publique** (facteurs, instituteurs), **le commerce** (vendeurs des grands magasins...) **et les transports** (cheminots). Mais l'accélération est sensible à partir de 1945 avec l'essor de l'enseignement, de la grande distribution (le premier hypermarché ouvre en 1963), les banques et toute la civilisation des loisirs (le Club Méditerranée est fondé en 1950). Les services sont le secteur privilégié de l'emploi féminin pendant les Trente Glorieuses. En 1970, un actif sur deux en France travaille dans les services.

■ **À partir des années 1980, l'expansion des services compense en partie la désindustrialisation**, d'autant plus que beaucoup d'emplois tertiaires ne sont pas délocalisables (restauration, livraison). Mais, à côté des activités très qualifiées (chercheurs, financiers), prolifèrent des emplois, souvent à temps partiel ou à durée déterminée, qui ne permettent pas l'accès à la classe moyenne : personnels d'entretien, vigiles ou employés de la restauration rapide constituent un nouveau prolétariat tertiaire, le « précariat ».

Biographie

Ephraïm Grenadou (1897-1993)
Grenadou est un paysan de la Beauce mobilisé durant la Première Guerre mondiale. Fils d'un ouvrier agricole, il a été charretier à l'âge de 14 ans. Parti quasiment de rien, il finit à la tête d'une exploitation de plus de 170 hectares, avec six tracteurs. Son ascension est emblématique des transformations de l'agriculture française de la Belle Époque aux Trente Glorieuses. Ephraïm Grenadou connaît la notoriété lorsque son voisin, l'écrivain Alain Prévost, recueille ses souvenirs et publie en 1966 le best-seller *Grenadou, paysan français*.

Vocabulaire et notions

• **Désindustrialisation** : destruction des activités et des emplois industriels.

• **Exode rural** : migration des populations des campagnes à la recherche de travail vers les villes.

• **Ouvrier spécialisé (OS)** : ouvrier spécialisé dans une seule tâche élémentaire déterminée par l'organisation scientifique du travail (visser un boulon...).

• **Politique agricole commune** : politique de soutien à l'agriculture de l'Union européenne, lancée en 1962, qui a permis des prix garantis aux agriculteurs et des aides à la modernisation.

• **Population active** : part de la population qui exerce ou recherche un emploi.

• **Postindustrielle** : économie où dominent les emplois de services y compris dans le secteur manufacturier.

• **Précariat** : expression désignant les travailleurs tertiaires parfois étrangers et souvent sans qualification exposés à des emplois précaires et mal payés.

1 La société des services et la standardisation vues par le cinéaste Jacques Tati dans *PlayTime* (1967)

2 La vision d'une sociologue sur la féminisation de l'emploi

La féminisation du marché du travail est l'un des événements marquants de cette fin de XXᵉ siècle [...]. Les faits étant établis, comment peut-on expliquer le mouvement, comprendre son ampleur, sa permanence et sa généralisation ? Il serait bien commode ici de pouvoir parler d'un « changement de mentalités », de l'émergence de nouveaux courants socioculturels : les femmes en veulent plus, comme on dit, elles s'accrochent à leur travail, elles affirment leur désir d'indépendance économique, etc. Tout cela est juste mais n'explique rien. Cela permet tout au plus de reformuler la question : pourquoi les mentalités, les désirs, les volontés évoluent-ils ?

On pourrait bien sûr renvoyer à des mutations socioculturelles d'un autre ordre : c'est la même génération de femmes qui a inauguré, à la fin des années 1960, la libéralisation de la contraception et de l'avortement, l'apparition d'un nouveau féminisme radical, l'émergence de nouveaux modèles familiaux et la poussée de l'activité féminine. La coïncidence est trop belle pour n'être pas mentionnée. Mais au fond, qu'est-ce qui explique quoi ?

Margaret Maruani, *Travail et emploi des femmes*,
La Découverte, 2003.

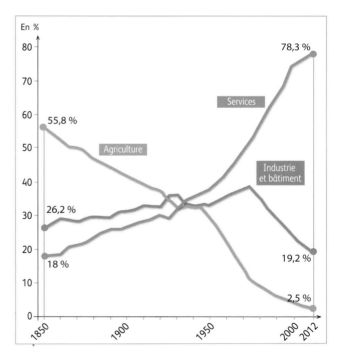

3 Évolution de la structure de la population active française de 1806 à 2012

Marchand-Thélot, *Le Travail en France*, Nathan, 1998 ; INSEE.

Questions

1. Relevez les critères avancés pour expliquer la féminisation de l'emploi. Expliquez la dernière interrogation de l'auteur (doc. 2).

2. Caractérisez l'évolution de chacun des secteurs d'activité de 1850 à 2012 (doc. 3).

Les acteurs de l'amélioration de la condition ouvrière

L/ES

> Le quotidien ouvrier du XIXᵉ siècle est marqué par des conditions de travail pénibles, voire dangereuses, et de faibles salaires. Dès cette époque, différents acteurs ont cherché à améliorer la condition ouvrière : certains patrons, l'État à travers la législation du travail et les entreprises publiques, mais aussi les ouvriers eux-mêmes avec les syndicats.

Capacité travaillée
II.1. Prélever et confronter des informations

▶ **Quels acteurs ont participé à l'amélioration des conditions de vie et de travail du monde ouvrier ?**

1850   1950   2000

Hausse   **du**   **nombre**   **d'ouvriers**

1864 Légalisation du droit de grève

1884 Loi sur la liberté syndicale

1895 Création de la CGT

1891 Massacre de Fourmies

1919 Loi des 8 h

1936 Mesures du Front populaire

1945 Création de la Régie Renault

1946 Sécurité sociale

1969 4ᵉ semaine de congés payés

1982 Loi sur les 39 h

A   La philanthropie patronale

1 : Une vision originale sur le logement ouvrier

Cherchons à réformer ce milieu qui corrompt l'âme et le corps des masses, et nous aurons fait un grand pas pour relever l'homme de son abaissement. Que la pauvreté relative soit une des nécessités de la société humaine, soit ; la nature procède par différences en toutes choses. Mais que la misère doive y être éternelle, c'est là une erreur accréditée qu'il faut extirper des préjugés de notre temps. Est-ce bien dans ces maisonnettes[1] que se trouve l'idéal du progrès dont l'architecture soit capable en faveur des classes laborieuses, et le Capital qui est engagé de cette manière ne pourrait-il trouver un meilleur emploi dans une forme architecturale supérieure, qui serait aux petites maisons ce que la grande usine est aux ateliers ? Ce n'est donc pas le logement bon marché qu'il faut créer ; ce qu'il faut édifier, c'est le logement de la véritable économie domestique, c'est l'atelier du bien-être et du bonheur humain, c'est le Palais social enfin qu'il faut ériger au Travail, pour élever les classes ouvrières au degré de dignité et de bien-être auquel elles aspirent, et pour donner à l'usage et à l'emploi de la Richesse, créée par le Travail, une direction conforme aux Lois Primordiales de Conservation, de Progrès, et d'Harmonie de la Vie Humaine.

Jean-Baptiste Godin, *Solutions sociales*, 1871.

1. J.-B. Godin critique les cités construites par certains chefs d'entreprise.

2 : Une crèche installée dans le familistère de Guise (Aisne)
Carte postale de la fin du XIXᵉ siècle.

Biographies

Charles Fourier (1772-1837)
Penseur socialiste. Il imagine une organisation sociale utopique où l'humanité vivrait dans des phalanstères, immenses bâtiments autonomes assurant le bien-être d'environ 2 000 personnes.

Jean-Baptiste Godin (1817-1888)
Né dans une famille d'artisans serruriers, il crée une usine de fabrication de poêles à Guise dans l'Aisne en 1846. Intéressé par les idées de Charles Fourier, il construit à côté de l'usine un espace de vie pour ses ouvriers, le familistère. Il associe ses employés à la gestion à la fois de l'usine et du familistère. Le familistère de Guise accueille des travailleurs jusqu'en 1968.

Vocabulaire et notions

• **CFDT** : créée en 1964, la Confédération française du travail n'est pas communiste, mais réformiste. Elle se tourne vers les nouveaux publics du monde du travail (femmes, immigrés).

• **CGT** : Confédération générale du travail, organisation syndicale créée en 1895 et qui porte les revendications ouvrières durant tout le XXᵉ siècle. Elle est d'abord de tendance anarcho-syndicaliste puis à partir de 1921 (CGTU puis CGT réunifiée) communiste.

• **Philanthropie** : « amour de l'homme » en grec. Sentiment qui pousse à tenter d'améliorer le sort des autres.

• **Société nationalisée** : entreprise dont l'État est propriétaire.

B L'action syndicale

3 La **CGT** : la défense des classes laborieuses
La CGT revendique la journée de huit heures qui sera finalement accordée par le gouvernement en 1919. *Affiche de la CGT, 1er mai 1912.*

4 La **CFDT**, une autre culture syndicale
La Confédération française du travail, créée en 1964, se tourne vers de nouveaux publics du monde du travail : les femmes, les jeunes, les immigrés. *Affiche de 1973.*

C La générosité de l'État patron

5 **Les réformes sociales chez Renault durant les Trente Glorieuses**

Entre 1955 et 1975, Pierre Dreyfus (1907-1994) dirige la Régie Renault, société nationalisée depuis 1946 et « vitrine sociale » de l'État patron.

[Pierre Dreyfus] signe le premier accord d'entreprise avec la création d'un régime de retraite complémentaire et la troisième semaine de congés payés en 1955. La quatrième semaine viendra dès 1962.
Entreprise atypique, Renault a, à sa tête, un patron atypique. Son salaire ? Il ne s'en soucie guère. Il laisse au secrétaire général de Renault, Marc Ouin, le soin d'en discuter avec le ministère du Budget. Quand l'inflation dépassait 10 %, il n'aurait pas passé une minute à se pencher sur la question de son augmentation. « Il trouvait que l'on avait déjà bien de la chance de ne pas payer pour travailler chez Renault », se souvient-il. Résultat, chez Renault, [...] les bas salaires y sont plus élevés qu'ailleurs, et les hauts salaires y sont bas. Renault donne le ton en matière sociale. C'est l'époque de la « vitrine sociale ». Pierre Dreyfus avait la conviction que les gains de productivité ne servaient à rien si les salariés n'en étaient pas les premiers bénéficiaires. [...].
Philippe Douroux « Pierre Dreyfus au bout de sa route », Libération, 27 décembre 1994.

BAC

Consigne 1. Expliquez la vision qu'a Jean-Baptiste Godin de l'amélioration de la condition ouvrière (doc. 1 et 2).

Pour vous aider pensez à :
– Relever le vocabulaire idéologique utilisé par l'auteur. Montrez qu'il s'oppose à la vision patronale traditionnelle. (doc. 1)

– Relever les améliorations voulues par Jean-Baptiste Godin. (doc. 1 et 2)

Consigne 2. Relevez les revendications mises en avant par ces deux syndicats (doc. 3 et 4).

Consigne 3. Expliquez les motivations des différents acteurs qui contribuent à l'amélioration de la condition ouvrière puis analysez ces améliorations (doc. 5 et 6).

6 **Le domaine d'Agecroft, le « château des mineurs »**

En 1947, l'entreprise publique Charbonnages de France acquiert un château sur la Côte d'Azur où les mineurs peuvent passer quinze jours de vacances.

Les Houillères venaient d'être nationalisées et les dirigeants de l'époque ont pensé qu'il fallait un lieu de vacances pour les mineurs, qui toute l'année travaillaient durement au fond de la mine. Ils ont pensé que ces mineurs se trouvant dans le Nord, dans un lieu peut-être pas très ensoleillé devaient, eux aussi, bénéficier du soleil. Depuis 1947, ce château d'Agecroft a été aménagé presque annuellement. Au début, il pouvait réunir une centaine de mineurs et familles de mineurs en même temps ; aujourd'hui (1967) il peut en grouper 500 à la fois. Ce qui permet à 10 000 mineurs et familles de mineurs, bien sûr, de passer chaque année leurs vacances dans ce qu'ils appellent, et ça nous fait un très grand plaisir, croyez-le, le Château, le Château des mineurs.
Extrait de l'interview d'Yvon Morandat, PDG de Charbonnages de France, par la télévision française en 1967.

Vers la fin du travail des enfants (1850-1914)

Le travail des enfants est très présent au XIXe siècle dans l'industrie mais aussi dans le monde agricole. Leur petite taille les rend utiles dans les activités textiles ou minières. Leur salaire ou leurs activités sont aussi jugés indispensables par les familles. Estimés à 12 % des emplois en France vers 1840, leur part dans l'industrie commence à régresser sous le Second Empire (7 % des ouvriers de l'industrie). Une législation mise en place par l'État ainsi que la scolarisation obligatoire écartent peu à peu l'enfant du monde du travail.

Capacité travaillée

II.2.4 Lire un document et en exprimer par écrit les idées clés, les parties ou composantes essentielles

▶ **Qu'est-ce qui permet aux enfants de sortir progressivement de la population active ?**

1830 — 1900

1841
1re loi
sur le travail
des enfants

1874
Loi limitant la durée du travail
et interdisant le travail de nuit dans
l'industrie pour les enfants

1881-1882
Lois scolaires
Jules Ferry

1892
Loi interdisant le
travail des enfants
avant 13 ans révolus

Biographie

Louis Villermé
(1782-1863)
À la demande du gouvernement, ce chirurgien s'intéresse aux conditions de vie et de travail de la classe ouvrière, dans l'industrie textile. Son rapport est à l'origine de la première loi sur le travail des enfants.

1 Rapport du docteur Villermé sur les conditions de vie des ouvriers du textile en France en 1840

Ce rapport est à l'origine de la première loi sur le travail des enfants (1841).

Beaucoup (les tisserands) sont maigres, chétifs, scrofuleux, ainsi que leurs femmes et leurs enfants. Il est vrai que l'on fait dévider les trames à ces derniers dès qu'ils ont atteint l'âge de cinq ou six ans, et qu'on les retient chaque jour à ce travail beaucoup plus qu'il ne faudrait. J'en ai vu de quatre ans et demi qui faisaient déjà ce métier. [...] Les enfants employés dans les manufactures de coton de l'Alsace, y étant admis dès l'âge où ils peuvent commencer à peine à recevoir les bienfaits de l'instruction primaire[1], doivent presque toujours en rester privés. Quelques fabricants cependant ont établi chez eux des écoles où ils font passer, chaque jour et les uns après les autres, les plus jeunes ouvriers. Mais ceux-ci n'en profitent que difficilement, presque toutes leurs facultés physiques et intellectuelles étant absorbées dans l'atelier. Le plus grand avantage qu'ils retirent de l'école est peut-être de se reposer de leur travail pendant une heure ou deux.

Villermé, *Tableau de l'état physique et moral des ouvriers employés dans les manufactures de coton, de laine et de soie,*
Renouard, Paris, 1840.

1. Loi Guizot de 1833 rendant obligatoire l'entretien d'une école par les communes ; l'enfant y est accepté à partir de 5 ans.

2 Enfants employés dans une clouterie à Mohon (dans les Ardennes). Carte postale, avant 1914

3 Mise en place progressive d'une législation pour les enfants dans le monde industriel

Dates des lois	1841	1874	1892
Âge minimum	Avoir au moins 8 ans	12 ans révolus 10 ans sur dérogation	13 ans révolus
Temps de travail	Moins de 12 ans : 8 h/j 12 à 16 ans : 12 h/j	12 h/j	10 h/j au maximum jusqu'à 16 ans
Travail de nuit	Interdit aux moins de 13 ans	Interdit aux moins de 16 ans	Interdit aux moins de 18 ans
Rythme hebdomadaire	Travail dimanche et jours fériés interdit pour moins de 16 ans	Travail dimanche et jours fériés interdit pour tous	Repos hebdomadaire
Contrôles	Amendes max. 500 fr.	Nomination de 15 inspecteurs pour la France Amendes max. 1 000 fr.	Nominations d'inspecteurs pour chaque département Plus de plafond max. pour les amendes

Étudier un texte

4 : Témoignage d'une enfant[1] d'un village du nord de la France au début du XXe siècle

La cave de la maison… C'est là, dans cette grande pièce à demi-obscure, éclairée seulement par en haut de quelques vitres, que se trouvaient les métiers sur lesquels dix-huit heures durant, tous au village tissaient les mois d'hiver. […]

À quatre heures, c'était le réveil. Mes sœurs et moi nous fabriquions des mouchoirs que nous tissions dans des pièces de toile enroulée. […] De notre cave nous remontions vers midi pour manger les pommes de terre et les tartines de fromage blanc. Ce menu était immuable sauf le dimanche lorsqu'il y avait de la viande. Mon papa nous faisait ensuite sortir une demi-heure dans la cour afin que nous prenions l'air. La cave en effet était assez malsaine…Vers 13 h nous retournions au métier jusqu'à 16 h. Là, nous avions droit à une nouvelle bolée de chicorée, puis redescente jusqu'à 19 h pour la soupe. Une demi-heure après, nous retournions au travail jusque vers 22 h.

S. Grafteaux, *Mémé Santerre*, Éd. Delarge, 1975.
1. Née en 1891.

Consigne BAC

Après avoir présenté le document 4, décrivez les conditions de vie et de travail des enfants de cette famille.

Méthode

1 Présenter le document

■ Mettre en évidence la nature du document : il s'agit ici d'un témoignage, il faut donc obligatoirement l'étudier avec le recul critique nécessaire. Il ne faut pas oublier de donner le thème et le contexte du document.

2 Décrire les conditions de vie et de travail de la famille

■ Repérez les horaires, l'alimentation, le lieu du travail : qu'est-ce que cela implique ?

3 Réaliser une étude critique

■ Pourquoi ce travail n'a-t-il lieu que pendant les mois d'hiver ? Quelle peut être l'activité principale de la famille ? Il faut confronter le document aux connaissances du cours : utiliser, par exemple, le tableau du document.

■ Qu'est-ce que ce témoignage apporte comme informations sur l'application de la législation ?

■ Comment expliquer son application partielle ?

5 La réticence des parents à scolariser leurs enfants

Motifs présumés de la non-fréquentation de l'école en 1861 : les parents de ces malheureux enfants sont complètement ignorants eux-mêmes et, par suite, voués corps et âme au culte des intérêts matériels. La plupart cultivateurs ou journaliers, ils ne peuvent s'imaginer que l'instruction primaire puisse procurer à leurs enfants l'avantage de récolter plus de grains, de diminuer leurs frais ou d'augmenter leur salaire ; alors à quoi sert de savoir lire et écrire, puisque les bœufs n'en seront pas mieux conduits, ni les champs plus fertiles ?

Rapport de l'instituteur de la commune de Genouilly à sa hiérarchie sur le manque d'élèves dans sa classe.
Source : Archives départementales du Cher.

Vierzon, 3 juin 1867
Monsieur le juge de paix
[…] en dehors des élèves porcelainiers ou peintres, d'autres enfants sont occupés comme auxiliaires pour les ouvriers porcelainiers. […] Ces enfants ne sont pas toujours sous le rapport de l'instruction primaire ; […] nous avons voulu à plusieurs reprises faire exécuter rigoureusement la loi et nous avons interdit l'entrée de l'usine aux enfants […] mais nous avons dû céder devant les instances des parents.

Courrier de propriétaires d'une usine de porcelaine adressé au juge de paix de Vierzon. Source : Archives départementales du Cher.

6 : La persistance du travail des enfants dans les années 1930
Cireurs de chaussures, Marseille, début des années 1930.

BAC

Consigne 1. En confrontant les documents 1 et 2, caractérisez le travail des enfants en insistant sur les évolutions entre les deux époques.

Consigne 2. Après avoir présenté les documents 5 et 6, expliquez les difficultés d'application de la législation puis vous montrerez les différences en matière de scolarisation.

2 Les mutations du travail depuis 1850

L/ES **S**

▶ Comment les conditions de travail de la population active française ont-elles évolué depuis 1850 ?

A Une hausse de la population active

Étude pages 66-67 – Repères pages 52-53 + doc. 1 et 3

■ Vers 1850, la France compte 16 millions d'actifs. Ce nombre augmente durant tout le XIXe siècle, mais à un rythme ralenti de 1860 à 1914. Au XIXe siècle le taux d'activité est gonflé par le travail des enfants car, jusqu'en 1874, les moins de 12 ans peuvent être embauchés. **À partir des Trente Glorieuses, la hausse des actifs s'accélère : elle est supérieure à 1 % par an pendant la période 1960-1980.** En 2012, la population active française atteint 28,6 millions de personnes.

■ Cet accroissement des actifs s'explique par différents facteurs. La population totale augmente (baby-boom de 1944 à 1965 ; immigration depuis 1880, accélérée après 1945). **Par ailleurs, si les femmes travaillent déjà au XIXe siècle (à la ferme, à l'usine), elles entrent massivement dans le secteur tertiaire à partir de 1970**, notamment à des postes très qualifiés (professeurs, magistrats). En revanche le taux d'activité des hommes, en hausse jusque vers 1960, diminue depuis pour se stabiliser à 75 %.

1 **Une féminisation de l'emploi**
Conductrice de tramway de la RATP, 2006.

B L'amélioration progressive des conditions de travail de 1850 à 1945

Étude pages 64-65 – Prépa Bac page 87 + doc. 2

■ Vers 1850, la durée journalière est estimée entre 10 heures en hiver et 14 heures en été. **La baisse du temps de travail s'amorce à partir de 1880 à l'usine et dans les services.** L'État encadre ce processus en imposant le dimanche chômé en 1906 (après la catastrophe minière de Courrières, 1 100 morts) ou en limitant à 8 h la durée de travail par jour de 1919 ; le Front populaire en 1936 instaure les congés payés et la semaine de 40 heures.

■ À côté du travail à domicile (800 000 travailleurs encore en 1900) et de l'atelier, les grandes usines se multiplient. **Le travail devient aussi progressivement moins dangereux à mesure que l'État renforce la législation pour assurer la sécurité des travailleurs.** En 1892, apparaissent les premiers inspecteurs du travail. Ils feront notamment appliquer la loi de 1898 qui oblige les employeurs à indemniser les salariés victimes d'un accident du travail.

■ **L'entreprise reste aussi un lieu de conflit entre patronat et salariés.** La nature révolutionnaire du syndicalisme (charte d'Amiens, 1906) et sa faible représentativité l'expliquent en partie. Par ailleurs le taylorisme intensifie le travail et en appauvrit l'intérêt pour l'ouvrier.

C Les mutations s'accélèrent depuis les Trente Glorieuses

Doc. 4 et 5

■ Le salariat a progressé : 50 % des actifs sont salariés en 1850, 88% en 2010. Durant les Trente Glorieuses, le contrat de travail à durée indéterminée se généralise pour les salariés, source de stabilité. Les ouvriers accèdent à la société de consommation. Par ailleurs, la hausse du chômage à partir des années 1980 (5 % en 1980, 8 % en 1990, 10 % en 2012) inspire l'idée d'un partage du travail par la baisse de la durée légale du travail : retraite à 60 ans au lieu de 65 ans, semaine de 39 heures (1982) puis 35 heures (2002).

■ La massification scolaire de l'après-guerre (scolarité obligatoire jusqu'à 16 ans en 1959, collège unique sans sélection en 1975) répond au besoin d'une main-d'œuvre plus qualifiée. Elle entraîne aussi une arrivée plus tardive des jeunes sur le marché du travail (23% des moins de 25 ans sont chômeurs en 2015).

■ Il existe des inégalités dans le salariat face au risque de perte d'emploi. D'une part un secteur protégé : salariés de la fonction publique (5 millions d'actifs) et des entreprises publiques (SNCF, RATP), certains salariés du secteur privé (techniciens de l'aéronautique, cadres dirigeants) relativement à l'abri en raison de leurs compétences. En revanche les travailleurs peu qualifiés (caissières) sont souvent obligés d'accepter des contrats à temps partiel et/ou à durée déterminée. Devenu massif, le chômage (3,5 millions de personnes recherchent un emploi en 2015) suscite une forte anxiété chez les travailleurs et limite leurs revendications.

Vocabulaire et notions

• **Charte d'Amiens** : texte adopté à l'issue du congrès d'Amiens de la CGT en 1906. Le syndicat refuse tout lien avec un parti politique et prône la grève générale comme moyen d'action privilégié et révolutionnaire.

• **Contrat à durée déterminée (CDD)** : contrat de travail entre un salarié et un employeur dans lequel l'emploi est temporaire avec une date de fin de contrat prévue à l'avance.

• **Massification scolaire** : accès d'une classe d'âge à un plus grand nombre d'années d'études, qui se traduit par une hausse de l'effectif des diplômés.

• **Salariat** : forme de contrat de travail où le travailleur est rémunéré par un salaire en général versé mensuellement sur la base d'un taux horaire fixe.

• **Taylorisme** : organisation scientifique du travail inventée par l'ingénieur américain Taylor à la fin du XIXe siècle. Elle permet une hausse de la productivité par la division des tâches et le chronométrage.

2 : Chronologie des principales lois sociales

1841	Première loi sociale en France, qui interdit le travail des enfants de moins de 8 ans et limite à 8 h la durée journalière jusqu'à 12 ans
1864	Reconnaissance du droit de grève
1884	Légalisation des syndicats
1892	Interdiction du travail de nuit des femmes et création d'un corps d'inspecteurs du travail
1898	Loi mettant à la charge des employeurs l'indemnisation des accidents survenus sur le lieu de travail
1906	Interdiction du travail le dimanche
1906	Création d'un ministère du Travail
1919	Journée de travail de 8 heures
1936	Semaine de travail de 40 heures ; institution des congés payés (2 semaines) ; création des délégués du personnel
1945	Création de la Sécurité sociale (assurances vieillesse, maladie, famille, accidents du travail) et des comités d'entreprise
1950	Création du salaire minimum garanti (SMIG puis SMIC – C pour Croissance – en 1970)
1958	création de l'assurance chômage
1968	4e semaine de congés payés
1982	Retraite à 60 ans, 39 heures hebdomadaires
2002	Semaine de 35 heures

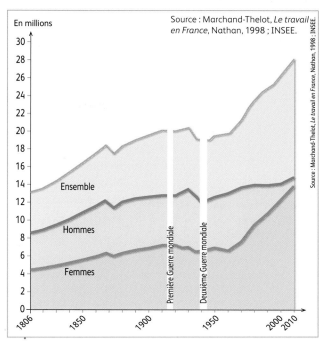

Source : Marchand-Thelot, *Le travail en France*, Nathan, 1998 ; INSEE.

3 : La hausse de la population active

4 : L'accès à la consommation pendant les Trente Glorieuses

L'équipement des ménages selon la catégorie sociale (part des foyers équipés en %).

	Automobile			Télévision			Réfrigérateur			Lave-linge		
	1954	**1964**	**1972**	**1954**	**1964**	**1972**	**1954**	**1964**	**1972**	**1954**	**1964**	**1972**
Agriculteurs exploitants	29	53,2	73,5	0,2	16,3	70,8	2,4	31,5	81,2	7,3	30,4	71,5
Cadre sup. prof. lib.	56	86,5	86,9	4,7	51,2	83,2	42,8	86,5	97,9	23,4	61,5	82,7
Employés	18	46	68,1	1,3	43,5	81,2	9,9	61	90,4	6,7	38	67,1
Ouvriers	8	40,8	66,3	0,9	39,1	81,3	3,3	51	88,6	8,5	41,2	69,6
Ensemble	**21**	**42,4**	**61,3**	**1**	**35,3**	**77,5**	**7,5**	**48,3**	**85,3**	**8,4**	**35,4**	**63,8**

Source : Xavier Vigna, *Histoire des ouvriers en France*, Perrin, 2012.

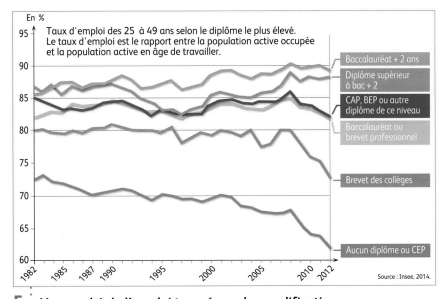

5 : Un marché de l'emploi tourné vers les qualifications

Questions

1. Caractérisez et expliquez l'évolution de la population active. Comparez l'activité des hommes et celle des femmes (doc. 3).

2. Décrivez l'évolution de l'équipement des ménages pendant les Trente Glorieuses (doc. 4). Comment expliquez-vous certains décalages entre les catégories socioprofessionnelles ?

3. Montrez que la hausse des qualifications permet d'être moins exposé au chômage (doc. 5).

Lazare Ponticelli, l'intégration d'un Italien en France

L'émigration italienne a été importante aux XIXᵉ et XXᵉ siècles (environ 29 millions de départs). Concentrée dans les départements frontaliers, les grands bassins industriels et miniers du Nord et de l'Est, des villes comme Paris et Marseille, la première génération d'immigrés italiens évolue entre exclusion et intégration. Elle fait face à des vagues de xénophobie (émeutes à Marseille en 1881, à Aigues-Mortes en 1893, à Lyon en 1894) mais trouve aussi des espaces d'intégration dans le syndicalisme, les loisirs ouvriers ou la création d'entreprises. Le parcours de Lazare Ponticelli est un exemple de cette intégration italienne.

Capacités travaillées
II.2.1 Décrire et mettre en récit une situation historique

▶ En quoi l'intégration de Lazare Ponticelli illustre-t-elle l'immigration des étrangers en France ?

1890		1914			1970
1ʳᵉ vague	massive		Réfugiés anti-fascistes	2ᵉ vague massive	
1893 Massacre d'Aigues-Mortes	1890-1914 300 000 Italiens en France (1901)		1924-1939 800 000 Italiens en France (1931)	1945-1970 Les Italiens, 2ᵉ communauté étrangère en France (début du déclin : 572 000 en 1968)	

Biographie

Lazare Ponticelli
(1897-2008)

Lazare Ponticelli naît en Italie du Nord en 1897. Une partie de sa famille, très pauvre, émigre vers la France. À l'âge de neuf ans, il décide de la rejoindre seul et arrive à Paris où, recueilli par une famille italienne, il commence divers métiers et obtient un permis de travail en 1911. À la déclaration de la guerre, Ponticelli décide de s'engager dans la Légion étrangère : il combat sur le front de l'ouest jusqu'en 1915. Avec l'entrée en guerre de l'Italie, la France le démobilise et, malgré son refus, le renvoie vers le territoire italien où il affronte les Autrichiens. Démobilisé en 1920, il retourne en France et fonde, en 1921, avec ses frères une entreprise. Il se marie en 1923 avec une Française. Naturalisés français en 1939, lui et sa famille doivent se réfugier pendant la guerre dans le sud de la France. Il participe à des actions de la Résistance dont la libération de la capitale. Il meurt en 2008, à l'âge de 110 ans.

1 : Hommage à Lazare Ponticelli, dernier des poilus français

Cérémonie en l'honneur de Lazare Ponticelli aux Invalides le 17 mars 2008, en présence du président de la République Nicolas Sarkozy.
Considéré comme le dernier poilu de la Grande Guerre, il reçoit l'hommage de la Nation dans la cour des Invalides.
À la demande de Lazare Ponticelli, cet hommage est aussi un hommage à toutes les victimes, civiles et militaires, de la Grande Guerre.

2 : Un engagement militaire en 1914

On a commencé à parler de guerre en 1913, vers le mois de mai, mois de juin. Mais on n'y croyait pas. On parlait de guerre mais y avait pas la guerre encore. Mais on en parlait pas mal et ça se répétait. Et là, il y a eu la déclaration de guerre et de là, plus de travail. Tout le monde était parti. Tous les Italiens et les familles étaient partis. Et alors à ce moment-là, je me suis dit : qu'est-ce que tu vas faire ? Y a plus personne. [...]
Il y avait des prospectus qu'ils lançaient pour l'engagement dans la guerre. Je me suis engagé parce que je savais que je ne pouvais plus rien faire. Je ne voulais pas retourner en Italie parce qu'on y mourait de faim surtout en montagne, y a rien. Alors je me suis engagé. Quand je me suis engagé, on voulait me mettre dans le machin de Peppino Garibaldi. J'ai refusé. J'ai dit : « Moi, je veux être dans le régiment étranger » ; parce que je savais que le régiment étranger appartenait à la France. Alors on allait faire la guerre pour la France.

Témoignage de Lazare Ponticelli, en vidéo sur le site Liberation.fr, Marc Quattrociocchi-Johana Sabroux, 5 août 2014.

3 : Une réussite économique familiale

Les frères Ponticelli et leurs ouvriers aux débuts de la société (juin 1928).

Lazare ramone, nettoie et retape les cheminées du matin au soir. Chaque soir, il remet à son frère la paye que Sagot lui donne. Quand il a terminé le travail demandé par Sagot, il fait du porte-à-porte chez les commerçants et les petits industriels du quartier, enfin tous ceux qui ont une cheminée ou un four à entretenir (boulangers, charcutiers...). L'argent qu'il gagne ainsi, il le garde pour lui : c'est pour faire venir Bonfils. Lorsque Lazare réussit enfin à rassembler la somme nécessaire au voyage, il se précipite à la Poste et expédie en Italie le mandat tant espéré. [...] Les Ponticelli apprennent un jour qu'une société suisse qui monte des cheminées à la centrale thermique de Saint-Ouen a demandé un devis pour l'installation d'un échafaudage destiné à permettre la réalisation de travaux de peinture. Mais le travail est périlleux, et le prix proposé exorbitant : les cheminées sont coniques, ce qui pose de réels problèmes quant à la mise en place des échafaudages. L'idéal serait de s'en passer. Les Suisses cherchent une solution. Mais la toute jeune entreprise n'a rien à perdre et relève le défi. Pour 35 000 francs. Céleste propose donc les services de Ponticelli frères. On utilisera une corde à nœuds que l'on serrera au fur à mesure de la descente. Et ça marche, le chantier est une réussite. Ce chantier contribue à faire connaître la toute nouvelle entreprise. [...]

Les années 1950 marquent un tournant dans les activités Ponticelli frères, avec la disparition progressive du département fumisterie. La clientèle est devenue de plus en plus rare, les chantiers de moins en moins rentables. [...] Ponticelli frères préfère donc se recentrer sur le levage et les tuyauteries industrielles dans les activités pétrolières.

Ponticelli frères, 2004.

4 : Une autre vision de l'immigration italienne de l'entre-deux-guerres

Tous les jeudis matin, jour sans classe, j'allais avec un cabas à la bibliothèque municipale... On avait droit à deux livres à emporter par personne inscrite, alors j'avais inscrit papa et maman, ça me faisait, comptez avec moi, six bouquins à dévorer par semaine. On choisissait sur catalogue, mais les titres qui vous faisaient envie étaient toujours en main, il fallait faire une liste par ordre de préférence, la barbe, j'aimais mieux fouiner dans les rayons et me laisser séduire par la bizarrerie d'un titre ou les effilochures d'une très vieille reliure. J'aimais les livres énormes. [...]

Les Ritals et la politique, ça couche pas ensemble. D'abord, quand on est immigré, on a intérêt à se faire tout petit, surtout avec le chômage qui rôde. Pris dans une manif ou un meeting, c'est la carte de travailleur qui saute, la carte bleue. Tu te retrouves avec la carte verte, pas le droit de mettre le pied dans un chantier, juste celui de faire du tourisme. Ou même carrément expulsé, reconduit à la frontière avec au cul un dossier de dangereux agitateur que la police française se fera un plaisir de communiquer aux sbires de Mussolini.

François Cavanna, *Les Ritals*, Albin Michel, 1996.

Biographie

François Cavanna (1923-2014)
Fils d'un terrassier italien et d'une Française, il devient écrivain et raconte son enfance de fils d'immigré face à la xénophobie des années 1930. Journaliste, il a fondé *Hara-Kiri*, ancêtre de *Charlie Hebdo*.

Par une adhésion aux valeurs de la République

Par l'économie, création d'une entreprise en 1921

Par la famille, mariage avec une Française

Ponticelli, une intégration dans la société

Par l'engagement militaire en 1914

Par l'apprentissage du français

Par la loi (naturalisation) en 1939

5 : L'intégration de Lazare Ponticelli

BAC

Consigne 1. Expliquez les raisons de l'émigration de Lazare Ponticelli en France puis caractérisez les débuts de son intégration en France (doc. 1 et 2).

Pour vous aider pensez à :
– Relever les valeurs et ses motivations.
– Utiliser le document 5.

Consigne 2. En restituant dans le contexte de l'entre-deux-guerres les documents 3 et 4, confrontez les perceptions de l'intégration de François Cavanna et Lazare Ponticelli.

L'appel à la main-d'œuvre immigrée pendant les Trente Glorieuses

Capacités travaillées

II.1.2 Prélever, hiérarchiser et confronter des informations selon des approches spécifiques en fonction du document

Après la Seconde Guerre mondiale, le gouvernement français relance l'immigration tout en voulant en assurer le contrôle. C'est la création de l'ONI, l'Office national de l'immigration en 1946, puis la signature de conventions avec des pays d'Europe du Sud (Italie). Les colonies d'Afrique du Nord sont aussi sollicitées, le statut de département français pour l'Algérie facilitant les flux migratoires. Mais les besoins importants en main-d'œuvre de la France des Trente Glorieuses incitent les entreprises à réaliser leurs propres campagnes de recrutement ou à embaucher des travailleurs clandestins.

▶ **Quelles sont les caractéristiques de l'immigration des Trente Glorieuses ?**

1950 1960 1970

1946
Création de l'ONI par l'État

Immigrants en provenance
☐ d'Afrique du Nord puis subsaharienne
■ d'Europe du Sud : Italie puis Espagne et Portugal

1973
Choc pétrolier

1974
Restrictions d'entrée sur le territoire

1 : Un contexte économique favorable

Il n'y a plus de frontières ; elles ont craqué sous la pression d'une invasion pacifique : 2,5 millions d'étrangers vivent dorénavant en France. 34 000 entrées en 1962, mais 115 000 en 1963 et 140 000 prévues pour 1964. Désormais, à Paris, on parle italien, espagnol, arabe, portugais, etc. Pourtant, il y a deux ans, le marché du travail en France devait absorber l'arrivée de 700 000 rapatriés d'Afrique du Nord. Dans le même moment, la durée du service militaire était diminuée. Soit une masse considérable d'hommes et de femmes demandant un emploi. Or tout cela n'a provoqué aucun à-coup ; les rapatriés ont trouvé du travail, les jeunes gens n'ont que l'embarras du choix en matière d'embauche et le patronat déclarait il y a quelques jours : « une politique d'immigration de travailleurs étrangers est nécessaire ». Cette masse de main-d'œuvre nouvelle est tout juste venue, en effet, boucher les trous. L'expansion accélérée que connaît la France depuis dix ans exige un nombre chaque jour plus grand de travailleurs.

Extrait de *L'Express*, 25 juin 1964, in P. Blanchard et N. Bancel, *De l'indigène à l'immigré*, Gallimard, coll. « Découvertes », 1998.

Recrutement

2 : Une France à la recherche de main-d'œuvre
Affiche de recrutement française à destination des travailleurs italiens, 1949.

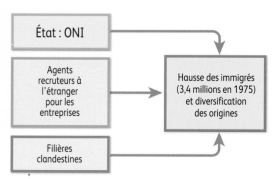

État : ONI

Agents recruteurs à l'étranger pour les entreprises

Hausse des immigrés (3,4 millions en 1975) et diversification des origines

Filières clandestines

3 : Les modes d'entrée sur le territoire durant les Trente Glorieuses

Vocabulaire

• **Sonacotra** : société d'économie mixte créée en 1956 pour faire face au problème de logement des travailleurs immigrés par la construction de foyers.

4 Les travailleurs immigrés victimes de la xénophobie Paris, 1979.

5 Travailleurs immigrés dans un foyer Sonacotra à Fresnes, 1978

6 : Le rôle des ouvriers algériens chez Renault

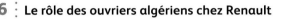

Mythique forteresse ouvrière, réputée laboratoire social et, à ce titre, considérée comme un exemple à suivre par d'autres entreprises, Renault-Billancourt était aussi l'usine qui en France, employait le plus grand nombre d'Algériens entre 1946 et 1974. L'histoire du recrutement des Algériens à Renault-Billancourt, de l'immédiat après-guerre au milieu des années 1970, fait apparaître ceci comme un élément structurel de l'accroissement de la capacité productive de l'usine phare de la Régie. L'après-guerre marque l'entrée dans la production en très grande série ; la deuxième moitié des années 1960, l'avènement de la production de masse. Production en très grande série comme production de masse passent à Renault par l'accentuation des cadences journalières de production et par la parcellisation accrue du travail ouvrier, ce « travail en miettes » qui caractérise les tâches de l'OS. [...] Dans cette première période de fort accroissement (1946-1956), leur statut de main-d'œuvre

coloniale rend les Algériens plus facilement embauchables que les ouvriers étrangers. Statutairement français et citoyens français en métropole depuis la promulgation du statut de l'Algérie en 1947, ils ne sont pas soumis au contrôle de l'ONI (Office national de l'immigration), à la différence des seconds. [...] Renault a alors grand besoin de manœuvres et d'OS pour ses ateliers d'emboutissage, de fonderie, de forge, de caoutchouc et pour ses chaînes de montage, soit les secteurs de l'usine où les conditions de travail sont les plus pénibles et où les ouvriers français de métropole répugnent à travailler. Les Algériens y sont systématiquement affectés au moment de leur embauche, plus encore que les Espagnols par exemple, étrangers dont l'effectif est cependant minime durant cette période à Billancourt.

« La main-d'œuvre algérienne dans l'industrie automobile (1945-1962) », *Hommes et migrations*, sept.-oct. 2006.

7 : La difficile situation des travailleurs immigrés

L'héroïne est embauchée sur une chaîne de production d'automobiles en région parisienne en 1957-1958.

Les machines, les marteaux, les outils, les moteurs de la chaîne, les scies mêlaient leurs bruits infernaux et ce vacarme insupportable, fait de grondements, de sifflements, de sons aigus, déchirants pour l'oreille, me sembla tellement inhumain que je crus qu'il s'agissait d'un accident [...]. On est, me confia-t-il, les trois seuls Français du secteur. Vous vous rendez compte. Rien que des étrangers. Des Algériens. Des Marocains, des Espagnols, des Yougoslaves. [...] J'avais depuis longtemps découvert l'hostilité souterraine des ouvriers entre eux. Les Français n'aimaient guère les Algériens, ni les étrangers en général. Ils les accusaient de leur voler leur travail et de ne pas savoir le faire. La peine commune, la sueur commune, les revendications communes, c'était, comme disait Lucien, « de la frime », des slogans. La vérité, c'était « le chacun pour soi ».

Claire Etcherelli, *Élise ou la vraie vie*, Denoel, 1967.

BAC

Consigne 1. Expliquez les besoins de main-d'œuvre en France et caractérisez les conditions de travail (doc. 2 et 6).

Pour vous aider pensez à :
– Insister sur le contexte.
– Mettre en évidence les conditions de travail. Rappeler les mutations industrielles.

Consigne 2. Décrivez les difficultés auxquelles sont confrontés les immigrés (doc. 5 et 7).

Consigne 3. Après avoir présenté les documents 1 et 4, montrez, en les confrontant, qu'ils donnent une vision différente de l'immigration pendant les Trente Glorieuses.

Pour vous aider pensez à :
– Repérer les différents éléments de la photo (doc. 4).
– Relever les arguments positifs dans le texte.

3 Les immigrés, entre exclusion et intégration

L/ES
S

▶ Quelle est la place de la population immigrée dans la société française de 1850 à nos jours ?

A La France, terre d'immigration en Europe dès le XIXᵉ siècle

Étude pages 70-71 – Repères pages 52-53 – Prépabac p. 80 + doc. 3 et 4

■ La rapidité de la transition démographique française favorise des flux migratoires dès la fin du XIXᵉ siècle, en provenance des pays européens. La France fait ainsi figure d'exception en Europe : là où tous les autres pays sont des terres d'émigration, elle est un pays d'accueil. Le seuil du million d'étrangers est passé en 1881. Les communautés les plus importantes alors sont belges (480 000 en 1881) et italiennes. **Ces immigrés travaillent dans l'agriculture et l'industrie (mineurs polonais, ouvriers agricoles italiens). Ils se concentrent dans les régions frontalières (Nord, Lorraine, Provence).**

■ **Le choc démographique de la Grande Guerre** (un actif masculin sur dix est mort), **les drames traversés par certains pays** (réfugiés russes, antifascistes italiens ou espagnols) **renforcent encore l'immigration**. Ainsi, en 1931, la France compte 3 millions d'étrangers soit 7 % de la population totale.

■ **La reconstruction et les Trente Glorieuses entraînent une nouvelle immigration massive à partir des années 1950.** Ces flux migratoires ont pour origine l'Europe du Sud (Portugal) mais aussi l'Afrique du Nord. Avec la crise économique de 1973, l'État met fin à l'immigration du travail et autorise le regroupement familial (1976), ce qui entraîne l'essor d'une immigration de peuplement de provenance maghrébine et africaine : 71 % des étrangers sont d'origine européenne en 1968, 26,5 % en 2005.

B Des voies d'intégration

Étude pages 70-71 – Exercice p. 79 + doc. 3

■ **Les premières générations d'immigrés entrent dans une logique d'intégration voire d'**assimilation à travers la scolarisation des enfants, la culture syndicale, l'adhésion aux valeurs républicaines (fraternité, laïcité) ; les étrangers sont ainsi surreprésentés dans la Résistance (groupe FTP-MOI). Les mariages mixtes et l'ascension sociale d'une partie des immigrés, tels Georges Charpark, ou de leurs enfants (Marie NDiaye), sont d'autres indicateurs de l'intégration.

■ L'État, qui organise l'immigration après 1945 via l'Office national d'immigration, est aussi entré dans **une logique d'intégration à travers le** droit du sol, **les vagues de naturalisation (1927, 1939, 1947) ou de régularisation des clandestins (1981), le regroupement familial.** Cette politique s'inspire des principes des droits de l'homme mais répond aussi au manque de dynamisme démographique en augmentant le nombre des actifs et des cotisants à la Sécurité sociale.

C Des conditions de travail et d'installation difficiles

Étude pages 72-73 + doc. 1 et 2

■ Vus parfois au XIXᵉ siècle comme des travailleurs au rabais ou des briseurs de grève, **les immigrés suscitent des réactions violentes dans les périodes de difficultés économiques** : ainsi le massacre d'ouvriers italiens à Aigues-Mortes en 1893. La crise des années 1930 entraîne des expulsions et relance des réactions xénophobes. Après 1945, la difficile décolonisation de l'Algérie, puis le chômage de masse des années 1980 accroissent les tensions entre les communautés, et engendrent des actes xénophobes. En réaction, « la marche des beurs » en 1983 donne naissance à l'association SOS Racisme.

■ La France du baby-boom souffre d'un fort déficit de logements : **les immigrés s'installent dans des bidonvilles** en région parisienne comme à Nanterre. Des cités HLM – par exemple la cité des 4000 à La Courneuve – les ont remplacés. Mais la mixité sociale y a peu à peu disparu, ce qui a pu favoriser un repli communautaire amplifié par les difficultés économiques et le contexte international (importation du conflit israélo-palestinien, radicalisation islamiste). Le modèle français d'intégration est ainsi fragilisé depuis les années 1990.

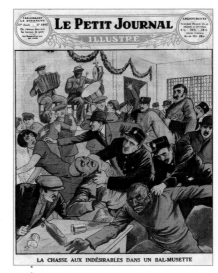

1 **Les immigrés face à la xénophobie**
Le Petit Journal, avril 1926, « La chasse aux indésirables »

Vocabulaire

• **Xénophobie** : haine des étrangers.

Biographies

Georges Charpak
(1924-2010)
Né en Pologne, Georges Charpak immigre en France avec ses parents en 1931. Résistant durant la guerre, il est déporté au camp de concentration de Dachau. Après des études à l'École des mines, il se consacre après la guerre à la recherche en physique notamment au Conseil européen pour la recherche nucléaire (CERN). Il devient en 1992 l'un des treize Français depuis 1901 lauréat du prix Nobel de physique.

Marie NDiaye
Née en 1967 de mère française et de père immigré sénégalais qui se sont rencontrés à l'Université, Marie NDiaye est un écrivain français qui a notamment reçu en 2009 le prix Goncourt pour son roman *Trois femmes puissantes*, tiré à plus de 500 000 exemplaires.

2 **Les difficultés de logement dans les grandes villes pendant les Trente Glorieuses**
Nanterre en banlieue parisienne : entre bidonvilles et grands ensembles, 1965.

3 **Les principales communautés étrangères en France de 1946 à 2011**

	1946	1962	1990	2011
Les principales communautés étrangères	– Italiens : 450 764 – Polonais : 423 470 – Espagnols : 302 201 – Belges : 153 299 – Portugais : 22 261	– Italiens : 628 956 – Espagnols : 441 658 – Algériens : 350 484 – Polonais : 177 181 – Portugais : 50 010	– Portugais : 649 714 – Algériens : 614 207 – Marocains : 572 652 – Afrique subsaharienne : 239 947 – Asiatiques : 226 956	– Asiatiques : 541 600 – Afrique subsaharienne : 515 412 – Portugais : 500 891 – Algériens : 465 849 – Marocains : 433 026
Population étrangère totale	1,9 million	2,8 millions	4,2 millions	3,8 millions

D'après *L'Histoire*, n° 229, février 1999 ; et site INSEE.

Questions

1. Identifiez les deux types d'habitat sur la photo (doc. 2). Expliquez la présence de bidonvilles en France dans les années 1960 et la forte proportion d'immigrés.

2. Caractérisez les évolutions de la part de l'immigration européenne entre 1946 et 2008 (doc. 3).

3. Expliquez les différences de concentration de la population immigrée sur le territoire (doc. 4).

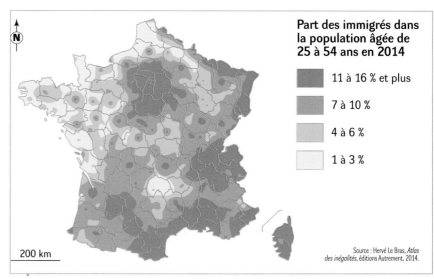

Part des immigrés dans la population âgée de 25 à 54 ans en 2014

- 11 à 16 % et plus
- 7 à 10 %
- 4 à 6 %
- 1 à 3 %

200 km

Source : Hervé Le Bras, *Atlas des inégalités*, éditions Autrement, 2014.

4 **La répartition des immigrés en France en 2014**

Architecture

Travailler à partir de l'usine LU de Nantes

Capacité travaillée

II 1.3 Cerner le sens général d'un document et le mettre en relation avec la situation historique étudiée

D' une pâtisserie nantaise achetée en 1850, Jean-Romain Lefèvre et Pauline-Isabelle Utile font une industrie agroalimentaire florissante autour de la marque LU. En 1882, Louis Lefèvre-Utile, leur fils, installe la fabrication des biscuits dans une usine en plein centre de Nantes. Un incendie en 1888 le pousse à reconstruire, sur le même site, un espace industriel plus vaste, accentuant la modernisation du mode de production.

▶ **Comment les révolutions industrielles modifient-elles le paysage urbain ?**

1 L'usine LU à Nantes

La peinture donne une vue aérienne oblique de l'usine nantaise après son agrandissement. Elle montre ce nouveau « palais industriel », vers 1910, avec ses fameuses tours conçues par l'architecte parisien Bluysen.
Auteur anonyme, vers 1910, gouache, collection Lefèvre-Utile, dépôt au musée du château, Nantes, in *L'Industriel et les Artistes*, Lefèvre-Utile à Nantes, musée du château des ducs de Bretagne et éditions Memo, 1999.

Questions

1. Repérez sur la peinture les différents axes et moyens de transport à disposition de l'entreprise.

2. Repérez le bâtiment initial et l'extension plus moderne. Quels matériaux sont utilisés ? En quoi celle-ci est-elle plus adaptée à une production industrielle ?

3. Réalisez un schéma mettant en évidence la structure de l'usine et les moyens de transport qu'elle peut utiliser.

4. Pourquoi Louis Lefèvre-Utile a-t-il voulu faire construire ces deux tours (doc. 1 et 2) ? Quel intérêt y a-t-il à les placer à cet endroit ?

2 Maquette d'une des tours de l'usine LU

Auguste Bluysen, vers 1905, plâtre polychrome, dépôt au musée du château, Nantes, musée du château des ducs de Bretagne et éditions Memo, 1999.

❶ Lanterne cubique, le phare LU.

❷ Phénix en relief : l'usine renaît de ses cendres.

❸ Logo publicitaire de la marque.

❹ « La Renommée », emblème de la marque de 1860 à 1957.

La représentation des femmes dans le monde du travail

La société voulut pendant longtemps renvoyer une image de la femme emprisonnée dans la sphère privée au service de la famille. Pourtant, les femmes ont toujours été présentes dans le monde du travail et, au XXᵉ siècle, elles réussissent à conquérir de nouveaux secteurs d'activité.

▶ **Quelles évolutions constate-t-on dans la représentation de la population active féminine ?**

Capacité travaillée

I.2.3 Mettre en relation des faits ou des événements de périodes différentes

1 : Des femmes cantonnées à certains secteurs d'activité. Gravure, fin XIXᵉ siècle, BNF, Paris.

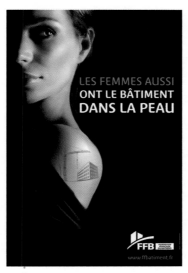

2 : Des activités professionnelles qui s'ouvrent au travail féminin. Publicité de la Fédération française du bâtiment, 2013.

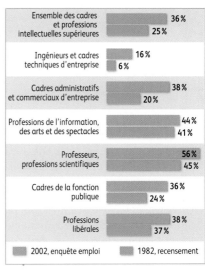

	2002, enquête emploi	1982, recensement
Ensemble des cadres et professions intellectuelles supérieures	36 %	25 %
Ingénieurs et cadres techniques d'entreprise	16 %	6 %
Cadres administratifs et commerciaux d'entreprise	38 %	20 %
Professions de l'information, des arts et des spectacles	44 %	41 %
Professeurs, professions scientifiques	56 %	45 %
Cadres de la fonction publique	36 %	24 %
Professions libérales	38 %	37 %

3 : Les femmes parmi les cadres et les professions intellectuelles supérieures (1982-2002)

Questions

1. Relevez les métiers considérés comme féminins au XIXᵉ siècle. Quelles sont leurs caractéristiques ? Quelle représentation du travail féminin renvoient-ils ? (doc. 1).

2. Quelle mutation est mise en avant dans la publicité ? (doc. 2).

3. Comment expliquer la progression des femmes parmi les professions qualifiées ? (doc. 3).

Exercices

1 Réactiver ses connaissances

**Affiche publicitaire de 1920
pour l'écrémeuse Garin**
Une écrémeuse permet d'extraire la crème
du lait par centrifugation.
C'est une innovation apparue vers 1890.
Source : collection de Philippe Brugnon, conservatoire
du machinisme et des pratiques agricoles de Chartres,
DCD, 2006.

Consigne BAC

Après avoir présenté le document, montrez
la mutation qu'il présente puis décrivez la place de
la femme dans le monde paysan des années 1920.

Pour vous aider pensez à :

1. Mettre en évidence la nature du document.

2. Analyser le décor, la représentation féminine, le
paysage extérieur.

2 Utiliser la méthode d'analyse de confrontation de deux documents de nature différente L/ES

1 **Publicité d'un savon dont les bénéfices servaient à imprimer des
journaux et revues pour diffuser les idées socialistes (vers 1895).**

2 **Un grand industriel et les lois sociales**

L'intervention de l'État ? Très mauvaise ! Très mauvaise ! Je n'admets pas un
préfet dans les grèves ; c'est comme la réglementation du travail des femmes
et des enfants ; on met des entraves inutiles, trop étroites, nuisibles surtout
aux intéressés qu'on veut défendre, on décourage les patrons de les employer
et ça porte presque toujours à côté. La journée de 8 h ? « Oh ! Je veux bien »,
dit M. Schneider affectant un grand désintéressement, « si tout le monde est
d'accord ; je serai le premier à en profiter, car je travaille souvent moi-même
plus de dix heures par jour. Seulement les salaires diminueront ou le prix des
produits augmentera, c'est tout comme ! Au fond voyez-vous, la journée de
huit heures, c'est encore un dada. [...] Pour moi, la vérité, c'est qu'un ouvrier
bien portant peut très bien faire ses dix heures par jour et qu'on doit le laisser
libre de travailler davantage si cela lui fait plaisir.

Jules Huret, *Enquête sur la question sociale : interview d'Henri Schneider*[1], 1897
1. Henri Schneider : dirigeant d'un grand groupe industriel métallurgique implanté au Creusot.

Consigne BAC

Après avoir présenté les documents, montrez quelle est la
situation en matière de législation
du travail en France à la veille de
1900 puis confrontez le point de
vue du monde ouvrier à celui du
patronat.

Pour vous aider pensez à :

1. Présentation des documents :
il s'agit ici de mettre en évidence
ce qui les oppose (nature, point de
vue sur la journée de 8 h) dans un
contexte identique.

2. Sur l'affiche, repérez les trois
personnages à gauche et trouvez
leur profession :
– pourquoi les a-t-on dessinés ensemble ?
– analysez le décor présent au fond
à gauche ;
– que peut symboliser le dessin
triangulaire du milieu ?

3. Relevez les arguments de H.
Schneider contre la journée de 8 h.

Affiche officielle de 2013

Située dans le Palais de la Porte Dorée (Paris), la Cité nationale de l'histoire de l'immigration (CNHI) a ouvert ses portes aux visiteurs en 2007. Son site Internet est très riche et peut vous aider dans la réalisation de cette tâche : www.histoire-immigration.fr.

Tâche complexe

Vous rédigez une plaquette à destination des visiteurs pour présenter quelle a été la place de l'immigration dans la société française.

Coup de pouce

■ Salles du musée

1. **L'exposition permanente** présente des témoignages, documents d'archives, photographies dans un parcours qui relate l'histoire de l'immigration en France depuis le XIXᵉ siècle.
La première partie relate l'expérience de l'immigration et présente les raisons du départ, le choix de la France, le voyage, la confrontation avec l'État et l'opinion publique.
Une deuxième partie traite des lieux de vie, du travail, de l'école, de la participation aux luttes collectives, de l'acquisition de la nationalité française, du sport...
La troisième et dernière partie porte un éclairage sur les apports successifs de cultures d'origines très diversifiées au travers de la langue, des pratiques religieuses, des arts, de la littérature, de la musique mais aussi autour des objets de la vie quotidienne.
2. Une Galerie des dons présente des archives et objets liés à des parcours de vie. Chaque visiteur peut contribuer à cette collection en faisant un don. Chaque dépôt est accompagné d'un témoignage.

3. Une exposition temporaire.

■ Aide à la mise en œuvre

1. Lire attentivement le Passé Présent (p. 261) du chapitre 7 qui présente le Palais de la Porte Dorée.
2. Comprendre à partir de là pourquoi ce bâtiment a été choisi pour abriter la Cité de l'immigration. Le bâtiment en lui-même a une importance symbolique.
3. Consulter le site de la CNHI (http://www.histoire-immigration.fr). Parcourir les onglets sur les différentes salles. Repérer le contenu (objets et thèmes abordés).
4. Être attentif à la muséographie : mise en scène des objets, contenu audiovisuel.
5. Trouver des images provenant du site institutionnel pour illustrer votre propos.
6. Rédiger le texte. Attention au ton : vous devez informer mais aussi donner envie au visiteur de se déplacer.
7. Le présenter sous forme de plaquette sans oublier de l'illustrer.

4 (TICE) **Étudier le site du Musée de l'histoire de l'immigration**

Aller sur le site de la Cité nationale de l'histoire de l'immigration (CNHI), dans la rubrique « Histoires singulières » qui propose des portraits d'immigrés.

www.histoire-immigration.fr/histoire-de-l-immigration/histoires-singulieres

Sur cette page, consulter les dossiers présentant Baptista de Matos, Sirman Oran et Nadia Ivanova.

Questions

1. Présentez les raisons qui ont poussé ces personnes à venir s'installer en France.
2. À partir de ces témoignages, montrez comment elles ont pu s'intégrer dans la société française.
3. Cliquez ensuite dans le menu de gauche sur « Dossiers thématiques », puis « Autour du travail », et enfin sur « Confection parisienne ». Expliquez le rôle joué par les immigrés dans le développement de ce secteur d'activité à Paris aux XIXᵉ et XXᵉ siècles.

Capacités travaillées

II.1.2 Prélever, hiérarchiser et confronter des informations selon des approches spécifiques en fonction du document ou du corpus documentaire

II.1.4 Critiquer des documents

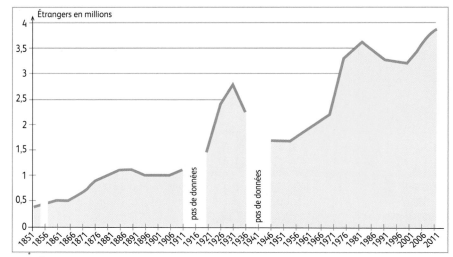

Évolution de la population étrangère en France d'après les recensements (1851-2011)

Consigne Après avoir présenté le document, **caractérisez et expliquez** l'évolution de la population étrangère en France de 1851 aux années 2000.

Pour vous aider

Il existe trois principaux types de graphique : les histogrammes (ou diagrammes en bâtons), les graphiques de courbes et les diagrammes circulaires ou « camemberts ».

Les valeurs peuvent être très différentes : millions, tonnes, tonne équivalent pétrole (tep), pourcentage, etc.

Si c'est un graphique évolutif, déterminer avec attention la période.

Le coefficient multiplicateur : valeur d'arrivée/valeur de départ. Il permet de savoir par combien a été multiplié un phénomène entre deux époques. Ainsi entre 1921 et 1931 la population étrangère a été multipliée par 2.

Le taux de variation : valeur d'arrivée − valeur de départ/valeur de départ x 100. Il permet de quantifier en pourcentage une évolution sur une période donnée.

Transformation de **valeurs brutes en parts exprimées sous forme de pourcentage** pour évaluer le poids d'un groupe, d'un produit, etc., dans un ensemble donné : valeur partielle/valeur totale x 100.

Il s'agit de suivre le plan donné : d'abord donner les grands traits de cette évolution puis dans un deuxième paragraphe de développer les causes de son évolution globale et des variations de la courbe.

En S, vous n'avez pas à faire d'analyse critique du document mais vous devez en montrer l'intérêt et les limites.

POINT MÉTHODE

1 Lire et comprendre la consigne
– repérez les verbes d'action, cela vous évite d'oublier une des tâches à accomplir.

2 Au brouillon
– repérez les éléments utiles à la présentation ;
– repérez d'abord le genre de graphique que vous devez analyser ;
– vous devez aussi observer si le graphique montre une évolution ou décrit une situation à un instant donné ;
– repérez les valeurs utilisées, les dates ;
L'ensemble de ces éléments vous permet de dégager le contexte, le thème, la nature du document ;
– pour une courbe évolutive, repérez des accélérations, des chutes. Confrontez ces périodes aux événements politiques, économiques ou sociaux qui les concernent ;
– quantifiez les évolutions quand elles sont significatives.

3 Rédiger la réponse de manière organisée
– introduction : rédiger un paragraphe assez court intégrant la présentation du document et la présentation du thème général du graphique ;
– rédigez votre développement en suivant le plan donné dans la consigne ;
– n'oubliez pas de faire référence au document en précisant la date ou la période que vous êtes en train d'analyser, en intégrant certains chiffres pertinents (il ne s'agit pas de recopier toutes les données présentes mais de sélectionner ce qui est intéressant et utile à votre analyse) ;
– un autre aspect incontournable est l'utilisation du cours : vous devez intégrer des connaissances dans votre réponse. Il s'agit de confronter le document à ce que vous avez appris.

L'analyse critique d'un graphique, que vous devez faire en L/ES, suppose aussi, dans le devoir, de mettre en évidence les limites du document. Vous pouvez, par exemple, mener votre analyse dans une optique comparative. Ainsi, pour l'évolution de la population étrangère, il est aussi utile de rappeler l'évolution de la population française totale et de se poser la question du poids relatif de la population étrangère selon les époques.

Étude critique de deux documents L/ES
Analyse de deux documents S

L/ES S

Capacité travaillée
II.1.4 Critiquer des documents de types différents

1 **La charte d'Amiens, octobre 1906**

La CGT groupe en dehors de toute école politique tous les travailleurs conscients de la lutte à mener pour la disparition du salariat et du patronat. Le congrès considère que cette déclaration est une reconnaissance de la lutte des classes qui oppose sur le terrain économique les travailleurs en révolte contre toutes les formes d'exploitation et d'oppression, tant matérielles que morales, mises en œuvre par la classe capitaliste contre la classe ouvrière. Le congrès précise par les points suivants cette affirmation théorique : dans l'œuvre revendicatrice quotidienne, le syndicat poursuit la coordination des efforts ouvriers, l'accroissement du mieux-être des travailleurs par la réalisation d'améliorations immédiates, telles que la diminution des heures de travail, l'augmentation des salaires, etc. Mais cette besogne n'est qu'un côté de l'œuvre du syndicalisme : il prépare l'émancipation intégrale qui ne peut se réaliser que par l'expropriation capitaliste ; il préconise comme moyen d'action la grève générale et il considère que le syndicat, aujourd'hui groupement de résistance, sera dans l'avenir le groupe de production et de répartition, base de la réorganisation sociale.

Motion adoptée au congrès de la CGT à Amiens, octobre 1906.

2 **Tracts de la CGT, 1912**

Fédération des Trav. de l'Alimentation
LES
nombreuses familles
engendrent la misère et l'esclavage
AIE PEU D'ENFANTS
Lisez la **Bataille Syndicaliste.**

Fédération des Trav. de l'Alimentation
L'ouvrier conscient
connaît les dangers de sa profession
Pour les camarades et pour lui
IL EXIGE ET IL PREND
DES GARANTIES DE SECURITÉ
Lisez la **Bataille Syndicaliste.**

Fédération des Trav. de l'Alimentation
L'alcool est un poison
Pour toi, pour ta famille
Ouvrier, sois sobre
Combats l'alcoolisme
Lisez la **Bataille Syndicaliste.**

Fédération des Trav. de l'Alimentation
Il ne suffit pas de donner à nos enfants la nourriture du corps, il faut aussi nourrir leur cerveau
Eduquons nos enfants
Lisez la **Bataille Syndicaliste.**

Fédération des Trav. de l'Alimentation
PROPRETÉ DU CORPS !
PROPRETÉ DU CERVEAU !
PROPRETÉ DU LOGIS !
Voilà trois qualités qui se traduisent
par : *DIGNITÉ*
Lisez la **Bataille Syndicaliste.**

Fédération des Trav. de l'Alimentation
Défendre tes camarades
c'est te défendre toi-même
LA SOLIDARITÉ
EST LA PLUS BELLE VERTU OUVRIÈRE
Lisez la **Bataille Syndicaliste.**

Consigne Après avoir présenté les documents, montrez que la CGT cherche à améliorer la situation des ouvriers et expliquez les moyens d'action du syndicat pour y parvenir.

Pour vous aider

Repérez les verbes d'action de la consigne.

Pensez au thème, au contexte et à la nature des documents.

Ils sont tous les deux issus d'un même syndicat : la CGT.

Ici, les documents sont de nature différente.

Par exemple, la mention de la grève générale est à classer dans les moyens d'action.

Le vocabulaire présent dans le document 1 (« lutte des classes », « travailleurs », « classe ouvrière », « expropriation capitaliste ») doit être expliqué avec les connaissances du cours.

Il faut présenter ce qu'est la CGT.

En L/ES, pensez à critiquer les documents et, en S, à en montrer l'intérêt et les limites, notamment en conclusion.

POINT
MÉTHODE

1 Lire et comprendre la consigne
– commencez par repérer les verbes de consigne ;
– dégagez les différents aspects que l'on vous demande de traiter ;
– n'oubliez pas de confronter les documents ; il faut être dans une logique comparative.

2 Au brouillon
– recherchez les éléments utiles à la présentation. Regroupez-les ou au contraire opposez-les ;
– dégagez les idées principales des deux documents tout en classant, au fur à mesure, les éléments qui permettent de traiter les différents points de la consigne ;
– le vocabulaire spécifique « classe ouvrière », « émancipation intégrale », « classe capitaliste » doit être mis en perspective avec vos connaissances.

3 Rédiger la réponse de manière organisée
– introduction : rédigez un paragraphe assez court intégrant la présentation comparative des documents et la présentation du thème général du sujet ;
– Rédigez votre développement en suivant le plan donné dans la consigne : les documents ne sont pas à analyser l'un après l'autre ;
– N'oubliez pas de faire référence aux deux documents, en les analysant ensemble et non séparément, et d'intégrer des connaissances du cours.

Les mutations de la société française depuis 1850 L/ES depuis 1914 S

	LES TRANSFORMATIONS DE LA POPULATION ACTIVE	LES CHANGEMENTS DES CONDITIONS DE TRAVAIL	LA SOCIÉTÉ FACE À L'IMMIGRATION
La société française en 1850 ✦ La France des paysans et des notables	**Une société rurale** ✦ Majorité de ruraux dans la population jusqu'en 1931. ✦ Une agriculture peu modernisée ✦ Industrie rurale diffuse	**De difficiles conditions de travail** ✦ Travail des enfants et des femmes aux champs et dans les manufactures ✦ Faible protection sociale des travailleurs	✦ La faible natalité restreint l'émigration des Français, cas rare en Europe ✦ En compensation, la France commence à accueillir précocement des étrangers
1850-1973 ✦ Basculement vers une société industrielle et tertiaire ✦ Un modèle français : forte protection sociale, modernisation agricole, réussite industrielle, France terre d'accueil	**Lent déclin de la société rurale** ✦ Expansion industrielle qui s'accélère durant les Trente Glorieuses : - Apogée du monde ouvrier (1975) - Développement d'une société de consommation et de loisirs	**L'amélioration des conditions de travail** ✦ Lutte des syndicats ✦ Législation du travail ✦ Réduction du temps de travail (journée, année, vie) ✦ Essor du salariat ✦ Scolarité obligatoire	**La France terre d'immigration (1880-1974)** ✦ Immigration du travail ; ✦ Accueil des immigrés européens puis africains ✦ Conditions de travail et de vie parfois difficiles
Depuis 1973 ✦ Une société post-industrielle ✦ Société à deux vitesses	**Forte féminisation de l'emploi diplômé** ✦ Cadres, professions libérales, enseignantes ✦ Désindustrialisation et « exode ouvrier » ✦ Tertiarisation croissante : les activités de services (gestion, logistique, recherche) sont au cœur de la production « industrielle »	**La fin de l'emploi fordiste** ✦ Chômage durable ✦ Société à deux vitesses	✦ Fin de l'immigration de travail depuis les années 1970 ✦ Immigration de peuplement ✦ Difficultés du modèle d'intégration

Croissance faible, panne de l'ascenseur social. Vers une société bloquée ?

Je sais définir les mots suivants

- **Immigration** : population résidant en dehors de son pays d'origine.
- **Immigré** : personne ayant quitté son pays pour s'installer dans un autre.
- **Exode rural** : déplacement durable des populations de la campagne qui viennent s'installer en ville.
- **Population active** : population constituée des personnes exerçant ou recherchant un emploi ; elle comprend donc les chômeurs.
- **Salariat** : forme de contrat de travail où le travailleur est rémunéré par un salaire en général versé mensuellement sur la base d'un taux horaire fixe.

- **Taylorisme** : organisation scientifique du travail inventée par l'ingénieur américain Taylor à la fin du XIXe siècle. Elle permet une hausse de la productivité par la division des tâches et le chronométrage.
- **Transition démographique** : passage de l'ancien régime démographique au nouveau régime démographique. Le taux de mortalité baisse dans un premier temps avec un maintien d'une natalité élevée d'où une forte croissance de la population. Dans un second temps, le taux de natalité baisse d'où un ralentissement de la croissance démographique.

Je connais les dates importantes

- **1864** : autorisation de la grève en France
- **1881-1882** lois Jules Ferry sur l'école
- **1919** : loi sur la journée de huit heures
- **1936** : mesures du Front populaire
- **1982** : retraite à 60 ans
- **1983** : Marche pour l'égalité et contre le racisme
- **1998** : loi sur les 35 h hebdomadaires

Je connais les points suivants

● **La structure de la population active subit une profonde transformation entre 1850 et aujourd'hui** : la société passe d'une France rurale à dominante agricole à une société post-industrielle, après l'apogée d'un monde industriel dans les années 1970 et « la révolution silencieuse de l'agriculture » des années 1950-1960. La population contemporaine doit faire face à un chômage de masse, à des emplois parfois précaires.

● **La population active augmente entre 1850 et aujourd'hui**, suivant ainsi l'augmentation de la population totale. Les femmes sont de plus en plus nombreuses sur le marché du travail, surtout à partir des années 1960, et la population immigrée compense le manque de main-d'œuvre de l'économie française. Le pouvoir d'achat de la population active progresse et connaît une forte accélération pendant les Trente Glorieuses, permettant au plus grand nombre d'accéder à la société de consommation et de loisirs. Le salariat et de nouveaux modes de production (taylorisme) et d'organisation du travail émergent au cours du XXᵉ siècle au sein d'une population active plus formée et qualifiée.

● **La France est un pays d'immigration dès la deuxième moitié du XIXᵉ siècle** à cause de son accroissement naturel plus faible que les autres pays industrialisés. Les différentes vagues migratoires sont d'abord européennes (belges, italiennes) avant de se diversifier après 1945 (Afrique du Nord, Afrique subsaharienne, Asie). La population immigrée évolue entre intégration et exclusion, surtout pendant les périodes de crise économique.

Je connais les personnages suivants

● Charles Fourier
p. 64

● Jean-Baptiste Godin
p. 64

● Louis Villermé
p. 66

● Lazare Ponticelli
p. 70

Pour aller plus loin

 **À voir**

● *Farrebique* (1947) et *Biquefarre* (1983) de G. Rouquier
● *Germinal* de Claude Berri (d'après le roman d'Émile Zola), 1993
● *Trilogie urbaine : Hexagone* (1994), *Douce France* (1995) et *Voisins, voisines* (2005), Malik Chibane, 2007.
● *Hors-la-loi* de Rachid Bouchareb, 2010

 À lire

● Pierre-Jakez Hélias, *Le Cheval d'orgueil*, Plon, 1975. Un récit autobiographique sur le monde rural breton et son évolution au début du XXᵉ siècle.
● François Cavanna, *Les Ritals*, 1978. Les souvenirs d'enfance d'un fils d'immigré italien.
● Azouz Begag, *Le Gone du Chaâba*, 1986. Le quotidien d'un jeune Algérien dans un bidonville lyonnais dans les années 1960.
● *Les Beurs* de Farid Boudjellal (bande dessinée), 1984.

 **À visiter**

● musée de la mine de Lewarde, www.chm-lewarde.com
● musée de la cité de l'immigration de la Porte dorée, www.histoire-immigration.fr

Prépa BAC

Capacités travaillées

I.1.1. Nommer et périodiser les continuités et ruptures chronologiques

II. 2.1 Décrire et mettre en récit une situation historique

II.2.3 Rédiger un texte construit et argumenté

Composition
Construire un plan chronologique
EXEMPLE CORRIGÉ

Sujet

Transformations économiques du monde depuis 1850

Étape **1** **Analyse des termes du sujet**

Transformation : évolution, bouleversement, modification.
Économique : qui concerne les activités de production et d'échange de biens et de services.

Limite spatiale. Ne pas se limiter aux seuls pays industriels.

Les │transformations économiques│ du │monde│ depuis 1850

Limite chronologique. En l'absence d'une date indiquant la fin de la période, on considère que le sujet s'étend jusqu'à nos jours.

L'analyse des termes du sujet montre que vous devez faire référence aux différentes parties du cours du chapitre 1.

Étape **2** **Choix d'une problématique/fil directeur**

Pour vous aider

Pensez à :
- Regarder les pages Prépa BAC :
  – Analyser un sujet de composition et déterminer la problématique L/ES, p. 46.
  – Analyser un sujet de composition et déterminer le fil directeur S, p. 47.

Problématique : De quelles manières les bouleversements économiques depuis 1850 ont-ils modifié l'espace mondial ?

Fil directeur S : Il s'agit de comprendre comment les transformations économiques depuis 1850 ont modifié l'espace mondial.

Le choix de cette problématique/fil directeur permet de croiser les deux phénomènes majeurs de la période concernée (1850 à nos jours) : la croissance économique et la mondialisation. Cette problématique ou ce fil directeur permettent dans le plan détaillé qui suit de confronter les phases de la croissance économique (les trois industrialisations, les périodes de prospérité et de crise) et les différentes économies-monde successives.

Étape **3** **Choix d'un plan**

Pour vous aider

- Repérer les dates ruptures sur les chronologies du chapitre 1 p. 17 et p. 21.

Le sujet portant sur la longue durée, le plan chronologique s'impose, c'est-à-dire un plan dans lequel le cadre chronologique prévu par le sujet est découpé en plusieurs périodes. Il faut donc identifier des ruptures dans la période concernée qui est marquée par deux phénomènes continus, la croissance et la mondialisation. Le choix de ces césures chronologiques est essentiel. Il faut veiller au bon équilibre dans le découpage des différentes périodes. Chacune donne lieu à une partie du plan.
Les dates charnières qui identifient des ruptures dans le cadre chronologique doivent être pertinentes et sont à justifier dans le devoir.

Exemple de plan détaillé

En croisant les deux grands bouleversements majeurs de l'histoire économique de la période qui sont la croissance et la mondialisation, on peut définir trois grandes étapes :

Partie I. 1850-1945 : l'entrée du monde dans la croissance économique et une mondialisation autour de l'économie-monde britannique.

Entre 1850 et 1945, l'entrée du monde dans la croissance économique permet le développement de la mondialisation.

A. Le capitalisme industriel est le moteur de la croissance économique.

– Forte croissance de la demande (extension des marchés avec la croissance démographique).

– Passage de la première à la seconde industrialisation à la fin du XIXe siècle (vapeur → électricité et pétrole, textile et sidérurgie → automobile et chimie).

– Mise en place du capitalisme libéral avec le développement des grandes entreprises (ex. : Siemens).

– Productivité accrue avec des innovations dans le travail industriel (taylorisme et fordisme au début du XXe siècle, production standardisée de masse, diminution des prix des produits).

B. Une croissance économique heurtée.

– Une croissance économique forte qui rompt avec celle d'une économie agricole.

– Alternance de phases de prospérité et de dépression (Grande Dépression 1873-1896 et Dépression des années 1930) : des crises capitalistes, financières et de surproduction, des conséquences économiques et sociales : faillites d'entreprises, chômage, une extension mondiale liée à la rétractation des échanges, une remise en cause du libéralisme.

C. Le développement de la mondialisation autour de l'économie-monde britannique.

– Avance industrielle du Royaume-Uni (berceau de la révolution industrielle, « atelier du monde » dont le Lancashire est une région-clé) qui est aussi la première puissance financière du XIXe siècle.

– puissance libre-échangiste : (1860 accord de libre-échange avec la France) et domination économique du reste du monde (colonisation en partie au service des intérêts économiques…).

– Mais concurrence des États-Unis à la fin du XIXe siècle à l'échelle mondiale, de l'Allemagne à l'échelle européenne et un processus de mondialisation bloqué dans les années 1930 avec le retour au protectionnisme (politiques de protection des marchés nationaux et repli sur les empires coloniaux, commerce international perturbé).

Partie II. 1945 – années 1970 : la très forte croissance des pays industrialisés et l'expansion de la mondialisation sous l'égide des États-Unis.

La période 1945-1975 se caractérise par une forte expansion des pays industriels et le développement des échanges sous l'égide des États-Unis.

A. Les « Trente Glorieuses ».

– Forte croissance économique dans les pays industriels avec des taux parfois de 10 % pour le Japon par exemple.

– Passage de la deuxième à la troisième phase d'industrialisation (électricité et pétrole → énergie nucléaire, automobile et chimie → aéronautique et aérospatiale, informatique et électronique, biotechnologies).

– Développement de la société de consommation : élargissement des classes moyennes.

B. L'accélération des échanges mondiaux.

– Croissance très forte des échanges commerciaux : depuis 1945, la valeur des échanges commerciaux a une croissance deux fois supérieure à celle de la richesse produite dans le monde (PIB).

– Généralisation du libre-échange avec les accords du GATT : de 1947 à 1994, cette organisation négocie entre ses membres une baisse graduelle des droits de douanes de 40 % environ à 4 % au moment où l'OMC la remplace.

– Révolution de la conteneurisation dans les échanges maritimes : baisse du coût de transport.

C. Une mondialisation américaine.

– Les États-Unis après 1945, superpuissance économique mondiale (puissance économique et financière qui s'est affirmée lors des deux conflits mondiaux, entreprises innovantes dans les domaines porteurs comme l'informatique).

– Domination américaine des grandes organisations économiques internationales (FMI) et dollar, monnaie internationale.

– Un mode de vie qui fascine : *American Way of Life*, Hollywood, des technologies qui bouleversent les modes de vie mondiaux comme la téléphonie mobile.

– Mais une mondialisation limitée avec la concurrence de l'URSS qui prône un autre modèle : modèle communiste fondé sur la collectivisation des moyens de production, économie planifiée, des échanges au sein du bloc de l'Est.

Partie III. Depuis les années 1970 : une croissance modérée dans les pays industriels et l'apparition d'un espace mondialisé multipolaire.

Depuis 1970, une croissance ralentie dans les pays industriels, une croissance forte de certains pays du Sud à l'origine de la mise en place d'un espace mondialisé multipolaire.

A. Depuis les années 1970, les pays industriels sont entrés dans une phase de ralentissement de la croissance.

– Chocs pétroliers de 1973 et 1979 qui renchérissent les prix de l'énergie (fin de l'énergie bon marché) et fin du système de Bretton-Woods : le dollar n'est plus convertible en or et fluctue comme les autres monnaies sur les marchés des changes.

– Retour à une croissance modérée marquée par des crises financières.

– Phénomène de désindustrialisation : délocalisations des unités de production dans les pays à la main-d'œuvre moins chère (nouveaux pays industriels d'Asie comme la Corée du Sud, Singapour).

B. Le processus de mondialisation s'accélère.

– Croissance des échanges de marchandises plus forte que la production, forte expansion des échanges de services et des flux financiers, mondialisation financière.

– Triomphe du libre-échange et du capitalisme avec la fin de l'URSS et du modèle communiste : l'OMC remplace le GATT en 1994, occidentalisation du monde.

– Entrée de la Chine à l'OMC (2001).

C. Un espace mondialisé multipolaire.

– Rôle toujours majeur des pôles de la Triade (Amérique du Nord, Europe et Japon) : États-Unis toujours première puissance économique mais difficultés de l'Europe et du Japon.

– Émergence de plusieurs pays du Sud, notamment la Chine champion des BRICS : expansion économique rapide et place croissante dans les échanges mondiaux. Réduction de la fracture Nord/Sud.

– Redistribution de la richesse qui montre un renversement de l'équilibre classique Nord/Sud : croissance économique au Sud, dette au Nord.

3 GUERRES MONDIALES ET ESPOIRS DE PAIX

La première moitié du XXe siècle est marquée par deux conflits mondiaux, chacun avec leurs spécificités, et qui sont deux guerres totales. Leurs conséquences sont dramatiques pour les militaires mais aussi pour les civils. Ils bouleversent les sociétés, entraînent des modifications territoriales majeures, mais sont aussi à l'origine de tentatives d'organisation pour maintenir une paix durable.

L/ES **S**

▶ **Comment les sociétés sont-elles bouleversées par les guerres totales ?**

1 **Préparation d'une attaque pendant la Grande Guerre**
Tranchée tenue par la 2e division australienne, près d'Armentières, 1918.
Imperial War Museum

1. Décrivez la tranchée où se trouvent les soldats.
2. Pourquoi la présence de ces troupes traduit-elle le caractère mondial de ce conflit ?
3. Relevez les informations de la photographie montrant l'adaptation des soldats à la puissance de feu.

> **Notion**
>
> • **Guerre totale** : conflit qui abolit la distinction entre combattants et civils en raison de la nécessité de faire participer toute la société à l'effort de guerre.

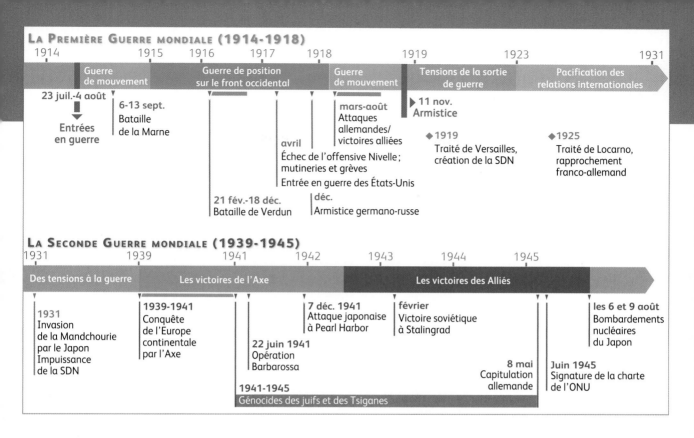

La Première Guerre mondiale (1914-1918)

| 1914 | 1915 | 1916 | 1917 | 1918 | | 1919 | 1923 | 1931 |

Guerre de mouvement · **Guerre de position sur le front occidental** · **Guerre de mouvement** · **Tensions de la sortie de guerre** · **Pacification des relations internationales**

23 juil.-4 août
Entrées en guerre

6-13 sept.
Bataille de la Marne

avril
Échec de l'offensive Nivelle; mutineries et grèves
Entrée en guerre des États-Unis

21 fév.-18 déc.
Bataille de Verdun

mars-août
Attaques allemandes/ victoires alliées

déc.
Armistice germano-russe

▶ 11 nov.
Armistice

◆ 1919
Traité de Versailles, création de la SDN

◆ 1925
Traité de Locarno, rapprochement franco-allemand

La Seconde Guerre mondiale (1939-1945)

| 1931 | 1939 | 1941 | 1942 | 1943 | 1944 | 1945 |

Des tensions à la guerre · **Les victoires de l'Axe** · **Les victoires des Alliés**

1931
Invasion de la Mandchourie par le Japon
Impuissance de la SDN

1939-1941
Conquête de l'Europe continentale par l'Axe

22 juin 1941
Opération Barbarossa

1941-1945
Génocides des juifs et des Tsiganes

7 déc. 1941
Attaque japonaise à Pearl Harbor

février
Victoire soviétique à Stalingrad

8 mai
Capitulation allemande

Juin 1945
Signature de la charte de l'ONU

les 6 et 9 août
Bombardements nucléaires du Japon

2 **Des avions de l'US Navy attaquent des navires de guerre japonais durant la bataille de Midway dans le Pacifique, juin 1942.**

Entre le 5 et le 7 juin 1942, les Japonais perdent quatre porte-avions. C'est le tournant de la guerre du Pacifique.

● Expliquez pourquoi le recours à l'aviation bouleverse la guerre navale traditionnelle.

La Première Guerre mondiale, une guerre totale

La Première Guerre mondiale oppose les puissances européennes à partir de 1914. 74 millions d'hommes sont mobilisés sur tous les fronts, plus de 9 millions y trouvent la mort. L'industrie et les technologies jouent un rôle majeur dans le conflit.

A Les origines complexes de la Grande Guerre

1 Les causes et les origines de la 1re Guerre mondiale

● **Les causes** : des rivalités coloniales et économiques (exemple : rivalités commerciales entre le Royaume-Uni et l'Allemagne), politiques et nationalistes, ainsi que l'entraînement des alliances à la course aux armements.

● **L'élément déclencheur** : l'assassinat de l'héritier du trône d'Autriche-Hongrie par un Serbe (28 juin 1914) est le détonateur du conflit qui se généralise du fait de l'engrenage des alliances.

● **Les pays concernés** : les Empires centraux, l'Allemagne et l'Autriche-Hongrie, l'Empire ottoman, la Bulgarie en 1915 luttent contre la Russie (jusqu'en 1917), la France, le Royaume-Uni, qui sont rejoints par le Japon, l'Italie, la Roumanie, les États-Unis, la Grèce.

2 Le départ pour le front : le mythe de la « fleur au fusil »
Les soldats ne sont pas partis joyeux, « la fleur au fusil », mais animés par le patriotisme et croyant mener une guerre défensive. L'union sacrée se fait autour des gouvernements.
Berlin (Allemagne), août 1914.

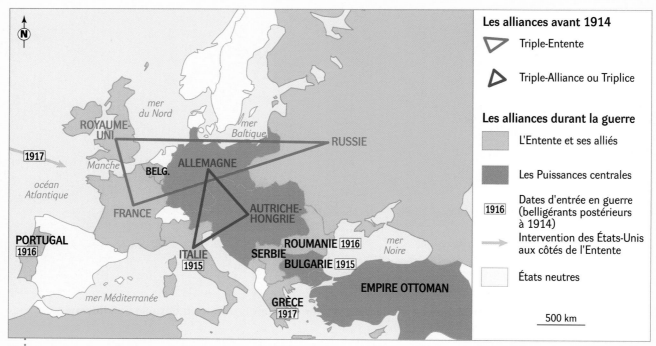

3 L'engrenage des alliances lors de la Première Guerre mondiale

B Une guerre qui se mondialise

De la guerre de mouvement à la guerre de position (1914-1917)

✦ La guerre de mouvement, une suite d'offensives rapides des Allemands et des Franco-Britanniques, est bloquée par la puissance de feu déployée (1914).

✦ Après la victoire des Français sur la Marne (1914), la guerre de position domine à l'Ouest. Les offensives sont meurtrières mais non décisives : victoire française à Verdun (1916), échec britannique sur la Somme (1917).

Le tournant critique de 1917

✦ La Russie, vaincue, touchée par les révolutions, quitte la guerre.

✦ Son retrait du conflit est compensé par l'entrée en guerre des États-Unis aux côtés de la France et du Royaume-Uni.

✦ Une lassitude générale se répand : mutineries en France, grèves en Allemagne.

Le sursaut des Alliés en 1918

✦ L'Allemagne tente une offensive à l'Ouest, difficilement repoussée.

✦ L'apport américain relance la guerre de mouvement. L'armée allemande battue recule.

✦ Les Empires centraux épuisés demandent des **armistices**.

Vocabulaire et notions

• **Armistice** : suspension des opérations militaires pour négocier la paix.
• **Front** : limite contestée entre deux forces militaires ennemies.
• **Patriotisme** : amour de la patrie et volonté de la défendre contre les agressions.
• **Union sacrée** : suspension, pour le temps de la guerre, des oppositions entre partis politiques, pour mobiliser l'ensemble de la société.

4 Les phases de la Première Guerre mondiale

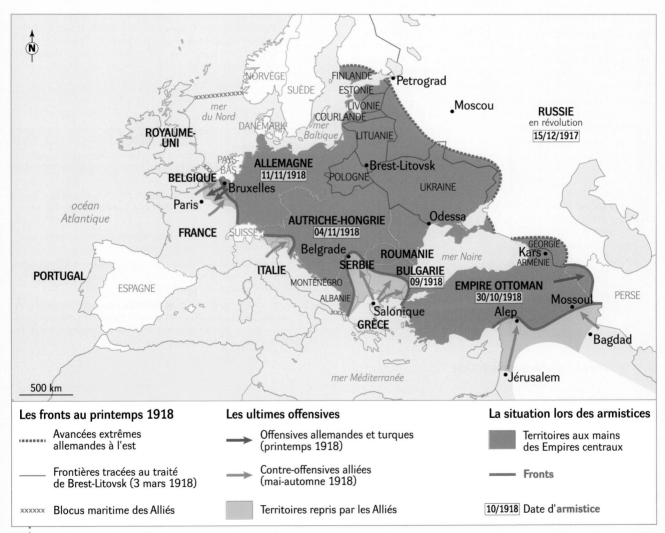

5 Les fronts européens en 1918

Les fronts au printemps 1918

········ Avancées extrêmes allemandes à l'est

_____ Frontières tracées au traité de Brest-Litovsk (3 mars 1918)

xxxxxx Blocus maritime des Alliés

Les ultimes offensives

➡ Offensives allemandes et turques (printemps 1918)

➡ Contre-offensives alliées (mai-automne 1918)

Territoires repris par les Alliés

La situation lors des armistices

Territoires aux mains des Empires centraux

_____ Fronts

10/1918 Date d'**armistice**

La Seconde Guerre mondiale, une guerre d'anéantissement

Capacité travaillée
I.1.1 Nommer et périodiser les continuités et ruptures chronologiques

Vingt ans après la fin de la Grande Guerre, un nouveau conflit éclate. Cette guerre totale, planétaire et idéologique, oppose les démocraties anglo-saxonnes et l'URSS totalitaire aux totalitarismes fasciste et nazi ainsi qu'à l'impérialisme japonais. Elle provoque des destructions massives, 60 millions de morts dont la moitié de civils, victimes de génocides, de bombardements et d'exactions.

A Les origines de la Seconde Guerre mondiale

1 Les causes de la 2de Guerre mondiale

- **Les causes :** Hitler veut la guerre pour réaliser son programme d'expansion. Le Japon envahit la Chine en 1937, prépare la conquête de l'Asie-Pacifique. Mussolini conquiert l'Éthiopie en 1936 puis hésite en raison des faiblesses de l'Italie.

- Leurs projets sont favorisés par la **faiblesse des démocraties**, qui redoutent une nouvelle guerre, et par l'isolationnisme des États-Unis. L'URSS se rapproche un temps des démocraties puis s'allie en 1939 avec Hitler, son adversaire.

- **L'événement déclencheur :** l'attaque de la Pologne par l'Allemagne le 1er septembre 1939.

- **Les principaux pays concernés :** Les forces de l'Axe (Allemagne et ses satellites, Italie, Japon) ; les Alliés (Royaume-Uni, gouvernements en exil, à partir de 1941, États-Unis et Chine). L'URSS, partenaire de l'Allemagne jusqu'à son invasion en 1941, rejoint ensuite les Alliés.

2 Deux alliances opposées

	Alliés	Axe
1939-1941	**Royaume-Uni et empire colonial**, Alliés vaincus entre 1939 et 1941 : Pologne, Danemark, Norvège, Pays-Bas, Belgique, France, Yougoslavie, Grèce.	**IIIe Reich, Italie fasciste** (URSS alliée du IIIe Reich en 1939 ; non membre de l'Axe).
1941-1945	**Royaume-Uni** et empire colonial, **États-Unis**, **URSS**, Chine (dès 1937). Mouvements de résistance dont France libre.	**IIIe Reich, Italie** (jusqu'en 1943) et États satellites (Hongrie, Roumanie, Bulgarie…) Japon.

LES SUCCÈS DE L'AXE (1939-1942)

- Grâce au *Blitzkrieg*, le IIIe Reich, conquiert l'Europe, sans pouvoir envahir le Royaume-Uni. Celui-ci résiste seul. Les États-unis lui fournissent des armes.
- Hitler envahit l'URSS, son alliée en 1939-1941.
- Hitler met en œuvre le génocide des juifs et des Tziganes à partir de 1941.
- L'attaque japonaise contre Pearl Harbor (7 décembre 1941) entraîne l'entrée en guerre des États-Unis.

LA VICTOIRE DES ALLIÉS (1942-1945)

- Après Stalingrad (1943), les Soviétiques regagnent le terrain perdu en URSS puis avancent en Europe orientale.
- Les Alliés débarquent en Afrique du Nord fin 1942 puis en France le 6 juin 1944.
- L'Allemagne, vaincue, capitule le 8 mai 1945.
- Le Japon, après des conquêtes fulgurantes, est battu sur mer. Il capitule le 2 septembre 1945, après deux attaques nucléaires.

Vocabulaire et notions

- **Axe :** alliance de l'Italie fasciste et de l'Allemagne nazie, rejointes par le Japon. Ce terme désigne ensuite tous les pays les soutenant pendant la guerre.

- **Blitzkrieg ou guerre-éclair :** guerres courtes et foudroyantes, reposant sur l'emploi simultané de divisions blindées et de l'aviation d'attaque.

- **Génocide :** extermination d'une population en raison de ses caractéristiques ethniques, religieuses ou sociales.

- **Isolationnisme :** courant de la politique étrangère des États-Unis considérant qu'il ne faut pas se mêler des affaires du monde pour ne pas être entraîné dans des guerres.

- **Totalitarisme :** système politique dans lequel un homme, un parti soumet l'ensemble de l'État et de la société à une idéologie. Toutes les activités individuelles ou collectives sont subordonnées au contrôle de l'État. Toute opposition est interdite.

3 Les étapes d'une guerre totale

4 Le premier missile de l'histoire
Une des « armes de représailles » (*Vergeltungswaffen* ou V2) mises au point par les ingénieurs du IIIe Reich. Elle est utilisée pour bombarder Londres à partir de septembre 1944 mais ne modifie pas le cours de la guerre.

B L'ensemble des terres et des océans touchés

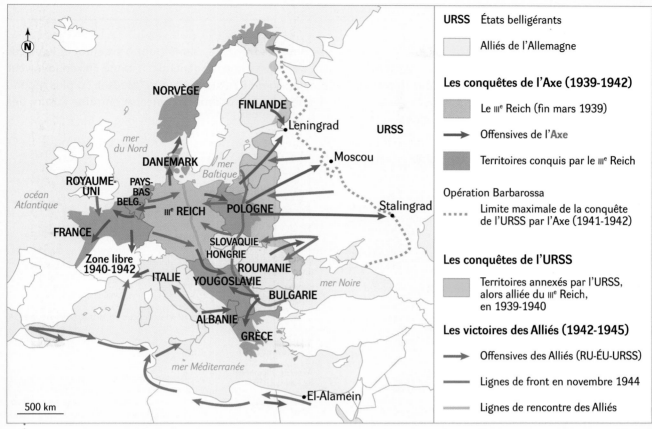

5 La Seconde Guerre mondiale en Europe

Légende carte 5 :

URSS — États belligérants

Alliés de l'Allemagne

Les conquêtes de l'Axe (1939-1942)

Le IIIe Reich (fin mars 1939)

Offensives de l'Axe

Territoires conquis par le IIIe Reich

Opération Barbarossa
Limite maximale de la conquête de l'URSS par l'Axe (1941-1942)

Les conquêtes de l'URSS

Territoires annexés par l'URSS, alors alliée du IIIe Reich, en 1939-1940

Les victoires des Alliés (1942-1945)

Offensives des Alliés (RU-ÉU-URSS)

Lignes de front en novembre 1944

Lignes de rencontre des Alliés

Noms carte 5 : NORVÈGE, FINLANDE, Leningrad, URSS, mer du Nord, Moscou, DANEMARK, mer Baltique, ROYAUME-UNI, PAYS-BAS, BELG., IIIe REICH, POLOGNE, Stalingrad, océan Atlantique, FRANCE, Zone libre 1940-1942, SLOVAQUIE, HONGRIE, ITALIE, ROUMANIE, YOUGOSLAVIE, mer Noire, BULGARIE, ALBANIE, GRÈCE, mer Méditerranée, El-Alamein, 500 km

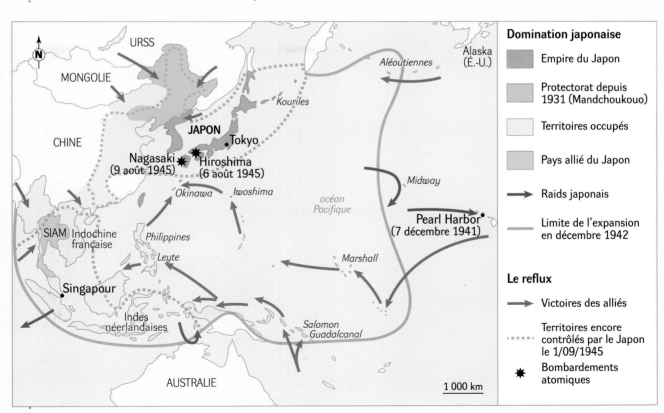

6 La guerre en Asie-Pacifique (1937-1945)

Légende carte 6 :

Domination japonaise

Empire du Japon

Protectorat depuis 1931 (Mandchoukouo)

Territoires occupés

Pays allié du Japon

Raids japonais

Limite de l'expansion en décembre 1942

Le reflux

Victoires des alliés

Territoires encore contrôlés par le Japon le 1/09/1945

Bombardements atomiques

Noms carte 6 : URSS, MONGOLIE, Aléoutiennes, Alaska (É.-U.), Kouriles, CHINE, JAPON, Tokyo, Nagasaki (9 août 1945), Hiroshima (6 août 1945), Midway, Okinawa, Iwoshima, océan Pacifique, Pearl Harbor (7 décembre 1941), SIAM, Indochine française, Philippines, Leyte, Marshall, Singapour, Indes néerlandaises, Salomon Guadalcanal, AUSTRALIE, 1 000 km

Les soldats dans l'enfer de Verdun (1916)

L/ES   S

Capacité travaillée

II.1.3 Cerner le sens général d'un corpus documentaire, et le mettre en relation avec la situation historique étudiée

En 1916, la situation est bloquée dans les tranchées sur le front occidental et le blocus naval gêne l'approvisionnement de l'Allemagne. Le général allemand Falkenhayn veut une victoire pour forcer l'Entente à négocier : il attaque Verdun (Meuse). La plus grande bataille jamais livrée en France s'y déroule. La résistance française entraîne l'usure des troupes allemandes.

▶ Pourquoi la bataille de Verdun est-elle devenue le symbole de l'extrême violence subie par les soldats ?

Une grande bataille en chiffres

	France	Allemagne
Nombre de divisions[1] engagées	– 9 divisions – 3 divisions de réserve	12 à 13 divisions
Pertes (tués, blessés, prisonniers)	377 000	337 000
Nombre d'obus utilisés par les deux camps	24 millions	

1. Une division française a 16 000 hommes en 1914.

Chronologie

1916 — Bataille de Verdun — 1917

- **21 fév.** Début de l'attaque allemande
- **25 fév.** Chute de Douaumont ; Pétain commandant en chef
- **11-12 juil.** Échec de la dernière attaque allemande
- **automne** Reconquêtes françaises

Légende de la carte :
- Lignes de front le 21 février 1916
- Avancée allemande le 9 avril 1916
- Front le 8 août 1916
- Reconquête française en décembre 1916
- Villages
- ◇ Principaux forts
- Lignes de chemin de fer
- "Voie sacrée", ligne logistique

Source : d'après Richard Holmes, Atlas historique de la guerre, J.-C. Lattès, 1989

5 km

1 Verdun, un champ de bataille majeur

Vocabulaire et notions

- **Poilus** : terme désignant dès l'hiver 1914 les combattants au front, qui sont dans l'impossibilité de se raser.
- **Mort-Homme** : colline et position stratégique surplombant le champ de bataille de Verdun. Elle est attaquée par les Allemands, prise, perdue et reconquise à plusieurs reprises, avec de lourdes pertes.
- **Tranchées** : longues excavations utilisées comme lignes de défense lors d'une guerre de position.
- **Arrière** : le terme peut désigner les lignes arrière à l'écart de la zone de combat mais aussi le monde des civils.

2 La mort à Verdun. Attaque allemande du fort de Vaux (mai 1916)

3 Un succès français : la reprise du fort de Douaumont

Dessin de Forain, publié dans *Le Figaro* du 1er novembre 1916.

4 **La Voie sacrée sauve Verdun**

8 avril 1916 : des troupes quittent le front pour les lignes arrière. La route de Bar-le-Duc à Verdun, parcourue par des milliers de camions, remplace les voies ferrées sous le feu allemand. L'écrivain nationaliste Maurice Barrès baptise « Voie sacrée » ce symbole de la lutte. L'armée française organise une rotation des régiments alors que les Allemands complètent les pertes des unités présentes.

5 **Les Français résistent aux Allemands**

Lettre d'un poilu, **le capitaine Casex, à sa sœur, 12 mars 1916**
Nous étions dans un village un peu à l'arrière et on nous a fait reporter en avant, quoique assez loin des lignes. Nous tenons les troisièmes lignes. Nous avons été sérieusement endommagés, tous les régiments de la division. Moi, avec ma compagnie, j'ai surtout souffert du 6 au 9 (mars). Pendant ces trois ou quatre jours, nous avons pris part à l'attaque, jusqu'alors nous n'avions eu à subir que le bombardement, mais, pendant ces trois jours, ça a été le vrai combat à quelques mètres. [...] Les Allemands sont arrivés tout près mais n'y sont pas entrés et, pendant trois jours, on s'est bien battu. Rien que pour ce combat, j'ai eu cent dix hommes hors de combat à la compagnie, Coustau blessé et un autre sous-lieutenant tué ainsi qu'un adjudant. [...] Du bataillon, c'est ma compagnie qui a le plus souffert. Les hommes ont été épatants et, dans le village, aucun n'a essayé de s'en aller à l'arrière, et, pourtant, les obus y tombaient comme grêle et y mettaient le feu. On est heureux quand c'est passé d'avoir assisté à ces moments tragiques. On se sent plus homme et on éprouve la grande satisfaction d'avoir contribué pour sa part à la défense de la Patrie. Les Boches, je puis t'affirmer, s'ils avancent un peu, ce n'est qu'au prix de sacrifices d'hommes formidables. Que de pertes ils doivent subir et surtout que d'obus ils dépensent.

Henry Castex, *Verdun. Années infernales. Journal d'un soldat au front*,
Imago, 1996. L'auteur a édité les lettres de son père, le capitaine Castex
(1888-1916), tué le 6 septembre 1916. Sa tombe n'a pas été retrouvée.

6 **Les Allemands repassent à l'offensive**

Trois heures de l'après-midi. Les premières vagues bondissent sur les positions ennemies. Cela ne va pas tout seul. Sur la crête même, la toute première tranchée française n'a pas été prise sous le feu de notre artillerie. Les Français s'y sont réfugiés et accueillent notre vague d'assaut par un feu meurtrier. Un de nos lance-flammes, frappé par une grenade ennemie, fait explosion. Son porteur, terriblement brûlé, s'écroule. La fumée se rabat sur nous. Tous nos hommes ont-ils vu le jet de flammes[1] s'allonger, qu'ils se précipitent avec des hurrah sur les Français... Il s'agit de notre vie car les obus français ne vont plus tarder. Bientôt on viendra nous arracher à nouveau le Mort-Homme. Aussi, avec une vitesse extraordinaire, les entonnoirs[2] sont utilisés, approfondis et reliés entre eux.

Capitaine Félix von Frantzius, 201e régiment
d'infanterie, attaque du Mort-Homme, 21 mai 1916.

1. Lance-flammes : arme conçue pour projeter un liquide enflammé, mise au point en Allemagne au début du XXe siècle et utilisée à partir de 1915.
2. Entonnoirs : cavités, parfois gigantesques, produites par l'explosion d'une mine ou d'un obus.

Témoigner de la vie en guerre : les blessés

Capacité travaillée

II.1.3 Cerner le sens général d'un document et le mettre en relation avec la situation historique étudiée

La guerre de position et la violence des combats nécessitent la mise en place de structures de secours près du front pour les blessés. Mais leur afflux lors des attaques et la difficulté de les recueillir sur le champ de bataille entraînent souvent la mort des blessés les plus graves. Les armées réussissent néanmoins à perfectionner leurs services de santé.

▶ **Comment les témoignages montrent-ils une amélioration de la prise en charge des blessés ?**

Vers l'étude critique de deux documents

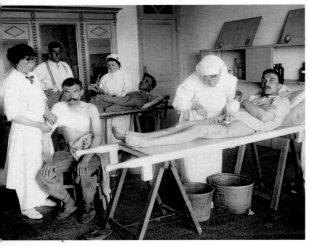

1 : Les hôpitaux de l'arrière
Blessés dans un hôpital militaire de Deauville.

2 : Le témoignage d'un médecin de tranchées

Jacques Le Petit (1887-1966), médecin au Mans, est mobilisé dès 1914. Il devient médecin aux côtés des poilus.

Juin 1915 le marmitage[1] s'est précisé sur nous, un obus a effondré le trou voisin puis d'autres à côté, ensevelissant plusieurs hommes. Après une seconde d'hésitation devant cette avalanche d'obus, on s'est précipité tout de même à leur secours ; couverts de marne[2], à demi asphyxiés, on a pu en retirer quelques-uns immédiatement ; l'un, tout blanc de marne, les deux jambes cassées, se traînait sur les mains dans le boyau, un autre mort, un autre mourant et gesticulant, encombrant le chemin et nous empêchant d'aller nous occuper de deux autres qu'on amenait encore. [...]
Nous avions fait ces jours-ci des prisonniers. Devant mon abri, j'en ai photographié une bande au moment où ils venaient en levant les bras et en criant « Kamarade ». On en retrouve – des blessés allemands – tous les jours dans les quelques abris qu'on leur a pris et qui agonisent. Parfaitement habillés et équipés, ils sont durs à la souffrance et ne bronchent pas.

Journal de guerre de Jacques Le Petit 1914-1919, rédigé dans les années 1960 à partir de ses notes, Éditions Anovi, 2009.

1. Marmitage : bombardement d'artillerie.
2. Marne : roche tendre composée d'argile et de calcaire mêlés à du sable.

Consigne BAC

Après avoir présenté les documents 1 et 2, montrez qu'ils témoignent des différentes étapes de la prise en charge des blessés durant la Première Guerre mondiale.

Méthode

1 Présenter les documents (nature, auteur, date et contexte). Faites attention au double contexte de l'extrait du *Journal de guerre de Jacques Le Petit*.

2 Analyser les documents
■ Document 1. Décrire la photographie. Où se situe cet hôpital par rapport au front et dans quel camp ? Étudiez la place et le rôle des femmes dans cette chambre. Quelles blessures sont soignées ?
■ Document 2. Analyser le texte. Quelles sont les causes des blessures ? Les moyens sont-ils suffisants ? Les adversaires sont-ils soignés ? Comment se comportent les blessés ?

3 Faire la critique des documents
■ Notez que les personnes présentes sur la photographie « posent » et sont nombreuses.

■ Quelles informations nous manquent ? (types de soins sur le front, transfert des blessés vers l'arrière…).

4 Rédiger l'étude
Attention à ne pas traiter séparément les deux documents. Vous pouvez organiser votre propos autour de trois thèmes :
■ des blessures graves, nombreuses, de natures différentes ;
■ la volonté d'apporter des soins à tous les soldats, ennemis compris ;
■ une chaîne de soins, des postes de secours aux hôpitaux de l'arrière, réelle mais insuffisante.

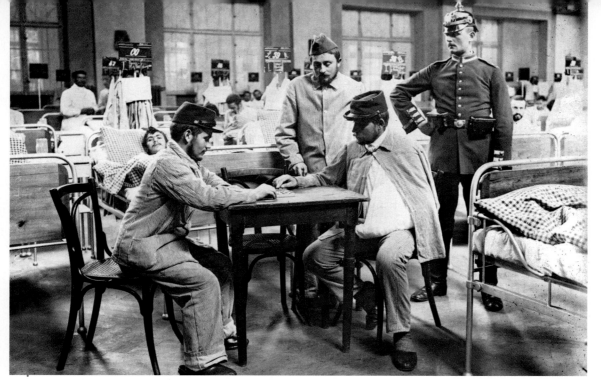

3 **Des prisonniers français soignés par des Allemands (1914)**
Salle de repos dans l'établissement New Welt à Berlin transformé en hôpital.

4 **Une Américaine dans les hôpitaux français**

Edith Wharton (1862-1937) est une écrivaine américaine. Elle écrit, en 1914, des articles favorables à la France. Après s'être occupée des réfugiés, elle travaille à obtenir des ambulances et des douches pour les soldats du front.

Plus au nord, sur l'autre rive de la Meuse, s'élève un second bourg qui a été transformé en colonie d'éclopés. Quinze cents hommes, malades ou frappés d'épuisement, y sont cantonnés – et ils ne disposent point, eux, de douches chaudes ou de rideaux fleuris pour se remonter le moral. On nous conduisit d'abord à l'église, grande bâtisse sans caractère qui dominait la rue principale. En entrant, nous trébuchâmes sur un monceau de paille humide qu'un groupe de soldats palefreniers sortaient des travées à la fourche. L'intérieur, sombre et étouffant, offrait un terrible spectacle : des panneaux en osier étaient tendus entre les piliers, ménageant de petits compartiments dans lesquels les soldats gisaient par groupes de dix ou douze sur des paillasses, sans matelas, sans couvertures. Ni lit, ni table, ni chaise, et pas le moindre ustensile pour faire sa toilette. On les allongeait sur le sol de pierre dans les vêtements couverts de boue qu'ils portaient à leur arrivée – comme du bétail. Encore ne restaient-ils ici que le temps de se remettre assez pour repartir au front. Quel désolant contraste avec la petite église de Blercourt, où les cierges de l'autel scintillaient au-dessus de lits bien propres ; et l'on se demandait si un tel manque d'hygiène était vraiment inévitable, quelque proche que fût la ligne de front.

Edith Wharton, *La France en guerre 1913-1915*, Tournon, 2007.

Vocabulaire

• **Boyau** : passage étroit entre les tranchées qui permet aux soldats de gagner les premières lignes ou de rejoindre l'arrière.

BAC

Consigne 1. Après avoir présenté les documents 3 et 4, montrez et expliquez que les situations des hôpitaux sont très différentes durant la Grande Guerre.

Consigne 2. Présentez les documents 4 et 5 et montrez que les blessures des soldats constituent un aspect important de cette guerre.

---

5 **Les blessés durant la Première Guerre mondiale**

a. Les blessés français à Verdun, dans la guerre

Éclats d'obus	Balles de fusils et de mitrailleuses	Éclats de grenade	Armes blanches	Accidents	Autres (gaz)
86 % des blessures	6 %	4 %	1 %	3 %	1 %

Guerres & Histoire, n° 18, avril 2014, Montadori France, citant J.-J. Schneider, *Le Service de santé de l'armée française – Verdun 1916*, Serpenoise, 2007.

b. Blessures et blessés, un aspect majeur de la Première Guerre mondiale

Nombre de blessés (dont)	Russie	France	Autriche-Hongrie	Royaume-Uni, Empire	Allemagne
21 219 520	4 950 000	4 266 000	3 620 000	2 090 212	1 216 058

Jay Winter, « Victimes de la guerre : morts, blessés et invalides », Stéphane Audoin-Rouzeau, Jean-Jacques Becker (dir.), *Encyclopédie de la Grande Guerre*, t. 2, Perrin, 2004.

Marie Curie, une scientifique engagée dans la guerre

Capacités travaillées

II.1.2 Prélever, hiérarchiser et confronter des informations selon des approches spécifiques en fonction du corpus documentaire

II.1.3 Cerner le sens général d'un corpus documentaire, et le mettre en relation avec la situation historique étudiée

Les femmes sont impliquées depuis longtemps dans les guerres, mais la durée de la Grande Guerre et l'éloignement des hommes rendent leur investissement beaucoup plus important. Marie Curie (1867-1934), d'origine polonaise, est une brillante scientifique, seule personne à avoir jamais obtenu deux prix Nobel, le premier en physique en 1903 (avec son mari, Pierre, pour leurs travaux sur les substances radioactives, les radiations) et le second en chimie en 1911, une fois veuve. C'est aussi une personnalité controversée, attaquée par la presse nationaliste en raison d'une liaison avec le scientifique Paul Langevin. Mais son action pour secourir les blessés en fait une figure majeure de la France républicaine. Elle entre au Panthéon en 1995.

▶ **L'engagement de Marie Curie dans la guerre est-il représentatif de celui des femmes ?**

1911	1914-1918	oct. 1915	avril 1916	mai-juin 1917	1919	1922
Marie Curie Prix Nobel de chimie	Marie Curie équipe des voitures radiologiques et forme des infirmières	Édith Cavell est fusillée par les Allemands après avoir aidé des soldats alliés à s'échapper de Belgique occupée	Les Allemands déportent plusieurs milliers de Lilloises vers d'autres territoires occupés	Grèves dans la haute-couture gagnant des usines françaises	Marie Curie forme des soldats américains	Marie Curie est membre du Comité international de coopération intellectuelle de la SDN

1 : Une scientifique d'origine polonaise s'engage pour la France

Le manifeste[1], qui vient de paraître constitue, je crois, le premier pas vers la solution de la question si importante de l'union de la Pologne, et de la réconciliation avec la Russie. [...]

Il est naturel que les Polonais, qui ont été toujours les amis de la France et qui l'ont souvent servie, se tournent vers ce grand pays républicain et démocratique avec l'espoir d'un appui auprès de la puissance alliée pour encourager celle-ci à assurer la liberté et l'indépendance de la Pologne.

À notre époque où le sentiment des nationalités est particulièrement intense, [...] on ne peut espérer une réconciliation et une paix durable entre les Polonais, qui sont au nombre de 25 millions, et la grande Russie, que sur la base d'un respect absolu du droit des nationalités. [...] L'Allemagne poursuit l'extermination de la race polonaise par des moyens encore plus durs que ceux qu'elle a utilisés en Alsace et en Lorraine contre les sentiments français.

J'espère, au contraire, qu'avec l'aide de la France et de l'Angleterre, une solution est possible d'accord avec la Russie. Tous les Français pour qui la France, est comme pour moi, le pays d'adoption auquel ils sont unis par des liens d'affection de reconnaissance, souhaitent l'union de leurs compatriotes pour seconder la France envers l'Allemagne.

Marie Curie. *Le Temps*, 17 août 1914.

1. Le 14 août 1914, le grand-duc Nicolas publie un manifeste évoquant une autonomie pour les Polonais de l'Empire russe.

2 : Marie Curie au volant d'une voiture radiologique

En 1914, Marie Curie propose de créer une unité de voitures radiologiques pour aider les chirurgiens du front à faire des diagnostics. 300 voitures sont équipées. Le service emploie 850 infirmières durant le conflit, dont 74 trouvent la mort.

3 : La mobilisation des Françaises

Exemples de fonctions assurées par des femmes	1918
Ouvrières	627 000 (487 000 en 1914)
Infirmières et volontaires de la Croix-Rouge	100 000
Travaux agricoles	3 200 000

D'après Nicolas Beaupré, *Les Grandes Guerres 1914-1945. Histoire de France*, Belin, 2012 ; F. Thébaud, *Les femmes au temps de la guerre de 1914*, Petite bibliothèque Payot, 2013.

AUX FEMMES FRANÇAISES

La guerre a été déchaînée par l'Allemagne, malgré les efforts de la France, de la Russie et de l'Angleterre pour maintenir la paix. A l'appel de la Patrie, vos pères, vos fils et vos maris se sont levés en masse et demain ils auront relevé le défi.

Le départ pour l'armée de tous ceux qui peuvent porter les armes laisse les travaux des champs interrompus; la moisson est inachevée, le temps des vendanges est proche.

Au nom du Gouvernement de la République, au nom de la Nation, toute entière groupée derrière lui, je fais appel à votre vaillance, à celle des enfants que leur âge seul, et non leur courage, dérobe au combat. Je vous demande de maintenir l'activité des campagnes, de terminer les récoltes de l'année, de préparer celles de l'année prochaine; vous ne pouvez pas rendre à la Patrie un plus grand service. Ce n'est pas pour vous, c'est pour elle que je m'adresse à votre cœur; il faut sauvegarder votre subsistance, l'approvisionnement de ceux qui défendent à la frontière, avec l'indépendance du pays, la Civilisation et le Droit.

Debout donc femmes françaises, jeunes enfants, filles et fils de la Patrie! Remplacez sur le champ du travail ceux qui sont sur les champs de bataille. Préparez-vous à leur montrer demain la terre cultivée, les récoltes rentrées, les champs ensemencés. Il n'y a pas dans ces heures graves de labeur infime : tout est grand qui sert le Pays.

Debout, à l'action, au labeur ! il y aura demain de la gloire pour tout le monde.

VIVE LA RÉPUBLIQUE ! VIVE LA FRANCE !

Pour le Gouvernement de la République:

Le Président du Conseil des Ministres,

René VIVIANI.

4 : Appel aux femmes françaises du président du Conseil René Viviani

2 août 1914. Archives de l'Indre.

Vocabulaire et notions

• **Croix-Rouge** : le Suisse Henri Dunant (1828-1910) fonde cette organisation internationale à vocation humanitaire à Genève en 1863 pour secourir les blessés et victimes de guerre. Elle joue un rôle majeur durant la Grande Guerre dans l'aide aux prisonniers et participe à la mise en œuvre d'un droit humanitaire.

• **Prix Nobel** : récompenses créées par l'industriel et chimiste suédois Alfred Nobel (1833-1896). Attribués chaque année depuis 1901, ils récompensent des auteurs d'œuvres littéraires, philanthropiques et scientifiques.

---

5 : Marie Curie parle de son engagement

Ayant voulu, comme tant d'autres, me mettre au service de la Défense nationale dans les années que nous venons de traverser, je me suis presque aussitôt orientée du côté de la radiologie, m'efforçant de contribuer à l'organisation des services radiologiques notoirement insuffisants au début de la guerre.

Le champ d'activité ainsi ouvert a absorbé la plus grande part de mon temps. J'ai eu la bonne fortune de trouver des moyens d'action. Chargée de la direction technique de l'œuvre radiologique du Patronage national des blessés, société de secours fondée sous la présidence de M. E. Lavisse[1], j'ai pu, avec l'aide libérale de cette œuvre, créer un service de radiologie auxiliaire du service de santé militaire pour les hôpitaux des armées et du territoire.

Ce service a pris une grande extension, en raison même des besoins auxquels il s'agissait de faire face. Il m'a fallu faire de nombreux voyages aux hôpitaux et aux ambulances, pour vivre leur vie et participer à leur travail. Il m'a fallu aussi m'occuper de la formation de personnel pour les besoins du service.

Marie Curie, *La Radiologie et la guerre,* Alcan, 1921.

1. Célèbre historien auteur de manuels scolaires.

6 : Marie Curie enseigne à des soldats

Durant la guerre, Marie Curie forme aussi des jeunes filles à manipuler du matériel de radiographie. Avec sa fille Irène, elle fait de même avec des soldats du corps expéditionnaire américain dans son laboratoire après la guerre, ici en 1919.

BAC

Consigne 1. Après avoir présenté les documents 1 et 4, expliquez les raisons de la mobilisation féminine en vous intéressant plus particulièrement au cas de Marie Curie.

Consigne 2. Après avoir présenté les documents 2 et 5, décrivez l'engagement de Marie Curie durant la guerre.

| Pour vous aider | pensez à :

– Décrire les initiatives prises par Marie Curie (doc. 2 et 5).

Consigne 3. Après avoir présenté les documents 5 et 6, expliquez que l'engagement de Marie Curie correspond à sa vocation scientifique mais montre aussi son rôle original dans la société française.

| Pour vous aider | pensez à :

– Relever les informations qui montrent qu'elle est une actrice majeure sur la scène scientifique (doc. 5 et 6).

La validité des témoignages : le gaz de combat, terreur des soldats

Capacités travaillées

II.1.4 Critiquer des documents de types différents

II.1.3 Cerner le sens général d'un corpus documentaire, et le mettre en relation avec la situation historique

Les gaz de combat sont les produits de la Révolution industrielle. Des textes adoptés lors de la Convention de La Haye interdisent l'usage des « projectiles qui ont pour but de répandre des gaz asphyxiants ». Cela n'empêche pas l'utilisation en nappes du gaz au chlore pour la première fois en 1915 par les Allemands à Ypres puis par tous les belligérants. En 1917, il est dépassé par l'ypérite, plus dangereuse. L'emploi d'obus toxiques rend l'artillerie encore plus redoutable.

▶ **Que nous apprend un témoignage de soldat sur les souffrances produites par les gaz de combat ?**

1899 — 1917

| 1899 Interdiction de l'utilisation des armes chimiques | 1914 Utilisation de « cartouches suffocantes », non mortelles, par les Français | 22 avr. 1915 Attaque allemande au chlore | sept. 1915 Première offensive chimique alliée | juil. 1917 Attaque allemande massive à l'ypérite |

Vocabulaire et notions

• **Gaz au chlore** : il est diffusé depuis des cylindres placés dans les tranchées : un nuage se diffuse vers les lignes adverses. Il endommage les voies respiratoires des combattants.

• **Ypérite ou gaz moutarde** : du nom de la ville d'Ypres en Belgique, près de laquelle elle est utilisée la première fois. Son action s'effectue au travers de la peau et elle attaque les voies respiratoires, les muqueuses et peut atteindre les poumons. Elle est envoyée vers l'adversaire par des obus à gaz.

1 : Les gaz de combat vus par un journal de tranchées

Dans le secteur, les sirènes, les cornes, les klaxons, les clairons, les fusées ont annoncé que la camarde[1] fondait sur nous. Avec la vague, la mort nous a enveloppés, elle a imprégné nos vêtements et nos couvertures, elle a tué autour de nous tout ce qui vivait, tout ce qui respirait. Les petits oiseaux sont tombés dans les boyaux, les chats et les chiens, nos compagnons d'infortune, se sont étendus à nos pieds et ne se sont plus réveillés. Puis nous avons vu se diriger vers le poste de secours nos camarades de combat et, avec anxiété, nous avons, pendant longtemps, attendu l'ennemi ou la mort. Nous avons passé là, chers camarades, les heures les plus douloureusement longues de notre existence de soldats. Nous avions tout vu : les mines, les obus, les lacrymogènes, le bouleversement des bois, les noirs déchirements des mines tombant par quatre, les blessures les plus affreuses et les avalanches de fer les plus meurtrières, mais tout cela n'est pas comparable à ce brouillard qui, pendant des heures longues comme des siècles, a voilé à nos yeux l'éclat du soleil, la lumière du jour, la blanche pureté de la neige.

Chacun est resté à son poste et beaucoup d'entre vous, chers amis, en ces minutes tragiques, ont dévoilé à leurs camarades la beauté de leur âme, leur splendide courage, leur inlassable dévouement, leur mépris de la mort. [...]

Nous nous souviendrons plus tard, camarades qui aurons le bonheur de vivre, de ceux que les gaz ont tués. Nos oreilles entendront encore le triste appel des sirènes, l'énergie du garde à vous, le râle des blessés. Nos yeux verront les faces de nos morts noircies par le poison. Puisse ce souvenir nous aider, dans la Paix comme dans la Guerre, à faire notre devoir jusqu'au bout. »

« Les gaz. À ceux qui les ont vus », *Le Filon*, 30 mars 1917, n° 2, p. 1, 75 lignes censurées (BNF).

1. Camarde : terme signifiant la mort.

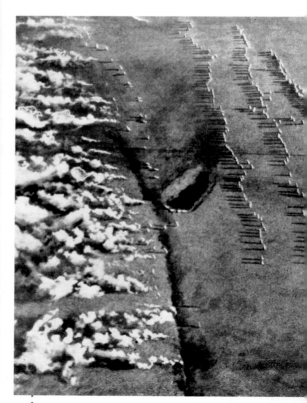

2 : Les Allemands lancent une attaque au gaz sur le front russe, 1916

3 *Le retour de soldats gazés*

John Singer Sargent, *Gassed*, 1918, montrant des soldats aveuglés après une attaque au gaz se guidant les uns les autres. La peinture est sans doute inspirée d'une photographie. Imperial War Museum.

4 **Les pertes dues aux gaz**

Nombre de blessés ou tués par les gaz (tous les fronts)	496 000
Pourcentage de soldats victimes, blessés et tués par des gaz	2,3 à 3,2 %
Pourcentage de soldats morts après avoir été blessés par des gaz	1,9 à 3 % (30 à 39 % pour les autres types de blessures).
Nombre de soldats tués sur le front occidental par les gaz	17 000
Pourcentage des soldats morts sur le front occidental, tués par les gaz	0,5 %

D'après Stéphane Audoin-Rouzeau, *Les Armes et la chair. Trois objets de mort en 14-18*, Armand Colin, 2009.

5 **Combattre malgré les gaz**

Mitrailleurs s'entraînant à faire face à une attaque chimique, 1916. Imperial War Museum.

S'initier au travail de l'historien — Analyser de manière critique un témoignage

A **Il s'agit de présenter le document 1 en le replaçant dans son contexte**

1. À quel moment du conflit sommes-nous ?
2. S'agit-il d'une des premières utilisations des gaz de combat ?

B **Vous étudiez la perception des gaz de combat par les soldats**

1. Expliquez à quoi est assimilé le gaz de combat.
2. Quelles sont les différences avec les autres armes connues ?
3. Quelle forme de récit a choisie l'auteur pour évoquer cette arme ?

C **Vous confrontez un témoignage à d'autres informations**

1. Montrez que la peinture de Sargent a la même perception de cette arme que le témoignage (doc. 3).
2. Quelles informations nous donne cette photographie sur les réactions face au gaz (doc. 5) ?
3. S'agit-il d'une arme décisive sur le champ de bataille (doc. 4) ?
4. Pourquoi les documents 2 et 4 se complètent-ils dans notre connaissance d'un phénomène historique ?

Consigne BAC

En utilisant le document 3 et vos connaissances et en vous servant de l'analyse réalisée ci-dessus, montrez que les gaz de combat sont une arme de terreur dont les effets stratégiques sont limités.

Les civils, victimes de la Première Guerre mondiale

Capacité travaillée

I.2.3 Mettre en relation des faits ou événements de natures, de périodes, de localisations spatiales différentes

Avant 1914, des conférences internationales ont évoqué la distinction entre civils et militaires, et la nécessité de protéger les premiers. Mais l'avènement de la guerre totale gomme ces différences. La Grande Guerre est marquée par des violences contre les civils, même si elles ne sont pas systématiques. Les civils sont aussi frappés par d'autres aspects du conflit : bombardements, occupation, restrictions, peur pour les proches.

▶ Pourquoi les civils subissent-ils aussi l'extrême violence de la guerre ?

A Les civils exposés aux exactions et aux souffrances

1 Crimes de guerre **à l'encontre des civils**
Pendaisons de femmes serbes par les Autrichiens en août 1914.

Vocabulaire et notions

• Arméniens : présent depuis l'Antiquité en Asie mineure, ce peuple converti dès le IVe siècle au christianisme passe à partir du XVe siècle sous contrôle turc.

• Jeunes-Turcs : courant nationaliste révolutionnaire voulant moderniser l'Empire ottoman mais aussi promouvoir un État turc homogène. Il s'impose aux derniers sultans après la révolution de 1908.

• Génocide : extermination physique, systématique et programmée d'une population en raison de ses caractéristiques ethniques, religieuses et sociales. La définition a été donnée par le juriste Raphaël Lemkin en 1944.

• Crime de guerre : violation grave des coutumes et lois de la guerre.

2 **L'exode de civils. Des réfugiés belges fuyant Ypres (1914)**
Dès le début de la guerre, des Belges et des habitants du nord et de l'est de la France fuient devant l'invasion allemande. On compte 2 millions de réfugiés en France en 1918.

AVIS

1. – Il y a défense, pour les personnes faisant partie de l'armée, de réquisitionner des œufs ou des poulets ; par contre, chaque commune aura à livrer journellement à partir du 1er Juin 1916, des œufs à la Commandanture d'Etapes compétente, contre paiement au comptant de 20 centimes par œuf et en raison du nombre des pondeuses existant dans la commune, à savoir :

    1 œuf pour trois pondeuses, pour les mois d'Avril, Mai et Juin,
    1 œuf pour cinq pondeuses, pour les mois de Juillet, Août et Mars, et, pour les autres mois, conformément aux ordres spéciaux à donner par les Commandantures.

2. — Le nombre des pondeuses existant dans la commune sera notifié sans délai et à partir du 5 Juillet, tous les cinq du mois, par le Maire à la Commandanture d'Etapes ; on prendra pour base du rapport l'état du premier mois.

3. — Est défendu de saigner les pondeuses et les jeunes poules.

4. — Le prix de 20 centimes par œuf représente en même temps le prix maximum pour les ventes aux populations.

5. — Les soustractions d'œufs seront punies d'emprisonnement jusqu'à 3 ans ou d'amendes jusqu'à 6000 marks selon alinéa 16 de la proclamation du Commandant en chef de l'armée du 25 Novembre 1915. Peut être prononcée, en plus, la confiscation des œufs soustraits et de toute la volaille du délinquant à titre de pénalité.

6. — Les œufs en provenance de Hollande dont l'importation par le comité Hollandais aura été établie ne rentrent pas dans ces dispositions.

3 Vivre sous l'occupation **allemande**
Affiche allemande réglementant les réquisitions dans Valenciennes occupée. La ville est prise dès le 25 août 1914 et n'est libérée que le 2 novembre 1918.

4 : La faim dans l'Allemagne en guerre

Les problèmes de ravitaillement allemands s'expliquent par l'insuffisance des productions agricoles et le blocus. L'hiver resta dur jusqu'à la fin. La guerre avait maintenant dépassé la ligne des fronts et touchait directement le peuple. La faim détruisait l'union qui avait régné jusque-là. Dans les familles, les enfants se volaient leur ration l'un à l'autre. La mère d'Auguste courait deux fois par jour à l'église pour y prier ; elle maigrissait à vue d'œil, car tout ce qu'elle pouvait se procurer à manger, elle le distribuait à Auguste et à ses sœurs, ne gardant pour elle qu'une part infime de nourriture. Les femmes, qui stationnaient en longues files grises devant les magasins, parlèrent bientôt plus de la faim dont souffraient leurs enfants que de la mort de leurs maris. Un nouveau front s'était formé, celui des femmes qui luttaient contre les gendarmes et les contrôleurs recrutés parmi les inaptes au service.

Jahrgang 1902, Ernst Glaeser (1902-1963), roman publié en 1928, traduit par Joseph Delage, Cécile Knoertzer, Classe 1902, Les Nuits rouges, 2000. Cité dans *L'Histoire*. Les collections « 14-18, la catastrophe », n° 61, octobre-décembre, 2013.

B   Le génocide des Arméniens (1915) : le premier génocide du XXᵉ siècle

5 : Témoignage sur le génocide des Arméniens

Nous publions ici deux rapports particulièrement importants. Écrits par des Allemands habitant la Turquie, ils ne peuvent être suspectés de partialité ni en faveur des Arméniens, ni contre les Alliés de la Turquie. […] Dès lors les renseignements les plus précis, collectifs et individuels n'ont cessé d'affluer confirmant que les faits que nous avons racontés à propos d'un certain nombre de localités se sont passés sans exception dans toute la Turquie d'Asie du nord au sud, de l'orient à l'occident. Pas un hameau, pas un village, pas une ville n'ont été épargnés. Un plan général et uniforme, provenant d'une seule volonté centrale a été suivi : recrutement militaire de la jeunesse masculine arménienne que toutefois on n'arme pas, mais qu'on emploie à des travaux spéciaux au cours desquels on en fait froidement des hécatombes – mesures de rigueur contre le reste de la population, visites domiciliaires accompagnées de meurtres et de viols, arrestations, pendaisons, tortures abominables des notables, professeurs, médecins, etc., et spécialement des Arméniens en vue qui avaient loyalement collaboré à l'avènement du régime Jeune-Turc – arrestation en masse de toute la population masculine, que l'on massacre ou entasse dans des prisons – chantages et extorsions par tous les fonctionnaires, même les plus hauts – ordre à toute la population féminine, aux vieillards et aux enfants de quitter la ville, mise en marche d'interminables convois que l'on affame, que l'on fait marcher à coups de bâton, de fouet ou de baïonnette ; les femmes traînent ou portent leurs petits enfants, on les pille. […] Les femmes sont en proie à toutes les brutalités, les moins malheureuses sont amenées dans les maisons des Turcs et des Kurdes, beaucoup meurent ou deviennent folles après avoir servi de jouets à ces troupes de misérables. On promet à ceux qui se feront musulmans qu'ils seront exemptés de la déportation, qu'ils auront la vie sauve. Beaucoup refusent. D'ailleurs la promesse n'est presque jamais tenue.

Quelques documents sur le sort des Arméniens en 1915-16, Comité de l'Œuvre de secours 1915 aux Arméniens, A. Eggimann, 1916.

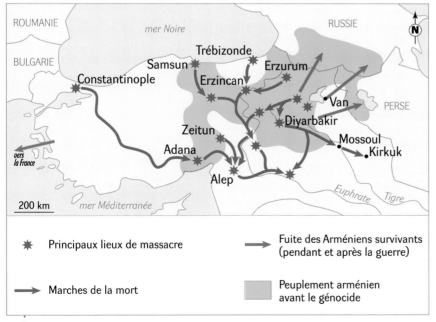

Principaux lieux de massacre

Fuite des Arméniens survivants (pendant et après la guerre)

Marches de la mort

Peuplement arménien avant le génocide

6 : Les lieux du génocide des Arméniens dans l'Empire ottoman

BAC

Consigne 1. Montrez que les populations sont particulièrement touchées lors des périodes d'invasion (doc. 1 et 2).

Consigne 2. Expliquez comment la dégradation de la situation intérieure affecte particulièrement la société allemande (doc. 4).

Consigne 3. Montrez que le sort réservé aux Arméniens par les autorités turques ne constitue pas une série d'exactions isolées (doc. 5 et 6).

Pour vous aider pensez à :

– Relever les éléments qui indiquent que les massacres sont organisés (doc. 5 et 6).
– Identifier les informations qui montrent que l'objectif est d'éliminer une population entière (doc. 5).

Les expériences des combattants et des civils durant la première guerre totale

L/ES
S

▶ **Comment les soldats et les civils subissent-ils la violence de la guerre totale et s'y adaptent-ils ?**

A L'apprentissage du feu

Études pages 92-93 et 98-99 + doc. 2

■ **Les offensives de 1914 se heurtent à l'artillerie et aux mitrailleuses** : 300 000 Français sont tués en cinq mois (bataille des frontières). Mais le plan allemand échoue face à la réaction française sur la Marne (5-11 septembre). Les belligérants cherchent en vain à se contourner lors de la « Course à la mer ». Les attaques à découvert sont impossibles : les soldats s'enterrent dans des tranchées.

■ **La guerre de position est ponctuée d'offensives** afin de percer les lignes adverses. En 1916, les Allemands échouent à Verdun, les Britanniques sur la Somme. Les pertes sont immenses : 400 000 Britanniques. Les armées s'épuisent : l'échec de Nivelle en 1917 au Chemin des Dames favorise les mutineries. L'introduction de nouvelles armes – lance-flammes, gaz (1915), chars (1916) – ne permet pas de percer les fronts.

■ **Les soldats des autres fronts** – germano-russe, austro-serbe – connaissent aussi les tranchées mais participent également à des conquêtes de territoires importantes, quoique meurtrières et sans lendemain. Ainsi, les Russes attaquent en 1914 mais sont écrasés par les Allemands à Tannenberg. Ils battent les Autrichiens en 1916 mais ne peuvent s'opposer à l'invasion allemande.

B Une guerre de tranchées

Études pages 92-93 et 94-95 + doc. 2

■ **Les tranchées forment des systèmes défensifs.** Les Allemands, les premiers, établissent des lignes successives, séparées des tranchées adverses par un *no man's land* parcouru de barbelés. Ces dispositifs, perfectionnés, permettent une défense en profondeur. On ne concentre pas ses forces sur la première ligne mais sur plusieurs lignes étagées afin que l'attaque adverse soit contenue puis stoppée. L'équipement des soldats s'adapte : grenades, camouflage, casques, armes automatiques.

■ **La vie des tranchées est inhumaine** : boue, saleté, odeurs, rats, poux, gaz, « cafard[1] », omniprésence de la mort même si la plupart des pertes sont liées aux offensives. **Mais les troupes « tiennent ».** La force du patriotisme ou la contrainte ne suffisent pas à expliquer cette résistance. **La volonté d'en finir, de ne pas abandonner les camarades, les liens tissés entre soldats et officiers, l'éducation, constituent d'autres explications.**

■ **On fait appel à toujours plus d'hommes pour combler les pertes** (900 tués français par jour, 1 300 allemands). Dès 1914, les dominions sont aux côtés du Royaume-Uni. La France fait appel aux colonies, notamment à 189 000 hommes venus d'Afrique noire, moins utilisés dans les tranchées que pour les offensives.

C Des sociétés mobilisées mais brutalisées

Études pages 96-97 et 100-101 + doc. 1 et 3

■ **Les civils sont touchés** : régions occupées, otages exécutés, populations déplacées (250 000 Russes envoyés travailler en Allemagne, juifs russes chassés par l'État tsariste). Les dirigeants ottomans organisent le génocide des Arméniens pourtant sujets de l'Empire.

■ **Les sociétés doivent produire.** Les femmes travaillent en usine, labourent. Les populations sont appelées à financer le conflit, en souscrivant des emprunts de guerre, ou en acceptant le cours forcé des billets remplaçant l'or. Elles subissent l'inflation, les pénuries, voire la faim dans les Empires centraux.

■ **La lassitude grandit partout en 1917. Le pacifisme renaît et des grèves** se développent en France, en Allemagne, en Italie pour des raisons économiques et politiques. Des mutineries éclatent en France contre les offensives inutiles. En Russie, les défaites favorisent les révolutions de février et d'octobre 1917. **En 1918 on assiste à une remobilisation des sociétés, surtout alliées. La combinaison des chars et de l'aviation, l'apport des soldats américains sont décisifs.** Les Empires centraux vaincus, épuisés, demandent des armistices.

1. Mot d'argot des tranchées désignant l'ennui, la mélancolie.

1 **Les tanks, clés de la rupture**
Tank anglais Mark V et fantassins néo-zélandais lors de la prise de Grévilliers, 25 août 1918. Les Britanniques et les Français utilisent les premiers chars sans succès en 1916 et 1917. Les Allemands ne croient pas à cette nouvelle arme qui est pourtant décisive lors des offensives de 1918.

Vocabulaire et notions

• **Guerre de mouvement** : guerre où la priorité est donnée à l'offensive, voire à la recherche de la bataille décisive. Les lignes de combat sont mobiles et les avancées ou reculs se font sur des distances importantes.

• **Guerre de position** : guerre défensive où chaque armée campe sur des positions qui changent peu. Des offensives localisées tentent de relancer la guerre de mouvement.

• **Mutinerie** : révolte collective de soldats contre leurs officiers ou contre les dirigeants.

• **Patriotisme** : amour de la patrie et volonté de la défendre contre les agressions.

Biographie

Joseph Joffre
(1852-1931)
Chef d'état-major général depuis 1911, il conserve son calme malgré l'échec de la bataille des frontières, et arrête l'invasion allemande sur la Marne. Coûteuses en vies, ses offensives sans succès en Champagne, en Artois et sur la Somme entraînent sa mise à l'écart fin 1916. Il est fait maréchal en compensation.

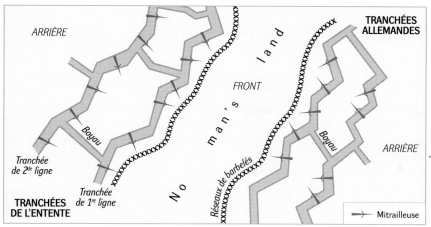

2 Les réseaux de tranchées de la Somme aux Vosges
L'ensemble tranchées-barbelés-mitrailleuses domine la guerre de position jusqu'au printemps 1918. Les tranchées allemandes sont mieux aménagées que les françaises.

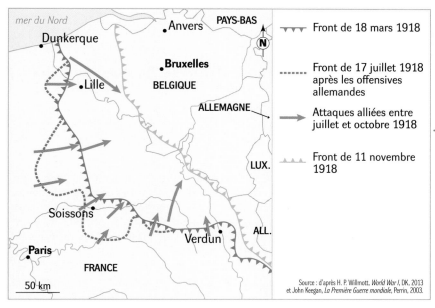

Front de 18 mars 1918

Front de 17 juillet 1918 après les offensives allemandes

Attaques alliées entre juillet et octobre 1918

Front de 11 novembre 1918

Source : d'après H. P. Willmott, *World War I*, DK, 2013 et John Keegan, *La Première Guerre mondiale*, Perrin, 2003.

3 1918, le renouveau de la guerre de mouvement à l'ouest

4 Un effort militaire sans précédent

États	Population (1914)	Total des mobilisés	Tués
Allemagne	66 900 000	13 250 000	1 950 000
Autriche-Hongrie	52 100 000	9 000 000	1 047 000
Bulgarie	5 000 000	950 000	49 000
Turquie	20 000 000	2 850 000	325 000 à 800 000
France	39 700 000	8 194 500	1 457 000
Grande-Bretagne	45 600 000	(dont Empire) 9 496 370	1 010 000
Russie	175 100 000	19 000 000	1 700 000
Italie	41 000 000	5 615 000	533 000
États-Unis	110 000 000	3 800 000	60 000
Belgique	7 500 000	380 000	115 000
Roumanie	17 000 000	1 000 000	158 000
Serbie	4 500 000	450 000	278 000
Grèce	6 000 000	200 000	5 000
Portugal	6 000 000	60 000	5 000
Veuves de guerre : 3 000 000		**Orphelins de guerre : 6 000 000**	

Mobilisés et pertes des belligérants. D'après « L'armée française en 1918 » par le colonel F. Guelton, *14-18. Le magazine de la Grande Guerre*, hors-série n° 1, novembre 2008/Jay Winter « Idées reçues sur une hécatombe », *Les Collections de l'Histoire*, n° 61, novembre-décembre 2013.

Questions

1. Montrez que les Allemands ont menacé de percer le front au printemps 1918 (doc. 3).

2. Relevez les informations montrant que les Alliés sont en train de gagner la guerre à l'Ouest durant l'été 1918 (doc. 3).

3. Pourquoi une partie de la population allemande peut-elle considérer que l'Allemagne n'est pas battue en 1918 ? (doc. 3).

4. Identifiez les pays ayant le plus de morts militaires et calculez la part des soldats morts par rapport aux mobilisés. Que constatez-vous ? (doc. 4).

5. Pourquoi les historiens évoquent-ils des « sociétés en deuil » à la fin de la guerre ? (doc. 4).

Stalingrad, le tournant de la guerre à l'Est

Tenu en échec devant Moscou en décembre 1941, Hitler réoriente ses troupes vers le sud de l'URSS en 1942. Elles conquièrent des territoires immenses et parviennent à Stalingrad (la « ville de Staline », aujourd'hui Volgograd), centre industriel sur la Volga à l'automne 1942. Staline ordonne à ses soldats de ne plus reculer. En plein hiver, la VIe armée allemande ne parvient pas à contrôler toute la ville et l'Armée rouge s'apprête à l'encercler (offensive Uranus). Les soldats se battent avec acharnement dans les ruines, immeuble par immeuble.

▶ **Pourquoi la bataille de Stalingrad constitue-t-elle un tournant de la guerre totale ?**

Capacités travaillées

I.1.1 Nommer et périodiser les continuités et ruptures chronologiques

I.2.1 Situer un événement dans le temps court ou le temps long

1942			1943
Bataille	**de**	**Stalingrad**	
sept. Début de la bataille, centre-ville conquis par les Allemands	11-13 nov. La 62e armée soviétique ne contrôle plus que deux poches en ville	18-30 nov. Encerclement de la VIe armée allemande dirigée par Paulus	2 février Paulus capitule malgré les ordres de Hitler

A Les Soviétiques s'accrochent à Stalingrad

1 Combats de rues acharnés

La 62e armée soviétique perd plus de 100 000 hommes entre septembre et novembre 1942.

08:00 : l'ennemi attaque avec des chars et de l'infanterie. La bataille fait rage sur tout le front.

09:30 : l'attaque ennemie contre l'usine des tracteurs a été repoussée. Dix chars brûlent dans la cour de l'usine. […]

11:50 : l'ennemi s'est emparé du stade de l'usine des tracteurs. Nos unités coupées se battent dans l'encerclement.

12:00 : le commandant du 117e R.I. (régiment d'infanterie), major de la Garde Andreïev, est tombé.

12:20 : message radio d'une unité du 416e R.I. venant du bloc d'habitations hexagonal : « Sommes encerclés ; avons de l'eau et des cartouches ; mourrons plutôt que de nous rendre. »

12:30 : les Stuka (Junker 87, bombardier en piqué allemand) attaquent le P.C. – poste de commandement – du général Jeloudov. Le général Jeloudov, dans son abri effondré, se trouve sans moyens de transmission. Nous prenons la liaison avec les éléments de la division.

13:10 : deux abris s'écroulent au P.C. de l'armée. Un officier a les jambes prises dans les décombres ; ne pouvons le dégager. […]

16 :35 : le lieutenant-colonel Oustinov, commandant d'un régiment d'infanterie, demande le feu de l'artillerie – soviétique – sur son P.C. Il est encerclé par des porteurs de mitraillettes.

Journal de combat de la 62e armée soviétique, 14 octobre 1942.
La Dernière Guerre. Histoire controversée de la Deuxième Guerre mondiale, vol. 6, n° 85, avril 1974.

2 Les défenseurs de Stalingrad
Des soldats de la 62e armée soviétique se battent dans les ruines du centre-ville, fin décembre 1942-janvier 1943.

B La première grande défaite d'Hitler

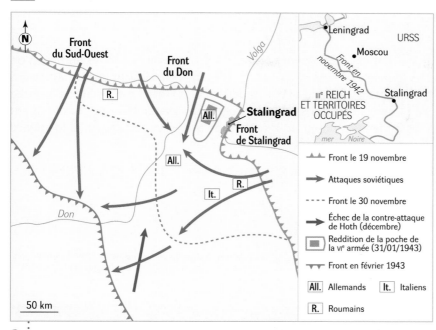

Front du Sud-Ouest

Front du Don

R.

All.

Stalingrad

Front de Stalingrad

All.

R.

It.

Don

Volga

50 km

Leningrad

Moscou

URSS

Front en novembre 1942

Stalingrad

IIIᵉ REICH ET TERRITOIRES OCCUPÉS

mer Noire

— Front le 19 novembre

→ Attaques soviétiques

--- Front le 30 novembre

→ Échec de la contre-attaque de Hoth (décembre)

▢ Reddition de la poche de la VIᵉ armée (31/01/1943)

Front en février 1943

All. Allemands   It. Italiens

R. Roumains

---

4 : L'impact de Stalingrad chez les Alliés

La ferme résistance de Stalingrad a changé le cours des événements ; elle a été l'annonce des coups mortels qui ont semé la panique parmi les ennemis de la civilisation et de la liberté. Pour marquer l'admiration profonde que j'éprouve, et avec moi les peuples de l'Empire britannique, j'ai donné l'ordre de préparer une épée d'honneur que j'aurai le privilège de remettre à la ville de Stalingrad. J'espère que pendant les jours heureux à venir, ce don [...] sera le symbole de l'admiration non seulement des peuples de l'Empire britannique, mais de tout le monde civilisé.

Message de George VI, roi d'Angleterre, à Joseph Staline, 21 février 1943.

---

3 : Opération Uranus, l'encerclement de la VIᵉ armée

5 : Caricature soviétique, *Transformation des Fritz*,
Groupe Kukrinitsky, 1943.
La campagne de Stalingrad a tué 486 000 soldats soviétiques, blessé ou tué 450 000 soldats allemands. 90 000 sont faits prisonniers (cf. tableau), dont la majeure partie ne revient pas de captivité.

Biographie

Friedrich Paulus (1890-1957)
Officier durant la Première Guerre mondiale, il reste dans l'armée durant l'entre-deux-guerres. Il commande la VIᵉ armée qui attaque Stalingrad. Encerclé, il suit les ordres d'Hitler de ne pas évacuer la ville. Il est nommé *Generalfeldmarschall*, sans doute pour l'inciter à ne pas se rendre, mais il est le premier maréchal allemand à capituler depuis les guerres napoléoniennes. Un an après, prisonnier des Soviétiques, il incite les Allemands à cesser le combat. Il finit ses jours en République démocratique allemande (État créé dans la zone d'occupation soviétique en 1949).

---

6 : Bilan de la bataille finale de Stalingrad

	Effectifs	Évacués	Prisonniers	Tués
6ᵉ armée allemande	220 000	42 000	90 000	95 000
Armée roumaine	194 000		109 000 tués ou prisonniers	
Armée rouge	1 000 000			154 000 pertes définitives

D'après Philippe Masson, *Histoire de l'armée allemande*, 1939-1945, Pluriel, Perrin, 1994 ; Antony Beevor, *La Seconde Guerre mondiale*, Calmant-Lévy, 2012 ; *Guerres & Histoire*, n° 11, février 2013.

BAC

Consigne 1. Après avoir présenté les documents 1 et 5, montrez que la bataille de Stalingrad constitue un tournant majeur pour l'Armée rouge et l'URSS dans la Seconde Guerre mondiale.

Pour vous aider pensez à :
– Étudier la situation des unités de la 62ᵉ armée en octobre 1942 (doc. 1).
– Montrer que cette caricature reflète la confiance des Soviétiques après Stalingrad (doc. 5).

Consigne 2. À partir de l'étude des documents 2 et 3, montrez que la bataille de Stalingrad devient un piège pour l'armée allemande en raison de l'acharnement soviétique.

Pour vous aider pensez à :
– Relever les informations montrant que cette bataille est différente des combats menés jusqu'ici par la Wehrmacht (doc. 2).

Consigne 3. Après avoir présenté les documents 4 et 5, expliquez pourquoi l'impact de la victoire de Stalingrad est aussi grand.

Les scientifiques au service de la guerre totale (1914-1945)

La guerre et les innovations technologiques entretiennent des liens anciens (introduction des armes à feu durant la guerre de Cent Ans). Les ingénieurs jouent un rôle important dès 1914, mais c'est pendant le second conflit mondial que les États disposant d'une avancée scientifique et de moyens importants sont avantagés. Les scientifiques ne se contentent pas d'améliorer les armes existantes : ils inventent de nouvelles techniques et la science elle-même connaît des bouleversements liés aux deux conflits mondiaux.

▶ À quelles questions éthiques les scientifiques en guerre sont-ils confrontés ?

Capacité travaillée
I.2.3 Mettre en relation des faits ou événements de natures, de périodes, de localisations spatiales différentes

1914	1918	1944

1914-1918
Développement de la chirurgie reconstructrice

1915
Première utilisation des gaz de combat

1935
Premier réseau de radars anglais

sept. 1944
Lancement du premier missile, le V2 allemand

août 1945
Bombardements atomiques de Hiroshima et Nagasaki

1 ⋮ Les savants se mobilisent

Au monde civilisé.

Nous les représentants de la science et de l'art allemand, protestons solennellement devant le monde civilisé entier contre les mensonges et calomnies dont nos ennemis tâchent de salir notre cause, pure et bonne. Les récents exploits de notre vaillante armée sont déjà entrés dans le domaine de l'histoire et ont réfuté une propagande mensongère qui n'annonçait que des défaites allemandes. Mais on ne travaille maintenant qu'avec d'autant plus d'ardeur contre nous, usant de falsifications et de soupçons. Contre ces moyens nous protestons à haute voix, et cette voix est la voix de la vérité.

Il n'est pas vrai que l'Allemagne soit coupable de cette guerre. Ni le peuple, ni le gouvernement, ni l'empereur allemand ne l'ont voulue. Jusqu'au dernier moment, jusqu'à l'extrémité du possible l'Allemagne a lutté pour maintenir la paix. Le monde entier n'a qu'à juger d'après les preuves que lui fournissent les documents authentiques. Maintes fois pendant son règne de 26 ans Guillaume II a sauvegardé la paix et maintes fois nos ennemis mêmes ont rendu justice à Guillaume II. [...] Mais menacé et ensuite attaqué de trois côtés par trois grandes puissances qui s'étaient tenues aux aguets depuis longtemps, notre peuple s'est levé comme un seul homme.

Il n'est pas vrai que nous ayons violé criminellement la neutralité de la Belgique. Nous avons la preuve irrécusable que la France et l'Angleterre étaient résolues à violer elles-mêmes cette neutralité et que la Belgique l'approuvait.

« L'Appel aux nations civilisées » du 4 octobre 1914 est signé par 93 savants dont Max Planck, Fritz Haber.
Il suscite des manifestes d'intellectuels en Russie, en France, au Royaume-Uni.

2 ⋮ Les savants mobilisés
Le savant allemand Fritz Haber sur le front, 1915.

3 ⋮ La guerre des communications. Soldats du IIIe Reich utilisant une machine Enigma
La machine Enigma est utilisée par les Allemands pour chiffrer les communications. Après 1940, des mathématiciens britanniques, dont Alan Turing, décodent les messages Enigma, atout considérable pour les Alliés.

4 La ville d'Hiroshima (Japon) détruite par une bombe nucléaire (7 août 1945)

L'explosion a fait 140 000 morts. En 1939, des savants, dont Albert Einstein, alertent le président américain Roosevelt sur la possibilité de créer une bombe au moyen de l'énergie nucléaire. Le projet « Manhattan » est alors lancé. Le Japon rejetant toute capitulation, Harry Truman utilise cette arme contre Hiroshima (6 août) puis Nagasaki (9 août). Le 2 septembre, le Japon capitule.

5 Débats autour de l'arme nucléaire en 1945

Vous nous avez demandé de nous prononcer sur le fait d'utiliser pour la première fois l'arme nucléaire. [...] Parallèlement, nous reconnaissons l'obligation faite à notre nation d'utiliser des armes pour aider à sauver des vies américaines dans la guerre qui nous oppose au Japon. [...]
Les avis de nos collègues scientifiques sur l'usage de ces armes ne sont pas unanimes : cela va de positions en faveur d'une démonstration purement technique jusqu'à l'utilisation militaire, mieux à même de pousser l'ennemi à la reddition. Les tenants de la démonstration purement technique souhaiteraient rendre illégal l'usage des armes atomiques et craignent que, si nous utilisions ce type d'armes aujourd'hui, notre position soit difficile à tenir dans les futures négociations. D'autres soulignent la possibilité de sauver des vies américaines par un usage militaire immédiat, et pensent qu'un tel usage améliorerait les perspectives internationales qui s'attachent davantage à la prévention de la guerre qu'à l'élimination de ce type d'arme.

Recommandations sur l'usage des armes nucléaires, par le panel scientifique du comité intérimaire relatif au pouvoir nucléaire (dont Robert Oppenheimer), 16 juin 1945, US National Archives, cité dans Anne Duménil, *La Guerre au XXᵉ siècle*, La Documentation photographique, La Documentation française, n° 8043, 2005.

Biographies

Fritz Haber (1868-1934)
Brillant chimiste, il participe à la guerre en travaillant à l'élaboration des gaz de combat. Son épouse, Clara, rejetant cette dérive de la science, se suicide. Prix Nobel de chimie, il quitte son pays en 1934 car, d'origine juive, il est expulsé de l'université.

Alan Turing (1912-1954)
Brillant mathématicien anglais, il appartient à l'équipe de chercheurs qui casse les codes de la machine Enigma, puis il travaille sur les premiers ordinateurs. Condamné en justice pour homosexualité, il se suicide. Il est gracié à titre posthume en 2013.

BAC

Consigne 1. Présentez les documents 1 et 2. Montrez que les savants mettent leurs travaux et leur renommée au service de la guerre.

Pour vous aider pensez à :

– Étudier la photographie, pour montrer que Fritz Haber participe à la guerre (doc. 2).
– Montrer comment les signataires utilisent leur renommée au service de l'Allemagne (doc. 1).

Consigne 2. Présentez les photographies 2 et 3. En utilisant ces documents et vos connaissances, expliquez pourquoi les deux guerres mondiales sont à l'origine d'une « guerre entre savants » et d'évolutions continues des techniques.

Consigne 3. Confrontez les documents 4 et 5. Montrez que l'arme atomique n'est pas une arme comme les autres et qu'elle suscite rapidement des interrogations sur son rôle.

Pour vous aider pensez à :

– Décrire ce qui reste d'Hiroshima et à expliquer pourquoi cette destruction d'une ville est singulière (doc. 4).
– Montrer que les scientifiques qui ont participé à la création de cette arme sont divisés sur son usage (doc. 5).

La Seconde Guerre mondiale en BD
La Guerre mondiale chez les animaux

La Seconde Guerre mondiale est un conflit idéologique. La propagande est donc utilisée pour gagner les populations à la cause défendue. Très populaires à l'époque, le cinéma et la bande dessinée sont largement employés, avec les médias de masse, par les différents camps en présence, puis après 1945 pour raconter le conflit achevé. Dans ce contexte, *La Guerre mondiale chez les animaux*, une bande dessinée française réalisée sous l'Occupation, connaît un grand succès à la Libération.

▶ **Comment la bande dessinée rend-elle compte d'une guerre totale ?**

1940 — 1941 — 1942 — 1943 — 1944

juin 1940
Les Allemands occupent Paris

1940
Sortie du *Trouble-fête*, dessin animé nazi

mars 1941
Parution de *Captain America*, premier *comic* anti-nazi

mars 1943
Walt Disney réalise un dessin animé de propagande, *Der Fuehrer's Face*

août 1944
Libération de Paris

1944
Réalisation de *La Guerre mondiale chez les animaux* (*Quand la bête est déchaînée* (1944) et *Quand la bête est terrassée* (1945))

Et brusquement, sans qu'on sache exactement de qui venait l'ordre, ce fut l'explosion ! Explosion de tout un peuple d'animaux pacifiques que l'imminence de la libération galvanisait et qui voulait montrer au monde que l'apparente soumission de quatre années d'esclavage n'avait rien changé à sa foi, à son courage, à son patriotisme. Nos rues se couvrir soudain de barricades où le pistolet du Lapin futé de la zone côtoyait comiquement l'arquebuse du Lapin cossu des quartiers bourgeois, car le soulèvement faisait l'unanimité chez nous et il n'était plus question de tribus, de castes ou de naissances.

L'histoire

Cette bande dessinée raconte la Seconde Guerre mondiale sous forme de satire. Chaque peuple est représenté par un animal : les Allemands sont des loups, les Américains des bisons, les Anglais des chiens, les Français des écureuils ou des cigognes et les Soviétiques des ours. Le style du dessinateur s'inspire de Walt Disney.

Biographie

Edmond-François Calvo (1892-1957)

Caricaturiste, il travaille pour le *Canard enchaîné* puis dans plusieurs journaux pour la jeunesse. À partir d'un scénario de Victor Dancette et Jacques Zimmermann, il dessine *La Guerre mondiale chez les animaux* en 1944.

1 **Paris se soulève (19-25 août 1944)**

Paris est occupé depuis 1940. Après le 6 juin 1944, les Alliés se rapprochent et les résistants, notamment communistes, préparent l'insurrection. La police se met en grève le 15 août, la révolte éclate le 19, mais peut être écrasée par les Allemands sans aide extérieure.

Été 1944, *Quand la bête est terrassée*, © Gallimard, 1995 (Éditions G.P., 1944-1945).

A **Présenter cette illustration et analysez son contexte**

Pourquoi les dates de réalisation et de parution sont-elles importantes ?

B **Décrivez le document**

– Relevez les analogies entre ce dessin et les personnages sur la barricade de *La liberté guidant le peuple* de Delacroix qui a inspiré ce dessin.
– Expliquez comment l'image est construite.
– Identifiez les révoltés parisiens et les soldats allemands.
– Notez les éléments permettant de reconnaître Paris.

C **Interprétez le document**

– Montrez que les auteurs de la bande dessinée s'adressent à tous les publics.

– Faites le lien entre cette image et des épisodes de l'histoire de France.
– Étudiez comment le dessin et le texte mettent en valeur la révolte du peuple parisien.
– Précisez qui n'est pas représenté aux côtés des révoltés et expliquez pourquoi.
– Relevez les différences avec la réalité historique.

Consigne BAC

En vous appuyant sur l'analyse du document et vos connaissances, montrez que cette illustration présente la libération de Paris comme une insurrection populaire et patriotique.

❶ Ainsi la prophétie de notre Cigogne - de Gaulle - se vérifiait : notre écrasement du début, en s'inscrivant dans l'Histoire comme une bataille perdue mais aussi comme un dernier avertissement de la Bête déchaînée aux nations pacifiques avait sonné leur réveil et laissé aux cœurs résolus de chez nous l'espoir d'une victoire que, grâce au ciel, aux Dogs, aux Bisons, et aux Ours, nous vivions en ces jours merveilleux.

Cependant, je me souviens d'avoir écarté à plusieurs reprises un voile de tristesse qui venait obscurcir l'élan de mon cœur dans ces journées d'allégresse. […]
❷ Je pensais aussi aux millions de martyrs qui avaient franchi les portes de l'enfer barbare et y souffraient la mort lente pendant que nous clamions notre joie. »

2 **La joie des vainqueurs (26 août 1944)**

De Gaulle parvient à convaincre le général Eisenhower, commandant en chef des forces alliées, de permettre à la 2ᵉ division blindée du général Leclerc de marcher sur Paris. Les 24 et 25 août 1944, résistants, soldats français et américains, se battent ensemble et obtiennent la reddition allemande. Le lendemain, de Gaulle descend les Champs-Elysées au milieu d'une foule immense.
Été 1944, *Quand la bête est terrassée*, © Gallimard, 1995 (Éditions G.P., 1944-1945).

BAC

En vous appuyant sur l'analyse du document 1 et à l'aide de vos connaissances, montrez que le document 2 valorise la France combattante et l'union nationale, tout en évoquant la situation dramatique du pays.

Pour vous aider pensez à :

Utiliser la méthode donnée pour étudier le doc 1.

L/ES · S · ▶ Pourquoi cette guerre a-t-elle été la plus destructrice de l'histoire ?

A Une lutte à mort

Études pages 104-105 + doc. 1, 2 et 3

■ **Les régimes nazi et fasciste ont des objectifs territoriaux et idéologiques.** Le Japon attaque la Chine en 1937, frappe par surprise la flotte américaine à Pearl Harbor, le 7 décembre 1941. L'invasion allemande de la Pologne, le 1er septembre 1939, entraîne l'Europe dans la guerre. Le 22 juin 1941, Hitler se retourne contre Staline, son allié de 1939, et conquiert la Russie d'Europe, avant d'être arrêté devant Moscou puis battu à Stalingrad en janvier 1943.

■ **Le Royaume-Uni refuse une paix séparée en 1940.** Les démocraties anglo-saxonnes se battent pour la liberté et la démocratie. Staline fait appel au patriotisme russe pour sauver son régime. **Tous luttent contre l'Axe qui veut imposer ses conceptions du monde.**

■ Se souvenant de l'échec de la paix de 1919, et en raison de la brutalité de leurs ennemis, **les Alliés exigent des capitulations sans condition.** Le 30 avril 1945, Hitler se suicide plutôt que d'être pris par les Soviétiques. En 1945, dans les îles conquises par les Américains, les Japonais se tuent pour ne pas se rendre. Des avions-suicides – les kamikazes – se jettent sur les navires américains. L'Empereur du Japon n'accepte la reddition (2 septembre 1945) qu'après les frappes nucléaires sur Hiroshima et Nagasaki.

B Les civils victimes de la guerre

Études pages 106-107 et 108-109 + doc. 3 et 4

■ **Ce long conflit mobilise les populations. L'énorme effort de guerre américain aide les Alliés** (*Victory program*). Les Soviétiques font des sacrifices considérables : des milliers d'usines et 10 millions de travailleurs sont transférés en Sibérie. Le IIIe Reich, comptant trop sur le pillage de l'Europe, crée tardivement une économie de guerre.

■ **Les populations sont touchées par les bombardements** notamment à Coventry (1940), Dresde et Tokyo (1945). Les civils sont victimes d'occupations brutales : Allemands et Japonais imposent le travail forcé et pillent les productions. La faim sévit, provoquée par les pillages des ressources et le désir de contrôler les sociétés. L'occupation nazie pousse des civils à créer **des mouvements de résistance durement réprimés**, en Europe occidentale et surtout en URSS occupée, en Grèce, en Yougoslavie.

■ Hitler mène une guerre d'anéantissement **contre les populations slaves** de Pologne, Ukraine, Russie. Considérant qu'elles sont inférieures, il estime qu'elles doivent être asservies, leurs élites éliminées et leurs territoires colonisés par des Allemands. **Il veut plus encore détruire les juifs, et organise le génocide de près de 6 millions d'entre eux, ainsi que d'au moins 250 000 Tsiganes.**

C Un niveau de destruction inégalé

Études pages 104-105 et 106-107 + doc. 4

■ **Ce conflit fait plus de 60 millions de morts, dont 50 % de civils.** Les industries, les villes, les transports sont détruits en Europe et en Asie. Les moyens de destruction massifs et l'acharnement des belligérants expliquent ce désastre. Les armes du précédent conflit ont évolué : les bombardiers larguent plus de bombes, vont plus loin. De nouvelles armes stratégiques apparaissent comme la bombe atomique qui change la guerre.

■ **Dans cette guerre planétaire, l'Europe ne constitue qu'un des champs de bataille.** Tous les continents sont touchés, sauf l'Amérique. Les fronts sont plus mobiles qu'en 1914-1918 et on se bat au cœur des villes. La guerre sous-marine s'étend. Les empires coloniaux sont mis à contribution : les forces françaises luttant en Italie viennent d'Afrique du Nord (1943). Mais on se bat aussi en Afrique même.

■ **La victoire totale des Alliés transforme le monde :** les régimes vaincus disparaissent, leurs dirigeants sont jugés aux procès de Nuremberg et de Tokyo. Mais l'Europe est dévastée, ruinée. Seuls les États-Unis et l'URSS ont la capacité de réorganiser les relations internationales.

1 **Crimes de guerre. Exécution d'un pilote australien en Nouvelle-Guinée, 1942**

Les Japonais considèrent la captivité comme un déshonneur et traitent durement leurs prisonniers. Staline fait massacrer à Katyn les officiers polonais capturés (1940). Les nazis tuent plus de trois millions de prisonniers de guerre soviétiques.

Notion

● **Guerre d'anéantissement** : guerre visant à la destruction physique et culturelle de l'adversaire. Son peuple doit subir massacres et destructions à vaste échelle, et les survivants doivent être réduits à la misère et à l'esclavage.

Biographie

Winston Churchill (1874-1965)

Membre du parti conservateur, il est critiqué en 1915 après l'échec des Dardanelles. Durant les années 1930, il dénonce en vain le danger hitlérien. Premier ministre en 1940, incarnant la résistance britannique, il est un des trois Grands de la guerre avec Roosevelt et Staline.

2 : « Nous ne nous rendrons jamais »

J'ai, moi-même, une confiance absolue que si tous font leur devoir, si rien n'est négligé et que les meilleures dispositions sont prises [...], nous allons nous montrer une fois de plus capables de défendre notre Île natale, de traverser la tempête de la guerre, et de survivre à la menace de la tyrannie, pendant des années si nécessaire, tout seul s'il le faut.

De toute façon, c'est ce que nous allons essayer de faire. C'est la décision du gouvernement de Sa Majesté. [...] C'est la volonté du Parlement et de la nation. [...]

Même si de grandes parties de l'Europe et de plusieurs anciens et réputés États sont tombées ou risquent de tomber sous l'emprise de la Gestapo et de tous les autres instruments du régime nazi, nous ne faiblirons pas, nous n'échouerons pas.

Nous irons jusqu'au bout, nous nous battrons en France, nous nous battrons sur les mers et les océans [...], nous défendrons notre Île, peu importe ce qu'il en coûtera, nous nous battrons sur les plages, nous nous battrons sur les terrains de débarquement, nous nous battrons dans les champs et dans les rues, nous nous battrons dans les collines ; nous ne nous rendrons jamais, et même si, bien que je n'y croie pas un seul instant, cette Île ou une grande partie de cette Île serait asservie et affamée, alors notre Empire au-delà des mers, armé et gardé par la flotte britannique, continuera de lutter, jusqu'à ce que, quand Dieu le voudra, le Nouveau Monde, avec tout son pouvoir et sa puissance, vienne à la rescousse libérer l'Ancien.

Discours prononcé par Winston Churchill, le 4 juin 1940, devant la Chambre des communes.

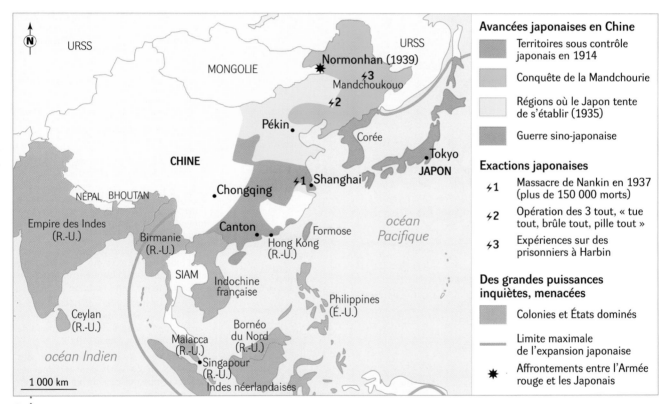

3 : Une guerre d'anéantissement en Chine

4 : Le pillage de la France par les nazis

Part de la production des industries françaises destinée à l'Allemagne

	1942	1943	1944
Automobile	68 %	60 %	77 %
Construction électrique	52 %	45 %	33 %
Caoutchouc	55 %	60 %	65 %
Chaux et ciments	48 %	73 %	76 %
Constructions aéronautiques	57 %	100 %	100 %

D'après Henry Rousso, *La Collaboration*, MA éd., et Yves Durand, *La France dans la Deuxième Guerre mondiale*, Armand Colin, coll. « Cursus », 2001.

Questions

1. Montrez que Churchill ne cache pas aux Britanniques la gravité de la situation, malgré les atouts du Royaume-Uni à cette date (doc. 2).

2. Expliquez pourquoi on peut considérer que le Japon contrôle la « Chine utile » sans venir à bout des résistances chinoises (doc. 3).

3. Montrez que les crimes de guerre japonais ne sont pas des actes isolés et ont pour but de terroriser la population chinoise (doc. 3).

Des ghettos à la « Shoah par balles » (1939-1942)

L/ES   S

L'antisémitisme est au cœur du nazisme. La persécution des juifs commence en Allemagne dès l'avènement d'Hitler. Le 30 janvier 1939, il prédit la destruction des juifs d'Europe en cas de nouvelle guerre. Ses victoires font tomber sous sa domination de nombreuses communautés juives d'Europe. À l'Est, les juifs sont parqués dans des ghettos où ils meurent de faim, de maladie et de désespoir. À partir de l'invasion de l'URSS le 22 juin 1941, ils sont victimes de massacres systématiques par fusillades (1.5 million de morts).

Capacité travaillée

I.2.3 Mettre en relation des faits ou événements de natures, de périodes, de localisations spatiales différentes

▶ Comment l'enfermement des juifs puis les fusillades massives marquent-ils le premier pas vers l'extermination du peuple juif ?

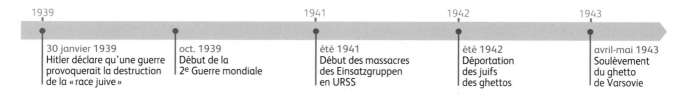

| 1939 | | 1941 | 1942 | 1943 |

30 janvier 1939
Hitler déclare qu'une guerre provoquerait la destruction de la « race juive »

oct. 1939
Début de la 2ᵉ Guerre mondiale

été 1941
Début des massacres des Einsatzgruppen en URSS

été 1942
Déportation des juifs des ghettos

avril-mai 1943
Soulèvement du ghetto de Varsovie

A Les ghettos : les juifs enfermés, dépouillés et affamés

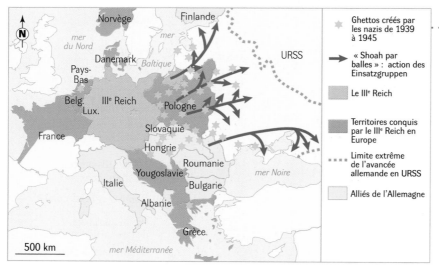

Ghettos créés par les nazis de 1939 à 1945

→ « Shoah par balles » : action des Einsatzgruppen

Le IIIᵉ Reich

Territoires conquis par le IIIᵉ Reich en Europe

Limite extrême de l'avancée allemande en URSS

Alliés de l'Allemagne

500 km

1 Enfermer et tuer les juifs à l'Est

Vocabulaire et notions

• *Einsatzgruppen* : « groupes spéciaux » de la SS. Ils suivent la Wehrmacht lors de l'invasion de l'URSS. Ils sont chargés d'éliminer tous les « ennemis du Reich », juifs, Tziganes, communistes.

• *Ghettos* : les nazis créent des ghettos en Europe de l'Est et aux Pays-Bas pour enfermer les juifs. La misère et la faim y provoquent une forte mortalité.

• *Shoah* : « catastrophe » en hébreu. Terme qualifiant le génocide des juifs par les nazis, d'après le titre du documentaire de Claude Lanzmann, *Shoah* (1985).

• « *Shoah par balles* » : expression des historiens du XXᵉ siècle pour désigner les fusillades massives de juifs par les nazis en URSS occupée.

2 Les souffrances des juifs dans le ghetto de Varsovie

Fin 1940, plus de 450 000 juifs de la ville et des environs sont forcés de s'entasser sur 3 km². 80 000 meurent de faim, de maladie et de mauvais traitements avant juillet 1942.

12 juin 1941. Le ghetto est surpeuplé, les réfugiés affluent sans arrêt. Ils viennent des provinces où ils ont été dépouillés de tous leurs biens. [...] Ces gens arrivent pieds nus et en haillons, avec le regard tragique des affamés ; ce sont surtout des femmes et des enfants.

31 juillet 1941. D'innombrables enfants, dont les parents ont péri, restent assis demi-nus dans les rues. Leurs pauvres petits corps sont d'une maigreur effroyable, on voit les os sous leur peau jaune qui a l'aspect du parchemin. C'est le premier stade du scorbut ; à la fin, ces même petits corps sont tout boursouflés et couverts d'ulcères. [...] Ils n'ont plus rien d'humain, et ressemblent plus à des singes qu'à

des enfants. Ils ne demandent plus du pain, mais la mort. [...] Les habitants de cette rue vivent dans des espèces de longues caves où ne pénètre jamais le moindre rayon de soleil. À travers les vitres sales, on aperçoit en passant des visages émaciés et des têtes hirsutes. Ce sont les vieillards qui n'ont même plus la force de quitter leurs couchettes. [...] Malgré toutes les interdictions et le risque de la peine de mort, on imprime des journaux qui échappent à la censure des nazis, on chante les hymnes nationaux, on fréquente les écoles, on assiste aux cérémonies religieuses. [...] Tout est défendu, mais on arrive toujours à désobéir ; on vit malgré les nazis, on espère survivre à cet esclavage.

Mary Berg (née Miriam Wattenberg), *Le Ghetto de Varsovie*, 1945, cité in *L'enfant et le génocide*, Robert Laffont, Bouquins, 2007.

3 : La révolte du ghetto de Varsovie

Du 21 juillet au 2 octobre 1942, les SS déportent 300 000 juifs du ghetto vers le camp d'extermination de Treblinka. Lorsqu'en avril 1943, ils entreprennent de liquider le ghetto, 750 combattants juifs, mal armés, se soulèvent contre les 2 000 SS du général Jürgen Stroop. Des révoltes similaires, sans espoir, se déroulent dans divers ghettos d'Europe de l'Est.

Mercredi 21 avril (1943). Dès 6 heures du matin, tous nos groupes de combats se trouvent à leurs postes et attendent l'arrivée des Allemands. [...] L'invitation au départ et la déclaration annonçant que tous ceux qui resteront dans le ghetto seront traités en « illégaux » provoquent maintes hésitations [...]. N'est-il pas préférable de se présenter au départ et de tenter de s'évader pendant le transport ? Les gens ne savent plus que faire. Certains qui, hier encore, étaient décidés à rester dans le ghetto, choisissent maintenant de partir. D'autres encore, tout prêts à partir, décident – au contraire – de demeurer. L'Organisation de Combat, elle, maintient sa résolution.

Quand le premier groupe d'Allemands arrive devant la porte, il est bombardé à coups de grenades. Parmi les Allemands et les Ukrainiens, il y a des tués et des blessés.

Témoignage de S. Grajek, cité par Michel Borwicz,
L'Insurrection du ghetto de Varsovie,
Gallimard/Julliard, 1966.

B Les massacres de juifs à l'Est

4 : De l'enfermement à la fusillade

Vassili Grossman, journaliste juif soviétique, fait un reportage début 1944 sur le massacre de 20 000 à 30 000 juifs de Berditchev (Ukraine) par les nazis, dont sa propre mère.

Les Allemands sont entrés dans Berditchev le lundi 7 juillet [1941], à 19 heures. [...]
Aucun de ceux qui avaient été déplacés dans le ghetto ne pouvait pourtant deviner que ce transfert n'était que la première étape du meurtre, prémédité et soigneusement élaboré dans le moindre détail, de la totalité de ces 20 000 juifs. [...]
Dans la nuit du 14 au 15, toute la zone du ghetto fut encerclée par les troupes. À 4 heures du matin, à un signal donné, les SS et les policiers commencèrent à chasser les gens dehors sur la place du Marché. À la façon dont se conduisaient les SS, ils comprirent que leur dernier jour était venu. Beaucoup de ceux qui ne pouvaient pas marcher, les vieillards impotents et les infirmes, furent massacrés sur place, dans les maisons, par les bourreaux. Les clameurs terribles des femmes, les pleurs des enfants réveillèrent toute la ville. [...]
Le lieu d'exécution avait été installé à 50 ou 60 m de la route par laquelle on amenait les condamnés. La colonne passait devant et des milliers de regards voyaient comment tombaient les victimes. [...]
Ce carnage monstrueux d'êtres innocents et sans défense dura une journée entière, une journée où le sang coula sur la terre argileuse, ocre. Les fosses étaient remplies de sang.

Vassili Grossmann, « Le massacre des Juifs de Berditchev »,
janvier 1944, in Vassili Grossman, *Carnets de guerre*,
Calmann-Lévy, 2007.

5 : La liquidation du ghetto de Varsovie après la révolte. Juifs emmenés en déportation, mai 1943.

6 : La « Shoah par balles »
Membres des Einsatzgruppen assassinant un groupe d'hommes debout dans une fosse, vers 1941.

BAC

Consigne 1. Montrez que les juifs enfermés dans les ghettos sont tous condamnés à mort par les nazis mais que certains sont prêts à leur résister (doc. 2 et 3).

Pour vous aider pensez à :
– Expliquer de quelle manière les nazis réduisent les juifs à la misère et à la famine dans les ghettos (doc. 2)
– Montrer que certains juifs du ghetto de Varsovie sont prêts à combattre les nazis plutôt que de leur obéir (doc. 3).

Consigne 2. Présentez les différents moyens mis en œuvre pour assassiner les juifs et identifiez les victimes et les bourreaux (doc. 4 et 6).

Pour vous aider pensez à :
– Présenter les victimes des actions nazies, les moyens mis en œuvre pour les assassiner et ceux qui commettent ces crimes (doc. 4 et 6).
– Montrer que ces exécutions ne sont pas cachées (doc. 4 et 6).

Consigne 3. Après avoir présenté le document 1, montrez que les actions des Einsatzgruppen se concentrent principalement en URSS.

La « Solution finale » : la déportation des juifs d'Europe

L/ES   S

À l'automne 1941, alors que les juifs de Pologne meurent en masse dans les ghettos et que ceux d'URSS sont systématiquement fusillés, Hitler décide d'étendre l'extermination à l'ensemble des Juifs d'Europe occupée. La conférence de Wannsee (20 janvier 1942) met au point les modalités d'un génocide qui va coûter la vie aux trois quarts des juifs d'Europe occupée.

Capacité travaillée
II.2.1 Décrire et mettre en récit une situation historique

▶ **Comment la politique d'extermination voulue par Hitler est-elle menée par les forces du IIIe Reich ?**

1941	1942		1944	1945

juillet-novembre 1941
Hitler décide l'anéantissement des juifs d'Europe

janvier 1942
Conférence de Wannsee organisant la déportation

1942
Apogée du génocide, 2,7 millions de morts cette année-là

juillet 1944-1945
« Marches de la mort »

janvier 1945
Himmler ordonne l'évacuation des camps de l'Est

A   Un génocide à l'échelle de l'Europe

1   L'organisation du génocide

L'émigration a désormais cédé la place à une autre possibilité de solution : l'évacuation des juifs vers l'Est, solution adoptée avec l'accord du Führer [...]. La solution finale du problème juif en Europe devra être appliquée à environ 11 millions de personnes [...]. Dans le cadre d'une solution finale du problème, les juifs doivent être transférés sous bonne escorte à l'Est et y être affectés au service du travail [...]. Il va sans dire qu'une grande partie d'entre eux s'éliminera tout naturellement par son état de déficience physique. Le résidu qui subsisterait en fin de compte – et qu'il faut considérer comme la partie la plus résistante – devra être traité en conséquence. En effet, l'expérience de l'histoire a montré que libérée, cette élite naturelle porte en germe les éléments d'une nouvelle renaissance juive. En vue de la généralisation pratique de la solution finale, l'Europe sera balayée d'ouest en est.

Protocole final de la conférence de Wannsee, établi par Eichmann et signé par Heydrich, 20 janvier 1942, cité par Georges Bensoussan, *Histoire de la Shoah*, PUF, 2012.

2   Déporter les juifs d'Europe occidentale : le cas français

Rapport sur la déportation des enfants juifs

Paris, le 6 juillet 1942

URGENT ! À remettre immédiatement !
À l'office central de Sûreté du Reich IV B 4 Berlin.
Objet : Déportation de France des juifs.

À Paris, le 1er juillet 1942.
Les négociations avec le gouvernement français ont abouti, jusqu'à présent, au résultat suivant :
Le président Laval[1] a proposé, lors de la déportation des familles juives de la zone non occupée, d'y comprendre également les enfants âgés de moins de seize ans.
La question des enfants juifs restant en zone occupée ne l'intéresse pas.
Je vous demande de prendre une décision d'urgence, par télégramme, afin de savoir si, à partir du quinzième convoi de juifs, les enfants au-dessous de seize ans pourront également être déportés. Pour terminer, j'attire votre attention sur le fait que, pour déclencher les rafles, il ne peut être question, pour le moment, que de juifs apatrides[2] ou étrangers. Pour la seconde phase, l'on s'attaquera aux juifs naturalisés en France depuis 1919 ou depuis 1927.

Par ordre, signé : Dannecker, SS-Hauptsturmführer.

1. Pierre Laval : chef du gouvernement de Pétain.
2. Apatride : personne dépourvue de nationalité. Parmi elles, une partie des juifs naturalisés français après 1927, auxquels la nationalité française a été retirée à partir de 1940.

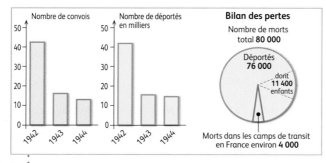

Nombre de convois | Nombre de déportés en milliers

Bilan des pertes
Nombre de morts total **80 000**
Déportés **76 000**
dont **11 400** enfants
Morts dans les camps de transit en France environ **4 000**

3   Les déportés juifs de France
Source : *Atlas de la Shoah*, Autrement, 2014.

B Auschwitz-Birkenau : un centre de mise à mort

4 : Les juifs tués dans les camps d'extermination

Camp de concentration et d'extermination d'Auschwitz-Birkenau	960 000 dont gazés : 865 000
Camp de concentration et d'extermination de Majdanek	50 000 à 75 000
Treblinka	750 000
Belzec	440 000 à 600 000
Sobibor	> 200 000
Chelmno	> 150 000

D'après Raoul Hilberg, *La destruction des Juifs d'Europe*, Gallimard, 2006 et Daniel Bovy (dir.), *Dictionnaire de la barbarie nazie et de la Shoah*, éd. Luc Pire, 2007

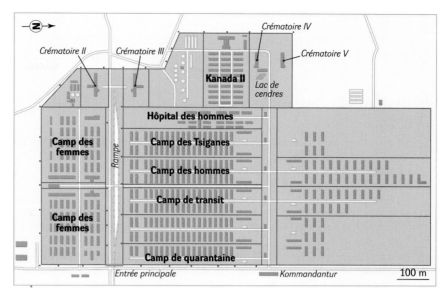

5 : Auschwitz-Birkenau une gigantesque industrie d'extermination

6 : Chambres à gaz et fours crématoires

Au début, il y avait trois chambres à gaz et, à la fin, on en a ouvert une quatrième. La première pouvait contenir 1 500 personnes, la deuxième 800, la troisième 600 et la quatrième 150. Les gens passaient du vestiaire à la chambre par un petit couloir étroit. [...]. Ensuite, Mengele donnait l'ordre de gazer à Scheinmetz – un SS – qui [...] sortait une boîte à gaz, l'ouvrait et versait son contenu dans la chambre par la petite fenêtre latérale. Moll – un SS – ouvrait alors la porte de la chambre à gaz, nous mettions nos masques et nous tirions les corps de chaque chambre à travers le petit couloir jusqu'au vestiaire et du vestiaire, par un autre couloir, jusqu'aux fours. Dans le premier couloir, situé près de la porte d'entrée, les coiffeurs leur rasaient les cheveux, et, dans le deuxième, les dentistes leur arrachaient les dents. Nous mettions les cadavres devant les fours sur des civières à roulettes que nous poussions dans le four.

Témoignage de Szlama Dragon, déporté juif polonais, devant la Commission d'enquête sur les crimes nazis à Auschwitz, 11 mai 1945. *Des voix sous la cendre. Manuscrits des Sonderkommandos d'Auschwitz-Birkenau*, Calmann-Lévy, 2005.

7 : La destruction de corps à Auschwitz (été 1944)

Un *Sonderkommando* brûle des cadavres en plein air, à une date où les crématoires ne suffisent plus face à l'afflux de déportés. Il s'agit d'une des 7 photographies prises clandestinement par un membre du Sonderkommando.

Vocabulaire et notions

• **Centre de mise à mort** : expression forgée par l'historien Raoul Hilberg pour désigner les camps d'extermination nazis. Au contraire des camps de concentration, le but n'est pas d'interner les déportés, mais de tous les tuer immédiatement dans les chambres à gaz. Les centres de mise à mort sont spécifiques à la Shoah et au nazisme, et incarnent la dimension industrielle du génocide.

• **« Solution finale »** : formule codée utilisée par les nazis pour désigner la destruction des juifs d'Europe à partir de la conférence de Wannsee.

• **Sonderkommando** : « commandos spéciaux » formés de déportés juifs, chargés des crématoires. La plupart sont ensuite assassinés à leur tour.

BAC

Consigne 1. Expliquez que la politique d'extermination prend un tournant à partir de 1942 et qu'elle est essentielle pour les nazis (doc. 1 et 2).

Pour vous aider pensez à :

– Relever les éléments indiquant que la déportation des juifs est organisée à l'échelle de l'Europe, et qu'elle nécessite des moyens importants.

Consigne 2. Montrez qu'Auschwitz-Birkenau est devenu un ensemble gigantesque avec pour seul objet l'exploitation et la mort planifiée et industrialisée des juifs (doc. 5).

Consigne 3. Après avoir présenté les documents 6 et 7, décrivez le processus de mise à mort des juifs et expliquez pourquoi même leurs corps doivent disparaître.

3 L'extermination des juifs et des Tsiganes

▶ Comment les génocides ont-ils été possibles en Europe durant la Seconde Guerre mondiale ?

A De l'exclusion à la destruction des juifs et des Tsiganes

Étude pages 112-113 + doc. 1 et 3

● **Le nazisme considère que les juifs complotent pour dominer le monde.** Les Tsiganes, déjà marginalisés, seraient des asociaux, descendants d'Aryens, mais métissés donc impurs. Le IIIe Reich met en œuvre une politique d'exclusion dont le but, jusqu'en 1939, est de forcer les juifs à émigrer.

● Le 30 janvier 1939, Hitler annonce qu'une guerre provoquerait « l'anéantissement de la race juive en Europe » **Dès la conquête de la Pologne, sa communauté juive, la première au monde, est parquée dans des ghettos où beaucoup meurent de faim et de maladies.**

● En juin 1941, l'invasion de l'URSS doit être, selon Hitler, une guerre de « races ». Les *Einsatzgruppen* fusillent les populations juives (1 500 000 tués) et tsiganes. La guerre à l'Est, l'entrée dans le conflit des États-Unis, persuadent Hitler qu'il faut détruire l'ennemi juif, présent, selon lui, derrière le communisme et le capitalisme. **Entre juillet et décembre 1941, abandonnant l'idée de les déporter à Madagascar ou en Sibérie, il prend la décision secrète d'exterminer tous les juifs d'Europe.**

1 ⋮ **Des Tsiganes déportés et tués** en 1940 au camp de Belzec, futur centre de mise à mort.

B La mise en œuvre de la « Solution finale »

Étude pages 114-115 + doc. 2, 3, 4, 5 et 6

● **Le 20 janvier 1942, la conférence de Wannsee fixe les modalités d'un génocide déjà décidé.** À l'Est, les juifs des ghettos sont envoyés dans les camps d'extermination. À l'Ouest, où les juifs sont intégrés dans les sociétés, les Allemands doivent les recenser, les arrêter, les déporter. Quant aux Tsiganes, le 16 décembre 1942, Himmler ordonne leur transfert dans un camp spécifique à Birkenau, où ils sont assassinées.

● **Les « opérations mobiles de tuerie » sont remplacées par une extermination « industrielle ».** Les juifs polonais sont gazés dans les centres de mise à mort de Belzec, Sobibor et Treblinka (Action Reinhardt). Auschwitz-Birkenau, camp de concentration et d'extermination, devient l'épicentre de la Shoah. Des centaines de convois y déportent 1 300 000 Européens, à 90 % juifs : 1 100 000 sont tués.

● **Quand la défaite du Reich approche, les détenus doivent disparaître lors de marches vers la mort** : ainsi, sur 4 000 juifs hongrois partis d'Auschwitz vers Mauthausen (Autriche), seuls 300 survivent.

2 ⋮ **Les preuves du crime** Restes humains trouvés dans un four crématoire au camp de concentration de Dachau en avril 1945, après la libération du camp.

C Les réactions face au génocide

Étude pages 112-113

● **Dans l'Europe occupée, les populations sont souvent passives face aux arrestations et aux déportations.** Les Alliés sont informés assez tôt mais n'agissent guère. Ils veulent d'abord gagner la guerre, abattre le nazisme, et craignent peut-être d'être accusés de mener une « guerre juive ».

● **Partout des** collaborateurs **prêtent la main au génocide.** En Roumanie, les juifs de Bessarabie sont victimes de gigantesques pogroms. L'État-satellite croate mène une violente politique antisémite et fusille la quasi-totalité des Tsiganes locaux. La police du gouvernement de Vichy collabore à la déportation des juifs étrangers, voire français.

● **Mais des résistances s'organisent.** Des individus, des groupes cachent des juifs, comme les habitants du Chambon-sur-Lignon en France, l'organisation polonaise Zegota. La mobilisation des Danois permet d'évacuer les juifs locaux vers la Suède. En Bulgarie, un mouvement d'opinion empêche la déportation des juifs nationaux. La rapidité du processus génocidaire, inimaginable et secret, paralyse les réactions juives. Mais quand il est connu, le désespoir entraîne la résistance : le ghetto de Varsovie se révolte de même que des membres des *Sonderkommando* à Treblinka et Sobibor en 1943 et à Birkenau en 1944.

Vocabulaire et notions

• **Action Reinhardt** : extermination des juifs polonais ordonnée par Himmler. 1,7 million de personnes, déportées des ghettos, sont tuées dans les centres de mise à mort entre décembre 1941 et octobre 1943.

• **Collaborateurs** : individus et groupes dans les pays conquis par les États de l'Axe, travaillant pour les occupants par opportunisme, appât du gain ou choix idéologique.

Biographie

Heinrich Himmler (1900-1945) Nazi dès 1923, il devient chef de la SS en 1929 et de la Gestapo en 1934. Dirigeant la répression dans toute l'Europe, il est le principal responsable de la « Solution finale ». Arrêté par les Britanniques en 1945, il se suicide.

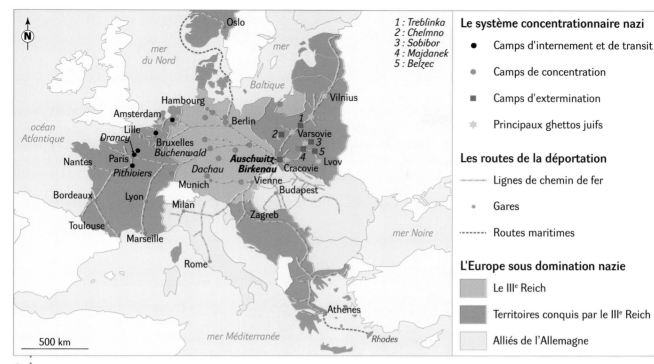

3 Le génocide des juifs, 1939-1945

Légende de la carte :

1 : Treblinka
2 : Chelmno
3 : Sobibor
4 : Majdanek
5 : Belzec

Le système concentrationnaire nazi

● Camps d'internement et de transit

● Camps de concentration

■ Camps d'extermination

✴ Principaux ghettos juifs

Les routes de la déportation

—— Lignes de chemin de fer

• Gares

------ Routes maritimes

L'Europe sous domination nazie

Le IIIe Reich

Territoires conquis par le IIIe Reich

Alliés de l'Allemagne

4 Bilan du génocide des juifs   Source : *Atlas de la Shoah*, Autrement, Paris, 2014.

	Communautés juives avant la Shoah	Bilan des victimes
Pologne	3 250 000	3 000 000
URSS	3 000 000	1 300 000
Hongrie	725 007	567 000
Roumanie	800 000	300 000
Tchécoslovaquie	357 000	263 000
Allemagne	530 000	170 000
Lituanie	155 000	144 000
Pays-Bas	140 000	100 000
France	330 000	80 000
Lettonie	95 000	71 500
Yougoslavie	70 000	63 300
Grèce	73 000	67 300
Autriche	250 000	50 000
Belgique	65 000	28 200
Bulgarie	50 000	11 340
Italie	46 000	7 658
Autres pays occupés	10 204	4 802
Total	**9 946 211**	**6 228 100**

5 Bilan du génocide des Tsiganes

	Tsiganes en 1939	Morts 1939-1945
France	40 000	16 000
Belgique, Pays-Bas, Luxembourg	1 500	1 300
Allemagne	20 000	16 000
Italie	25 000	1 000
Roumanie	300 000	36 000
Bulgarie	100 000	–
Hongrie	100 000	28 000
Protectorat de Bohême	14 540	12 500
Yougoslavie	108 500	40 000
États baltes	8 000	5 500
URSS	200 000	30 000

6 De l'exclusion à l'extermination des juifs

LA POLITIQUE D'EXCLUSION DANS LE REICH (1933-1939)	LE TEMPS DE L'ENFERMEMENT (1939-1941)	RADICALISATION GÉNOCIDAIRE EN 1941	LE GÉNOCIDE À L'ÉCHELLE DE L'EUROPE (1941-1945)
✦ 1935 Lois de Nuremberg ✦ 1938 « Nuit de Cristal » ✦ 1939 Impossibilité pour les juifs de quitter le Reich	✦ Contrôle de communautés juives dans l'Europe occupée ✦ Création de ghettos (1939-1941) ✦ Mort programmée ✦ Faim planifiée	✦ Extermination des juifs à l'Est ✦ Fusillades massives des juifs d'URSS ✦ Décision prise par Hitler de détruire tous les juifs d'Europe	✦ Mise en place des centres de mise à mort ✦ Opération Reinhardt ✦ Convois de toute l'Europe vers les camps

Questions

1. À partir de l'observation du tableau, montrez que le sort des Tsiganes est très différent d'un pays à l'autre (doc. 5).

2. Identifiez les principales communautés juives en 1939. Expliquez la localisation des ghettos et des centres de mise à mort (doc. 4).

3. Montrez que Auschwitz-Birkenau est un des lieux majeurs de la Shoah pour toute l'Europe (doc. 3).

Le refus de la guerre et les pacifismes (1914-1939)

Capacité travaillée

I.2.3 Mettre en relation des faits ou événements de natures, de périodes différentes

La Grande Guerre marque l'échec des pacifismes – religieux, socialistes, humanistes – qui ont tenté au XIXe siècle d'influencer les élites et les populations, face aux nationalismes dominants. En 1916-1917, quand la guerre apparaît sans issue, on assiste à un renouveau timide du pacifisme, notamment à l'extrême gauche. En 1919, l'ampleur du massacre peut faire croire aux pacifistes que les populations les écouteront.

▶ Les pacifismes ont-ils une influence sur les sociétés entre 1914 et 1945 ?

A Les pacifismes étouffés par la guerre

1 Jaurès contre la loi des 3 ans au meeting du Pré-Saint-Gervais, le 25 mai 1913

15 000 personnes protestent contre une loi augmentant la durée du service militaire dans un climat de tensions nationalistes. Jean Jaurès défend le recours à l'arbitrage international pour éviter tout conflit. Les socialistes, internationalistes, tentent de trouver depuis le début du siècle un moyen efficace et commun pour s'opposer à la guerre.

2 1914, une voix isolée contre la guerre

Cette jeunesse avide de se sacrifier, quel but avez-vous offert à son dévouement magnanime ? L'égorgement mutuel de ces jeunes héros ! La guerre européenne, cette mêlée sacrilège, qui offre le spectacle d'une Europe démente, montant sur le bûcher et se déchirant de ses mains, comme Hercule ! Ainsi, les trois plus grands peuples d'Occident, les gardiens de la civilisation, s'acharnent à leur ruine et appellent à la rescousse les Cosaques, les Turcs, les Japonais, les Cinghalais, les Soudanais, les Sénégalais, les Marocains, les Égyptiens, les Sikhs et les Cipayes, les barbares du pôle et ceux de l'équateur, les âmes et les peaux de toutes les couleurs ! [...] Notre civilisation est-elle donc si solide que vous ne craigniez pas d'ébranler ses piliers ?

À ce jeu puéril et sanglant, où les partenaires changent de place tous les siècles, n'y aura-t-il jamais de fin, jusqu'à l'épuisement total de l'humanité ? Est-ce que vous ne voyez pas que si une seule colonne est ruinée, tout s'écroule sur vous ?

Romain Rolland, *Au-dessus de la mêlée*, 1915. Le livre comprend les 8 articles publiés dès 1914 dans le *Journal de Genève*.

3 Pourquoi les soldats se mutinent-ils au printemps 1917 ?

Camarades, souvenez-vous de Craonne, Verdun, Somme, où nos frères sont restés. Camarades aux Armées ! Camarades. Au nom de tous les camarades qui ont déjà signé pour obtenir la cessation des hostilités à la fin de juillet, nous venons vous prier de vous joindre à nous pour obtenir ce résultat et arrêter ce carnage, cette guerre qui a pour but premier d'enrichir le capitaliste et de détruire la classe ouvrière. Nous tiendrons les tranchées jusqu'à cette époque pour empêcher l'ennemi d'avancer. Passé cette date, nous déposerons les armes. Transmettre aux RI – régiments d'infanterie – dont vous avez l'adresse de leurs secteurs. Camarades, unissons-nous tous pour aboutir à rétablir la classe ouvrière. Debout. L'heure est sonnée. Debout !

Tract de soldats appartenant à plusieurs régiments. Guy Pedroncini, *1917, les mutineries de l'armée française*, coll. Archives Julliard-Gallimard, 1968.

Vocabulaire et notions

• **Pacifistes** : militants qui pour des raisons morales ou religieuses refusent la guerre quel qu'en soit l'enjeu.

• **Nationalismes** : courants politiques exaltant la nation considérée comme la valeur suprême dans l'ordre politique. Au contraire du patriotisme, le nationalisme se montre intolérant envers les autres pays.

Biographie

Romain Rolland (1866-1944)

Écrivain français, lié à Sigmund Freud et à Stefan Zweig, il est en Suisse quand la guerre éclate. Il critique les deux camps pour leur volonté d'une victoire totale qui empêche toute négociation. Ses textes, même s'ils ne sont pas antipatriotiques, attirent les pacifistes d'extrême gauche. Il obtient le prix Nobel de littérature en 1915.

4 : La paix par la Société des Nations

La LNU est une puissante organisation britannique de soutien à la SDN qui compte à son apogée 800 000 adhérents. La plupart des candidats ont répondu favorablement à cette enquête ainsi qu'aux suivantes.

1. Êtes-vous favorable à une Société des Nations libres pour préserver l'existence d'une justice internationale, une défense collective, et une paix permanente ?
2. Êtes-vous disposé à substituer un boycott international et une force de police internationale au vieux système de conscription nationale et de course aux armements, afin de fournir les moyens de renforcer les décisions de la Société des Nations et d'établir la supériorité du droit, la sécurité et l'ordre dans le monde, selon les principes esquissés par le Premier Ministre – David Lloyd George – et le président Wilson ?

Questionnaire adressé aux candidats aux élections législatives en décembre 1918 par la League of Nations Union. Report of the provisional executive committee to the Council of the LNU, 1919, British Library. Christian Birebent, Militants de la paix et de la SDN, L'Harmattan, 2007.

Feuille Bimensuelle
EDITEE PAR LE CENTRE SYNDICAL D'ACTION CONTRE LA GUERRE

ABONNEMENTS : 3 ex. par Nº pendant 6 mois, 7 fr. 50 ; — 5 ex., 11 fr. ; — 10 ex., 18 fr. ; 29 ex., 30 fr. — Adressés à MAUPIOUX, 46, rue de Babylone, Paris-7º. Ch. p. 1959-32, Paris.

Sac au dos pour Dantzig ?

Une guerre européenne à propos des frontières germano-polonaises ! À cette seule idée, hier encore, tous les syndicalistes, tous les démocrates se seraient dressés. Depuis 1922, date de la convention militaire SECRÈTE conclue avec la Pologne, sous Poincaré, une telle aventure indignait tout homme de bon sens. Parmi tant d'absurdités commises par les traités de 1919, aucune n'égale ce « corridor polonais » qui coupe l'Allemagne en deux.

Le Canard Enchaîné — du temps où il volait droit — avait rendu proverbiale la rodomontade du colonel Paul-Boncour sur notre devoir de « monter sur la Vistule la garde de la Civilisation ».

Mais les nationalistes eux-mêmes changèrent de ton quand, en 1934, la Pologne fasciste entra dans le sillage hitlérien.

Bientôt — ainsi que la presse antifasciste — le dénoncèrent les « menées tortueuses » du colonel Beck ; et lorsqu'en septembre 38 la Pologne se jeta sur la Tchécoslovaquie pour participer à la curée, ce fut en France un concert unanime sur

de Pologne », provisoirement dirigé par un Conseil de régence. Ce Conseil, composé de grands aristocrates et de prélats du clergé polonais, est contrôlé par les Empires centraux et leur témoigne une parfaite docilité. Ce premier gouvernement polonais supplie — d'ailleurs en vain — les autorités allemandes de laisser la Pologne participer, à Brest-Litovsk, au démembrement de la jeune Russie révolutionnaire ! Pas un instant il n'est question d'étendre la nouvelle Pologne aux dépens de l'Allemagne et de l'Autriche, vers Cracovie, Posen ou Dantzig !

De son côté, le gouvernement français se soucie si fort de la « libération de la Pologne » que, le 14 février 1917, le ministre Doumergue conclut avec le tsar, à Pétrograd, un accord secret, aujourd'hui encore bien peu connu, par lequel la France, en échange de la rive gauche du Rhin qui sera « entièrement séparée de l'Allemagne », reconnaît à la Russie tsariste « la complète liberté de déterminer...

5 : La montée d'un pacifisme radical

Tract diffusé diffusé le 16 mai 1939 par la Ligue internationale des combattants de la paix. La LICP, strictement pacifiste, créée en 1931, compte 100 000 adhérents et a pour slogan « non à toutes les guerres ».
Source : BDIC.

7 : Pacifistes modérés en France durant les années 1920

Association française pour la Société des Nations	6 200 adhérents (652 000 avec l'adhésion de l'Union fédérale des anciens combattants).
La paix par le droit	5 300 adhérents (1927)
Groupement universitaire pour la SDN	3 755 adhérents (1924)

D'après Christian Birebent, *Militants de la paix et de la SDN*, L'Harmattan, 2007 ; *Le pacifisme, une passion française*, Armand Colin, 2005.

6 : Le refus de toute guerre en 1939
Collection privée. Affiche éditée par la Fédération de la ligue internationale des combattants de la paix.

BAC

Consigne 1. Présentez et confrontez les documents 1 et 2. Montrez qu'ils illustrent la faillite des différents pacifismes face aux nationalismes en 1914.

Pour vous aider pensez à :
– Expliquer ce que suggère cette photographie sur la force des idées pacifistes avant 1914 (doc. 1).
– Décrire ce que craint Romain Rolland pour l'Europe et comment apparaît son analyse (doc. 2).

Consigne 2. Présentez les documents 4 et 5. Montrez qu'ils ont un objectif commun mais des conceptions différentes de la paix et des moyens de l'obtenir.

Pour vous aider pensez à :
– Décrire les moyens sur lesquels compte la LNU pour maintenir une paix durable et comment elle manifeste son influence sur le monde politique (doc. 4).

Consigne 3. Présentez le document 6 et le contexte précis de l'année 1939. Expliquez pourquoi il relève du pacifisme absolu et peut affaiblir les efforts de guerre alors que les régimes autoritaires multiplient les agressions.

La SDN et l'ONU face aux guerres

Capacité travaillée

II.1.3 Cerner le sens général d'un document ou d'un corpus documentaire et le mettre en relation avec la situation historique étudiée

Les SDN et l'ONU incarnent la possibilité d'une société internationale, avec des règles, où le droit l'emporte sur la force, où la coopération entre peuples existe. Les relations internationales ne seraient plus dominées par les seuls rapports de force. Mais le principal défi reste les rancœurs nationales et les ambitions expansionnistes.

▶ **Pourquoi les organisations internationales ne parviennent-elles pas à éviter les confrontations ?**

1923   1946

1923	1933	1935-1936	1937	juin 1945	1946
L'Éthiopie entre à la SDN	Le Japon et l'Allemagne quittent la SDN	Guerre d'Éthiopie. Sanctions de la SDN inefficaces	L'Italie quitte la SDN	Signature de la Charte de l'ONU	Premier différend États-Unis/URSS à l'ONU, à propos de l'Iran

Vocabulaire et notions

• **ONU** : Organisation des Nations unies, créée en 1945 à la Conférence de San Francisco, succédant à la SDN, dont elle étend les missions.

• **SDN** : Société des Nations, première organisation internationale créée lors de la conférence de paix en 1919 afin de favoriser le désarmement et une pacification des relations internationales.

• **Sécurité collective** : la sécurité des États serait moins assurée par l'existence de forces armées que par la coopération internationale et les réponses collectives aux agressions. Elle inspire en partie les politiques étrangères durant les années 1920.

A   L'échec éthiopien de la SDN (1935-1936)

1 : La guerre entre deux membres de la SDN

Mussolini veut venger l'échec italien de 1896, augmenter l'empire colonial italien et croit pouvoir compter sur la bienveillance, ou au moins la neutralité de la France et du Royaume-Uni. Annonce de l'invasion par *The Christian Herald*, journal canadien, septembre 1935.

2 : Hailé Sélassié redoute la fin de la sécurité collective

Une déclaration vient d'être faite par certaines puissances devant leurs parlements respectifs, au nombre desquelles les membres les plus influents de la Société des Nations, à l'effet que l'agresseur ayant réussi à occuper une grande partie du territoire éthiopien, elles proposent la levée des sanctions économiques et financières prises contre l'Italie. [...] C'est notre sécurité collective qui est en jeu. C'est l'essence même de la Société des Nations qui est en jeu. C'est la confiance que chaque État doit accorder aux traités internationaux qui est en jeu. C'est la crédibilité des promesses faites aux petits États que leur intégrité territoriale et leur indépendance seraient respectées et garanties qui est en jeu. C'est le principe d'égalité entre les États qui est en jeu, à moins que les petits États ne soient dans l'obligation d'accepter des liens de vassalité. En un mot, c'est la moralité de la communauté internationale qui est en jeu. Les signatures apposées à un traité n'ont-elles de valeur que tant que les pays signataires y ont un intérêt personnel, direct et immédiat ? »

Hailé Sélassié, devant l'Assemblée générale de la SDN, 30 juin 1936 (source : http ://www.wdl.org/fr/).

Biographie

Hailé Sélassié (1892-1975)

Empereur d'Éthiopie, il affronte l'attaque italienne en 1935-1936 mais est vaincu. Il revient d'exil grâce à la victoire alliée en 1941. Il tente de moderniser son pays mais meurt lors d'un coup d'État communiste.

3 : Pacifier les relations internationales

Les buts des Nations unies sont les suivants :

1. Maintenir la paix et la sécurité internationales et à cette fin : prendre des mesures collectives efficaces en vue de prévenir et d'écarter les menaces à la paix et de réprimer tout acte d'agression ou autre rupture de la paix, et réaliser, par des moyens pacifiques, conformément aux principes de la justice et du droit international, l'ajustement ou le règlement de différends ou de situations [...], susceptibles de mener à une rupture de la paix ;

2. Développer entre les nations des relations amicales fondées sur le respect du principe de l'égalité de droits des peuples et de leur droit à disposer d'eux-mêmes, et prendre toutes autres mesures propres à consolider la paix du monde ; [...]

Article 23 : La République de Chine, la France, l'Union des républiques socialistes soviétiques, le Royaume-Uni de Grande-Bretagne et d'Irlande du Nord, et les États-Unis d'Amérique sont membres permanents du Conseil de sécurité. Dix autres membres de l'Organisation sont élus, à titre de membres non permanents du Conseil de sécurité, par l'Assemblée générale [...]

Article 24 : Afin d'assurer l'action rapide et efficace de l'Organisation, ses membres confèrent au Conseil de sécurité la responsabilité principale du maintien de la paix et de la sécurité internationales et reconnaissent qu'en s'acquittant des devoirs que lui impose cette responsabilité le Conseil de sécurité agit en leur nom.

Extraits de la Charte de l'ONU, 1945.

4 : L'espoir d'un monde nouveau
Affiche de l'ONU, 1946. Musée des Deux Guerres mondiales

5 : Un changement de climat à l'ONU

Comment la liberté et la sécurité des peuples pouvaient-elles être menacées par de si mortels dangers au lendemain d'une guerre menée au nom des principes qui auraient dû les garantir ? Il était, hélas, évident que les notions mêmes de liberté et de sécurité n'avaient pas le même sens dans l'esprit des Soviétiques et dans celui des Occidentaux. [...] La délégation soviétique ne doit pas chercher d'explication compliquée à notre politique. Savez-vous quelle est la base de notre politique ? C'est la peur, la peur de vous, la peur de votre politique.

Savez-vous pourquoi nous avons peur ? Nous avons peur parce que vous parlez souvent d'impérialisme. Quelle est la définition de l'impérialisme ? Quelle est la notion courante de l'impérialisme ? C'est celle d'un pays, généralement d'un grand pays, qui fait des conquêtes et qui augmente à travers le monde son influence. [...] Quelle est la réalité historique de ces dernières années ? Il n'y a qu'un seul grand pays qui soit sorti de la guerre ayant conquis d'autres territoires et ce grand pays c'est l'URSS. C'est pendant la guerre et à cause de la guerre que vous avez annexé les pays baltes. [...] C'est grâce à votre politique que vous réclamez maintenant vos droits dans le contrôle de la Ruhr. Votre empire s'étend de la mer Noire à la Baltique et à la Méditerranée. Vous voulez être aux bords du Rhin et vous nous demandez pourquoi nous sommes inquiets ? La vérité c'est que votre politique étrangère est aujourd'hui plus audacieuse et plus ambitieuse que celle des tsars eux-mêmes.

Discours de P.-H. Spaak, représentant belge, qui répond au représentant soviétique Vychinski, à l'Assemblée générale de l'ONU réunie à Paris le 28 septembre 1948.

BAC

Consigne 1. Présentez les documents 1 et 2 ainsi que leur contexte. Montrez que ce conflit est important pour la SDN et pour l'évolution des relations internationales durant les années 1930.

Pour vous aider pensez à :
– Présenter la situation politique de l'Éthiopie (Abyssinie) par rapport à ses voisins (doc. 1).
– Expliquer pourquoi Hailé Sélassié attaque les grandes puissances et comment apparaît la SDN (doc. 2).

Consigne 2. Présentez le document 3 et son contexte.
Expliquez les ambitions de l'ONU mais montrez que sa structure ne garantit pas son efficacité.

Pour vous aider pensez à :
– Montrer que l'objet de l'ONU ne se limite pas à la résolution des conflits.
– Préciser les responsabilités particulières des membres permanents du Conseil de sécurité.

Consigne 3. Présentez et confrontez les documents 4 et 5. Montrez que l'espoir d'un apaisement général des relations internationales s'éloigne et que l'ONU devient un lieu d'affrontements.

A Des organisations toujours dépendantes des grandes puissances

(Études) pages 118-119 et 120-121 + doc. 1 et 2

■ **La Conférence de la paix, en 1919, doit régler le sort des États vaincus et de leurs colonies mais aussi réorganiser l'Europe, créer une organisation pour pacifier les relations internationales.** Le président américain Wilson l'a imposée aux Européens. Le pacte de la Société des Nations fait partie du traité de Versailles. **Mais les vaincus ne peuvent pas faire tout de suite partie de la SDN, affaiblie dès 1920 par le refus du Congrès des États-Unis de ratifier le traité.**

■ Durant la Seconde Guerre mondiale, les dirigeants américains estiment que l'absence des États-Unis de la scène internationale durant les années 1930 a favorisé les dictatures. En août 1941, Roosevelt et Churchill élaborent la Charte de l'Atlantique qui fixe des principes comme le droit des peuples à choisir leur gouvernement et la nécessité d'un système de sécurité international. En 1943, Roosevelt, Churchill, Staline décident de créer une nouvelle organisation. **À la Conférence de San Francisco, d'avril à juin 1945, les délégués de 50 États, à l'instigation des États-Unis, élaborent les statuts de l'Organisation des Nations unies, qui succède à la SDN en octobre 1945.**

B Des stratégies différentes pour une même ambition : la paix

(Étude) pages 120-121

■ **La SDN doit garantir la paix, œuvrer en faveur d'une solidarité internationale et favoriser le désarmement.** Son action s'étend aux domaines social et culturel grâce à des organes spécialisés : Bureau international du travail (BIT) ou Haut Commissariat aux réfugiés (HCR). Les États membres font partie de l'Assemblée générale et le Conseil comprend quatre membres permanents (Royaume-Uni, Italie, France, Japon) et neuf non permanents. Mais la règle de l'unanimité paralyse la SDN.

■ Les vainqueurs de 1945 veulent rendre l'ONU plus efficace. Un Conseil de sécurité traitant des menaces contre la paix peut prendre des résolutions obligatoires. **Ses 5 membres permanents (États-Unis, URSS, Royaume-Uni, France, Chine) disposent d'un droit de veto.** Le principe de l'égalité entre les États, réel au sein de l'Assemblée générale, est de fait limité.

C Des résultats contrastés

(Étude) pages 120-121 + doc. 2 et 3

■ **La SDN connaît des succès après 1924, avec la détente en Europe.** La France permet en 1926 l'entrée de l'Allemagne dans le Conseil. L'organisation, qui a son siège à Genève, accueille une diplomatie active. La SDN a l'appui d'une partie des opinions publiques gagnées par le pacifisme.

■ **Mais, dans les années 1930, elle est impuissante face aux dictatures menant des politiques d'agression : Japon, Italie fasciste, IIIᵉ Reich.** L'article 16 du pacte envisage seulement des sanctions économiques, et aucune armée internationale n'est prévue. La France et le Royaume-Uni, ne souhaitant pas risquer une nouvelle guerre, soutiennent mal l'action de la SDN. En 1933, le Japon la quitte après la conquête de la Mandchourie, ainsi que l'Allemagne nazie. L'Italie part en 1937 alors même que les critiques de la SDN contre son invasion de l'Éthiopie sont très limitées. L'URSS est admise en 1934 mais exclue en 1939 pour avoir attaqué la Finlande. .

■ **L'ONU adopte la Déclaration universelle des droits de l'homme en 1948 affirmant des droits individuels et collectifs.** Une de ses résolutions reprend en 1948 le concept juridique de crime contre l'humanité utilisé lors des procès de Nuremberg. Elle favorise l'émancipation des colonies durant les années 1940-1960. Sa mission principale est le maintien de la paix. Le Conseil de sécurité décide des sanctions économiques, de l'embargo sur les armes et de l'envoi de Casques bleus. **Mais la guerre froide limite son action.**

1 **Les vainqueurs en 1919**
Les trois acteurs majeurs de la Conférence de la paix : Lloyd George (Royaume-Uni), Clemenceau (France), Wilson (États-Unis).

Vocabulaire et notions

• **Charte de l'Atlantique** : en août 1941, Churchill et Roosevelt se rencontrent sur un navire de guerre. Leur texte précise des principes pour l'avenir des relations internationales : droit des peuples à choisir leur gouvernement, coopération entre les nations.

Casques bleus : force envoyée par le Conseil de sécurité pour maintenir ou rétablir la paix. Elle est composée de soldats fournis par les États membres, portant un casque bleu, les distinguant des belligérants.

Crime contre l'humanité : chef d'accusation forgé lors du procès de Nuremberg désignant la déportation, l'extermination et les actes inhumains contre des civils. Il est imprescriptible.

Biographie

Woodrow Wilson
(1856-1924)
Président démocrate, élu en 1912 et 1916, pacifiste, il maintient d'abord son pays en dehors du conflit. Les attaques sous-marines allemandes entraînent son intervention, mais il entend mener une « guerre du droit » et se méfie des appétits de ses alliés. Son action, lors du traité de Versailles, est désavouée par la majorité républicaine du Sénat américain.

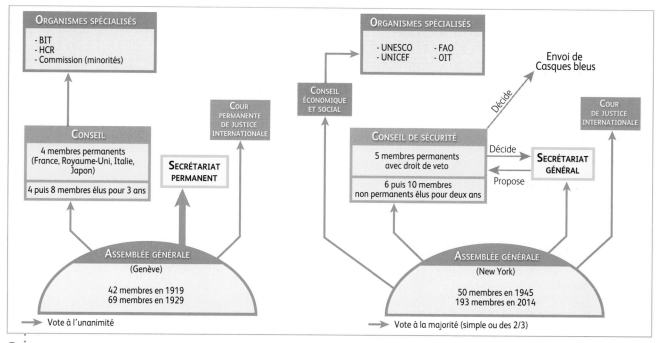

2 : D'une organisation à l'autre : les leçons d'un échec

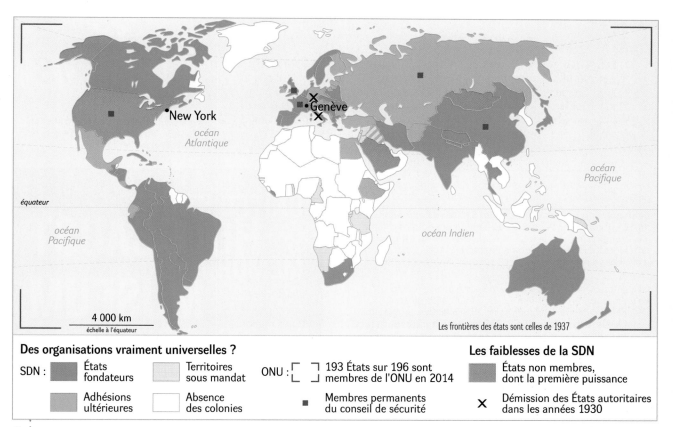

Des organisations vraiment universelles ?

SDN : États fondateurs

Territoires sous mandat

Adhésions ultérieures

Absence des colonies

ONU : 193 États sur 196 sont membres de l'ONU en 2014

■ Membres permanents du conseil de sécurité

Les faiblesses de la SDN

États non membres, dont la première puissance

X Démission des États autoritaires dans les années 1930

3 : Vers une société internationale

Questions

1. Présentez les points communs et les différences entre les deux organisations (doc. 2).

2. Montrez que si la SDN n'est pas vraiment une organisation universelle, l'ONU l'est presque (doc. 3).

3. Montrez la place prépondérante des États européens au sein de la SDN (doc. 2 et 3).

4. Identifiez les membres permanents du Conseil de sécurité et expliquez ce qui justifie leur situation singulière (doc. 2).

Travailler à partir de sites d'archives

Le développement d'Internet et le centenaire de la Première Guerre mondiale permettent à tous d'obtenir des informations sur les combats et sur les soldats, alors même que ceux-ci ont tous disparu. Plusieurs grandes institutions consacrées à la Shoah permettent aux familles des déportés comme aux historiens de faire des recherches.

▶ **Comment peut-on utiliser efficacement Internet pour obtenir des photographies et des informations fiables ?**

Capacités travaillées

III.2.2 Mener à bien une recherche individuelle ou au sein d'un groupe ; prendre part à une production collective

II.3 Utiliser les TICE

Portail officiel de la Mission Centenaire 14-18

Label accordé par la Mission du centenaire aux projets de commémoration.

Les sites historiques sont nombreux mais de qualité très inégale, aussi il faut d'abord privilégier les sites institutionnels.

Centenaire.org/ « Portail officiel de la Mission Centenaire 14-18 ». Il comprend l'actualité, de nombreuses entrées comme « la Grande Guerre sur le web » qui présente des sites très différents. La rubrique « les monuments aux morts » vous permet d'avoir des renseignements précis sur ceux-ci dans toute la France.

La Mission du centenaire est un organisme public, composé de représentants de sept ministères, dont la Défense et l'Éducation nationale. Il organise de 2014 à 2018 le programme commémoratif du centenaire, coordonne les initiatives publiques et privées dans le cadre du centenaire et informe le public sur les principales manifestations organisées.

Les sites du Mémorial de la Shoah :
http ://www.memorialdelashoah.org en France et aux États-Unis
Le site de l'**United States Holocaust Memorial Museum** :
http ://www.ushmm.org/fr

Questions

1. TICE Ouvrez le site de la Mission du centenaire et consultez la collection de photographies de Frantz Adam. Recherchez une photographie d'un poste de secours. Faites le lien avec le témoignage du médecin militaire Le Petit : quels points communs et différences notez-vous ?

2. Ouvrez le site de l'United States Holocaust Memorial Museum. Allez sur les pages de « l'Encyclopédie multimédia de la Shoah » et intéressez-vous notamment aux extraits de films présentant les témoignages des accusés au procès de Nuremberg et particulièrement à celui de Goering. Quelle ligne de défense est adoptée par les dirigeants nazis ? Quels éléments montrent l'importance du vocabulaire utilisé dans le cadre de la Shoah ?

De l'armée de citoyens-soldats à l'armée professionnelle en France

Capacité travaillée
I.2.3 Mettre en relation des faits ou événements de périodes différentes

Au XXᵉ siècle, la France a connu de longues périodes de guerre entre 1914 et 1962, fin de la guerre d'Algérie. Hormis durant la guerre d'Indochine, qui n'implique que des militaires de carrière, les combats sont alors menés à la fois par des professionnels et par des soldats mobilisés. Depuis 1997, le service militaire est supprimé.

▶ **Comment le lien entre la France et son armée a-t-il évolué ?**

1 *Les Conscrits*, Pascal Dagnan-Bouveret (1852-1929), Assemblée nationale, 1889

2 **Le besoin de professionnels**
Affiche de recrutement pour l'armée de terre, 2014

Vocabulaire

• **Conscrits** : jeunes gens reconnus aptes à faire leur service militaire.
Les victoires de la Révolution reposent sur la levée en masse. En 1798, la loi Jourdan crée la conscription obligatoire pour tous les Français. Mais le tirage au sort fait qu'une partie des jeunes échappe au service militaire : les familles riches peuvent payer un remplaçant si leurs fils ont tiré un « mauvais numéro ». Après la défaite de 1870 et l'avènement de la République, le service national devient véritablement obligatoire même si sa durée varie : 2 ans en 1905, 3 ans en 1913. La défense du pays repose sur une armée de citoyens-soldats et l'armée est une institution importante de la République.

Le service militaire

Le service militaire fait l'objet de débats dans les années 1980-1990. Certains considèrent qu'il est un moyen d'intégration civique de jeunes issus de milieux divers, et qu'il permet de maintenir le lien entre la nation et son armée. D'autres estiment que c'est un dispositif coûteux, peu efficace militairement, alors que les armées n'ont plus à faire face aux menaces des forces du pacte de Varsovie. En 1996, le président Chirac décide de professionnaliser les armées et la loi du 8 novembre 1997 remplace la conscription par la Journée d'appel et de préparation à la défense devenue Journée défense et citoyenneté.

Questions

1. Quels sentiments animent les conscrits des années 1880 d'après le peintre et qui sont-ils ?
Pourquoi la conscription est-elle importante d'un point de vue politique et militaire ?

2. Analysez les messages de cette affiche. Comment l'armée de terre tente-t-elle de favoriser des vocations ?

3. En utilisant des exemples de l'actualité, montrez que le lien entre l'armée et la société a changé mais demeure très présent au sein de la population.

Exercices

1 Réactiver ses connaissances : la Seconde Guerre mondiale, une guerre idéologique sans possibilité de paix négociée

Préparez cette lampe !

Hideki Tojo (1884-1948) : militaire japonais. Il est Premier ministre de 1941 à 1944. Jugé comme criminel de guerre, il est exécuté.

Fournissez ce charbon pour la victoire !

Affiche de propagande : mobiliser l'industrie
La partie droite de l'affiche est inspirée d'une œuvre de Norman Rockwell, *Liberté de parole*, 1943.

Consigne BAC

Consigne Après avoir présenté le document, montrez que la guerre totale appelle une mobilisation économique mais aussi politique de la société.

Pour vous aider pensez à réfléchir aux points suivants :

Pour analyser l'affiche :
1. Réfléchissez à la construction de l'affiche et à la représentation donnée d'Hideki Tojo.

Pour interpréter l'affiche :
2. Présentez le contexte politique et militaire en 1943 et rappelez les principales caractéristiques des deux modèles.

2 Étude critique de deux documents : une photographie et une affiche

Le président Poincaré et le général Mangin passent en revue des tirailleurs sénégalais, le 2 avril 1917

JOURNÉE DE L'ARMÉE D'AFRIQUE ET DES TROUPES COLONIALES

DEVAMBEZ, PARIS

Affiche de Lucien Jonas de 1917

Consigne BAC

Consigne Après avoir présenté ces documents, montrez comment ils mettent en valeur l'apport des colonies.

Pour vous aider

1. Présentez les deux documents dans votre introduction et analysez les mots-clés de la consigne (« mettent en valeur » et « colonies ») : il faut donc expliquer comment les auteurs soignent la mise en scène pour montrer ce que les colonies ont apporté à la France en guerre.
2. Décrivez la photographie et l'affiche dans une 1re partie :
– les personnages, le décor, le message sur l'affiche ;
– la composition de l'affiche, le cadrage de la photographie.

3. Interprétez les documents dans une seconde partie :
– le message que cette affiche et cette photographie veulent transmettre ;
– ce qui permet de qualifier ces documents de documents de propagande politique.
– Utilisez à chaque fois vos connaissances et les documents (décrivez bien les deux images, situez et expliquez ce qu'elles montrent) pour justifier les arguments que vous avancez.

4. Faites une phrase de conclusion qui présente notamment la portée des documents proposés.

VICTORIA

OCÉAN GLACIAL DU NORD

LA CROISADE CONTRE
LE BOLCHEVISME

En 1941, à l'appel de la BBC, les murs de l'Europe occupée se couvrent de milliers de V (pour Victoire) tracés la nuit. Le succès de cette « campagne des V » oblige les nazis à tenter de récupérer à leur tour ce symbole.

Le terme « croisade » est repris sur d'autres affiches allemandes. La propagande alliée utilise aussi ce terme.

Affiche de propagande allemande diffusée en France, 1942

Consigne BAC

Consigne Après avoir présenté le document, vous expliquerez les messages de cette affiche de propagande allemande et montrerez, en utilisant vos connaissances, que cela ne correspond pas à la réalité de l'Europe en 1942.

Pour vous aider

1. Présentez l'affiche dans votre introduction (destinataire, raison de sa réalisation). N'oubliez pas le contexte des années 1941-1942.
2. Décrivez l'affiche :
– l'utilisation des flèches, le décor, les symboles présents, le slogan politique en bas de l'affiche ;
– la composition de l'affiche.
3. Interprétez l'affiche de manière critique :
– le message que cette affiche de propagande veut diffuser ;
– ce qu'elle passe sous silence ou modifie ;
– ce qui permet de qualifier cette affiche d'œuvre de propagande nazie.
4. Faites une phrase de conclusion qui dresse un bilan et présente la portée de cette affiche.

4 Rédiger un texte **L/ES**

Corfou, Mandchourie, Abyssinie, Tchécoslovaquie, Pologne (régions ou pays envahis malgré la SDN)

Transport de la SDN

paix

« Où va ce bus ? »
« Nulle part madame, mais merci du compliment »

Caricature parue dans le *Evening Standard*, 12 décembre 1939

Tâche complexe

Vous êtes un citoyen français âgé de 40 ans. Vous aviez confiance dans la SDN créée après le premier conflit mondial et vous avez été témoin de son impuissance à éviter le retour d'une guerre mondiale. Exilé aux États-Unis fin 1940, vous rédigez un article de presse dénonçant cette situation.

Coup de pouce

■ Sur la forme

– Reprenez les termes et les notions propres aux relations internationales et aux conflits : SDN, unanimité.
– Pensez à rédiger un texte engagé : soyez clair, donnez des arguments, mettez en œuvre des effets de style, argumentez pour convaincre vos lecteurs.

■ Sur le contenu

– Présentez la SDN, les objectifs qu'on lui avait fixés.
– Insistez sur ses échecs, car c'est le sens de votre intervention, mais mentionnez cependant ses réussites.
– Multipliez les exemples argumentés.
– Pensez également à expliquer en quoi l'impuissance de la SDN favorise la marche à la guerre.

L/ES S

Capacités travaillées

I.2.1 Situer un événement sur le temps court

II.1.2 Prélever, hiérarchiser et confronter des informations

2 Caricature hostile à Stresemann (1929)

La caricature fait allusion au traité de Francfort imposé en 1871 par l'Allemagne tout juste unifiée à la France.

Information

Le Français Aristide Briand (1862-1932) et l'Allemand Gustav Stresemann (1878-1929) sont à l'origine du rapprochement de leurs pays. Pilier de la « Sécurité collective », Briand négocie avec le secrétaire d'État américain, Kellog, le Pacte de Paris (1928) qui « met la guerre hors la loi ». Il est signé par 57 États mais ne repose pas sur des engagements précis.

Pour vous aider L/ES

- « Replacés dans leur contexte » signifie qu'il faut expliquer les circonstances dans lesquelles ont été élaborés ce texte et cette caricature.

- Pour « comparer », pensez à bien présenter en détail les deux documents.

- N'étudiez surtout pas séparément les documents.

- Pensez à analyser les raisons qu'Aristide Briand peut avoir de souhaiter autant la paix.

Pour vous aider S

- Il faut voir si les deux documents se complètent ou s'opposent.

1 Discours d'Aristide Briand

La Société des Nations a fait plus, vous le savez : elle a arrêté deux guerres commencées. Qu'on cherche dans le passé, qu'on cherche dans l'histoire de toutes institutions humaines des exemples d'une intervention aussi décisive entre des belligérants déjà aux prises !

Ce sont là, malgré tout, des états de service qu'on n'a pas le droit de négliger et, quand une institution apporte aux peuples un tel bilan de paix, de telles espérances de paix, on n'a pas le droit de douter d'elle, on doit lui faire confiance et, par cette confiance même, la renforcer. Car, comment pourrait-on poursuivre et sa tâche si la confiance des peuples venait à lui manquer ?

Pour avoir la paix, il faut avoir foi dans la paix. Pour avoir la paix, il faut avoir confiance dans la paix ! Non pas la foi, non pas la confiance qui se limite à un discours, mais celle-là, toujours active et militante qui se maintient en dépit des inquiétudes et des déceptions, dans la persévérance et dans l'obstination de la victoire chaque jour remportée sur les obstacles chaque jour renouvelés.

Il ne suffit pas d'avoir horreur de la guerre. Il faut savoir organiser les éléments de défense indispensables. L'élément de défense le plus fort, celui que ne peut égaler aucune organisation de frontière, c'est la conscience et la confiance des peuples.

Ce sont les peuples eux-mêmes qui nous apportent la plus grande garantie de paix et puisque, dans ce débat, il s'agit du pacte de Paris, permettez-moi de vous dire que ma pensée directrice dans la négociation de ce pacte […] a été de remettre entre les mains des peuples, comme un dépôt, la garantie de paix que constitue un tel contrat international. »

Discours d'Aristide Briand, le 1er mars 1929, à la Chambre des députés, pour la ratification du Pacte de Paris ou Pacte Briand-Kellog. Jean Garrigues, *Les Grands Discours parlementaires de la IIIe République*, Armand Colin, 2004.

Consigne En utilisant les documents replacés dans leur contexte et vos connaissances, montrez que la détente des années 1920 repose sur des accords diplomatiques, sur une évolution des opinions publiques, mais demeure fragile.

POINT MÉTHODE

1 Lire et comprendre le sujet et la consigne
– relevez les verbes d'action qui indiquent ce que vous devez faire et identifiez les tâches à effectuer.
– comparez les deux documents proposés.

2 Au brouillon, dégager les idées générales des deux documents
– présentez les éléments mis en avant par Aristide Briand dans son discours et faites de même avec le dessin ;
– étudiez les arguments avancés par A. Briand pour justifier la signature de ce pacte et confrontez-les à la caricature pour en montrer les limites.

3 Rédiger la réponse organisée à la consigne donnée
– **introduction** : présentez les documents et le contexte de réalisation. Définissez la notion clé de l'analyse. Présentez ce que la consigne attend de vous.
– **construire un plan organisé** : deux ou trois parties ; chaque partie est organisée autour d'une idée forte ; chaque affirmation doit s'appuyer sur des connaissances, une justification, un exemple (date, événement…).
– **conclusion** : bilan de l'analyse du texte et de la caricature et portée de ces documents.

Étude critique d'un document
Analyse d'un document
EXEMPLE CORRIGÉ

Capacités travaillées

II.1.1 Identifier des documents (nature, auteur, date, conditions de production)

II.1.4 Critiquer des documents de types différents (textes, images, etc.)

Marcel Gromaire (1892-1971), *La Guerre*, 1925
Musée d'Art moderne de la Ville de Paris.

Information

Marcel Gromaire, peintre et ancien soldat, blessé de 1914-1918, a réalisé cette huile sur toile, intitulée *La Guerre*, en 1925. Le tableau exposé au musée d'Art moderne de la Ville de Paris représente un groupe de cinq soldats dans ce qui ressemble à une tranchée. Il évoque la guerre et correspond à l'évolution des opinions publiques dans la seconde moitié des années 1920.

Consigne **Montrez comment cette peinture représente la guerre et expliquez le lien que l'on peut établir avec l'évolution d'une partie des opinions publiques des années vingt.**

Pour vous aider L/ES

- L'introduction doit permettre de dater le document et de définir le contexte entourant la réalisation de celui-ci. Il faut ensuite s'attacher à présenter l'auteur (surtout quand il est connu), la nature du document proposé et le thème général qu'il aborde.

- La 1ʳᵉ partie s'attache à analyser le point de vue de l'artiste sur la guerre, d'une manière critique. On explique le point de vue de l'auteur, qu'on éclaire par ce que l'on sait de sa vie.

- Il ne faut pas s'empêcher de nuancer cet avis, voire de le contredire ou le compléter à l'aide des connaissances, puisque la seconde partie de la consigne invite à se replacer dans le cadre plus large de l'opinion publique des années 1920. Ne pas oublier de dresser un bilan final (ici intégré dans la fin de la seconde partie).

Pour vous aider S

- Il faut montrer l'intérêt du document en étudiant ce qu'il permet de comprendre de la situation historique.
- Il faut ensuite relever les limites de ce document (exemple : une vision partielle de la guerre qui n'est pas celle des nationalistes).

Marcel Gromaire, peintre et ancien soldat, blessé de 1914-1918, a réalisé cette huile sur toile, *La guerre*, en 1925. Le tableau exposé au Musée d'Art moderne de la Ville de Paris représente cinq soldats dans ce qui ressemble à une tranchée. Il évoque la guerre et correspond à l'évolution des opinions publiques dans la seconde moitié des années 1920.

Cette œuvre ne valorise pas la guerre, ni la violence, sept ans après la fin des combats. Ces cinq soldats, engoncés dans leurs capotes, semblent se résumer à un casque et à quelques traits du visage schématisés et à des mains croisées. Sans armes, ils paraissent attendre l'attaque à mener ou celle qu'ils vont subir. Cette situation, l'artiste l'a sans doute vécue. Même si le titre ne fait pas de référence à un conflit en particulier, il est certain qu'il s'agit de la Grande Guerre. Cette représentation où toute trace d'humanité semble avoir disparu n'est pas neuve : on peut penser aux soldats de Napoléon fusillant des insurgés dans *Tres de Mayo de Goya* (1814). Après une longue sortie de guerre, les opinions publiques évoluent, notamment en France. Le patriotisme perdure mais le pacifisme se développe, notamment parmi les anciens combattants. Il s'agit d'éviter tout nouveau conflit. L'action de la SDN et le rapprochement franco-allemand suscitent de l'espoir. La guerre n'est plus perçue comme source de gloire mais comme synonyme de destructions, de déshumanisation. Mais, cette mutation n'est pas générale. Dans les pays vaincus, comme l'Allemagne l'esprit de revanche est présent. Il en est de même chez de nombreux Italiens mécontents du peu de terres obtenues par leur pays et parlent de « victoire mutilée ».

La peinture de Gromaire, manifestement critique vis-à-vis du conflit passé, correspond à un courant important parmi les anciens combattants français et au pacifisme croissant de la population, mais elle ne représente pas la totalité des opinions publiques.

Prépa BAC 3

Composition

EXEMPLE CORRIGÉ

S

Capacités travaillées

II.2.3 Rédiger un texte construit et argumenté en utilisant le vocabulaire historique

III.1.2 Développer un discours oral ou écrit construit et argumenté, et le confronter à d'autres points de vue

Sujet

Les civils et la Seconde Guerre mondiale

En S, l'épreuve étant d'une durée de 3 heures, vous ne disposez que d'une heure et demie à une heure trois quarts pour réaliser une composition.
Il faut rédiger « une réponse organisée comportant une introduction, plusieurs paragraphes et une brève conclusion ».
Les compositions ont donc un contenu plus synthétique, autour d'un « fil conducteur »; sont plus courtes que celles de L-ES. Dans une courte introduction, dont la forme est laissée à la liberté du candidat, le candidat présente le sujet et le fil conducteur.

Étape 1 Analyser le sujet

Pour vous aider

- Quand le sujet comporte un « et », vous ne devez JAMAIS traiter séparément les deux termes du sujet.

Cette conjonction de coordination invite à étudier par comparaison les deux termes du sujet.

Les civils | et | la | Seconde Guerre mondiale

Les acteurs de ce sujet : les civils.
– On doit se centrer sur les civils, donc écarter les combattants.
– Il faut penser aux différents rôles qu'ils ont joués pendant le conflit.
– Mais aborder aussi la manière dont la guerre a marqué leur vie, les a influencés, leur a fait subir des atrocités.
– Ne pas oublier que les civils sont largement touchés par le second conflit mondial.

Les limites chronologiques du sujet.
S'intéresser à la totalité de la période 1939-1945 : la guerre n'a pas eu le même impact sur les civils pendant toutes ces années

Étape 2 Relever les idées essentielles au brouillon puis établir un plan

- **Des civils engagés dans le conflit par leurs dirigeants et marqués par la guerre dans leur vie quotidienne ;**
- **Des civils largement victimes du conflit.**

Étape 3 Rédiger

Pour vous aider

- **L'introduction** présente le sujet, annonce le plan. Elle doit être courte.
- Utiliser un exemple permettant d'annoncer le sujet
- Présentation et analyse du sujet.

Exemple corrigé « Les civils et les guerres mondiales »

Il faut attendre 1942 pour que les pertes militaires du Royaume-Uni dépassent ses pertes civiles. Ceci montre l'importance et le rôle des civils dans la Seconde Guerre mondiale, de 1939 à 1945, même si les situations diffèrent d'un belligérant à l'autre. Ils sont des acteurs indispensables de ce conflit mais aussi ses victimes privilégiées.

Pour vous aider

- **Le plan** doit être structuré en paragraphes.

Chaque paragraphe commence par la présentation de l'idée majeure.

Utilisez des exemples précis pour étayer vos affirmations.

La conclusion, brève, fait le bilan du sujet et ouvre sur les événements postérieurs.

Ce second grand conflit du XXᵉ siècle est une guerre totale, abolissant de fait, souvent, la distinction entre civils et militaires. Les premiers peuvent aussi prendre les armes pour résister à l'occupant, de la Pologne aux Philippines. Comme la guerre gagne la quasi-totalité des continents, elle a des conséquences croissantes pour les populations. Il faut produire des armes, des munitions, des navires, etc., mais aussi financer l'effort de guerre.

Les États autoritaires et totalitaires semblent a priori les mieux armés pour faire face à ce défi, car ils ont mobilisé depuis plusieurs années leurs sociétés. Mais Hitler n'ose pas, jusqu'en 1943, demander trop d'efforts à sa population alors que la victoire est censée permettre au Reich de vivre aux dépens des États vaincus d'Europe, notamment de la France. Le pillage nazi et japonais condamne les civils occupés à la pénurie, et des millions d'habitants sont soumis au travail forcé (STO en France). L'URSS, opposée au IIIᵉ Reich à partir de juin 1941, parvient à fournir un effort extraordinaire, reposant sur la contrainte et sur le recours au patriotisme traditionnel : 10 millions de civils sont transférés en Sibérie avec les usines, remontées sur place.

Les grandes démocraties anglo-saxonnes conservent l'essentiel de leurs libertés. L'adhésion des populations est liée à leur capacité à défendre ce modèle, expliquer le sens de leur combat et le rejet de l'Axe. Aux États-Unis, la guerre favorise l'industrie, donc le plein-emploi, et met fin à la crise. Les Américains sont plus riches en 1945 qu'en 1941. Le gouvernement britannique impose plus de contraintes à ses citoyens que le régime hitlérien, mais gère au mieux le rationnement et la production tout en jetant les bases d'un système de protection sociale pour tous (plan Beveridge, 1942). En revanche, les habitants des colonies des États européens, engagés dans la lutte, restent largement exploités.

Les civils sont aussi largement victimes de cette guerre. Ils sont directement touchés par les combats, ce qui n'est pas nouveau. Les réfugiés belges, français ou chinois fuient devant l'avancée des troupes adverses. Le manque de nourriture ou de médicaments tue directement ou indirectement. Ainsi, la population de Leningrad subit un siège de 900 jours et connaît la famine : au moins 700 000 civils y meurent de faim, soit une mortalité supérieure à la totalité des morts civils et militaires en France durant tout le conflit.

Mais les civils ils sont aussi les cibles désignées d'opérations militaires. Les bombardements stratégiques commencent dès 1940 : Rotterdam, les villes anglaises sont largement détruites par la Luftwaffe. Le Japon bombarde pareillement les villes chinoises : Chongqing, capitale provisoire, subit un record de 3 000 bombardements. À partir de 1942-1943, les villes allemandes et japonaises subissent le même sort. La volonté de détruire les infrastructures, le désir de démoraliser les populations ou la simple vengeance expliquent ces actions meurtrières. Afin de désorganiser l'industrie et les transports au service de l'ennemi, les Alliés bombardent aussi des villes occupées par l'Axe, comme les ports français de l'Atlantique.

Pour Hitler, des civils, de tous les âges, doivent être tués. Il s'agit des juifs et des Tsiganes, victimes d'une politique d'extermination, qui commence en URSS envahie en 1941 et est généralisée à toute l'Europe occupée à partir de 1942. C'est une politique d'État, menée avec des moyens considérables (fusillades par des Einsatzgruppen, famine organisée dans les ghettos de Pologne et d'URSS occupée, camions à gaz, chambres à gaz dans les camps d'extermination). Elle aboutit à la mort de près de 6 millions de personnes, soit les trois quarts des juifs de l'Europe occupée. L'aide de simples civils et la victoire des Alliés ont favorisé la survie d'une minorité.

La Seconde Guerre mondiale a fait plus de 40 millions de morts civils et a profondément bouleversé des sociétés entières. Mais elle aboutit à la définition de droits pour tous, avec l'adoption par l'ONU de la Déclaration universelle des droits de l'homme le 10 décembre 1948. Cela n'empêche pas la réorganisation d'un ordre international d'être compromise par la guerre froide, dont les conflits « périphériques » dans le tiers monde tueront encore des millions de civils.

Composition
EXEMPLE CORRIGÉ

Capacités travaillées

II.2.3 Rédiger un texte construit et argumenté en utilisant le vocabulaire historique

III.1.2 Développer un discours oral ou écrit construit et argumenté, et le confronter à d'autres points de vue

Sujet

Les civils et les guerres mondiales

Étape **1**

Analyser le sujet

Cette conjonction de coordination invite à étudier par comparaison les deux termes du sujet.

Les civils | et | les | guerres mondiales

Les acteurs de ce sujet : les civils.
– On doit se centrer sur les civils, donc écarter les combattants.
– Il faut penser aux différents rôles qu'ils ont joués pendant les deux conflits.
– Mais aborder aussi comment la guerre a marqué leur vie, les a influencés, leur a fait subir des atrocités.
– Ne pas oublier que les civils sont largement touchés par le second conflit mondial, moins directement pendant le premier.

Les limites chronologiques du sujet. S'intéresser aux deux guerres mondiales, 1914-1918 et 1939-1945 : la guerre n'a pas eu le même impact sur les civils pendant les deux guerres.

Étape **2**

Relevez au brouillon les connaissances en rapport avec le sujet (notions à aborder, thèmes importants) puis regroupez-les pour établir un plan en deux ou trois parties.

Étape **3**

Rédiger la compositon

Exemple corrigé « Les civils et les guerres mondiales »

Pour vous aider

L'introduction présente le sujet Utiliser un exemple ou un paradoxe pour annoncer le sujet.

L'introduction doit également annoncer le plan

L'introduction doit être problématisée. La problématique commence souvent par un adverbe interrogatif, par exemple :
Pourquoi ? (ce qui permet de s'interroger sur les causes).
Comment ? (ce qui permet de s'interroger sur les moyens). Ce n'est pas le cas ici.

Annonce du plan.

Les conventions internationales antérieures à 1914 tentent de codifier le droit de la guerre et de préserver les civils. Pourtant, les exactions se multiplient lors des conflits du XXe siècle. Les guerres mondiales de 1914-1918 et de 1939-1945 sont aussi des guerres totales, mobilisant des populations entières. Mais les deux conflits ne sont pas identiques et n'ont pas les mêmes conséquences pour les civils. Ils sont des victimes mais aussi des acteurs de plus en plus importants de ces conflits qui transforment le fonctionnement même des sociétés. Comment les civils ont-ils été de plus en plus impliqués dans deux guerres totales ? Les civils sont des victimes des guerres totales et des acteurs essentiels de ces conflits, auxquels ils participent parfois directement.

Les deux conflits sont marqués par des violences croissantes contre les civils. Classiquement, elles s'expliquent par les combats. Les réfugiés belges et français fuient en 1914 puis en 1940 l'avancée des troupes adverses de même que les Chinois à partir de 1937. Le manque de nourriture et de médicaments tue directement ou indirectement. Ainsi, la population de Leningrad subit un siège de plus de deux ans et connaît la famine : au moins 700 000 civils y meurent de faim.

La guerre contre les civils existe dès la Première Guerre mondiale. Les Allemands dénoncent le blocus allié qui affaiblit considérablement les non-combattants des Empires centraux. Mais les civils deviennent les cibles d'opérations spécifiques durant le second conflit. La Luftwaffe frappe dès 1940 Rotterdam, les villes anglaises. Le Japon bombarde les cités chinoises. Puis les villes allemandes et japonaises subissent le même sort. La volonté de détruire les infrastructures, de démoraliser les populations ou la vengeance expliquent ces actions. Les occupations sont très dures en raison de l'insuffisance des ravitaillements, du recours au travail obligatoire entre 1914 et 1918. Mais les nazis introduisent une dimension supplémentaire, notamment en Europe de l'Est. Les habitants sont des esclaves et tout contrôle d'un territoire doit profiter au Reich.

Parmi ces populations, des groupes spécifiques doivent disparaître pour des motifs politiques voire raciaux. En 1915, les dirigeants Jeunes-Turcs organisent l'extermination des Arméniens. Hitler entreprend à partir de 1941 une politique d'extermination systématique des juifs et des Tsiganes. C'est une politique d'État, menée avec des moyens considérables (fusillades des Einsatzgruppen, famine dans les ghettos, camions à gaz, camps d'extermination). Elle aboutit à la mort de près de 6 millions de personnes, soit les deux tiers des juifs de l'Europe occupée. L'aide de simples civils et la victoire alliée ont favorisé la survie d'une minorité.

Pour vous aider
Soignez les transitions

Mais les civils ne sont pas uniquement des victimes et se révèlent indispensables aux efforts de guerre. Il faut produire et payer. Dès 1914, les populations sont appelées à financer le conflit, en souscrivant des emprunts de guerre, en acceptant le cours forcé des billets. Pendant la Seconde Guerre mondiale, les États autoritaires semblent les mieux armés, car ils ont mobilisé depuis plusieurs années leurs sociétés. Mais Hitler n'ose pas, jusqu'en 1943, demander trop d'efforts à sa population alors que la victoire doit permettre au Reich de vivre aux dépens de l'Europe vaincue. Le gigantesque *Victory Program* des États-Unis permet d'armer les Alliés. L'URSS fournit un effort extraordinaire, reposant sur la contrainte et sur le recours au patriotisme.

L'arrière constitue également un front domestique crucial. La Première Guerre mondiale est marquée par une improvisation certaine quand on comprend que le conflit va durer. Des « cultures de guerre » sont mises en œuvre pour maintenir le lien entre les combattants et la société qu'ils sont censés défendre. Les sociétés tiennent malgré les craquements de 1917 et on assiste à une véritable remobilisation de l'Entente en 1918. Ces aspects sont accentués lors de la Seconde Guerre mondiale, conflit idéologique. On dit aux Américains qu'ils travaillent pour la victoire de la liberté, aux Soviétiques que leurs sacrifices permettront d'écraser l'envahisseur fasciste. La propagande nazie explique qu'il s'agit d'une lutte à mort contre le bolchevisme et la « juiverie internationale ».

Dans ces sociétés en guerre, la vie des civils est profondément transformée. Les femmes jouent un rôle majeur dans les deux conflits. On assiste à un glissement vers des activités indispensables : production de guerre, agriculture. Le travail des femmes soviétiques et américaines, dans des conditions très différentes, est essentiel pour la fabrication de chars, d'avions à partir de 1941. Les hiérarchies sociales sont affectées par ces guerres. À partir de 1945, les Britanniques bénéficient de la mise en place d'un système de protection sociale pour tous. En revanche, les habitants des colonies des États européens, engagés dans la lutte, sont toujours exploités.

Annoncez l'idée principale au début de chaque partie.

Contrairement à la plupart des conflits, il arrive que des non-combattants prennent les armes, voire contrôlent les militaires. Les mouvements de résistance se développent en Europe et en Asie durant la Seconde Guerre mondiale. Ainsi, en URSS occupée, en Europe orientale, en Grèce, des partisans harcèlent les forces de l'Axe. S'ils ne peuvent vaincre seuls, ils constituent des auxiliaires précieux pour les Alliés, comme les maquis en Bretagne.

Ces guerres totales sont menées, le plus souvent, par des civils. La Première Guerre mondiale illustre la supériorité des régimes civils sur les États militarisés. Les régimes parlementaires des Alliés contrôlent leurs généraux, sont capables de fixer des objectifs politiques et de l'emporter sur un Empire allemand dominé par les militaires. Durant le second conflit mondial, malgré des apparences militaires, les régimes autoritaires sont aux mains de civils, à l'exception du Japon largement contrôlé par les états-majors depuis les années 1930.

Mais les sociétés asiatiques et européennes sortent meurtries de ces conflits alors que les États-Unis deviennent la première puissance mondiale à la fin du premier conflit, mais sont plus riches en 1945 qu'en 1941. Le bilan humain de ces guerres est sans précédent et le nombre de morts civils dépasse celui des militaires à l'issue de la Seconde Guerre mondiale.

La conclusion répond à la problématique

Les caractéristiques mêmes des guerres totales expliquent cette implication croissante des civils. L'abolition de la distinction entre combattants et non-combattants, la nécessité de faire participer les sociétés à l'effort de guerre expliquent cette évolution. Mais la différence entre les deux guerres mondiales ne se limite pas à un recours plus important aux civils et à des pertes bien supérieures. Les populations sont devenues des enjeux majeurs qu'il faut mobiliser, contrôler voire détruire.

Les guerres contemporaines, postérieures à la Seconde Guerre mondiale, sont presque toutes marquées par cette implication des civils.

La conclusion ouvre sur les événements postérieurs.

L/ES

Guerres mondiales et espoirs de paix

PREMIÈRE GUERRE MONDIALE

Une guerre totale :
+ Importance du front intérieur et mise en place d'économies de guerre.
+ Mobilisation des moyens scientifiques et techniques.

Une guerre mondiale :
+ Des fronts européens majeurs.
+ L'appel aux colonies.
+ Intervention décisive des États-Unis en 1918.

Le bilan humain :
+ 10 millions de morts militaires.
+ Des civils victimes de guerre : exécutions d'otages, génocide des Arméniens, déplacements forcés de populations.

Des conséquences durables :
+ Réorganisation de l'Europe et du Moyen-orient.
+ « Brutalisation » des sociétés.
+ États-Unis, première puissance mondiale.

DEUXIÈME GUERRE MONDIALE

Une guerre totale :
+ Science au service de la guerre : projet Manhattan.
+ Guerre contre les civils (bombardements).
+ Mobilisation de toutes les sociétés.

Une guerre mondiale :
+ Tous les continents touchés.
+ Importance de la maîtrise des mers.
+ Rôle majeur de la guerre aérienne et des blindés.

Une guerre d'anéantissement :
+ 60 millions de morts dont 50 % de civils.
+ Génocide des juifs et des Tsiganes.
+ Utilisation de la bombe A.

Un monde nouveau :
+ Deux superpuissances sans rivales (É-U et URSS).
+ Déclin de l'Europe.
+ Colonialisme européen contesté.

DES ESPOIRS DE PAIX

Première Guerre mondiale → Naissance de la Société des Nations à vocation universelle pour préserver la paix →

Affaiblie par :
+ la non-participation américaine
+ le retrait du Japon, de l'Allemagne, de l'Italie
+ la faiblesse des démocraties
+ des faiblesses internes (ex : pas de forces armées de la SDN)

→ La Seconde Guerre mondiale révèle l'échec de la SDN →

+ Nécessité de reconstruire un ordre international
+ Volonté de Roosevelt de parvenir à un nouvel ordre mondial

→ Création de l'ONU où les vainqueurs de la guerre jouent un rôle majeur : Conseil de sécurité

Je sais définir les mots suivants

● **antisémitisme** : haine des juifs, vus comme une « race » nuisible et inassimilable aux autres peuples. Cette haine se distingue de l'antijudaïsme, religieux, qui veut la conversion des juifs.

● **Crime contre l'humanité** : chef d'accusation forgé lors du procès de Nuremberg désignant la déportation, l'extermination et les actes inhumains contre des civils. Il est imprescriptible.

● **Guerre d'anéantissement** : guerre visant à la destruction physique et culturelle de l'adversaire. Son peuple doit subir massacres et destructions à vaste échelle, et les survivants doivent être réduits à la misère et à l'esclavage.

● **Shoah** : catastrophe en hébreu. Terme donné au génocide des juifs par les nazis, d'après le titre du documentaire de Claude Lanzmann, *Shoah* (1985).

● **Union sacrée** : suspension, pour le temps de la guerre, des oppositions entre partis politiques pour mobiliser l'ensemble de la société.

Je connais les dates importantes

● **Juin-août 1914** : enchaînement menant à la Première Guerre mondiale.

● **Février-décembre 1916** : bataille de Verdun.

● **11 novembre 1918** : armistice à Rethondes.

● **28 juin 1919** : signature du Traité de Versailles, dont le pacte créant la SDN.

● **1er septembre 1939-2 septembre 1945** : Seconde Guerre mondiale.

● **20 janvier 1942** : conférence de Wannsee organisant la « Solution finale ».

● **Juillet 1942-février 1943** : bataille de Stalingrad.

● **6 juin 1944** : débarquement allié en Normandie.

● **6 et 9 août 1945** : bombardements atomiques sur Hiroshima et Nagasaki.

Je connais les points suivants

Première Guerre mondiale

Dès 1914, le conflit devient une guerre de position entre les Alliés et les puissances centrales. Les sociétés sont mobilisées et le conflit mondialisé. Les soldats s'adaptent difficilement aux conditions du conflit : vie précaire dans les tranchées, offensives meurtrières, puissance de feu de l'artillerie.

Les traités de paix de 1919 tentent de réorganiser les relations internationales et de garantir une paix durable avec la création de la SDN.

Seconde Guerre mondiale

La Seconde Guerre mondiale est la plus meurtrière : de 50 à 60 millions de victimes dont 50 % de civils. Les juifs et les Tsiganes sont victimes d'un génocide. Les régimes fasciste et nazi sont vaincus.

Les tentatives de réorganisation du monde en 1945, entre les États-Unis et l'URSS, soulignent le déclin de l'Europe. Le projet d'une paix durable, reposant sur la nouvelle ONU, s'enlise avec la guerre froide.

Je connais les personnages suivants

- Joseph Joffre
  p. 102

- Benito Mussolini
  p. 190

- Adolf Hitler
  p. 191

- Heinrich Himmler
  p. 116

- Winston Churchill
  p. 110

- Woodrow Wilson
  p. 122

Pour aller plus loin

 ### À voir

- Frédéric Rossif, *De Nuremberg à Nuremberg*, 1989.
- Steven Spielberg, *La Liste de Schindler*, 1993.
- Bertrand Tavernier, *Capitaine Conan*, 1996.
- Olivier Hirschbiegel, *La Chute*, 2004.
- Lu Chuan, *City of life and death*, 2009.

 ### À visiter

- Historial de la Grande Guerre (www.historial.org).
- Mémorial de Caen (www.memorial-caen.fr).

À lire

- Vercors, *Le silence de la mer*, Éditions de Minuit, 1942.
- Keiji Nakazawa, *Gen d'Hiroshima*, éditeur, Paru de 1973 à 1985 au Japon. Publié en France par Vertige Graphic de 2003 à 2011.

  Jacques Tardi, *C'était la guerre des tranchées*, Casterman, 1993.
- Nicolas Meylaender, Zong Kai, *Nankin*, Éditions Fei, 2012.
- Iris Chang, *Le Viol de Nankin*, Payot & Rivages, 2007.

4 DE LA GUERRE FROIDE AUX NOUVELLES CONFLICTUALITÉS

Après la Seconde Guerre mondiale, les deux grands vainqueurs, les États-Unis et l'URSS, entrent en guerre froide. Sans s'attaquer directement, ils s'opposent dans des conflits locaux. Après la chute de l'URSS en 1991, de nouvelles conflictualités apparaissent (affrontements de nationalismes, terrorisme) et transforment les relations internationales.

L/ES ▶ **Comment les conflits locaux sont-ils révélateurs d'un affrontement planétaire entre les grandes puissances depuis la guerre froide ?**

S ▶ **Comment le cas de Berlin entre 1945 et 1989 permet-il de comprendre la guerre froide ?**

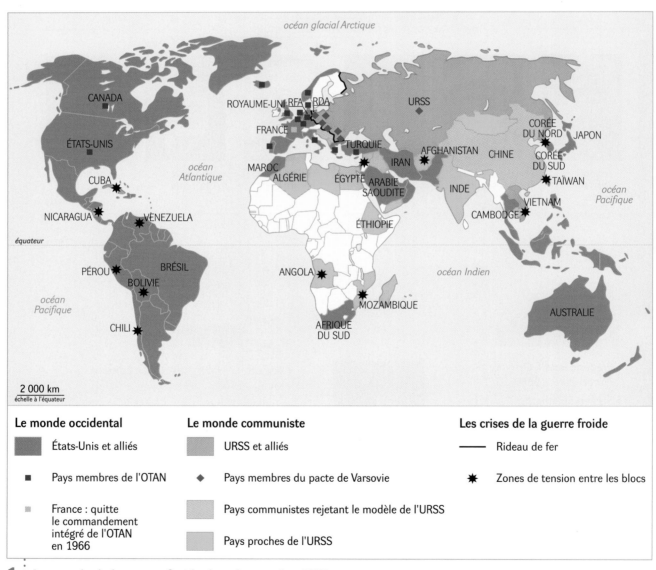

Le monde occidental

████ États-Unis et alliés

■ Pays membres de l'OTAN

■ France : quitte le commandement intégré de l'OTAN en 1966

Le monde communiste

████ URSS et alliés

◆ Pays membres du pacte de Varsovie

████ Pays communistes rejetant le modèle de l'URSS

████ Pays proches de l'URSS

Les crises de la guerre froide

── Rideau de fer

✴ Zones de tension entre les blocs

1 **Le monde de la guerre froide dans les années 1970**

1. Pourquoi peut-on parler d'un monde bipolaire pendant la guerre froide ?
2. Quelles sont les limites de cette bipolarité ?
3. Quelle est la situation de l'Europe par rapport aux deux blocs ?

1945	1950	1960	1970	1980	1990

Guerre froide

1945
Fin de la Seconde
Guerre mondiale

1948-1949
Blocus de Berlin

1961
Construction
du mur de Berlin

1962
Crise des fusées de Cuba

1964-1975
Guerre du Vietnam

1979-1989
Intervention
soviétique
en Afghanistan

1989
Chute du mur
de Berlin

1991
Disparition de l'URSS

1990					2015

Nouvelles conflictualités

1990-1991
Guerre du Golfe

1992-1995
Siège de Sarajevo

2001
Attentats islamistes
de New York et Washington
Début de l'intervention
occidentale en Afghanistan

2003
Début de la guerre en Irak

2004
Attentats islamistes de Madrid

2005
Attentats islamistes de Londres

2011
Début
de la guerre
civile en Syrie

2014
La Russie annexe la Crimée

2014-2015
Combats en Ukraine

7-9 janvier 2015
Attentats islamistes
de Paris

2 : Les attentats de New York le 11 septembre 2001

Le 11 septembre 2001, les tours jumelles du World Trade Center à New York sont attaquées
par deux avions de ligne détournés par l'organisation terroriste Al-Qaïda. Elles s'effondrent peu après.

1. Pourquoi les grandes puissances sont-elles vulnérables face au terrorisme international ?

2. Comment voit-on ici que la violence et la terreur sont le fondement du terrorisme ?

Notions

• **Guerre froide** : conflit fondé sur une opposition idéologique entre les États-Unis et l'URSS, qui représentent des modèles politiques, économiques et sociaux opposés. Il ne dégénère jamais en affrontement armé direct entre les deux pays mais se manifeste par la création de deux blocs antagonistes et l'éclatement de conflits périphériques.

• **Nouvelles conflictualités** : expression qui définit la diversité des conflits armés qui caractérisent le monde de l'après-guerre froide, notamment des guerres civiles plutôt qu'interétatiques, ou encore des conflits asymétriques entre États et organisations terroristes.

Les États-Unis, un modèle de démocratie libérale

Capacité travaillée
I.2.4 Confronter des situations historiques

En 1945, les États-Unis ont libéré l'Europe de l'Ouest et vaincu le Japon en Asie orientale. Sortis de la guerre plus riches qu'ils n'y sont entrés, ils sont la première puissance économique, financière et militaire mondiale. Face à l'expansion du communisme, ils se présentent comme les chefs de file du « monde libre » et cherchent à exporter leurs valeurs : celles de la démocratie libérale et du capitalisme.

A Un modèle de démocratie

1 : Un pays fondé sur les libertés

Nous tenons pour évidentes par elles-mêmes les vérités suivantes : tous les hommes sont créés égaux ; ils sont doués par le Créateur de certains droits inaliénables ; parmi ces droits se trouvent la vie, la liberté et la recherche du bonheur. Les gouvernements sont établis parmi les hommes pour garantir ces droits, et leur juste pouvoir émane du consentement des gouvernés. Toutes les fois qu'une forme de gouvernement devient destructrice de ce but, le peuple a le droit de la changer ou de l'abolir et d'établir un nouveau gouvernement, en le fondant sur les principes et en l'organisant en la forme qui lui paraîtront les plus propres à lui donner la sûreté et le bonheur. […] En conséquence, nous, les représentants des États-Unis d'Amérique, assemblés en Congrès général, prenant à témoin le Juge suprême de l'univers de la droiture de nos intentions, publions et déclarons solennellement au nom et par l'autorité du bon peuple de ces Colonies, que ces Colonies unies sont et ont le droit d'être des États libres et indépendants ; qu'elles sont dégagées de toute obéissance envers la couronne de Grande-Bretagne.

Déclaration d'indépendance des États-Unis d'Amérique signée par les représentants des 13 colonies à Philadelphie le 4 juillet 1776.

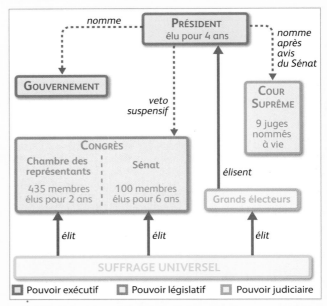

- ■ Pouvoir exécutif   ■ Pouvoir législatif   ■ Pouvoir judiciaire

2 : Un système politique démocratique

La Constitution des États-Unis date de 1787 : elle est la plus ancienne du monde encore en vigueur. Il s'agit d'un système démocratique où les citoyens élisent librement leurs représentants. La séparation des pouvoirs est réelle.

3 Le bipartisme

Photographie du premier débat télévisé au monde, entre les candidats des deux principaux partis en 1960 : le démocrate John Fitzgerald Kennedy (qui sera élu) et le républicain Richard Nixon (qui deviendra lui aussi président, mais en 1969).

Vocabulaire et notions

- **American way of life** : désigne le « mode de vie américain », c'est-à-dire la conception américaine de la vie, de la liberté et de la quête du bonheur, ainsi que la société de consommation inventée et promue aux États-Unis.

- **Capitalisme** : système économique fondé sur la propriété privée des moyens de production, la libre concurrence et la recherche du profit.

- **Démocratie libérale** : forme de gouvernement qui repose sur un système d'élections libres, qui assure la séparation des pouvoirs, et dans lequel les représentants du peuple garantissent les libertés et les droits de l'individu.

- **Plan Marshall** : de son vrai nom European Recovery Program. Aide financière américaine fournie à partir de 1947 aux 16 pays d'Europe de l'Ouest qui l'acceptent pour les aider à se reconstruire après la Seconde Guerre mondiale.

B Un modèle de société

4 : Le rêve américain, terre de libertés et d'opportunités

Extrait du poème d'Emma Lazarus (Américaine d'origine juive, 1849-1887), gravé en 1883 sur le socle de la statue de la Liberté à New York. Il célèbre l'Amérique, terre d'immigration et d'opportunités pour les migrants du monde entier.

Donnez-moi vos fatigués, vos pauvres
Masses qui en rangs serrés aspirent à vivre libres,
Le rebut de vos rivages surpeuplés
Envoyez-les-moi, les déshérités, que la tempête m'apporte,
De ma lumière, j'éclaire la porte d'or !

5 : L'*American way of life*
Affiche publicitaire des années 1950 en faveur de la firme Coca-Cola. La société américaine est une société de consommation qui favorise la standardisation des modes de vie.

6 : Une société de consommation critiquée
Supermarket Lady, œuvre en polyester et fibre de verre du sculpteur américain Duane Hanson, 1969. Elle est exposée au public pour la première fois aux Pays-Bas en 1970.

C La diffusion du modèle américain

Pays	En millions de dollars
Royaume-Uni	3 176
France	2 706
Italie	1 474
Allemagne de l'Ouest	1 389
Pays-Bas	1 079
Autriche	677
Grèce	654
Belgique/Luxembourg	506
Danemark	271
Norvège	254
Turquie	221
Irlande	146
Yougoslavie	109
Suède	102

7 : La répartition de l'aide du plan Marshall en 1947

8 Après les Pays-Bas et la RFA, la France voit arriver McDonald's en 1979

L'URSS, un modèle communiste

Capacité travaillée
I.2.4 Confronter des situations historiques

En 1945, l'URSS a libéré seule son territoire de l'invasion allemande, ainsi que l'Europe de l'Est. Elle a infligé au Reich hitlérien plus de 80 % de ses pertes militaires et jouit d'un immense prestige, même auprès des non-communistes. Ses dirigeants cherchent à exporter le modèle communiste et créent le Kominform en 1947. Ils imposent leur domination aux pays européens qu'ils ont libérés du nazisme, pour se protéger d'une hypothétique agression des puissances occidentales.

A Un modèle de société

1 : **« La fraternité des peuples »**
Affiche de Piotr Smoukrovitch parue en URSS en 1935.

Deux mondes – deux résultats

Les résultats de la production industrielle dans les États du camp socialiste et dans les États du camp capitaliste

Les pays du camp socialiste

Les pays du camp capitaliste

Indice 100 en 1937, année de la fin du second plan quinquennal

2 : **La propagande économique**
Affiche de propagande soviétique de 1955

B L'URSS dirige le communisme mondial

3 : **L'emprise sur les communistes d'Europe**

Le camp anti-impérialiste [l'URSS et ses alliés] s'appuie dans tous les pays sur le mouvement ouvrier et démocratique, sur les Partis communistes frères, sur les combattants du mouvement de libération nationale dans les pays coloniaux et dépendants, sur toutes les forces démocratiques qui existent dans chaque pays. Le but de ce camp consiste à lutter contre la menace de nouvelles guerres et d'expansion impérialiste, pour l'affermissement de la démocratie et pour l'extirpation des restes du fascisme. […]
C'est aux partis communistes qu'incombe le rôle historique particulier de se mettre à la tête de la résistance au plan américain d'asservissement de l'Europe et de démasquer résolument tous les auxiliaires intérieurs de l'impérialisme américain. […]
Les communistes doivent être la force dirigeante qui entraîne tous les éléments antifascistes épris de liberté […].
Les partis communistes doivent se mettre à la tête de la résistance – dans tous les domaines : gouvernemental, politique, économique et idéologique – aux plans impérialistes d'agression et d'expansion. Ils doivent serrer leurs rangs, unir leurs efforts sur la base d'une plate-forme anti-impérialiste et démocratique commune, et rallier autour d'eux toutes les forces démocratiques et patriotiques du peuple. Une tâche particulière incombe aux partis communistes frères de France, d'Italie, d'Angleterre et des autres pays. Ils doivent prendre en main le drapeau de la défense de l'indépendance nationale et de la souveraineté de leurs propres pays.

Andreï Jdanov (troisième secrétaire du Parti communiste soviétique), communiqué final de la conférence des partis communistes, Szklarska Poręba, Pologne, 22 septembre 1947.

C Un modèle non démocratique

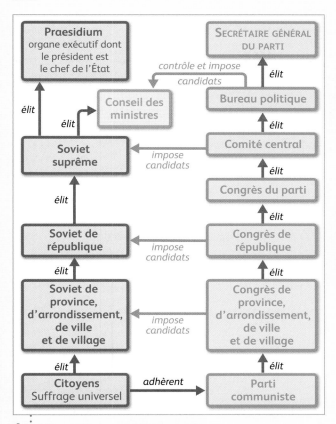

Praesidium
organe exécutif dont le président est le chef de l'État

SECRÉTAIRE GÉNÉRAL DU PARTI

élit

contrôle et impose candidats

Bureau politique

Conseil des ministres

élit

élit

élit

Soviet suprême

impose candidats

Comité central

élit

élit

Congrès du parti

élit

Soviet de république

impose candidats

Congrès de république

élit

élit

Soviet de province, d'arrondissement, de ville et de village

impose candidats

Congrès de province, d'arrondissement, de ville et de village

élit

élit

Citoyens
Suffrage universel

adhèrent

Parti communiste

4 : Un système non démocratique

Les citoyens « élisent » sur liste unique des candidats désignés par le Parti communiste de l'Union soviétique (PCUS), qui siègent dans des assemblées du peuple (soviets) sans pouvoir réel. L'organisation politique est très hiérarchisée.

5 : Un régime de terreur

Des millions de personnes arrêtées au moindre prétexte sont soumises aux travaux forcés dans des camps (goulag) situés principalement en Sibérie. Sous Staline, 18 millions de personnes y ont été envoyées.
Détenus creusant le canal mer Blanche - mer Baltique, 1932.

6 : Après la mort de Staline, l'émergence des dissidents

Biographies

Boris Pasternak (1890-1960)
Ce poète et romancier russe tombe en disgrâce auprès des autorités soviétiques durant les années 1930. Il parvient néanmoins à échapper au Goulag. En 1957, il publie en Italie *Le Docteur Jivago* qui lui vaut le prix Nobel de littérature l'année suivante. Les autorités soviétiques accusent l'auteur d'être un agent de l'Occident et un anticommuniste. Il est obligé de décliner la récompense. *Le Docteur Jivago* ne paraîtra en URSS qu'en 1985.

Alexandre Soljenitsyne (1918-2008)
Il est condamné en 1945 à huit ans de camp pour avoir critiqué les capacités militaires de Staline. En 1961, le dirigeant soviétique Nikita Khrouchtchev l'autorise à publier *Une journée d'Ivan Denissovitch*, récit sur le Goulag dont l'impact est immense. Il obtient le prix Nobel de littérature en 1970 mais ne peut aller le recevoir à Stockholm sous peine de ne pas pouvoir revenir à Moscou. En décembre 1973 paraît à Paris la version française de *L'Archipel du Goulag*, un manuscrit qu'il n'a pu publier en URSS et dans lequel il décrit le système concentrationnaire soviétique. Il est expulsé d'URSS en 1974 et émigre aux États-Unis.

Andreï Sakharov (1921-1989)
C'est un brillant physicien qui conçoit la bombe à hydrogène soviétique en 1953. Il entre en dissidence en défendant les droits de l'homme et le désarmement international. Prix Nobel de la paix en 1975, il est mis en résidence surveillée de 1980 à 1986. Les réformes de Gorbatchev lui permettent d'être élu député.

Vocabulaire et notions

- **Communisme** : doctrine politique et économique qui vise à l'instauration d'une société sans classes sociales par la mise en commun des moyens de production.

- **Dissidents** : citoyens qui critiquent le régime soviétique.

- **Goulag** : organisme chargé de la gestion des camps, situés principalement en Sibérie et dans lesquels sont envoyés les opposants au régime, réels ou imaginaires. Les prisonniers sont soumis à des conditions de vie, de travail et d'hygiène très dures.

- **Kominform** : bureau de liaison des partis communistes d'Europe créé par les Soviétiques en 1947 et supprimé en 1956. Il permet en réalité au parti communiste de l'URSS de contrôler les autres partis communistes européens.

- **Plan quinquennal** : document officiel qui fixe, à partir de 1928, les objectifs impératifs de la production sur une période de cinq ans.

- **Soviet** : mot russe signifiant « conseil ». En URSS, désigne un organe à la fois législatif et exécutif composé de délégués élus à plusieurs niveaux.

- **URSS** : Union des républiques socialistes soviétiques. État créé en 1922 après la victoire des bolcheviks dans la guerre civile (1917-1922) et qui leur permet d'unifier à leur profit l'ancien empire des tsars de la Russie d'Europe à l'Asie centrale.

Capacités travaillées

I-1 Situer et caractériser une date dans un contexte chronologique

II-1 Cerner le sens général d'un corpus documentaire et le mettre en relation avec la situation historique étudiée

En juillet-août 1945, lors de la conférence de Potsdam dans la banlieue de Berlin, les trois grandes puissances victorieuses du nazisme (États-Unis, Royaume-Uni et URSS) décident de diviser la capitale de l'Allemagne en trois secteurs d'occupation (quatre après l'octroi d'un secteur à la France). Des désaccords entre les Occidentaux et les Soviétiques apparaissent rapidement et ont pour conséquence la partition de la ville entre les deux camps. Berlin devient alors un symbole de la bipolarisation du monde.

▶ **Pourquoi Berlin est-il un lieu emblématique de l'affrontement Est/Ouest pendant la guerre froide ?**

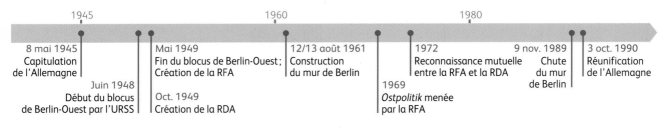

1945	1960	1980

8 mai 1945 Capitulation de l'Allemagne

Juin 1948 Début du blocus de Berlin-Ouest par l'URSS

Mai 1949 Fin du blocus de Berlin-Ouest ; Création de la RFA

Oct. 1949 Création de la RDA

12/13 août 1961 Construction du mur de Berlin

1969 *Ostpolitik* menée par la RFA

1972 Reconnaissance mutuelle entre la RFA et la RDA

9 nov. 1989 Chute du mur de Berlin

3 oct. 1990 Réunification de l'Allemagne

A Le blocus de Berlin

1 ⋮ Le blocus en chiffres

Nombre de vols effectués	278 200, dont 190 000 par les Américains
Quantité de fret acheminée	2,11 millions de tonnes (23 % de nourriture et 68 % de charbon)
Quantité de marchandises livrée chaque jour	8 000 tonnes environ en moyenne

2 ⋮ Les Soviétiques justifient le blocus de Berlin-Ouest

La situation de Berlin ne posait pas de problème jusqu'à ce que les gouvernements de la Grande-Bretagne, des États-Unis et de la France ne procèdent à une réforme monétaire séparée dans les zones occidentales de l'Allemagne et dans les trois secteurs de Berlin. Il est en même temps bien connu que cette réforme monétaire séparée n'était que l'une des dernières mesures qui allaient le plus loin dans la politique de démembrement de l'Allemagne […]. Le blocus de Berlin est le nom donné aux restrictions de transport ordonnées par le Commandement soviétique afin de sauvegarder les intérêts de la population et de protéger la vie économique de la zone soviétique de la désorganisation et de l'effondrement. Ces mesures de protection ne pourront être évitées tant que ne sera pas réglée la question de l'introduction d'une monnaie unique à Berlin, dont la nécessité est aussi reconnue par les gouvernements des trois Puissances. Le tapage fait autour de cette question est voulu par ceux qui essaient d'attiser au maximum les sentiments d'inquiétude, d'alarme et d'hystérie guerrière […].

Note du 3 octobre 1948 du gouvernement soviétique, répondant à la note du 26 septembre de la Grande-Bretagne, des États-Unis et de la France qui dénonçait le blocus.

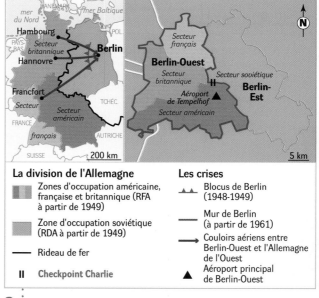

La division de l'Allemagne

▨ Zones d'occupation américaine, française et britannique (RFA à partir de 1949)

▨ Zone d'occupation soviétique (RDA à partir de 1949)

— Rideau de fer

II Checkpoint Charlie

Les crises

▲▲ Blocus de Berlin (1948-1949)

— Mur de Berlin (à partir de 1961)

→ Couloirs aériens entre Berlin-Ouest et l'Allemagne de l'Ouest

▲ Aéroport principal de Berlin-Ouest

3 ⋮ La division de l'Allemagne

> **Vocabulaire et notions**
>
> ● **Blocus** : opération qui vise à bloquer par la force les voies de communication et le ravitaillement d'un territoire.
>
> ● **Checkpoint Charlie** : poste frontière principal à Berlin qui permettait de franchir le mur entre les secteurs est et ouest de la ville.
>
> ● **Conférence de Potsdam** : elle se déroule dans la banlieue de Berlin du 17 juillet au 2 août 1945 entre Harry Truman (président des États-Unis), Joseph Staline (chef de l'URSS) et Winston Churchill puis Clement Attlee (Premiers Ministres britanniques). Son but est d'organiser l'Allemagne de l'après-guerre en la partageant (ainsi que Berlin) en quatre zones d'occupation, la France se joignant à ces trois puissances pour l'occuper.

B Le mur de Berlin

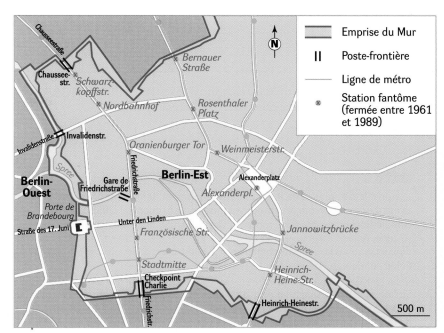

5 | Le centre-ville de Berlin après la construction du mur.

6 | Le président des États-Unis dénonce en 1963 le mur de Berlin

Aujourd'hui dans le monde libre, la plus grande fierté est de proclamer : Ich bin ein Berliner[1]. Il ne manque pas de personnes au monde qui ne veulent pas comprendre ou qui prétendent ne pas vouloir comprendre quelle est la grande différence entre le monde communiste et le monde libre. Qu'elles viennent donc à Berlin. D'autres disent que le communisme, bien qu'étant un système de malheur, nous guide vers le progrès économique. Qu'ils viennent eux aussi à Berlin. [...]

Notre liberté éprouve certes beaucoup de difficultés et notre démocratie n'est pas parfaite. Cependant, nous n'avons jamais eu besoin, nous d'ériger un Mur pour empêcher notre peuple de s'enfuir. [...]

Tous les hommes libres, où qu'ils vivent, sont citoyens de cette ville de Berlin-Ouest, et pour cette raison, en ma qualité d'homme libre, je dis avec fierté : Ich bin ein Berliner.

Discours de John F. Kennedy, président des États-Unis,
sur la place Rudolph-Wilde à Berlin-Ouest (26 juin 1963).

1. Je suis un Berlinois.

4 | Une ville coupée en deux

Le 13 août 1961, alors que le mur vient d'être érigé dans la nuit, les habitants des immeubles qui se retrouvent coincés à l'Est ont des gestes désespérés. C'est le cas de cet homme qui lance son petit garçon à des pompiers de l'Ouest. L'enfant survivra.

7 | La chute du mur de Berlin dans la nuit du 9 au 10 novembre 1989
Photo prise devant la porte de Brandebourg.

BAC

Consigne 1. D'après les documents 2 et 3, montrez que le blocus de Berlin concrétise la rupture entre les deux blocs au début de la guerre froide.

Consigne 2. À partir de l'étude des documents 4 et 6, vous expliquerez que la construction du mur de Berlin a aggravé le sort des habitants de la ville.

Pour vous aider

– Identifier les conséquences de la construction du mur de Berlin pour les habitants de la ville (doc. 4 et 6).
– Expliquer pourquoi ce mur démontre pour Kennedy la supériorité du « monde libre » sur le modèle communiste (doc. 6).

Consigne 3. À partir de l'étude des documents 6 et 7, montrez que le mur de Berlin a été un symbole de la guerre froide.

1 Berlin, enjeu et théâtre de la guerre froide

L/ES **S** ▶ Pourquoi les crises de Berlin sont-elles caractéristiques de l'affrontement Est/Ouest ?

A Le premier affrontement direct de la guerre froide : le blocus de Berlin

Étude pages 142-143 + doc. 3

▪ Après la conférence de Potsdam, l'Allemagne et Berlin sont divisées en quatre zones d'occupation par les grands vainqueurs de la guerre : l'URSS à l'Est, les États-Unis, le Royaume-Uni et la France à l'Ouest. L'URSS impose le communisme dans sa zone. Après la bipolarisation du monde en 1947, les Occidentaux entreprennent dans leurs zones la reconstruction d'un État ouest-allemand fédéral et démocratique, dirigé par Konrad Adenauer de 1949 à 1963.

▪ En juin 1948, pour protester contre l'unification monétaire des zones occidentales, Staline met Berlin-Ouest en état de blocus. **Les Occidentaux organisent alors le plus important pont aérien de l'Histoire pour ravitailler une population coupée du monde**. Devant leur détermination, le blocus est levé en mai 1949.

▪ **La crise accélère la partition de l'Allemagne en deux États aux modèles politiques et économiques opposés. La République fédérale d'Allemagne** (RFA) est créée par les Occidentaux le 8 mai 1949 : elle entre dans l'OTAN en 1955 et est en partie réarmée. De son côté la **République démocratique allemande** (RDA), communiste, est créée à l'Est le 7 octobre 1949 et intègre le pacte de Varsovie en 1955. La division de l'Allemagne et de Berlin est le symbole de la guerre froide.

B Le « mur de la honte » coupe la ville en deux

Étude pages 142-143 + doc. 1 et 2

▪ La partie occidentale de Berlin demeure un îlot démocratique au cœur de la RDA. **Des milliers d'Allemands de l'Est s'y rendent chaque jour pour « passer à l'Ouest »**. De 1945 à 1961, plus de trois millions de personnes, souvent jeunes et instruites, « votent avec leurs pieds ».

▪ **En 1958, le dirigeant soviétique Khrouchtchev propose d'unir toute la ville de Berlin à la RDA et lance un ultimatum aux Occidentaux**. La crise est sérieuse mais les Alliés refusent de traiter de la question berlinoise en dehors du cas de l'ensemble de l'Allemagne.

▪ **Dans la nuit du 12 au 13 août 1961, pour stopper l'hémorragie qui s'aggrave, les autorités de la RDA érigent un mur rendant impossible tout passage à l'Ouest.** C'est un drame pour la population de Berlin, et ce « mur de la honte » symbolise l'échec du communisme. En juin 1963, le président américain John F. Kennedy vient assurer la population de Berlin-Ouest de son soutien. Son discours se conclut sur les mots retentissants : « *Ich bin ein Berliner* » (« Je suis un Berlinois »).

C La chute du mur et la réunification de Berlin

Étude pages 142-143

▪ **Ancien maire de Berlin-Ouest, le chancelier Willy Brandt (1969-1974) engage une politique de détente avec la RDA (*Ostpolitik*)** : en 1972, les deux Allemagne se reconnaissent mutuellement. Les Allemands de l'Ouest peuvent désormais se rendre sous conditions à Berlin-Est. Aucun passage vers l'Ouest n'est cependant possible pour les Berlinois de l'Est.

▪ **En 1985, Mikhaïl Gorbatchev arrive au pouvoir en URSS : il entame de vastes réformes et met fin à la guerre froide**. En octobre 1989, des manifestations populaires secouent la RDA. Le 18, le dirigeant communiste Erich Honecker, hostile à tout changement, est destitué par ses collègues réformateurs.

▪ Le soir du 9 novembre, par erreur, le porte-parole du nouveau gouvernement est-allemand annonce prématurément à la presse l'ouverture du mur « dès maintenant ». **La population de Berlin-Est se précipite dès lors en pleine nuit vers le mur, où les gardes-frontières, débordés, finissent par la laisser passer : le mur tombe pacifiquement dans l'allégresse générale**. Le chancelier de la RFA, Helmut Kohl (1982-1998), organise aussitôt la réunification allemande, effective dès le 3 octobre 1990.

Biographie

Konrad Adenauer (1876-1967)
Cet ancien maire de Cologne et opposant au nazisme est régulièrement réélu chancelier entre 1949 et 1963, « l'ère Adenauer » de la RFA. Ce chrétien-démocrate (CDU) engage son pays dans le camp occidental et se réconcilie avec la France du général de Gaulle.

Biographie

John Fitzgerald Kennedy (1917-1963)
Issu d'une riche famille catholique d'origine irlandaise, démocrate, il est élu à la Chambre des représentants en 1946 puis au Sénat en 1952. En novembre 1960, il devient le plus jeune président des États-Unis. Il tient un discours ferme face à l'URSS lors de la crise de Cuba en octobre 1962 et à Berlin en juin 1963. Il facilite alors la détente. Le 22 novembre 1963, il est assassiné à Dallas au Texas.

Vocabulaire et notions

• **OTAN (ou NATO en anglais)** : Organisation du traité de l'Atlantique Nord. Créée en 1949, cette alliance militaire défensive regroupe les États-Unis, le Canada, la Turquie et plusieurs pays d'Europe occidentale et méditerranéenne. Son but est d'assurer leur défense commune contre la menace soviétique. Elle survit à la fin de la guerre froide et compte 28 membres en 2014 dont d'anciens pays communistes comme la Pologne.

• **Pacte de Varsovie** : organisation militaire créée en 1955 entre l'URSS et ses satellites d'Europe de l'Est pour assurer leur sécurité face notamment à la menace américaine. Elle est dissoute en 1990.

• **RDA** : République démocratique allemande (État communiste) créée le 7 octobre 1949 sur l'ancienne zone d'occupation soviétique. Sa capitale est Berlin-Est.

• **RFA** : République fédérale d'Allemagne (démocratie libérale) créée le 23 mai 1949 sur les anciennes zones d'occupation occidentale. Sa capitale est Bonn.

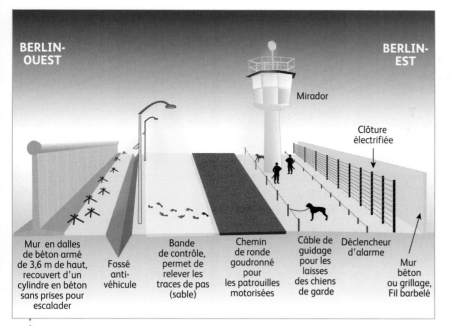

Longueur du mur	155 kilomètres, dont 43 kilomètres entre Berlin-Est et Berlin-Ouest.
Système de protection	302 miradors, 259 postes de chiens de garde, 14 000 gardes-frontières.
Conséquences pour la ville	193 rues coupées, fermeture de 11 des 33 stations de métro de Berlin-Est.
Évasions	5 075 personnes ont réussi à passer le mur pour rejoindre Berlin-Ouest entre 1961 et 1989, certains en montgolfière, d'autres par les égouts ou par des tunnels.
Victimes du mur	262 morts entre 1961 et 1989.

2 **Le mur de Berlin en chiffres**

1 **Le fonctionnement du mur de Berlin dans les années 1980**

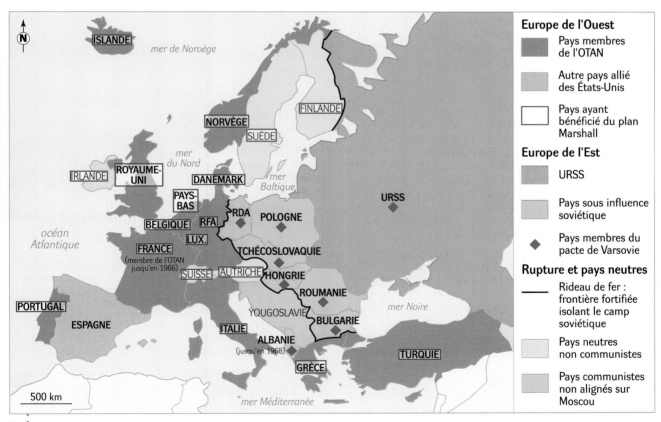

3 **L'Europe coupée en deux.**

Questions

1. Quels sont les moyens de sécurité mis en place par la RDA pour éviter tout franchissement du mur ? (doc. 1 et 2)

2. Dans quelle mesure le mur est-il un système efficace pour éviter les départs vers la partie occidentale de la ville ? (doc. 2)

3. Pourquoi l'Allemagne est-elle un enjeu entre les deux Grands pendant la guerre froide ? (doc. 2 et 3)

4. D'après la carte (doc. 3), pourquoi l'Europe est-elle le symbole de la bipolarisation du monde ?

La crise de Cuba en 1962 : le monde au bord de la troisième guerre mondiale

Capacités travaillées

I-1 Situer et caractériser une date dans un contexte chronologique

I-2 Situer un événement dans le temps court et dans le temps long

Du 15 au 28 octobre 1962 a lieu la crise de Cuba, à seulement 150 km des côtes américaines. Fidel Castro, arrivé au pouvoir en 1959 après une révolution, s'est tourné vers l'URSS devant l'hostilité américaine à son égard. Des rampes de lancement de fusées orientées vers le territoire américain sont installées, tandis que des cargos soviétiques transportent des têtes nucléaires vers l'île. Les États-Unis réagissent vivement et entament un bras de fer direct avec l'URSS. Le monde redoute alors un possible cataclysme nucléaire.

▶ **Comment la crise de Cuba rend-elle possible la détente ?**

16 octobre 1962 — Crise de Cuba — 28 oct. 1962

Début de crise						Fin de crise
16 oct. Kennedy est informé des sites de missiles à Cuba		**22 oct.** Discours télévisé de Kennedy à la nation américaine	**23 oct.** Négociations URSS/États-Unis	**24 oct.** Khrouchtchev stoppe les navires soviétiques	**27 oct.** Nouvelles négociations	

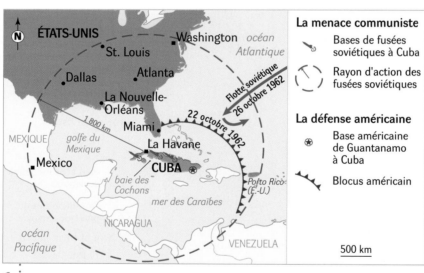

1 **La menace nucléaire sur le territoire américain**

2 **La peur de l'affrontement direct**
Interception du cargo soviétique *Mettalurg Anasov*, le 10 novembre 1962, par un avion patrouilleur et un destroyer américains. Cliché de l'US National Museum of Naval Aviation, Pensacola, Floride.

3 **Les États-Unis face à la crise**

Bonsoir mes compatriotes,

Fidèle à sa promesse, le gouvernement a continué de surveiller de très près les préparatifs militaires soviétiques à Cuba. Au cours de la dernière semaine, nous avons eu des preuves incontestables de la construction de plusieurs bases de fusées dans cette île opprimée. Ces sites de lancement ne peuvent avoir qu'un but : la constitution d'un potentiel nucléaire dirigé contre l'hémisphère occidental. [...] Cette transformation précipitée de Cuba en importante base stratégique, par suite de la présence de ces puissantes armes offensives à long rayon d'action et qui ont des effets de destruction massive, constitue une menace précise à la paix et à la sécurité de toutes les Amériques. [...] Notre pays est contre la guerre. Nous sommes également fidèles à notre parole. Notre détermination inébranlable doit donc être d'empêcher l'utilisation de ces missiles contre notre pays ou n'importe quel autre, et d'obtenir leur retrait de l'hémisphère occidental. [...] Toute fusée nucléaire lancée à partir de Cuba, contre l'une des nations de l'hémisphère occidental, sera considérée comme l'équivalent d'une attaque soviétique contre les États-Unis, attaque qui entraînerait des représailles massives contre l'Union soviétique. [...] Je fais appel à M. Khrouchtchev afin qu'il mette fin à cette menace.

Extraits du discours télévisé du président John Fitzgerald Kennedy à la nation américaine, 22 octobre 1962.

4 **Khrouchtchev analyse la crise de Cuba comme une victoire soviétique**

Nous avons arraché aux États-Unis l'engagement de ne pas envahir Cuba et de ne pas le permettre à leurs alliés latino-américains. Nous avons réussi tout cela sans guerre nucléaire.

Nous pensons qu'il faut profiter de toutes les possibilités pour défendre Cuba, pour renforcer son indépendance et sa souveraineté, pour faire échouer l'agression militaire et pour empêcher la guerre mondiale thermonucléaire dans l'étape actuelle. Et nous avons réussi. [...]

Nous considérons que l'agresseur a subi une défaite. Il se préparait à attaquer Cuba, mais nous l'avons arrêté et nous l'avons obligé à reconnaître devant l'opinion publique mondiale qu'il ne le fera pas au stade actuel. Nous considérons cela comme une grande victoire. Évidemment, les impérialistes ne cesseront pas la lutte contre le communisme. Mais nous avons aussi nos projets et nous allons prendre nos décisions. Ce processus de lutte continuera tant qu'il existera dans le monde deux systèmes politico-sociaux, tant que l'un de ces deux systèmes, et nous savons que ce sera notre système communiste, n'aura pas triomphé dans le monde entier.

Lettre du 30 octobre 1962 de Nikita Khrouchtchev à Fidel Castro, reproduite dans *Le Monde* le 24 novembre 1990.

5 **La crise de Cuba vue par un caricaturiste allemand.**
Caricature de Fritz Behrendt, octobre 1962.

6 **Kennedy justifie la détente moins de 8 mois après la crise de Cuba**

La guerre totale est absurde en un âge où les grandes puissances peuvent maintenir de puissantes forces nucléaires relativement invulnérables et refuser de capituler sans avoir recours à ces forces. [...] Aujourd'hui, les milliards de dollars que nous dépensons tous les ans pour nous procurer des armes dans l'intention de nous assurer que nous n'aurons jamais besoin de les utiliser sont indispensables au maintien de la paix. Mais, sans aucun doute, l'acquisition de tels stocks inactifs – qui ne peuvent que détruire et jamais créer – n'est pas le seul moyen, et encore moins le moyen le plus efficace d'assurer la paix. [...] La paix mondiale, comme la paix locale, n'exige pas que chaque homme aime son voisin. Elle exige que tous vivent en intelligence, soumettant leurs différends à un monde d'arbitrage juste et pacifique. [...]

Nous, Américains, nous avons une aversion profonde pour le communisme, en tant qu'il constitue une négation de la liberté et de la dignité de la personne. Mais nous pouvons encore rendre hommage au peuple russe pour ses nombreuses réalisations dans le domaine de la science et de l'espace, du développement économique et industriel, de la culture et du courage. [...] Nous ne voulons pas imposer notre système à tout un peuple qui n'en veut pas, mais nous voulons et nous pouvons nous engager dans une compétition pacifique avec n'importe quel autre système sur la Terre.

Discours de John F. Kennedy à Washington le 10 juin 1963.

BAC

Consigne 1. Après avoir présenté les documents 3 et 5, montrez en quoi la crise de Cuba cristallise l'apogée de l'affrontement de deux puissances et de deux idéologies pendant la guerre froide.

Pour vous aider
– Identifier la position de Kennedy face à une éventuelle guerre (doc. 3).
– Montrer la détermination des Américains à agir en cas de conflit (doc. 3 et 5).

Consigne 2. D'après le document 4, montrez que le dénouement de la crise de Cuba permet de parler d'« équilibre de la terreur » pendant la guerre froide puis évoquez les limites de l'analyse de l'auteur concernant la fin de cette crise.

Consigne 3. En étudiant le document 6, expliquez les principes de la détente issue de la crise de Cuba.

Capacités travaillées

II-1 Cerner le sens général d'un corpus documentaire et le mettre en relation avec la situation historique étudiée

II-1 Critiquer des documents de types différents

En 1954, l'indépendance du Vietnam provoque sa partition en deux États : le Nord devient un régime communiste et le Sud une République pro-américaine. À partir de 1960, au Sud, une guérilla menée par les communistes, le Viêt-cong, soutenue par le Nord, fragilise le gouvernement appuyé par les États-Unis. En 1964, ces derniers interviennent directement, engageant des troupes sur le terrain. Mais pour la première fois, une guerre se termine par un échec pour les États-Unis. En 1975, avec la victoire du Nord, le Vietnam est réunifié et devient totalement communiste.

▶ **Pourquoi les États-Unis sont-ils intervenus au Vietnam et pourquoi y ont-ils connu un échec ?**

1954
Fin de la guerre d'Indochine et partition du Vietnam en deux États indépendants

1960
Envoi des premiers « conseillers militaires » américains à Saigon

1965
Premiers bombardements américains sur le Nord-Vietnam

1968
Offensive Viet-Cong du Têt. 500 000 soldats américains au Vietnam

1969
Début du retrait américain

1973
Accords de Paris ; retrait total des Américains

1975
Fin de la guerre ; réunification du Vietnam qui devient communiste

1 : La guerre du Vietnam en chiffres

	États-Unis	Vietnam
Nombre de victimes (entre 1965 et 1975)	57 000 morts et 153 000 blessés sur les 8 millions de soldats mobilisés	– Nord-Vietnam : 1,5 million dont une majorité de civils – Sud-Vietnam : 700 000 dont une majorité de civils
Coût matériel	– 7 millions de tonnes de bombes utilisées pendant le conflit – 8 590 avions et hélicoptères détruits	– Des milliers d'avions abattus – Des millions de tonnes de bombes utilisées
Coût financier	120 à 170 milliards de dollars	Des milliards de dollars de dégâts (villages détruits, infrastructures inutilisables, terres agricoles stérilisées par les bombes, forêts dévastées par le défoliant toxique dit « l'agent orange »…)

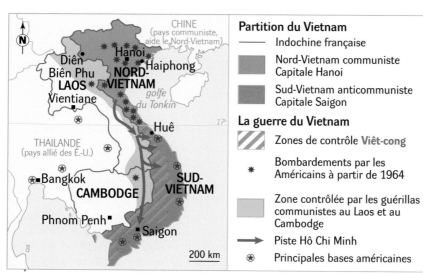

Partition du Vietnam

— Indochine française

▨ Nord-Vietnam communiste Capitale Hanoi

▨ Sud-Vietnam anticommuniste Capitale Saigon

La guerre du Vietnam

▨ Zones de contrôle **Viêt-cong**

✳ Bombardements par les Américains à partir de 1964

▨ Zone contrôlée par les guérillas communistes au Laos et au Cambodge

→ Piste Hô Chi Minh

✵ Principales bases américaines

2 : Un pays coupé en deux, symbole de la guerre froide

3 : Le président Johnson justifie « l'endiguement »

Nous y sommes [au Sud-Vietnam] parce que nous avons une promesse à tenir. Depuis 1954 chaque président américain a offert son soutien au peuple du Sud-Vietnam. Nous l'avons aidé à se construire et nous l'avons aidé à se défendre. […] Nous y sommes aussi pour renforcer l'ordre mondial. Sur la terre entière, de Berlin à la Thaïlande, il y a des peuples dont le bien-être repose en partie sur la certitude de pouvoir compter sur nous s'ils sont attaqués. Abandonner le Vietnam à son destin ébranlerait la confiance de tous ces peuples dans la valeur d'un engagement américain et dans la valeur de la parole de l'Amérique. Le résultat serait plus de troubles et plus d'instabilité, et même plus de guerres. Nous y sommes aussi parce qu'il y a de grands enjeux dans la balance. Que personne ne pense un instant que notre retrait du Vietnam mettrait un terme au conflit. La bataille reprendrait dans un pays, puis dans un autre. […] Se retirer d'un champ de bataille signifie seulement se préparer pour le prochain.

Discours du président Lyndon B. Johnson à l'université Johns-Hopkins à Baltimore, 7 avril 1965.

4 : L'armée américaine face à la guérilla

Ce qui m'a réellement tracassé, c'est que j'ai vu là-bas [au Vietnam] certaines choses qui m'ont semblé incompatibles avec l'idéal auquel on m'avait appris à croire […], moi un militaire, le combattant d'un pays qui avait contribué de façon héroïque à la défaite des Allemands et des Japonais, moi qui étais censé être un brave type. […] J'ai vu une cruauté et une brutalité que je ne m'attendais pas à trouver chez nos compatriotes face aux villageois. Il m'a fallu un moment pour comprendre pourquoi tout ceci était arrivé là-bas. Dans ce type de combat, il était presque impossible de savoir, à chaque instant, qui était l'ennemi. Les enfants étaient suspects, les femmes étaient suspectes. Souvent, les soldats de l'armée sud-vietnamienne avaient un pied dans chaque camp. Leur armée était infiltrée par le Viêt-cong ou par des gens qui étaient politiquement incertains et qui pouvaient changer de bord comme on change de chemise. Par exemple, lorsque nous effectuions une patrouille de plusieurs semaines dans une zone rurale et que nous continuions de perdre des hommes qui tombaient dans des pièges minés et que les gens des villages prétendaient qu'ils ne savaient rien de ces pièges, suivaient les mêmes chemins que nous mais sans jamais marcher dessus, il devenait évident que ces villageois étaient informés par le Vietcong de l'emplacement de ces pièges minés.

> Témoignage d'un ancien combattant américain au Sud-Vietnam en 1967-1968 : Al Santoli, *Everything we Had, an oral history of the Vietnam War*, trad. F. Brunel, New York, Random House, 1981, p. 68-69.

5 : Évacuation de blessés américains

La 1re division de marines évacue des blessés par hélicoptère au Vietnam, 1966.

6 : Une population civile meurtrie

Une enfant vietnamienne brûlée au napalm par un bombardement américain en avril 1969. Kim Phuc a survécu et vit au Canada.
Cliché du photographe vietnamien Huynh Cong Ut, diffusé seulement en juin 1972.

Biographie

Hô Chi Minh (1890-1969)

Dirigeant communiste, il proclame l'indépendance de son pays le 2 septembre 1945. Mais l'échec des négociations avec la France provoque la guerre d'Indochine en 1946. Il conduit alors la guerre d'indépendance jusqu'à la victoire de 1954 et devient le chef de la République populaire du Nord-Vietnam après la partition du pays. Au début des années 1960, il soutient la guérilla communiste menée au Sud-Vietnam. Il accepte en 1968 des négociations de paix. Elles n'aboutissent qu'en janvier 1973, quatre ans après sa mort.

L'art et l'opposition à la guerre du Vietnam

Capacité travaillée

II-1 Prélever, hiérarchiser et confronter des informations selon des approches spécifiques en fonction des documents

Pendant la guerre du Vietnam, la liberté de la presse aux États-Unis permet aux photographes de diffuser des images du conflit, de ses atrocités, mais aussi de ses opposants. Elles participent aux contestations multiformes qui existent sur le sol même des États-Unis. Les Nord-Vietnamiens utilisent les photographies à des fins de propagande. Certaines d'entre elles inspirent des peintres qui les détournent et qui en font à leur tour des œuvres de dénonciation de la guerre.

▶ Comment l'art exprime-t-il l'opposition à la guerre du Vietnam ?

A La photographie de presse dans l'opposition à la guerre du Vietnam

Le 21 octobre 1967, plus de 100 000 manifestants, essentiellement des jeunes aux côtés de nombreux artistes et intellectuels, défilent à Washington pour protester contre l'intervention américaine au Vietnam. Pour les contrôler, la Maison-Blanche déploie plusieurs milliers de policiers et de soldats. Mais les étudiants réussissent à forcer les barrages et à pénétrer dans l'enceinte du ministère de la Défense. Plusieurs centaines de personnes sont arrêtées.

❶ Le Pentagone : ministère de la Défense américain.
❷ Les étudiants qui s'opposent. Attitude offensive.
❸ Le fossé de séparation et d'incompréhension.
❹ La police militaire, immobile, sauf le deuxième soldat qui fléchit sa jambe gauche. Elle est sur la défensive.

1 **Un cliché emblématique de l'opposition à la guerre du Vietnam**
Le 21 octobre 1967, des manifestants pénètrent dans le ministère de la Défense à Washington.
Crédit photographique : USA Bettmann/Corbis Standard RM

Point méthode : Analyser une photographie

A **Présenter le document : auteur, date, lieu, contexte.**
  – **Ne pas confondre l'auteur**, non mentionné ici, et l'agence photographique qui est à l'origine de la diffusion du cliché.
  – **La date et le contexte** sont particulièrement importants parce qu'ils permettent de situer ce document par rapport au déroulement de la guerre du Vietnam.
  – **Le lieu** enfin n'est pas neutre : pourquoi cette manifestation a-t-elle lieu à Washington ? Pourquoi le Pentagone est-il la cible de la jeunesse ?

B **Décrire la photographie**
  – **Distinguez les différents plans** : quelles sont les attitudes de chacun des groupes ? Pourquoi la photo illustre-t-elle bien le fossé qui existe entre ces étudiants et la police militaire ?
  – Comment le photographe réussit-il à rendre visible le **malaise dans la société américaine** ?

C **Interpréter la photographie**
  – Pourquoi donne-t-elle l'**impression d'un équilibre** entre les deux camps ?
  – Pourquoi cette scène présente-t-elle un **intérêt** pour un photographe professionnel ?
  – Peut-on dire que le **photographe est neutre** entre les deux groupes qui s'opposent par rapport au cliché ? Pourquoi ?

Le point sur le rôle de la photographie de presse dans la société américaine des années 1960

• Les médias soutenant au départ l'intervention au Vietnam, l'armée américaine les laisse libres d'y filmer ou d'y photographier ce qu'ils veulent. Or, tout au long de la guerre, des photographes de presse diffusent des images de mutilations, de bombardements au napalm ou de soldats blessés dans les deux camps. La presse étant à l'époque un média de masse, elles sont largement vues. Les clichés nourrissent ainsi de nombreuses contestations sur le sol même des États-Unis. Les manifestations se multiplient au fil des ans, participant à l'impopularité de la guerre et contribuant au retrait progressif des troupes.

2 La photographie de presse à la une des magazines
Photographie de l'Américain Eddie Adams qui montre l'exécution sommaire, le 1er février 1968 dans une rue de Saigon, d'un criminel de guerre Viêt-cong par le chef de la police sud-vietnamienne alliée des Américains dans la guerre contre les communistes. Elle est publiée à la une de nombreux journaux du monde entier, choque l'opinion américaine, et Eddie Adams obtient grâce à elle le prix Pulitzer en 1969.

B De la photographie de propagande à la peinture engagée

3 La capture d'un prisonnier américain
Capture par une femme soldat du Nord-Vietnam de William A. Robinson, membre de l'équipage d'un hélicoptère de secours de l'armée américaine, le 20 septembre 1965. Cette image a été prise par un photographe vietnamien. Le soldat américain n'est libéré qu'en 1973.

4 Vietnam. *La bataille du riz.*
Gilles Aillaud (1928-2005), huile sur toile (200 x 200 cm), 1968, Collection particulière.

Consigne BAC

Après avoir replacé le document 4 dans son contexte, vous montrerez comment il rend compte de l'engagement artistique contre la guerre du Vietnam.

Pour réaliser ce tableau, Gilles Aillaud (1928-2005) s'est inspiré de la photographie du document 3. Son œuvre est présentée pour la première fois au public en janvier 1969 au musée d'Art moderne de la Ville de Paris, dans le cadre de l'exposition « Salle rouge pour le Vietnam » organisée par le Salon de la Jeune Peinture. Une vingtaine d'artistes engagés y apportent leur soutien politique au peuple vietnamien. Le tableau d'Aillaud devient un emblème de l'opposition des artistes occidentaux à la guerre du Vietnam.

2 Crises et détente durant les années 1960 et 1970

A La crise de Cuba (1962) : l'angoisse de la guerre nucléaire

Étude pages 146-147 + doc. 4

▪ **En 1959 à Cuba, Fidel Castro, Che Guevara et leurs guérilleros renversent la dictature de Batista, proche des États-Unis.** Castro met en œuvre une réforme agraire et des nationalisations qui menacent les intérêts américains. Ses relations avec les États-Unis se détériorent et il se tourne vers l'URSS. En avril 1961, dans la baie des Cochons, il fait échec à une tentative de débarquement des exilés anticastristes, soutenue par la CIA. Ce fiasco humilie les États-Unis, mais persuade aussi Cuba de demander en secret des armes nucléaires à l'URSS pour garantir sa sécurité.

▪ **Le 15 octobre 1962, des avions espions américains découvrent les rampes de lancement pour missiles pointées vers le territoire américain**, tandis que des cargos soviétiques en route vers Cuba sont repérés, avec des têtes nucléaires à bord. Le président Kennedy met Cuba en « quarantaine » et envoie sa flotte intercepter les navires. Les tensions font craindre le début d'une guerre nucléaire.

▪ **Mais Khrouchtchev préfère céder** : le 28 octobre, ses cargos font demi-tour. En échange, les Américains n'envahissent pas Cuba et retirent leurs missiles de Turquie et d'Iran. C'est l'équilibre de la terreur.

B La détente et ses manifestations dans le monde

Étude pages 146-147 + doc. 1, 2 et 3

▪ **La crise de Cuba fait prendre conscience des dangers que la course aux armements fait courir au monde.** D'où le désir d'améliorer les relations entre les deux blocs à partir de la fin de l'année 1962 : c'est la détente.

▪ À partir de juin 1963, un « téléphone rouge » relie directement la Maison-Blanche et le Kremlin. **Plusieurs traités concrétisent la volonté de limiter les armements.** En 1975, la conférence d'Helsinki confirme les frontières européennes de 1945, à la satisfaction de l'URSS, qui accepte en échange de signer – sans l'appliquer – un document garantissant le respect des droits de l'homme. C'est l'apogée de la détente.

▪ **La détente se manifeste aussi par la connivence des deux Grands dans la gestion du monde** : chacun a son aire d'influence et n'intervient pas dans celle de l'autre. Les rencontres au sommet et les gestes symboliques se multiplient, ainsi les rencontres rencontre de spationautes américains et cosmonautes soviétiques dans l'espace.

C Des tensions périphériques toujours vives : la guerre du Vietnam **Études** pages 148-149 et 150-151

▪ Depuis l'indépendance du Vietnam en 1954, le pays est divisé de part et d'autre du 17e parallèle. Le Nord, communiste, est dirigé par Hô Chi Minh et soutenu par l'URSS. Le Sud est anti-communiste et pro-américain. Dès 1954, le président américain Eisenhower expose la « théorie des dominos » : la chute d'un seul pays aux mains des communistes entraînerait celle des pays voisins. Il envoie des conseillers militaires au Sud-Vietnam. En 1961, son successeur Kennedy, devant l'extension de la guérilla communiste du Viêt-cong encouragée par le Nord, fournit davantage d'assistance et de conseillers. **Le président Johnson, en 1964, choisit « l'escalade » : les États-Unis engagent désormais des troupes considérables.**

▪ Les moyens déployés sont gigantesques et destructeurs : bombardiers, hélicoptères, bombes au napalm, « agent orange » – un défoliant très toxique. Le Nord-Vietnam est constamment bombardé. **La « sale guerre », meurtrière et traumatisante pour les soldats américains, suscite une désapprobation mondiale et la contestation d'une partie de la population américaine.** En 1968, l'enlisement américain est évident et Johnson se résout à entamer des négociations de paix.

▪ Le président Richard Nixon, élu en 1969, engage la « vietnamisation » du conflit. Au terme des accords de Paris (27 janvier 1973), les Américains quittent définitivement le Vietnam. Le Nord en profite pour envahir le Sud. Le 30 avril 1975, sa victoire permet la réunification du pays. **La guerre a humilié et amoindri la puissance américaine, tenue en échec pour la première fois et moralement discréditée.**

1 ⋮ **La détente dans l'espace**
Rencontre dans l'espace des vaisseaux Soyouz (URSS) et Apollo (États-Unis) en juillet 1975.

Biographie

Nikita Khrouchtchev (1894-1971)
Secrétaire général du Parti communiste soviétique à la mort de Staline en 1953. En février 1956, au XXe congrès du PCUS, il dénonce une partie des crimes de Staline et souhaite réformer le système. Il engage aussi la « coexistence pacifique » avec les États-Unis, mais les oppositions sont fortes pendant les crises de Berlin en 1961 et de Cuba en 1962. En 1964, un complot interne au Parti le démet de toutes ses fonctions.

Vocabulaire et notions

• **CIA** (Central Intelligence Agency) : services secrets américains à l'étranger créés en 1947 dans le contexte de la guerre froide.

• **Équilibre de la terreur** : stratégie d'armement commune aux États-Unis et à l'URSS. Elle débouche sur un système de dissuasion nucléaire pour éviter la destruction de chaque camp.

• **« Grands »** : désigne les deux superpuissances mondiales pendant la guerre froide, les États-Unis et l'URSS.

• **Réforme agraire** : réforme qui donne des terres aux paysans pour qu'ils les cultivent, en les confisquant à leurs propriétaires et sans indemnisation dans le cas des pays communistes.

• **Théorie des dominos** : théorie américaine selon laquelle il faut éviter qu'un pays ne bascule dans le communisme pour ne pas déstabiliser les États qui l'entourent.

2 La course aux armements. Les forces militaires dans les deux camps (chiffres maximaux)

	OTAN	Pacte de Varsovie
Chars et véhicules blindés	65 000	90 000
Navires de guerre	700	233
Avions de combat	2 100	2 900
Ogives nucléaires	25 956	21 205
Soldats	8 500 000	7 500 000
Sous-marins	121 (dont 50 nucléaires)	373 (dont 82 nucléaires)

3 Les principaux accords de la détente

Août 1963	Traité de Moscou qui interdit les expériences nucléaires dans l'atmosphère et dans la mer.
Janvier 1967	Traité qui interdit la militarisation de la Lune et des corps célestes.
Juillet 1968	Traité de non-prolifération des armes nucléaires (initialement signé par 43 pays s'engageant à ne pas diffuser ou acquérir la Bombe et ses technologies).
Avril 1972	Traité qui interdit les armes biologiques.
Mai 1972	Accords SALT I (*Strategic Arms Limitation Talks*) qui visent à limiter le nombre d'armes stratégiques.
Juillet 1974	Accords sur la limitation des expériences nucléaires souterraines.
Août 1975	Accords d'Helsinki sur la sécurité en Europe.
Juin 1979	Accords SALT II sur la limitation des armes stratégiques (jamais ratifiés en raison de l'invasion soviétique en Afghanistan à Noël 1979).

4 Typologie des crises de la guerre froide

LES PRINCIPALES CRISES DE LA GUERRE FROIDE entre les États-Unis et l'URSS	Pays tiers impliqué	Dates	Durée approximative de la crise	Combats engagés par les forces armées de l'une des superpuissances	Usage envisagé de l'arme nucléaire	Risque de généralisation du conflit
Berlin	RFA/RDA	1948-1949	1 an	NON	NON	Moyen
Corée	Chine, Corée du Nord, Corée du Sud	1950-1953	3 ans	OUI (États-Unis)	OUI	Important
Cuba	Cuba	1962	Deux semaines	NON	OUI	Très important
Vietnam	Vietnam, Laos, Cambodge	1964-1975	11 ans	OUI (États-Unis)	NON	Moyen
Afghanistan	Pakistan	1979-1989	10 ans	OUI (URSS)	NON	Faible

5 La détente entre les États-Unis et l'URSS
Le président Richard Nixon reçoit le dirigeant soviétique, Leonid Brejnev, à Washington en juin 1973.

Questions

1. Dans quelle mesure les chiffres du document 2 montrent-ils les nécessités d'une détente entre les deux Grands ?

2. Pourquoi peut-on parler d'un équilibre de la terreur entre les blocs (doc. 2) ?

3. Les principaux accords de la détente favorisent-ils le désarmement (doc. 3) ?

4. Pourquoi faut-il plutôt parler d'une volonté de non-prolifération des armes plus que d'une volonté de sortir de la course aux armements (doc. 2 et 3) ?

5. D'après le document 4, quelles sont les crises les plus graves de la guerre froide ? L'intensité d'une crise se mesure-t-elle à sa durée ?

La guerre du Golfe (1990-1991) : les espoirs d'un nouvel ordre mondial

La guerre du Golfe commence le 2 août 1990 lorsque l'Irak de Saddam Hussein envahit le Koweït. Le 29 novembre, un ultimatum de l'ONU enjoint à l'Irak de se retirer du Koweït avant le 15 janvier suivant. À cette date, les troupes d'une coalition internationale de 29 pays, menée par les États-Unis, passent à l'action. Le 28 février, l'intervention se solde par la libération du Koweït. La guerre du Golfe est présentée par les États-Unis comme la promesse d'un « nouvel ordre mondial » reposant sur le multailatéralisme.

▶ Pourquoi la guerre du Golfe ouvre-t-elle une période d'hyperpuissance pour les États-Unis ?

1990			**1991**		

Guerre du Golfe

2 août	8 août	29 nov.	16 jan.	28 fév.	Mars
L'Irak envahit le Koweït ; Réaction immédiate des É-U et de l'ONU	Annexion du Koweït par l'Irak	Ultimatum du Conseil de sécurité de l'ONU à l'Irak autorisant l'emploi de la force	Début de l'opération *Tempête du désert*	Libération du Koweït	Début des massacres de Chiites et de Kurdes en Irak par Saddam Hussein

1 La guerre du Golfe en chiffres

Les forces en présence

Forces alliées	Troupes au sol	Chars	Forces aériennes
États-Unis	350 000	2 000	1 000 avions d'attaque
Grande-Bretagne	25 000	157	60
Arabie Saoudite	20 000	200	138
France	12 000	140	50
Égypte	30 000	300	–
Syrie	20 000	–	–
Forces irakiennes	350 000	4 300	500

Le bilan humain en chiffres

	Engagés	Blessés	Tués ou disparus
Militaires américains	537 000	213	246
Militaires britanniques	36 000	13	26
Militaires français	14 000	41	5
Civils et militaires irakiens	–	Selon les sources irakiennes : 60 000	Selon les sources alliées : entre 85 000 et 100 000 Selon les sources irakiennes : 20 000
Militaires envoyés par les pays arabes	180 000	206	54

D'après Sophie Chautard, *Les conflits du XXe siècle*, Studyrama perspectives

Vocabulaire et notions

• **Armes de destruction massive** : par opposition aux armes dites conventionnelles, il s'agit d'armes nucléaires, biologiques ou chimiques.

• **Ligue arabe** : organisation régionale fondée au Caire en 1945 dont l'objectif est de coordonner la politique des pays arabes.

• **Multilatéralisme** : coopération interétatique dans la gestion des relations internationales.

• **Guerre du Golfe** : désigne le conflit de 1990 mais aussi la guerre Iran-Irak de 1980 à 1988. On distingue donc parfois la 1re et la 2e guerre du Golfe ici traitée.

• **Résolution** : décision votée par le Conseil de sécurité de l'ONU si au moins neuf des quinze membres non permanents et si tous les membres permanents se mettent d'accord.

Biographie

George H. Bush (né en 1924)
Républicain, il est directeur de la CIA de 1976 à 1977 puis vice-président de Ronald Reagan de 1981 à 1989. Élu président en 1988, il décide d'intervenir pour libérer le Koweït de l'invasion irakienne. C'est le père du président George Walker Bush (2001-2009). La crise économique entraîne sa défaite à la présidentielle de 1992 face au démocrate William Clinton.

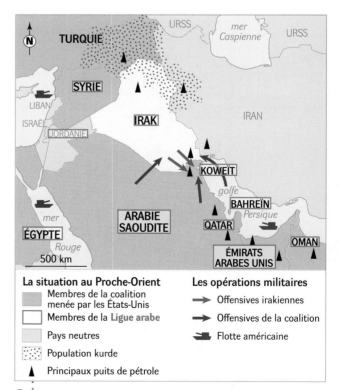

La situation au Proche-Orient
- Membres de la coalition menée par les États-Unis
- Membres de la **Ligue arabe**
- Pays neutres
- Population kurde
- ▲ Principaux puits de pétrole

Les opérations militaires
- → Offensives irakiennes
- → Offensives de la coalition
- Flotte américaine

2 La guerre du Golfe

3 : La réaction de la communauté internationale

Résolution 660 du Conseil de sécurité de l'ONU, 2 août 1990 [*14 membres, y compris Cuba et la Chine, ont voté pour cette résolution. Seul le Yémen s'est abstenu*] :

Le Conseil de sécurité,

1. condamne l'invasion du Koweït par l'Irak,

2. exige que l'Irak retire immédiatement et inconditionnellement toutes ses forces pour les ramener aux positions qu'elles occupaient le 1er août 1990,

3. engage l'Irak et le Koweït à entamer immédiatement des négociations intensives pour régler leurs différends et appuie tous les efforts déployés à cet égard, en particulier ceux de la Ligue arabe.

5 : Forces égyptiennes, syriennes, omanaises, koweïtiennes et françaises lors d'une revue le 8 mars 1991 après la victoire.

6 : L'Amérique promet un nouvel ordre mondial

Nous avons gagné la guerre. Nous avons libéré un petit pays, dont beaucoup d'Américains n'avaient jamais entendu parler, du joug de l'agression et de la tyrannie, et nous n'avons rien demandé en échange [...]. Maintenant nous rentrons chez nous, fiers, confiants, la tête haute. Nous avons beaucoup à faire chez nous et à l'étranger, et nous le ferons [...].

Deuxièmement, nous devons agir pour contrôler la prolifération des armes de destruction massive et les missiles utilisés pour les envoyer... L'Irak requiert une vigilance particulière. Jusqu'à ce que l'Irak convainque le monde de ses intentions pacifiques, [...] il ne doit pas avoir accès aux instruments de guerre. Troisièmement, nous devons travailler à créer de nouvelles occasions pour la paix et la stabilité au Moyen-Orient [...]. Quatrièmement, nous devons favoriser le développement économique pour le bien de la paix et du progrès.

À tous les défis offerts par cette région du monde, il n'y a pas de solution unique, pas de réponse seulement américaine [...]. Maintenant nous voyons apparaître un nouvel ordre mondial. Un monde où les Nations unies, libérées de l'impasse de la guerre froide, sont en mesure de réaliser la vision historique de leurs fondateurs. Un monde dans lequel la liberté et les droits de l'homme sont respectés par toutes les nations [...].

George H. Bush, président des États-Unis, discours au Congrès américain, 6 mars 1991.

4 : Après sa chute, Saddam Hussein justifie l'invasion

Saddam Hussein est ici interrogé par la police américaine peu après sa capture, le 13 décembre 2003, huit mois après l'invasion controversée de l'Irak, accusée sans preuve de détenir encore des armes de destruction massives.

Auparavant, il y avait deux superpuissances dans le monde : les États-Unis et l'Union soviétique. [...] Avec l'effondrement de cet équilibre, les États-Unis sont devenus la seule superpuissance ; ils semblent désormais vouloir imposer leur volonté au reste du monde, y compris en Irak. Lorsqu'un pays est en désaccord avec les États-Unis, il est considéré comme un ennemi. [...]

La décision d'envahir le Koweït a été prise car la meilleure défense reste l'attaque. Et historiquement, le Koweït fait partie de l'Irak. L'objectif de cette invasion était celui que nous avions annoncé, nous voulions que les Koweïtiens se gouvernent eux-mêmes et décident du type de relations qu'ils souhaitaient entretenir avec l'Irak. Quant aux dirigeants koweïtiens, ils conspiraient contre l'Irak, le Koweït et tous les pays arabes. [...] Ils étaient sous le contrôle des États-Unis.

Saddam Hussein, *Interrogatoires par le FBI, 24 et 27 février 2004*, éditions Inculte, 2010.

7 : Destructions d'un convoi irakien par l'aviation américaine le 26 février 1991

Ce jour-là, sur l'autoroute Koweït City-Bagdad, l'aviation américaine bombarde les véhicules irakiens qui quittent le Koweït à la hâte avec à leur bord les butins des pillages et parfois des otages. Des milliers d'Irakiens sont tués. Les médias du monde entier parlent de « l'autoroute de la mort ».

BAC

Consigne 1. À partir de l'étude des documents 3 et 4, vous expliquerez l'intervention de la coalition internationale en Irak et en dégagerez les limites.

Consigne 2. Après avoir présenté le document 6 en insistant particulièrement sur le contexte de sa rédaction, montrez le nouveau rôle que s'attribuent les États-Unis dans le monde de l'après-guerre froide.

Pour vous aider

– Expliquer pourquoi George Bush parle d'un « nouvel ordre mondial » depuis la fin de la guerre froide.

– Caractériser les raisons qui expliquent que les États-Unis se considèrent comme les « gendarmes du monde » après la guerre froide.

L'éclatement de la Yougoslavie (1991-1995)

Dès la création de l'État multiéthnique de Yougoslavie en 1918, les tensions entre les différentes nationalités sont nombreuses. Après la Seconde Guerre mondiale, le dictateur communiste Tito (d'origine croate) réussit à faire cohabiter celles-ci au sein d'une fédération yougoslave composée de six républiques : Serbie, Croatie, Slovénie, Macédoine, Bosnie et Monténégro. Mais à sa mort en 1980, les nationalismes resurgissent. Dans les années 1990, la Yougoslavie éclate et connaît une véritable balkanisation.

▶ **Pourquoi la Yougoslavie a-t-elle connu des guerres ethniques dans les années 1990 ?**

Capacités travaillées

I-1 Nommer et périodiser les continuités et ruptures chronologiques

I-2 Situer un événement dans le temps long

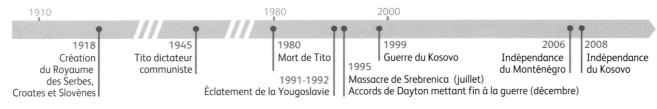

1910 — 1918 Création du Royaume des Serbes, Croates et Slovènes | 1945 Tito dictateur communiste | 1980 Mort de Tito — 1980 | 1991-1992 Éclatement de la Yougoslavie | 1995 Massacre de Srebrenica (juillet) / Accords de Dayton mettant fin à la guerre (décembre) | 1999 Guerre du Kosovo — 2000 | 2006 Indépendance du Monténégro | 2008 Indépendance du Kosovo

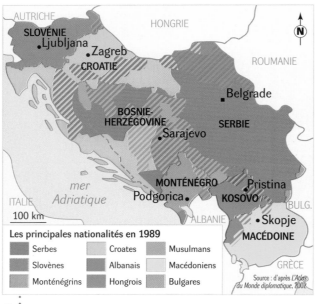

1 : Les principales nationalités en Yougoslavie

Carte : AUTRICHE, HONGRIE, SLOVÉNIE (Ljubljana), Zagreb, CROATIE, ROUMANIE, Belgrade, BOSNIE-HERZÉGOVINE, Sarajevo, SERBIE, mer Adriatique, ITALIE, MONTÉNÉGRO, Podgorica, Pristina, KOSOVO, BULG., ALBANIE, Skopje, MACÉDOINE, GRÈCE, 100 km

Les principales nationalités en 1989
Serbes, Slovènes, Monténégrins, Croates, Albanais, Hongrois, Musulmans, Macédoniens, Bulgares

Source : d'après *L'Atlas du Monde diplomatique*, 2003

Vocabulaire et notions

• **Balkanisation** : notion politique dérivée de la région des Balkans dans le Sud-Est de l'Europe. Elle désigne un processus de morcellement politique et géographique d'un État en une multitude d'entités autonomes ou indépendantes en général antagonistes.

• **Épuration ethnique** : politique consistant à créer un territoire ethniquement homogène par les massacres ou les expulsions forcées. Elle relève en droit international du crime contre l'humanité.

• **État fédéral** : État souverain composé de plusieurs entités autonomes dotées de leur propre exécutif local. L'Allemagne ou les États-Unis sont des États fédéraux.

• **État multiethnique** : État souverain composé de plusieurs communautés nationales, de plusieurs peuples.

• **FORPRONU** : force de protection des Nations unies en ex-Yougoslavie. Il s'agit de casques bleus envoyés dans un premier temps en Croatie, puis en Bosnie pour la protection des populations civiles.

• **Nationalisme** : mouvement politique d'individus qui prennent conscience de former une communauté nationale en raison des valeurs et de l'histoire qu'ils partagent (traditions, langue…).

2 : Les racines historiques du conflit yougoslave

La Yougoslavie est d'abord née en 1918 du démembrement de l'Empire austro-hongrois à partir de la réunion des Slaves du Sud (Serbes, Croates, Slovènes, Macédoniens, Monténégrins et « Musulmans » de Bosnie), ainsi que de deux minorités non slaves – principalement des Hongrois et les Albanais du Kosovo. Ce premier ensemble s'effondre en 1941 avec l'agression hitlérienne.
En 1945, Tito[1] réussit à nouveau rassembler ces peuples dans un même État fédéral, au prix d'une répression politique de masse. [...]
Dès lors que l'on a commencé à parler de liberté, après la mort de Tito, le 4 mai 1980, les revendications se sont dirigées contre le fédéralisme qui muselait ces entités nationales. En 1990, lors des élections libres, revendiquer la démocratie, cela signifiait voter pour un parti national, conçu sur une base ethnique, celui supposé défendre le mieux son propre groupe.

Jacques Sémelin, historien, « Pourquoi les Yougoslaves se sont entretués », entretien au magazine *L'Histoire*, n° 311, juillet-août 2006.

1. Josip Broz Tito (1892-1980) fut le dirigeant communiste de la Yougoslavie de 1945 à sa mort.

3 : Des populations civiles victimes de la guerre

Scène d'évacuation par l'ONU de réfugiés à Srebrenica, en Bosnie, en mars 1993.

4 : L'épuration ethnique

La purification ethnique apparaît non pas comme la conséquence de la guerre [en Bosnie] mais plutôt comme son objectif. Ce but a, dans une large mesure, déjà été atteint par meurtres, passages à tabac, viols, destructions de maisons et menaces. [...] Des trois peuples de cette République, le musulman est la principale victime du conflit et est « menacé d'extermination » [...]. Les musulmans et les Croates vivent, dans les régions contrôlées par les autorités serbes, sous d'énormes pressions et dans la terreur. Des centaines de milliers de gens sont forcés de quitter leur maison et d'abandonner tous leurs biens afin de sauver leur vie [...] M. Mazowiecki[1] déclare avoir été « particulièrement choqué par les conditions de vie dans le camp de Trnopolje, où des gens se sont rassemblés dans l'espoir de fuir la purification ethnique pratiquée par les Serbes. Plus de 3 000 personnes se sont entassées dans trois bâtiments et quelques petites maisons, où elles vivent dans une saleté indescriptible, dormant sur de minces couvertures [...], buvant de l'eau croupie et survivant avec de maigres rations de pain. Certains sont restés dans ce camp depuis plus de quatre mois ». Et le rapporteur spécial d'évoquer le sort de ces personnes déplacées qui ne pourraient survivre qu'en trouvant refuge hors de Bosnie-Herzégovine mais qui sont refoulées aux frontières, tant par les Croates – qui hébergent déjà chez eux quelque 700 000 réfugiés – que par les « casques bleus » de la Force de protection des Nations unies (FORPRONU), qui limitent les entrées à l'intérieur des zones placées sous leur protection et refoulent nombre de réfugiés.

Yves Heller, *Le Monde*, 30 octobre 1992.

1. Tadeusz Mazowiecki, rapporteur spécial de l'ONU, a publié un rapport sur la Bosnie le 28 octobre 1992 dans lequel il dénonçait les atrocités commises par les Serbes.

5 : Des haines historiques entre les nationalités
Caricature de Plantu, *Le Monde*, 1999.

6 : Des crimes contre l'humanité perpétrés au cœur de l'Europe
Mise au jour d'un charnier par des agents de l'ONU à Srebrenica en Bosnie, décembre 2012.

7 : La communauté internationale face à la crise yougoslave

L'affaiblissement du pouvoir fédéral yougoslave, la crise économique, l'effondrement du pouvoir communiste dans les pays de l'Est et la montée de sentiments nationalistes au sein des républiques et des provinces aboutit à la crise yougoslave qui éclate en 1990 et se transforme en guerre civile puis internationale à partir de 1991. La réaction de certains États occidentaux, notamment l'Allemagne, n'a que davantage contribué au démembrement du système yougoslave. Si, dans un premier temps, ils se prononcent pour le maintien de l'unité de la Yougoslavie, ils vont rapidement se rallier à la politique de Bonn de reconnaissance des États sécessionnistes et au discours du Vatican favorable à l'émergence de deux nouveaux États catholiques, la Croatie et la Slovénie. Washington était également poussé en ce sens par le puissant *lobby* croate aux États-Unis et se montrait ouvert à l'instauration d'un État bosniaque musulman, qui lui permettrait de nuancer sa politique d'opposition à plusieurs États musulmans (Iran, Irak, Libye...). Cette crise yougoslave a préfiguré les données de celle du Kosovo : le début d'un nouvel ordre stratégique régional sous l'égide américaine.

Cahiers du Monde diplomatique, 1999.

8 : Bilan des guerres en Yougoslavie de 1991 à 1999

Nombre total d'habitants en 1991	23,5 millions
Morts	130 000
Réfugiés et déplacés	2 millions
Départs définitifs du pays	600 000

BAC

Consigne 1. D'après les documents 2 et 5, expliquez les causes multiples de l'éclatement de la Yougoslavie et les conséquences pour les populations civiles.

Pour vous aider

– Identifier les causes des conflits ethniques en Yougoslavie au début des années 1990 (doc. 2).
– Décrire grâce à la caricature les haines historiques entre les populations yougoslaves et leurs conséquences sur la fragmentation territoriale (doc. 5).

Consigne 2. À partir de l'étude des documents 4 et 6, montrez que les guerres en Yougoslavie ont été des guerres civiles et ethniques.

Consigne 3. D'après le document 7, vous expliquerez si la communauté internationale a su efficacement faire face au conflit yougoslave.

Le siège de Sarajevo : l'impuissance de la communauté internationale (1992-1995)

L/ES

Capacités travaillées

I.1.3. Situer et caractériser une date dans un contexte chronologique.

II-1 Cerner le sens général d'un corpus documentaire et le mettre en relation avec la situation historique étudiée.

Après les sécessions slovène et croate en 1991 du sein de la Yougoslavie, la Bosnie déclare son indépendance le 5 avril 1992. Immédiatement, le pays devient le théâtre d'affrontements meurtriers entre les communautés croate, serbe et musulmane. Sarajevo, la capitale, est assiégée pendant trois ans par les Serbes de Bosnie hostiles à l'État bosniaque. La guerre civile et les haines ethniques provoquent des atrocités qui émeuvent le monde mais suscitent peu de réactions concrètes à cause du principe de non-ingérence.

▶ Pourquoi la communauté internationale a-t-elle tardé à réagir aux atrocités de la guerre civile ?

1 La communauté internationale confrontée à la guerre civile

16 mai 1992. Il s'est produit hier ce que redoutaient les habitants de Sarajevo : ici, un nouveau cessez-le-feu a été signé, et à New York, les messieurs du Conseil de sécurité ont adopté une résolution de plus nous concernant. [...] À ce sujet, un diplomate anglais a déclaré deux choses amusantes. Primo : « Ceux qui ne respectent pas les résolutions des Nations unies en assumeront toute la responsabilité ». Secundo : « On peut difficilement faire quelque chose ici, car il s'agit d'un conflit ethnique ». Le résultat de tout cela est qu'une nouvelle attaque sanglante a été lancée contre la ville, hier soir. De la tour [de la presse] j'ai vu des milliers de balles traçantes sur Sarajevo. Selon les déclarations de cet Anglais faites à New York, les balles qui atterrissent dans nos immeubles et sur nos toits savent qui est qui dans ce « conflit ethnique ». Tôt ce matin, de la fenêtre de notre salle de rédaction, nous avons suivi le départ d'une longue file de camions de l'ONU. Dans le silence, pour ne pas dire honteusement et la tête basse, partaient les camions, les véhicules de combat et les transporteurs blancs.

Zlatko Dizdarevic (journaliste), *Journal de guerre, chronique de Sarajevo assiégée*, Spengler, 1993.

2 L'ONU confrontée à l'assassinat de civils
Le cadavre d'une jeune femme à Sarajevo en janvier 1993 à côté d'un blindé de la force des Nations Unies (Forpronu).

Étudier deux documents

Consignes BAC

À partir de l'étude des documents 1 et 2, montrez que le siège de Sarajevo a été un conflit ethnique très meurtrier qui a mis en évidence les failles de la communauté internationale.

Méthode

1 Présenter les documents pour rédiger l'introduction

■ Natures, auteur du doc. 1, dates, contexte. Ce dernier doit être bien développé en fonction de vos connaissances sur le sujet.

■ Pour compléter cette présentation, vous devez toujours vous demander si les documents traitent du même sujet, s'ils se complètent ou s'ils s'opposent.

2 Analyser les documents pour en comprendre le sens et la portée

■ Document 1 : définir ce qu'est un « conflit ethnique » d'après vos connaissances.

■ Document 2 : décrire la photographie. Que voit-on au premier plan et au deuxième plan ? En quoi illustre-t-elle cette guerre ?

3 Répondre à la consigne

Faire un plan en deux parties (deux paragraphes) qui correspondent aux deux thèmes à traiter de la consigne :

– Un conflit ethnique très meurtrier : épuration ethnique (causes, victimes et bourreaux), camps de réfugiés, destructions matérielles, peur de la population…

– Réaction de la communauté internationale (terme à définir) et ses limites : rôle de l'ONU par le biais de la FORPRONU.

4 Conclure

■ Montrer l'intérêt d'avoir confronté ces deux documents

■ Faire une ouverture : L'intervention de l'ONU a-t-elle permis de mettre fin au conflit ?

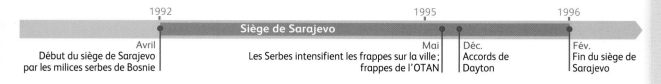

1992   1995   1996

Siège de Sarajevo

Avril
Début du siège de Sarajevo
par les milices serbes de Bosnie

Mai
Les Serbes intensifient les frappes sur la ville ;
frappes de l'OTAN

Déc.
Accords de
Dayton

Fév.
Fin du siège de
Sarajevo

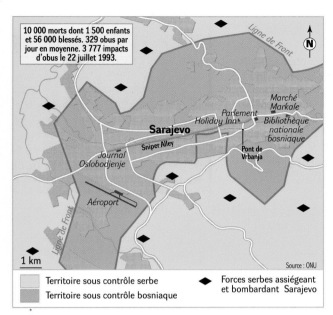

10 000 morts dont 1 500 enfants
et 56 000 blessés. 329 obus par
jour en moyenne. 3 777 impacts
d'obus le 22 juillet 1993.

Source : ONU

☐ Territoire sous contrôle serbe
☐ Territoire sous contrôle bosniaque
◆ Forces serbes assiégeant
et bombardant Sarajevo

3 : Un siège meurtrier

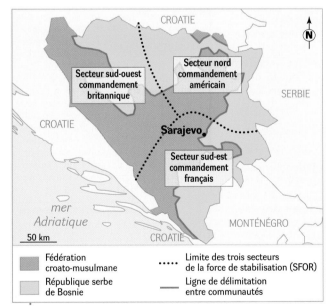

☐ Fédération
croato-musulmane
☐ République serbe
de Bosnie
⋯⋯ Limite des trois secteurs
de la force de stabilisation (SFOR)
── Ligne de délimitation
entre communautés

5 : Le règlement du conflit par les États-Unis et l'OTAN : accords de Dayton (Ohio), décembre 1995.

4 : Le Tribunal pénal international et les massacres de civils à Sarajevo

Le général Galic [serbe] est accusé d'avoir mené, de septembre 1992 à août 1994, une campagne de tirs isolés et de bombardements contre la population civile de Sarajevo, tuant et blessant des civils dans le but principal de répandre la terreur parmi cette population. [...] La Chambre de première instance a entendu des témoins qui avaient subi de multiples attaques dans leurs quartiers. Ces témoins ont été attaqués alors qu'ils assistaient à des enterrements, circulaient à bord d'ambulances, de trams et d'autobus ou à bicyclette. Ils ont été attaqués pendant qu'ils s'occupaient de leurs jardins, qu'ils faisaient leur marché ou qu'ils procédaient à l'enlèvement des ordures en ville. Des enfants ont été pris pour cibles alors qu'ils jouaient ou marchaient dans la rue. [...] La topographie de Sarajevo, avec ses hauteurs et ses gratte-ciel, offrait pour les hommes du général Galic des positions stratégiques d'où ils pouvaient viser les civils de la ville. Certains lieux de Sarajevo sont devenus des repères notoires de tireurs embusqués. Par exemple, plusieurs témoins ont déclaré que l'artère principale de Sarajevo était surnommée « Sniper Alley » (avenue des tireurs embusqués). [...]

La gravité du crime dont le général Galic doit répondre tient à l'ampleur des attaques, à leur forme et à leur fréquence quasi quotidienne, pendant de nombreux mois.

Extraits du jugement rendu à La Haye (Pays-Bas)
par le Tribunal pénal international pour l'ex-Yougoslavie
contre le général Galic, condamné à 10 ans de prison ferme
pour crimes de guerre et crimes contre l'humanité,
le 5 décembre 2003.

Vocabulaire et notions

• **Non-ingérence** : principe du droit international qui défend l'intégrité territoriale et la souveraineté d'un État. La légitimité d'une intervention humanitaire le remet cependant en cause s'il y a lieu.

• **Accords de Dayton** : accords de paix entre les responsables serbes, bosniaques et croates mettant fin à la guerre civile et instaurant une force de protection internationale des populations de Bosnie-Herzégovine : l'OTAN avec la SFOR succède à la FORPRONU discréditée par son impuissance.

• **Tribunal pénal international pour l'ex-Yougoslavie** : juridiction internationale permanente créée par l'ONU en 1993 et siégeant à La Haye (Pays-Bas). Elle est chargée de juger les personnes de toutes nationalités accusées de génocide et de crimes contre l'humanité en ex-Yougoslavie. L'ex-président de la Serbie S. Milosevic est l'un de ses prévenus.

BAC ⋯⋯⋯⋯⋯⋯⋯⋯⋯⋯⋯⋯⋯⋯⋯⋯⋯⋯⋯⋯⋯⋯⋯

Consigne 1. À partir des documents 1 et 4 de l'étude, expliquez les méthodes utilisées contre les civils par les Serbes pendant le siège de Sarajevo et pourquoi l'action de la communauté internationale a présenté des limites.

Consigne 2. D'après les documents 4 et 5, expliquez les raisons de l'impuissance de la communauté internationale pendant le siège de Sarajevo et les solutions envisagées pour mettre fin au conflit en Bosnie.

L/ES ▶ Pourquoi les États-Unis sont-ils la seule hyperpuissance dans le monde de l'après-guerre froide ?

A Les États-Unis « gendarmes du monde » doc. 2

■ **En 1991, la disparition de l'URSS ouvre l'ère de l'hyperpuissance des États-Unis**. Leur nouvelle stratégie vise à sécuriser leur approvisionnement en matières premières et à garantir la stabilité mondiale, notamment contre des États hostiles. Les autres pays les considèrent souvent comme les « gendarmes du monde », c'est-à-dire comme les seuls assez puissants pour imposer la paix en intervenant partout où ils le jugent nécessaire, au Koweït (1991), en Somalie (1993) ou en Bosnie (1995).

■ **Mais face à cette nouvelle hégémonie, qui a tendance à privilégier l'**unilatéralisme, **l'ONU souhaite jouer un nouveau rôle**. Après une action limitée pendant la guerre froide en raison du droit de veto des grandes puissances au Conseil de sécurité, elle retrouve une place de premier plan, notamment pendant la guerre du Golfe.

B La guerre du Golfe (1990-1991) : espoir d'un nouvel ordre mondial Étude pages 154-155 + doc. 1

■ **Le 2 août 1990, l'Irak de Saddam Hussein envahit le Koweït** pour s'emparer de ses richesses pétrolières, et ainsi éponger les dettes héritées de la guerre qu'il a déclenchée contre l'Iran (1980-1988). Le Conseil de sécurité de l'ONU condamne le coup de force puis vote en faveur d'une intervention militaire, sans opposition de l'URSS. Il faut remonter à la crise de Corée en 1950 pour qu'une coalition multinationale reçoive un mandat de l'ONU afin de défendre un pays agressé.

■ **Les États-Unis dirigent une coalition de 29 nations dont la France et des pays arabes**. Les opérations aériennes puis terrestres libèrent le Koweït (15 janvier-28 février 1991), mais Saddam Hussein n'est pas renversé : le mandat de l'ONU ne le prévoit pas et les Américains, qui le jugent utile à la stabilité du pays et de la région, le laissent écraser les révoltes chiites et kurdes qu'ils avaient pourtant d'abord encouragées.

■ **Le président américain George Bush (senior) se dit persuadé que la coopération interétatique, sous la tutelle des États-Unis, annonce un « nouvel ordre mondial »** dans lequel les Américains défendront l'intégrité de tous les territoires agressés, en concertation avec leurs alliés.

C La communauté internationale confrontée à la tragédie yougoslave Études pages 156-157 et 158-159 + doc. 3

■ **La fin de la guerre froide provoque un réveil des tensions nationalistes** qui conduit à l'éclatement de la Yougoslavie, État multinational créé après 1918 et dominé par les Serbes. En 1991, Slovènes et Croates proclament leur indépendance, suivis des musulmans de Bosnie en avril 1992. Les Serbes de Bosnie réagissent vivement. S'engage alors une guerre civile marquée par des « épurations ethniques », c'est-à-dire des massacres de populations ethniquement identifiées. Ces crimes contre l'humanité culminent avec les pires tueries perpétrées en Europe depuis 1945 : la plus terrible est le massacre de 7 000 civils bosniaques par les milices serbes à Srebrenica en juillet 1995. Le siège de la capitale bosniaque Sarajevo par les Serbes de Bosnie (1992-1995) est particulièrement atroce.

■ **L'ONU envoie 38 000 casques bleus qui ne parviennent pas toujours à protéger les enclaves humanitaires, voire sont pris pour cibles, ou abandonnent parfois les civils à leur sort**, ainsi lors du massacre de Srebrenica. Finalement, en 1995, les États-Unis, par le biais de l'OTAN, font cesser les combats. En décembre sont signés les accords de Dayton : ils règlent le conflit en Bosnie en créant une confédération de deux États, l'un serbe et l'autre croato-musulman.

■ Cependant, les conflits continuent en ex-Yougoslavie, notamment en 1998-1999 lorsque les albanophones du Kosovo sont en proie à la répression de la Serbie, qui a supprimé leur autonomie en 1989. **Craignant une nouvelle épuration ethnique, l'OTAN intervient : ses bombardements (mars-juin 1999) forcent la Serbie à abandonner le Kosovo**. D'abord confié à une administration de l'ONU, ce dernier proclame son indépendance en 2008.

1 Le début de la guerre du Golfe
La DCA irakienne riposte contre les premiers bombardements sur Bagdad, 17 janvier 1991.

Biographie

Saddam Hussein
(1937-2006)
À la tête de l'Irak en 1968, avec le titre de président à partir de 1979, il instaure une dictature particulièrement répressive et déclenche une guerre contre l'Iran (1980-1988), puis contre le Koweït (1990-1991). Ce sunnite – une confession minoritaire en Irak – écrase dans le sang les révoltes kurdes et chiites qui suivent ses défaites et continue à diriger une Irak isolée et soumise à un embargo drastique de l'ONU. En 2003, il est capturé par les États-Unis après l'invasion de son pays. Jugé par un tribunal irakien pour l'un de ses nombreux massacres, il est pendu le 30 décembre 2006.

Vocabulaire et notions

● **Chiisme** : confession minoritaire de l'islam représentant environ 10 % des musulmans, mais 60 % des Irakiens et la quasi-totalité des Iraniens.

● **Hyperpuissance** : notion qui désigne une nation sans réel concurrent et dont l'influence mondiale est incontestable dans les domaines diplomatique, économique, militaire et culturel.

● **Kurdes** : les Kurdes sont un peuple sans État. Ils vivent répartis entre la Turquie, l'Iran, l'Irak et la Syrie. Ils sont environ 25 millions.

● **Unilatéralisme** : politique menée par un État qui ne se préoccupe que ses intérêts propres et ne tient aucun compte des avis d'autres gouvernements.

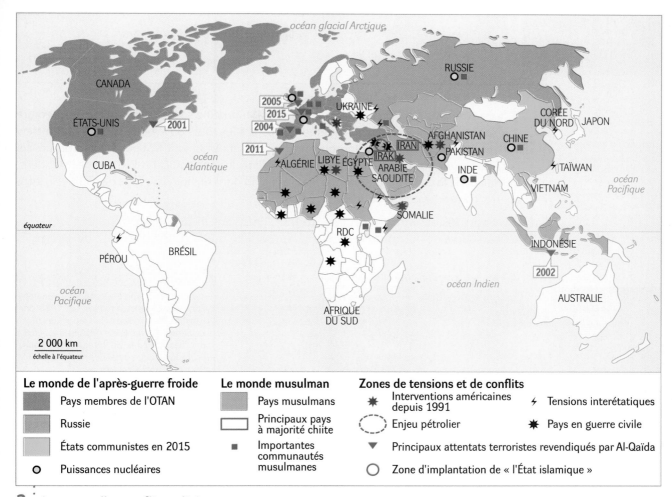

2 Les nouvelles conflictualités

Le monde de l'après-guerre froide

Pays membres de l'OTAN

Russie

États communistes en 2015

○ Puissances nucléaires

Le monde musulman

Pays musulmans

Principaux pays à majorité chiite

■ Importantes communautés musulmanes

Zones de tensions et de conflits

✳ Interventions américaines depuis 1991

⌇ Enjeu pétrolier

↯ Tensions interétatiques

✶ Pays en guerre civile

▼ Principaux attentats terroristes revendiqués par Al-Qaïda

○ Zone d'implantation de « l'État islamique »

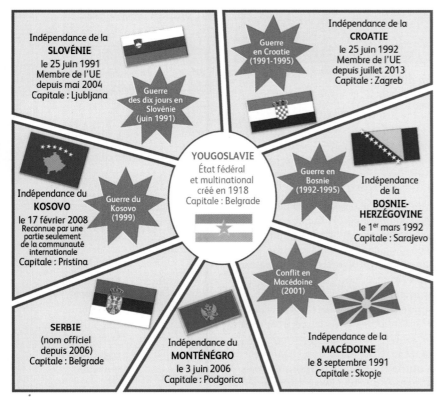

3 Le processus d'éclatement de la Yougoslavie

Questions

1. D'après la carte du document 2, est-il légitime d'évoquer une victoire des États-Unis sur l'URSS après la guerre froide ?

2. Quels sont les pays du monde qui connaissent une forte instabilité ? Pourquoi l'OTAN existe-t-elle encore alors que le pacte de Varsovie a disparu (doc. 2) ?

3. Combien d'États sont issus de l'ex-Yougoslavie ? Pourquoi la Serbie n'a-t-elle pas proclamé son indépendance (doc. 3) ?

4. Quel est le seul État qui après avoir proclamé son indépendance n'a pas provoqué de conflit armé (doc. 3) ?

Les attentats du 11 septembre 2001 : les États-Unis frappés au cœur

Capacités travaillées

I.1.3 Situer et caractériser une date dans un contexte chronologique

II-1 Cerner le sens général d'un corpus documentaire et le mettre en relation avec la situation historique étudiée

Des attentats sans précédent dans l'histoire mondiale sont perpétrés le 11 septembre 2001 grâce à quatre avions détournés contre les tours du World Trade Center à New York et le Pentagone à Washington. Surpris, les États-Unis sont frappés sur leur propre sol par une organisation terroriste, Al-Qaïda, qui prône un islam radical et la haine de l'Occident. L'ampleur de la catastrophe engage les États-Unis dans un nouveau type de conflit : la lutte contre le terrorisme international.

▶ **En quoi les attentats du 11 septembre illustrent-ils la vulnérabilité des États-Unis et pourquoi donnent-ils naissance à une nouvelle forme de guerre ?**

❶ CNN, chaîne américaine d'information   ❷ En direct

1 : Un événement planétaire vécu en direct
Les chaînes d'information diffusent en direct l'image de la première tour en feu et du deuxième avion qui percute la seconde tour.

Vocabulaire

• **Al-Qaïda** : nébuleuse de mouvements islamistes terroristes fédérés en 1988 par Oussama Ben Laden selon lequel les pays occidentaux, avec à leur tête les États-Unis, sont des ennemis du monde musulman. Al-Qaïda attaque aussi des régimes musulmans alliés de l'Occident.

Chronologie de la journée

Heures locales	Événements
8 h 46	Le vol 11 d'American Airlines frappe la tour nord du World Trade Center
9 h 03	Le vol 175 d'United Airlines frappe la tour sud
9 h 37	Le vol 77 d'American Airlines s'écrase sur le Pentagone
9 h 59	La tour sud s'effondre
10 h 03	Le vol 93 d'United Airlines s'écrase en Pennsylvanie après une révolte des passagers à bord
10 h 28	La tour nord s'effondre
20 h 30	Le président Bush s'adresse à la nation

2 : La stratégie de la terreur

Voilà l'Amérique frappée par Allah, dans son point le plus vulnérable, détruisant, Dieu merci, ses bâtisses les plus prestigieuses, et nous remercions Allah pour cela.

Voilà l'Amérique remplie de terreur, du nord au sud et d'est en ouest, et nous remercions Dieu pour cela. Ce que l'Amérique endure aujourd'hui ne constitue qu'une infime partie de ce que nous [les musulmans] endurons depuis des dizaines d'années. [...] Ses fils sont tués et son sang coule, ses lieux saints sont agressés sans raison. Dieu a dirigé les pas d'un groupe de musulmans, un groupe d'avant-gardistes, qui a détruit l'Amérique, et nous implorons Allah d'élever leur rang et de les recevoir au paradis [...].

Tout musulman doit se dresser pour défendre sa religion car le vent de la foi et du changement a soufflé pour anéantir l'injustice dans la péninsule de Mohamed [la péninsule Arabique, où le prophète est né].

À l'Amérique, j'adresse des mots comptés. Je jure par Dieu que l'Amérique ne connaîtra plus jamais la sécurité avant que la Palestine ne la connaisse et avant que toutes les armées occidentales athées ne quittent les terres saintes.

Allocution télévisée d'Oussama Ben Laden sur la chaîne arabe *Al-Jazeera*, le 7 octobre 2001, retranscrite et traduite dans *Le Monde*, 9 octobre 2001.

3 : Le bilan des attentats

World Trade Center 2 753 victimes	– Tours jumelles : 2 606 morts – Deux avions : 157 morts dont 10 terroristes
Pentagone 154 victimes	– Bâtiment : 125 morts – Avion : 64 morts dont 5 terroristes
Avion écrasé en Pennsylvanie (Shanksville) 40 victimes	– 84 morts dont 4 terroristes
Blessés	Plus de 6 000
Total	2 977 morts et 19 terroristes

4 : Un sentiment d'apocalypse : le récit d'un témoin

Nous étions une dizaine, rassemblés devant la baie vitrée du cabinet médical situé juste au-dessus de mon entreprise, au 18e étage de notre immeuble, lui-même situé à environ un kilomètre des tours. [...] C'est le premier employé qui m'a alerté : une explosion avait eu lieu au World Trade Center. [...]

Vincent Leclerc, 35 ans, qui dirige Sky Express, une entreprise qui accueille des touristes à New York, assiste alors à un spectacle terrifiant. Il voit le deuxième avion s'approcher puis s'encastrer dans l'une des tours, dans un déluge de flammes et de débris.

Il y avait un cratère, avec un avion qui dépassait, coincé dans un immeuble. L'adrénaline est montée d'un coup dans la pièce. Certains hurlaient, d'autres pleuraient. Certains ont crié : Oh mon Dieu, c'est horrible, c'est le début de la guerre. Même quand le premier immeuble s'est effondré, on ne pouvait toujours pas y croire. On ne pouvait pas réaliser ce que l'on voyait [...]. Mais très peu de temps après, plusieurs personnes ont laissé éclater leur colère. Ils réclamaient une réaction immédiate et forte de la part de leur gouvernement. Et visaient d'emblée les pays arabes.

Propos de Vincent Leclerc, dirigeant d'entreprise à New York, recueillis par Philippe Duport, Le Figaro, 12 septembre 2001.

5 : George W. Bush proclame la « lutte du Bien contre le Mal »

Les attaques délibérées et meurtrières qui ont été perpétrées contre notre pays sont plus que des actes de terrorisme, ce sont des actes de guerre. Elles requièrent que notre pays s'unisse avec une détermination et une résolution sans faille. Ce sont la liberté et la démocratie qui ont été attaquées.

Le peuple américain doit savoir que nous faisons face à un ennemi différent de tous ceux qui nous ont combattus. Il se cache dans l'ombre et n'a aucun respect pour la vie humaine. Il s'en prend aux innocents et à ceux qui ne se doutent de rien avant de prendre la fuite. Mais il ne parviendra pas à se cacher pour toujours [...]. Il pense que ses caches sont sûres, mais elles ne le resteront pas. Cet ennemi n'a pas seulement attaqué notre peuple, mais tous les peuples épris de liberté à travers le monde. Les États-Unis utiliseront toutes les ressources à leur disposition pour le vaincre. Nous rallierons le monde derrière nous. Nous serons patients et déterminés. Cette bataille sera longue et nécessitera une résolution sans faille. Mais, n'ayez aucun doute, nous l'emporterons. L'Amérique continue à aller de l'avant et nous devons continuer de rester vigilants envers les menaces contre notre pays. Nous ne permettrons pas à l'ennemi de gagner cette guerre en nous forçant à changer notre manière de vivre ou en limitant nos libertés. [...] L'Amérique est unie. Les pays épris de liberté sont à nos côtés. Ce sera un combat monumental du Bien contre le Mal. Mais le Bien l'emportera.

George W. Bush, discours du 12 septembre 2001 prononcé à l'issue du Conseil de sécurité du président.

6 : L'union sacrée contre le terrorisme

Le président Bush sur les ruines des tours jumelles le 14 septembre 2001, au milieu des pompiers et des policiers new-yorkais.

Biographies

George W. Bush (né en 1946)
Fils du président George H. Bush, il noue des liens avec l'industrie pétrolière, notamment lorsqu'il est gouverneur du Texas. Il est élu à la présidence en 2000. Il riposte aux attentats du 11 septembre 2001 par la guerre en Afghanistan. En 2003, il envahit l'Irak. Il est réélu en 2004.

Oussama Ben Laden (1957-2011)
Issu d'une très riche famille saoudienne, il combat les Soviétiques en Afghanistan dans les années 1980 et fonde Al-Qaïda en 1988. En 1990, pendant la guerre du Golfe, il rompt avec les États-Unis. Déchu de sa nationalité, il se réfugie au Soudan puis en Afghanistan, et organise plusieurs attentats anti-américains meurtriers, dont ceux du 11 septembre 2001. Après la chute de ses alliés talibans fin 2001, il se cache au Pakistan où les forces spéciales américaines l'abattent dans la nuit du 1er au 2 mai 2011.

BAC

Consigne 1. À partir de l'étude des documents 1 et 5, montrez que les attentats du 11 septembre 2001 sont un événement planétaire qui marque la fin de l'époque de l'hyperpuissance des États-Unis.

Pour vous aider

– Décrire les images du document 1 qui font des attentats un événement planétaire.
– Relever les arguments de George W. Bush qui affirment que la lutte contre le terrorisme sera difficile (doc. 5).

Consigne 2. En analysant le document 2 après avoir rappelé précisément son contexte, vous montrerez que le terrorisme d'Al-Qaïda est motivé par la haine des États-Unis et fondé sur la médiatisation de la terreur.

Consigne 3. D'après les documents 4 et 6, expliquez pourquoi les attentats du 11 septembre 2001 ont traumatisé les États-Unis et comment ils ont encouragé une réaction rapide et unanime.

La dislocation de l'Irak depuis 2003

Capacités travaillées

I-1 Nommer et périodiser les continuités et ruptures chronologiques

I-2 Confronter des situations historiques

La guerre déclenchée par les États-Unis le 20 mars 2003 a rapidement débouché sur la chute du régime de Saddam Hussein, le 9 avril suivant. Mais le pays se retrouve profondément désorganisé. En décembre 2011, les derniers soldats américains quittent l'Irak après huit années d'occupation. Désormais communautés, tribus et clans s'affrontent. La proclamation en 2014 de « l'État islamique » dans le Nord et l'Ouest du pays, non contrôlés par Bagdad, inquiète la communauté internationale. L'Irak, en tant qu'État unitaire, semble avoir cessé d'exister au profit d'une fragmentation territoriale sur des bases ethnico-confessionnelles.

▶ **Pourquoi la décomposition de l'État irakien inquiète-t-elle la communauté internationale ?**

1 : Le « non » français à la guerre en Irak

Fin 2002, l'Irak a accepté de laisser l'ONU inspecter ses installations militaires. Les États-Unis n'en continuent pas moins de l'accuser sans preuves de dissimuler des armes de destruction massive, et veulent le recours à la force. La France s'y oppose. Fait exceptionnel, le discours suivant est applaudi par l'assistance, d'ordinaire tenue au silence.

L'autorité de notre action repose aujourd'hui sur l'unité de la communauté internationale [...]. Nous partageons tous une même priorité, celle de combattre sans merci le terrorisme. Ce combat exige une détermination totale. C'est, depuis la tragédie du 11 septembre, l'une de nos responsabilités premières devant nos peuples. Et la France, qui a été durement touchée à plusieurs reprises par ce terrible fléau, est entièrement mobilisée dans cette lutte. [...] Le Secrétaire d'État américain, M. Powell, a évoqué des liens supposés entre Al-Qaïda et le régime de Bagdad. En l'état actuel de nos recherches et informations menées en liaison avec nos alliés, rien ne nous permet d'établir de tels liens. En revanche, nous devons prendre la mesure de l'impact qu'aurait sur ce plan une action militaire contestée actuellement. Une telle intervention ne risquerait-elle pas d'aggraver les fractures entre les sociétés, entre les cultures, entre les peuples, fractures dont se nourrit le terrorisme ? [...] Et c'est un vieux pays, la France, d'un vieux continent comme le mien, l'Europe, qui vous le dit aujourd'hui, qui a connu les guerres, l'occupation, la barbarie. Un pays qui n'oublie pas et qui sait tout ce qu'il doit aux combattants de la liberté venus d'Amérique et d'ailleurs. Et qui pourtant n'a cessé de se tenir debout face à l'Histoire et devant les hommes. Fidèle à ses valeurs, il veut agir résolument avec tous les membres de la communauté internationale.

Dominique de Villepin, ministre français des Affaires étrangères, discours au Conseil de sécurité de l'ONU, 14 février 2003.

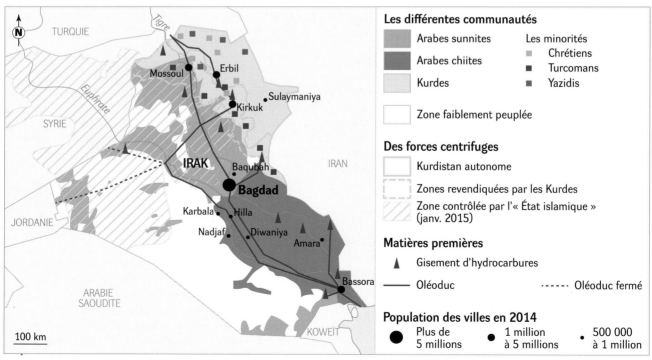

2 : L'Irak en septembre 2014

3 L'effondrement de l'État irakien (20 mars-9 avril 2003)

Dès la prise de Bagdad, l'État irakien s'écroule. L'administration et la police disparaissent. L'armée est dissoute par les Américains. Les services publics ne sont plus assurés, ni la collecte des ordures.

5 Une guerre sans fin ?

Je songeai à la guerre de mon grand-père. Au fait qu'ils avaient des destinations et des buts à l'époque. Nous, le lendemain, nous marcherions sous un soleil qui se lèverait à peine à l'est au-dessus des plaines pour retourner dans cette ville qui avait déjà livré bataille : une lente et sanglante parade automnale qui marquerait le changement de saison. Nous les chasserions. Comme nous l'avions toujours fait. Nous les tuerions. Ils nous tireraient dessus, certains d'entre nous perdraient leurs membres, ils fuiraient en courant à travers les collines et les oueds pour se réfugier dans les ruelles poussiéreuses de leurs villages. Et ils reviendraient, et nous recommencerions depuis le début en les saluant tandis qu'ils s'adosseraient aux lampadaires, se tiendraient sous des auvents verts en buvant du thé devant la devanture de leurs boutiques. Nous patrouillerions dans les rues et lancerions des bonbons aux enfants qu'il nous faudrait combattre quelques années plus tard.

Kevin Powers (ancien soldat en Irak), *Yellow Birds*, roman traduit de l'américain par Emmanuelle et Philippe Aronson, Paris, Stock, 2012.

6 Un pays divisé et isolé

L'effondrement d'une bonne partie des régions peuplées par des Arabes sunnites a créé un fait sans précédent depuis dix ans : l'effacement de l'armée et de l'État irakiens, y compris dans les zones disputées entre Arabes et Kurdes. [Pourtant], un mois après l'attaque de l'État islamique et de ses alliés [en juin 2014], il semble que l'offensive ait été tant bien que mal stoppée par ce qui reste des forces fédérales, sans qu'elles aient eu pour autant la capacité de contre-attaquer. Les Iraniens, dès la première semaine, se sont fortement impliqués. Washington, pendant ce temps, est arrivé à la conclusion qu'il fallait œuvrer à un rapprochement politique inter-irakien, et dissuader les Kurdes de franchir le pas vers une indépendance totale. Plusieurs organisations sunnites envoient déjà des signaux pour signifier leur disposition à négocier, voire à se retourner contre l'État islamique, à condition que Maliki[1] soit destitué. [...] [En outre], une hostilité s'est installée avec presque tous les pays arabes alentour, et même avec la Turquie [...]. Cela a conduit à multiplier les champs de bataille à l'intérieur comme à l'extérieur de l'Irak.

Hosham Dawod (anthropologue et ingénieur de recherche au CNRS), « En Irak, la route du pouvoir passe par la ville chiite de Nadjaf », *Le Monde*, 10 juillet 2014.

1. Le 11 août 2014, Haïdir al-Abidi a remplacé Nouri al-Maliki au poste de Premier ministre, non sans résistance de ce dernier.

4 Saddam Hussein répond de ses crimes

Saddam Hussein est capturé par l'armée américaine en décembre 2003. Son procès s'ouvre en Irak le 19 octobre 2005 (ici le 14 février 2006). Accusé de « crimes de guerre et de crimes contre l'humanité », il est condamné à mort et exécuté.

Vocabulaire et notions

• « État islamique » ou Daech : nom que se donne l'organisation armée de djihadistes sunnites qui a proclamé en juin 2014 l'instauration d'un califat sur les territoires irakiens et syriens qu'elle contrôle.

• Sunnisme : confession majoritaire de l'islam.

BAC

Consigne 1. À partir de l'étude du documents 1 et 3, montrez que la guerre en Irak caractérise un retour à l'unilatéralisme américain, aux conséquences désastreuses pour les civils irakiens.

Pour vous aider pensez à :

– Identifier les arguments avancés par la France pour s'opposer à l'intervention américaine en Irak (doc. 1).

– Expliquer comment les États-Unis considèrent le rôle de l'ONU d'après le document 1.

– Décrire les conséquences de la guerre d'Irak pour les civils (doc. 3).

Consigne 2. D'après les documents 5 et 6, expliquez pourquoi la guerre en Irak en 2003 et ses conséquences ont fait l'objet de nombreuses critiques à travers le monde.

Le président américain Obama et le monde musulman

Capacités travaillées

II-1.2 Prélever, hiérarchiser et confronter les informations d'un document

II-2.4 Lire un document et en exprimer par écrit les idées clés et les composantes essentielles

Depuis les attentats du 11 septembre 2001, les États-Unis se sont engagés dans une lutte contre le terrorisme international et l'islamisme. Après les guerres en Afghanistan (2001) et en Irak (2003), ils cherchent à repenser leurs relations avec les pays musulmans où leur prestige est au plus bas suite à la politique unilatérale de George W. Bush. Avec l'élection du nouveau président américain Barack Obama en novembre 2008, les relations s'améliorent quelque peu mais la lutte contre le terrorisme demeure une priorité.

▶ Comment le nouveau président des États-Unis conçoit-il les relations avec les pays musulmans presque dix ans après les attentats du 11 septembre ?

1 : Repenser les relations entre l'Amérique et l'islam

Notre rencontre survient à un moment de grande tension entre les États-Unis et les musulmans du monde entier [...]. Des extrémistes violents ont exploité ces tensions auprès d'une minorité de musulmans, qui pour être réduite n'en est pas moins puissante. Les attentats du 11 septembre 2001, conjugués à la poursuite des actions violentes engagées par ces extrémistes contre des civils, ont amené certains dans mon pays à juger l'islam inévitablement hostile non seulement à l'Amérique et aux pays occidentaux, mais aussi aux droits de l'Homme. [...]

Je suis venu ici au Caire en quête d'un nouveau départ pour les États-Unis et les musulmans du monde entier, un départ fondé sur l'intérêt mutuel et le respect mutuel. [...] Cette conviction s'enracine en partie dans mon vécu. Je suis chrétien, mais mon père était issu d'une famille kenyane qui compte des générations de musulmans. [...] Jeune homme, j'ai travaillé dans des quartiers de Chicago où j'ai côtoyé beaucoup de gens qui trouvaient la dignité et la paix dans leur foi musulmane. Féru d'histoire, je sais aussi la dette que la civilisation doit à l'islam. [...] Je sais aussi que l'islam a de tout temps fait partie de l'histoire de l'Amérique. C'est le Maroc qui fut le premier pays à reconnaître mon pays. En signant le traité de Tripoli en 1796, notre deuxième président, John Adams, nota ceci : « Les États-Unis n'ont aucun caractère hostile aux lois, à la religion ou la tranquillité des musulmans. » Depuis notre fondation, les musulmans américains enrichissent les États-Unis. Ils ont combattu dans nos guerres, servi le gouvernement, pris la défense des droits civils, créé des entreprises, enseigné dans nos universités, brillé dans le domaine des sports, remporté des prix Nobel, construit notre plus haut immeuble et allumé le flambeau olympique [...].

L'Amérique n'est pas – et ne sera jamais – en guerre contre l'islam. En revanche, nous affronterons inlassablement les extrémistes violents qui font peser une menace grave sur notre sécurité.

Barack Obama, discours prononcé à l'université islamique Al-Azhar du Caire, 4 juin 2009.

Biographie

Barack Obama
(né en 1961)

Ancien travailleur social, professeur de droit puis sénateur de l'Illinois, il est en novembre 2008 le premier président afro-américain. Opposé à la guerre en Irak en 2003, prix Nobel de la paix en 2009, il s'attache à sortir son pays des guerres d'Irak et d'Afghanistan, tout en luttant contre la crise financière mondiale. Il organise l'élimination d'Oussama Ben Laden en mai 2011. Réélu en 2012, il effectue en 2014 des frappes aériennes contre l'État islamique en Irak et en Syrie, et dénonce l'action des prorusses en Ukraine.

2 : L'élimination de Ben Laden en mai 2011

L'équipe présidentielle, autour du président Obama et de la secrétaire d'État, Hillary Clinton, suit en direct, à la Maison-Blanche, l'opération permettant l'élimination d'Oussama Ben Laden au Pakistan (1er mai 2011).

3 : La théorie controversée du choc des civilisations

La théorie de Samuel Huntington, qui divise le monde en différentes aires civilisationnelles, est contestée car jugée très réductrice. La civilisation musulmane qu'il décrit longuement masque notamment l'extrême complexité des différentes tendances de cette religion et les nombreux conflits internes. De surcroît, le facteur de la religion comme déterminant des civilisations occulte complètement d'autres variables géopolitiques, économiques ou démographiques.

Si le XIXᵉ siècle a été marqué par le conflit des États-nations et le XXᵉ par l'affrontement des idéologies, le siècle prochain verra le choc des civilisations, car les frontières entre culture, religion et race sont désormais en ligne de fracture. [...] La chute du communisme a fait disparaître l'ennemi commun de l'Occident et de l'islam, de sorte que chaque camp est désormais la principale menace de l'autre. [...] Le caractère belliqueux et violent des pays musulmans à la fin du XXᵉ siècle est un fait que personne ne saurait nier. [...] Le problème central pour l'Occident n'est pas le fondamentalisme islamique. C'est l'islam, civilisation différente dont les représentants sont convaincus de la supériorité de leur culture et obsédés par l'infériorité de leur puissance. Le problème pour l'Islam n'est pas la CIA ou le Pentagone. C'est l'Occident, civilisation différente dont les représentants sont convaincus de l'universalité de leur culture et croient que leur puissance supérieure, bien que déclinante, leur confère le devoir d'étendre cette culture à travers le monde. [...] Depuis 1979, se déroule une quasi-guerre intercivilisationnelle : si les musulmans supposent que l'Occident porte la guerre contre l'islam et si les Occidentaux supposent que les groupes islamistes portent la guerre contre l'Occident, il semble raisonnable d'en conclure qu'une sorte de guerre a lieu.

Samuel Huntington (professeur à l'université Harvard), *Le Choc des civilisations*, Paris, Odile Jacob, 1997 (titre original : *The clash of civilizations and the remaking of the world order*, 1996).

4 Drone « Predator » au-dessus de l'Afghanistan en 2012.

En dépit de son discours de 2009, Barack Obama doit continuer la guerre contre les organisations terroristes.
Il systématise l'emploi des avions robots sans pilote (drones) en Afghanistan et au Pakistan, malgré les victimes civiles collatérales qu'ils y provoquent et qui rendent l'Amérique impopulaire.

S'initier au travail de l'historien

A Vous prenez connaissance d'un discours officiel du président des États-Unis d'Amérique (doc. 1)
1. Présentez le document : auteur, nature, date, contexte historique, destinataires.
2. Expliquez pourquoi le lieu de ce discours n'a pas été choisi au hasard.

B Vous analysez ce discours en faisant preuve d'esprit critique
3. Quels sont les faits mobilisés par le président Obama pour montrer que son pays a toujours eu de bons rapports avec l'islam ?
4. Dans quel but le président cherche-t-il à faire l'éloge du monde musulman ? Est-ce son rôle ?
5. Pourquoi le président donne-t-il des éléments de sa biographie ?
6. Pourquoi le fait de n'avoir que des extraits est-il une limite à l'analyse de ce document ?

C Vous confrontez le document 1 avec d'autres
7. Quelle conception des relations entre l'Occident et les pays musulmans Samuel Huntington développe-t-il dans cet extrait de son ouvrage (doc. 3) ? Les événements depuis le 11 septembre 2001 vous paraissent-ils confirmer ou infirmer ses propos ?
8. Quelle a été la politique du président Obama vis-à-vis de Ben Laden et de la guerre contre le terrorisme islamiste (doc. 2 et 4) ? Est-ce contradictoire avec son discours de 2009 ou pas ?

D Vous montrez l'intérêt du document 1 et sa portée
9. Quelle est la politique américaine du président Obama envers les pays musulmans après son arrivée à la Maison-Blanche ?
10. Cette politique est-elle en rupture avec son prédécesseur, George W. Bush, ou s'inscrit-elle dans sa continuité ? Justifiez votre réponse.

Consigne BAC

Montrez l'intérêt de ce discours officiel (doc. 1) en expliquant que le président Obama doit, en raison de sa fonction, répondre aux attentes de ses concitoyens, tout en cherchant à apaiser les relations avec le monde musulman.

4 L'internationalisation du terrorisme

L/ES : ▶ Pourquoi et comment les États-Unis et leurs alliés luttent-ils contre le terrorisme islamiste mondialisé ?

A La contestation islamiste de l'hyperpuissance américaine

■ Les États-Unis sont contestés et attaqués par des pays ou des organisations extrémistes qui refusent leur modèle politique et social, ou leur soutien à l'État d'Israël. **La contestation islamiste est la plus menaçante**, même si certains pays islamistes sont alliés aux États-Unis, telle l'Arabie Saoudite wahhabite depuis 1945.

■ Les divers islamismes ont en commun une vision intolérante et intégriste de l'islam, ainsi que le désir d'imposer aux sociétés l'application stricte de la charia. **En Iran chiite, la révolution de 1979 chasse le Shah (empereur), et l'**ayatollah **Khomeyni fonde une République islamique hostile aux États-Unis** (prise en otage des Américains de l'ambassade de Téhéran, 1979-1981).

■ **Fin 1979, l'armée soviétique intervient en Afghanistan pour aider un régime communiste en proie à une guérila islamiste.** Jusqu'au retrait de l'URSS en 1989, le Pakistan voisin soutient les moudjahidins, avec l'appui de ses alliés américains. En 1996, les Américains ne s'opposent pas à la prise du pouvoir en Afghanistan par les talibans : ceux-ci imposent un intégrisme d'une radicalité inégalée, interdisant l'école aux filles ou forçant les femmes à porter la burka.

1 : L'intervention américaine en Afghanistan après les attentats du 11 septembre 2001
Deux soldats américains pendant l'opération « Liberté immuable » dans le Sud de l'Afghanistan en décembre 2001.

B Les attentats du 11 septembre 2001

Étude pages 162-163 + doc. 2 et 3

■ **L'islamisme s'incarne aussi dans des organisations terroristes qui appellent au** djihad, **dont la plus importante est Al-Qaïda**, fondée par Oussama Ben Laden en 1988. Le 7 août 1998, elle se fait connaître par des attentats simultanés contre les ambassades américaines au Kenya et en Tanzanie.

■ **Mais l'Amérique est surtout ébranlée par les attentats du 11 septembre 2001 qui touchent les symboles mêmes de sa puissance à New York et Washington**. Ces attentats sans précédent sont condamnés par toute la planète et la font entrer dans une nouvelle ère : celle de la peur du terrorisme mondialisé et sans frontières.

■ Le président George W. Bush engage aussitôt une guerre asymétrique contre Al-Qaïda. **Les soutiens affluent, y compris de pays musulmans et de l'ONU.** Pour la première fois, l'OTAN applique l'article 5 du traité fondateur de 1949, qui rend tous ses membres solidaires de l'un des leurs s'il est attaqué.

C Des guerres d'un nouveau genre

Études pages 164-165 et 166-167 + doc. 1 et 3

■ **D'octobre à décembre 2001, une première guerre détruit en Afghanistan le régime** taliban, **qui donnait asile à Ben Laden.** La communauté internationale soutient l'action américaine, dont la France, qui envoie des soldats. Mais Ben Laden reste introuvable et le conflit s'enlise. La guérilla talibane harcèle les forces de la coalition présentes jusqu'en 2014.

■ En 2002, les États-Unis accusent sans preuve l'Irak de soutenir Al-Qaïda et de posséder encore des armes de destruction massive. Dans le monde entier, des manifestations de masse contestent le désir affiché du président Bush d'envahir l'Irak. L'ONU , dont trois des cinq membres du Conseil de Sécurité, se montre réticente. **Finalement, le 20 mars 2003, sans accord de l'ONU, la coalition américaine envahit l'Irak**. Le régime de Saddam Hussein tombe dès le 9 avril, mais l'Irak sombre dans le chaos et le terrorisme. De plus, des attentats d'Al-Qaïda frappent les pays de la coalition comme à Madrid le 11 mars 2004 ou à Londres le 7 juillet 2005.

■ Le président Obama, élu en 2008, veut en finir avec le conflit irakien : fin 2011, les derniers Américains quittent le pays. Par ailleurs, le 2 mai 2011, ses forces spéciales abattent Ben Laden, localisé au Pakistan. **Mais profitant du « printemps arabe » de 2011, l'islamisme connaît une nouvelle vitalité dans des pays comme la Libye ou la Syrie**. En 2014, la communauté internationale, dont les États-Unis, intervient pour enrayer la progression fulgurante d'une nouvelle organisation, « l'État islamique » (ou Daech en arabe), en Irak et en Syrie. Au-delà, la puissance américaine peine à contrer un terrorisme de plus en plus nébuleux et déterritorialisé.

Vocabulaire et notions

● **Ayatollah** : haut dignitaire religieux chiite.

● **Burka** : vêtement afghan dissimulant intégralement le visage, les yeux et le corps féminin.

● **Charia** : loi islamique. Les islamistes exigent son application intégrale, notamment celle de son volet pénal (lapidation des femmes adultères, amputation de la main droite pour les voleurs).

● **Djihad** : de l'arabe « lutte » ou « effort ». L'islam distingue le djihad majeur (lutte spirituelle pour devenir meilleur) du djihad mineur (se battre pour sa religion armes à la main).

● **Guerre asymétrique** : elle oppose l'armée d'un État à des groupes de combattants qui utilisent des tactiques de guérilla et de terrorisme.

● **Islamisme** : mouvement dont se revendiquent des groupes qui ont une vision intolérante de l'islam. Ils en font non plus une religion mais une idéologie politique par l'application stricte de la charia. Ils cherchent à créer des États islamiques, voire un califat universel.

● **Moudjahidins** : combattants afghans antisoviétiques des années 1980. Ils sont rejoints par des islamistes du monde entier, qui font là l'apprentissage de la lutte armée.

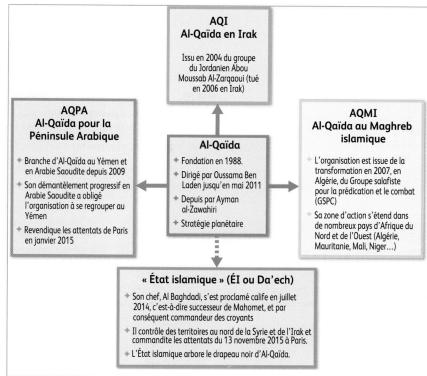

2 : **La nébuleuse d'Al-Qaïda**

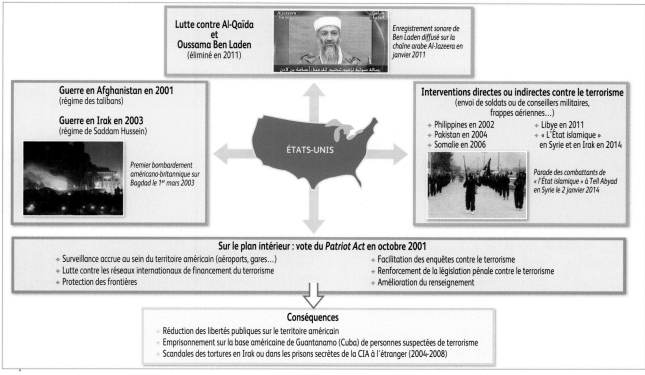

3 : **La réaction des États-Unis face au terrorisme depuis 2001**

Questions

1. D'après le document 2, pourquoi parle-t-on d'une nébuleuse à propos d'Al-Qaïda ?

2. Depuis 2001, quelles sont les régions du monde où les Américains sont beaucoup intervenus pour lutter contre le terrorisme (doc. 1 et 3) ? Pourquoi peut-on parler d'une multiplication des foyers terroristes depuis les attentats du 11 septembre ?

3. D'après le document 3, pourquoi peut-on dire que la lutte contre le terrorisme a été une priorité aux États-Unis après les attentats de 2001 ?

Travailler à partir
du Vietnam Veterans Memorial et du National September 11 Memorial

L/ES S

Capacités travaillées

II-1 Identifier des documents

II-1 Prélever, hiérarchiser et confronter des informations selon des approches spécifiques en fonction des documents

L'architecte Maya Lin est à l'origine du Vietnam Veterans Memorial construit à Washington au début des années 1980. Le National Septembre 11 Memorial est l'œuvre de l'architecte israélo-américain Michael Arad. Il a été inauguré en 2011.

▶ Comment l'architecture d'un mémorial américain transmet-elle la mémoire d'un événement douloureux pour la nation ?

1. Le Mémorial de la guerre du Vietnam à Washington

a. Le mur des disparus
L'architecte a choisi des murs de granit noir qui sont des parois réfléchissantes. 85 000 noms de soldats disparus y sont inscrits. Il est composé de deux parties principales : le Mur des disparus et la statue des Trois Soldats.

b. Sculpture des Trois Soldats
Cette sculpture représente trois soldats qui rappellent le melting-pot américain (un Blanc, un Noir et un Hispanique).

2. Le Mémorial du 11 septembre 2001 à New York

a. Vue aérienne du Mémorial
Le Mémorial du 11 septembre a été construit à l'emplacement des tours jumelles de New York (*Ground Zero*) à la mémoire des victimes des attentats de 2001. Commencé en 2006, il a ouvert au public le 11 septembre 2011. Il est composé de deux grands bassins.

b. Le souvenir des victimes
Les noms des victimes sont inscrits autour des bassins qui symbolisent les anciennes tours.

Questions

1. Présentez chaque œuvre du Vietnam Veterans Memorial et la décrivez-la afin de montrer les intentions de l'artiste.

2. Pourquoi l'architecte a-t-il construit deux bassins creux alimentés par des cascades à l'emplacement des tours jumelles ?

3. Quel est le premier but d'un mémorial d'après ces deux exemples ? Quelle similitude est visible dans la mise en scène de la mémoire des morts ?

4. Quelle image de chaque événement les architectes ont-ils souhaité donner dans leurs réalisations respectives ?

5. Ces mémoriaux vous paraissent-ils transmettre correctement la mémoire des événements qu'ils commémorent ?

Un siècle de terrorismes

Le terrorisme est un phénomène ancien et médiatisé depuis longtemps. Il peut être réparti en quatre catégories : le terrorisme révolutionnaire (anarchisme, gauchisme, extrême-droite), le terrorisme nationaliste (basque, nord-irlandais, palestinien), le terrorisme politico-religieux (courants djihadistes au sein de l'islamisme) et le terrorisme d'État (attentats organisés par un État contre un autre).

Capacité travaillée
I.2 Mettre en relation des faits de périodes différentes

▶ **Comment, depuis un siècle, le terrorisme est-il utilisé par des courants politiques des plus divers ?**

1 : Un anarchiste justifie son attentat

Le 12 février 1894, l'anarchiste Émile Henry lance une bombe dans un café à Paris. On dénombre une vingtaine de blessés et un mort. Lors de son procès, il explique ses motivations. Il est guillotiné à l'âge de 22 ans.

On m'avait dit que les institutions sociales étaient basées sur la justice et l'égalité, et je ne constatais autour de moi que mensonges et fourberies. Chaque jour m'enlevait une illusion. Partout où j'allais, j'étais témoin des mêmes douleurs chez les uns, des mêmes jouissances chez les autres. L'usinier qui édifiait une fortune colossale sur le travail de ses ouvriers, qui, eux, manquaient de tout. Le député, le ministre dont les mains étaient toujours ouvertes aux pots-de-vin, étaient dévoués au bien public. […] Tout ce que je vis me révolta. […]
Dans cette guerre sans pitié que nous avons déclarée à la bourgeoisie, nous ne demandons aucune pitié. Nous donnons la mort et nous devons la subir. C'est pourquoi j'attends votre verdict avec indifférence.

Extrait du procès d'Émile Henry, mai 1894.

2 : Le terrorisme nationaliste
Prise d'otages aux Jeux olympiques de Munich en 1972 par des Palestiniens. Le 5 septembre 1972, un commando palestinien du groupe terroriste « Septembre noir » prend en otage la délégation israélienne. 11 athlètes israéliens sont assassinés.

3 : Le terrorisme d'extrême-gauche
Assassinat d'Aldo Moro (1978). Après avoir séquestré 55 jours le chef du Parti démocrate-chrétien, Aldo Moro, les Brigades rouges l'assassinent. Ils abandonnent son corps à Rome dans le coffre d'une voiture placée à égale distance des sièges du Parti communiste et de la Démocratie chrétienne, en signe de rejet de la démocratie.

4 : Le terrorisme djihadiste
Paris frappé au cœur (7-9 janvier 2015). Le 7 janvier 2015, deux djihadistes français massacrent 12 personnes au siège du journal satirique *Charlie-Hebdo*. Un complice tue le 8 une policière puis, le 9, quatre otages juifs. Ces attentats causent une émotion mondiale. « Il a tiré le premier» [to draw : tirer ou dessiner], D. Pope, 8 janvier 2015, *Canberra Times*, Australie.

Questions

1. Quelles sont les raisons de l'engagement d'Émile Henry dans le terrorisme anarchiste (doc. 1) ?

2. Pourquoi les terroristes palestiniens ont-ils fait le choix de commettre leur crime pendant les Jeux olympiques d'été (doc. 2) ?

3. Comment la photographie du document 3 illustre-t-elle la violence terroriste ?

4. Quelle liberté démocratique est refusée par les djihadistes (doc. 4) ?

5. Quels sont les points communs entre ces attentats ?

Exercices

1 Réactiver ses connaissances : la chute du mur de Berlin L/ES S

1 La chute du mur

9 novembre 1989. Un morceau du mur de Berlin est tombé cette nuit. Des milliers de Berlinois et d'Allemands de l'Est ont franchi, aux premières heures du vendredi 10 novembre, les divers points de passage entre les deux parties de la ville pour se rendre quelques heures à Berlin-Ouest, où leur arrivée a suscité une gigantesque fête dans le centre-ville et aux abords du mur. Le conseil des ministres est-allemand avait annoncé, jeudi soir, que tout citoyen de RDA pourrait dorénavant emprunter les points de passage le long de la frontière interallemande et, à Berlin, sur simple présentation d'un visa délivré à la demande dans les commissariats de police. [...], la nouvelle s'était répandue comme une traînée de poudre des deux côtés du mur. Vers 23 heures, des petits groupes, beaucoup de jeunes surtout, ont commencé, côté Est, à converger vers les points de passage, histoire de tâter le terrain. Les grilles étaient encore fermées, mais les policiers de faction, avec une bonhomie qu'on ne leur connaissait pas, confirmaient que la frontière serait ouverte après minuit... À l'heure prescrite, sur simple présentation du livret d'identité bleu, chacun pouvait franchir sans plus de formalité la ligne de démarcation. Pour qui a connu les couloirs du Checkpoint Charlie, les longs moments d'attente, les fouilles, [...], il y avait quelque chose de totalement irréel.

Henri de Bresson, *Le Monde,* 11 novembre 1989.

2 **Rencontre entre les Allemands de l'Est et de l'Ouest après la chute du mur de Berlin, 10 novembre 1989.**

Consigne BAC

À partir de l'étude de ces deux documents, expliquez quelle a été l'attitude des autorités est-allemandes au moment de la chute du mur de Berlin et les conséquences pour les habitants de la ville.

Pour vous aider

Mobiliser ses connaissances

1. Pourquoi y a-t-il un mur à Berlin ?

Analyser les documents en réactivant ses connaissances

2. La chute du mur a-t-elle été une surprise pour les habitants de la ville ?

3. Pourquoi les dirigeants de la RDA décident-ils en novembre 1989 d'autoriser les passages à Berlin-Ouest ?

4. En analysant les deux documents, comment la population de Berlin réagit-elle à la disparition du mur ?

2 Rédiger un texte L/ES S

Le face-à-face entre les gardes-frontières est-allemands et les Berlinois de l'Ouest devant la porte de Brandebourg.

Tâche complexe

Vous êtes un journaliste soviétique dépêché à Berlin le soir du 9 novembre 1989 au moment où le mur est envahi par la population de l'Ouest de la ville. Votre travail est de rédiger un article qui rappelle la situation de Berlin depuis la fin de la Seconde Guerre mondiale et l'historique du mur de Berlin.

Coup de pouce

■ La vision que vous devez donner est celle d'un communiste soviétique qui est par définition contraire à celle de l'Occident. Vous devez donc adopter un style qui insiste sur la tristesse et la nostalgie.

■ Votre travail doit aussi tenir compte des spécificités du bloc de l'Est : censure, dénigrement des adversaires avec un vocabulaire approprié (capitalistes, bourgeois, « fascistes »...).

■ Comme pour tout article de presse, vous devez enfin réfléchir à un titre approprié et à un plan.

3 Étudier une caricature L/ES

Plantu, *Ils pourraient dire merci*, Paris, Seuil, 2004.

Consigne BAC

À partir de l'étude de cette caricature, montrez que la politique internationale des États-Unis est critiquée dans les années 2000.

Pour vous aider

1. Bien observer comment la scène est traitée : taille des objets, détails significatifs, le costume du personnage, ses gestes, l'expression de son visage, ses accessoires…

2. Expliquer pourquoi et comment les déformations expriment une critique et un jugement de l'auteur.

3. Observer les références à la religion, qui rappellent son importance aux États-Unis. Observer aussi les références au pétrole qui rappellent les enjeux de la conquête de l'Irak et les liens existant entre George W. Bush et l'industrie pétrolière, notamment texane.

4. Confrontez la caricature à ce que vous connaissez de la période traitée : comment le caricaturiste voit-il la politique internationale américaine ? Comment s'en moque-t-il ? Quels sont les problèmes rencontrés par les États-Unis qui sont dénoncés ici ?

4 TICE Travailler à partir d'un site internet : Le musée du mur de Berlin

Aller sur le site http ://www.mauermuseum.de/.

Questions

Travail à partir de la page d'accueil :

1. En lisant le mot de la présidente, quelle est la particularité de la date d'ouverture du musée ? En quoi est-elle symbolique ? Pourquoi les responsables du musée ont-ils choisi d'en consacrer une partie à la défense des droits de l'homme, des libertés et de la démocratie ?

2. Quel est le message de la photographie de la page d'accueil ? En quoi illustre-t-elle bien le thème du musée ?

Naviguez sur le site internet :

3. Où est situé ce musée dans Berlin ? Pourquoi ?

4. La galerie photos à laquelle vous avez accès vous donne-t-elle envie de visiter le musée ? Justifiez votre réponse.

5. Qu'attendez-vous de voir dans un tel musée si vous avez la possibilité de vous y rendre ?

Bilan :

6. Ce site internet vous paraît-il bien construit ? Pourquoi ? Que proposeriez-vous pour l'améliorer ?

5 Les violences de la guerre du Vietnam L/ES

Consigne BAC

Après avoir replacé le document dans son contexte, montrez comment il témoigne de la violence de cette guerre dans un contexte de guérilla.

Pour vous aider

1. Décrivez les conditions dans lesquelles se déroulent les combats.

2. Indiquer les violences physiques et morales que les soldats américains subissent pendant cette guerre.

Soldats américains au combat en octobre 1966

L/ES

Capacités travaillées

I.1.3 Situer et caractériser une date dans son contexte chronologique

II.1.4 Critiquer un document

Consigne Après avoir **présenté ce document** en insistant sur son contexte, montrez qu'il s'agit d'un **point de vue partiel** sur la crise de Cuba.

Pour vous aider

- La présentation du document doit comporter plusieurs éléments : son auteur, sa nature, c'est-à-dire le genre auquel il appartient, sa date et le contexte historique dans lequel il a été produit.

- Le verbe « montrer » indique l'objectif de la consigne, à savoir développer une argumentation convaincante pour y répondre. La crise de Cuba est le thème à étudier. Vous devez en connaître les grandes lignes pour bien traiter le sujet.

- La formule « un point de vue partiel » doit vous amener à bien réfléchir à l'auteur de la source et au contenu du document qui n'évoque pas le point de vue de l'adversaire. Ici, l'URSS est considérée comme un agresseur mais aucune information n'est donnée sur la politique américaine vis-à-vis de Cuba depuis son entrée dans le bloc communiste.

La crise de Cuba vue par la diplomatie française

Après la réunion du 26 octobre, le secrétaire d'État a retenu dans son bureau les trois ambassadeurs.

M. Rusk[1] a souligné que la surveillance aérienne révèle la continuation accélérée de la construction des bases à Cuba. Apparemment, les bateaux soviétiques font route vers leurs ports d'origine et l'on peut dire qu'ils ont déserté l'Atlantique. Aucune concentration des forces russes en d'autres points du globe n'a été décelée.

Il est difficile de dire encore comment tourneront les conversations qui ont lieu actuellement au siège des Nations Unies et dont j'ai indiqué les objectifs dans mon télégramme n° 5978-5982. Si elles aboutissent à un échec, les États-Unis, a confirmé M. Rusk, sont décidés à assurer le démantèlement des bases par d'autres moyens, soit leur destruction par bombardements, soit la mise en œuvre d'autres mesures « de plus large envergure ». Ces décisions, dont le secrétaire d'État ne dissimule pas l'extrême gravité, ni les répercussions mondiales qu'elles pourraient avoir, ne seront pas prises avant « quelques jours » et, assure M. Rusk, après consultation de nos trois gouvernements. L'alternative, qui consisterait à laisser installer à Cuba une base nucléaire susceptible de menacer la force de dissuasion commune de l'Occident, serait plus sérieuse encore.

Lettre du 26 octobre 1962 d'Hervé Alphand, ambassadeur de France aux États-Unis, à Maurice Couve de Murville, ministre des Affaires étrangères du général de Gaulle.

1. Dean Rusk est le secrétaire d'État (ministre des Affaires étrangères) du président Kennedy en 1962.

POINT MÉTHODE

1 L'introduction

La rédaction de l'introduction doit associer l'ensemble des éléments de la présentation du document. Bien se rappeler que la crise de Cuba est la plus grave de la guerre froide.

2 Le développement

Le développement doit obligatoirement comporter deux ou trois paragraphes. Il faut les construire en fonction de la consigne. Vous devez citer le texte pour appuyer votre propos mais aussi utiliser vos connaissances pour construire la démonstration.

3 La conclusion

La conclusion est une synthèse des grandes idées développées qui doit vous permettre de faire une ouverture sur un futur proche : la détente.

L/ES S

Exercice d'application

Le mur de Berlin, toujours un symbole des tensions internationales au XXIe siècle

Cela fait soixante ans cet été que notre partenariat a réellement débuté, lorsque le premier avion américain s'est posé à Tempelhof[1]. L'ombre soviétique avait balayé l'Europe de l'Est tandis qu'à l'Ouest, l'Amérique, la Grande-Bretagne et la France comptaient leurs pertes et se demandaient comment rebâtir le monde. C'est là que les deux camps se sont rencontrés […]. Peuples du monde, regardez Berlin où un Mur est tombé, où un continent s'est rassemblé […]. Les terroristes du 11 septembre ont comploté à Hambourg[2], se sont entraînés à Kandahar[3] et Karachi[4] avant de tuer des milliers de gens, qui provenaient du monde entier, sur le sol américain. […] Du matériel nucléaire mal gardé dans l'ancienne Union soviétique ou les secrets d'un scientifique au Pakistan peuvent aider à assembler une bombe qui explosera à Paris. […]. C'est pourquoi le plus grand de tous les dangers serait de permettre à de nouveaux Murs de nous diviser.

Discours du candidat démocrate Barack Obama à la présidence des États-Unis, prononcé à Berlin le 24 juillet 2008.

1. Principal aéroport de Berlin-Ouest. 2. Grand port allemand.
3. Ville afghane, fief des talibans. 4. Grand port du Pakistan.

Consigne

À partir de l'analyse de ce document, expliquez pourquoi le candidat Obama juge utile de rappeler l'histoire de Berlin pendant la guerre froide pour défendre le multilatéralisme face aux nouveaux enjeux du XXIe siècle.

L/ES

Capacités travaillées

II.1.3 Cerner le sens général de deux documents et le mettre en relation avec la situation historique étudiée

II.1.4 Critiquer des documents

1 ⋮ **Attaque du World Trade Center à New York le 11 septembre 2001**

2 ⋮ **Discours du président George W. Bush devant le Congrès le 20 septembre 2001**

Le 11 septembre, les ennemis de la liberté ont commis un acte de guerre contre notre pays. Les Américains ont connu des guerres, mais depuis cent trente-six ans, ces guerres ont toujours eu lieu à l'étranger, à l'exception d'un certain dimanche en 1941. Les Américains ont subi des pertes humaines causées par la guerre, mais non pas dans le centre d'une grande ville par un matin calme. Les Américains ont connu des attaques surprises, mais jamais auparavant contre des milliers de civils […]. Notre guerre contre la terreur commence par Al-Qaïda mais elle ne se termine pas là. Elle ne se terminera que lorsque chaque groupe terroriste capable de frapper à l'échelle mondiale aura été repéré, arrêté et vaincu […]. Nous consacrerons toutes les ressources à notre disposition – tous les moyens diplomatiques, tous les outils de renseignement, tous les instruments des forces de l'ordre, toutes les influences financières et toute arme nécessaire de guerre – à la dislocation et à la défaite du réseau terroriste mondial […]. Cette lutte est celle du monde entier. C'est une lutte de civilisation. C'est la lutte de tous ceux qui croient au progrès et au pluralisme, à la tolérance et à la liberté.

Pour vous aider

- L'analyse des documents doit vous permettre d'expliquer la vulnérabilité des États-Unis, c'est-à-dire leur fragilité suite aux attentats du 11 septembre, en dépit de leur statut de première puissance mondiale. Les moyens utilisés par les terroristes, ainsi que le lieu des attentats sont des indications à développer.

- La transformation de la politique étrangère américaine doit être étudiée comme une conséquence des attentats. Il est nécessaire de bien mettre en évidence qu'il s'agit du point de vue du président des États-Unis. Le mot-clé est « transformation ». Pourquoi les attentats ont-ils changé la politique étrangère des États-Unis ? Quelles sont désormais leurs priorités ? Au nom de quelles valeurs ?

Consigne En analysant ces deux documents, **montrez que les attentats du 11 septembre 2001 ont révélé la vulnérabilité américaine et transformé la politique étrangère des États-Unis.**

POINT MÉTHODE

1 **L'introduction**
L'introduction doit permettre de présenter chaque document en prenant soin de rappeler leur point commun.

2 **Le développement**
Le développement doit comporter deux paragraphes puisque la consigne suggère deux thèmes à traiter. Il faut mettre les documents en relation et utiliser chacun d'eux pour apporter des éléments de réponse. L'objectif est de montrer qu'ils se complètent et qu'il est utile de les confronter.

3 **La conclusion**
La conclusion doit être l'occasion de synthétiser les grandes lignes de votre analyse, en ouvrant sur les conséquences immédiates des attentats concernant la politique étrangère américaine.

Composition

Rédiger l'introduction et la conclusion

L/ES S

Capacités travaillées

I.1.1 Nommer et périodiser les continuités et ruptures chronologiques

II.2.3 Rédiger un texte construit et argumenté

Sujet

Berlin, une ville divisée symbole de l'affrontement Est/Ouest pendant la guerre froide (1947-1989)

Étape **1**

Analyser le sujet

– Un principe fondamental : il **n'y a pas de composition possible sans connaissances correctement assimilées**. Mais l'apprentissage n'est pas tout et il convient de bien maîtriser la méthode.

– La forme : vous ne devez pas la négliger. Le jour du bac, votre correcteur ne vous connaît que par la copie qu'il a devant les yeux. Il faut donc la soigner. Il faut aussi bien sûr **faire attention à votre expression écrite et à la qualité de l'écriture**.

– L'approche du sujet : lisez et relisez l'énoncé et au brouillon, **définissez les termes du sujet** (dates, termes employés, espace géographique…) pour éviter le hors-sujet qui est l'erreur la plus fréquente.

> Lieu du sujet. Il ne faut traiter que de la ville de Berlin.

> Pendant la guerre froide, la partie occidentale fait partie du Bloc de l'Ouest et la partie orientale est intégrée au Bloc de l'Est

Berlin, une ville divisée symbole de l'affrontement Est/Ouest pendant la guerre froide (1947-1989)

> Montrer qu'elle est un symbole de l'affrontement Est/Ouest revient à étudier les enjeux que représentent Berlin mais aussi les crises qui s'y sont déroulés et qui ont opposé les deux blocs conduits par les États-Unis et l'URSS : blocus, construction du mur, chute du mur.

> La chronologie est celle de la guerre froide : 1947 en marque le début (Berlin est divisé en zones d'occupation) et 1989 est la chute du Mur de Berlin, qui en annonce la fin

POINT MÉTHODE

1 Faire au brouillon la liste des mots ou notions qui doivent être définis : affrontement Est/Ouest et guerre froide.

2 Bien réfléchir à la chronologie

Le sujet ne commence pas en 1945 mais en 1947. L'introduction devra donc justement présenter l'évolution de la situation de Berlin de la fin de la Seconde Guerre mondiale au début de l'entrée du monde dans la guerre froide. De plus, 1989 n'est pas la fin de la guerre froide mais l'année de la chute du Mur de Berlin qui voit s'effondrer les régimes communistes en Europe de l'Est.

3 L'analyse du sujet doit vous amener à vous poser les bonnes questions

Pourquoi parle-t-on d'une division de Berlin pendant la guerre froide ? Pourquoi Berlin symbolise-t-il la bipolarisation du monde ? Quelles crises permettent d'étudier l'affrontement Est/Ouest à Berlin ?

Étape 2 — Rédiger l'introduction L/ES S

L'introduction, dans une composition, doit être particulièrement bien construite et bien pensée car elle correspond au début de votre travail qui donne une indication au correcteur sur la qualité de votre copie.

Elle comporte trois éléments qui sont indispensables :

1) Présentation et définition des termes du sujet
→ Commencer par une phrase introductive simple qui a un rapport direct avec le sujet.

→ Définir ensuite précisément les termes du sujet. Aucun flou ne doit subsister. Vous devez montrer que vous avez compris tous les mots du sujet. Les concepts doivent aussi être clairement définis (guerre froide), de même que les dates (pourquoi le sujet commence-t-il en 1947 ? Pourquoi se termine-t-il en 1989 ?).

2) La problématique L/ES , le fil directeur S
En L/ES il faut définir une problématique. La problématique est une question. Votre composition doit éclaircir ce problème et pour la série S , la problématique n'est pas obligatoire mais un fil directeur est nécessaire.

3) L'annonce du plan L/ES (pas obligatoire en S)
Elle est obligatoire en L/ES et doit permettre à votre correcteur de comprendre les deux ou trois grandes parties de votre plan (les sous-parties ne sont pas annoncées ici).

Pour vous aider

- La problématique est toujours une question. Elle s'ouvre souvent par un adverbe interrogatif et soulève le problème du sujet :
  Comment… et pourquoi… ?
  Dans quelle mesure… ?
  Quels sont les causes, les aspects et les limites de… ?
- La problématique doit montrer l'intérêt du sujet en le problématisant. De plus, elle oriente votre plan et en même temps le justifie.
- Une phrase doit correspondre à une seule partie annoncée de votre plan : « Dans une première partie nous verrons… Puis, dans un second temps, nous analyserons… Enfin, nous évoquerons dans une troisième partie… »
- Pensez à faire varier les verbes.
- C'est le seul moment de votre analyse où vous pouvez employer le « nous ».

Exemple de rédaction

À partir de 1947, le monde entre dans la guerre froide. Berlin, divisé en quatre secteurs d'occupation par les vainqueurs de la guerre, dans une Allemagne elle-même coupée en deux par le rideau de fer, devient un symbole de l'affrontement Est/Ouest, c'est-à-dire de l'opposition politique, économique et sociale entre les deux blocs que constituent les États-Unis et l'URSS. Les crises s'y multiplient et la population berlinoise souffre de cet antagonisme entre les deux Grands. Jusqu'en 1989, date de la chute du mur, chacun des deux camps refuse de céder aux provocations de l'autre et rend impossible la réunification de la ville.

En quoi les grandes crises de Berlin de 1947 à 1989 aggravent-elles la division de la ville jusqu'à la chute du mur et pourquoi sont-elles caractéristiques de l'affrontement Est/Ouest pendant la guerre froide ?

Dans une première partie nous verrons le blocus de Berlin-Ouest et ses conséquences pour la population de la ville, dans un second temps la construction du mur en 1961 et la réaction occidentale, puis dans une dernière partie nous traiterons de la disparition de ce « mur de la honte » qui symbolise la fin de la guerre froide.

Étape 3 — Rédiger la conclusion

Comme l'introduction, la conclusion doit être soignée car elle termine votre composition et doit laisser à votre correcteur une bonne impression.

Elle se compose de deux éléments :

1) Synthèse des grandes idées énoncées dans les grandes parties du développement

2) Ouverture : très attendue et très appréciée quand elle est bien faite

Pour vous aider

- Attention, la conclusion n'est pas un fourre-tout dans lequel on donne en catastrophe une idée oubliée dans le développement. Pas de nouvel exemple ou d'idée non traitée dans le corps du devoir !
- L'ouverture doit permettre de replacer le sujet dans une perspective plus large, le plus souvent ouverte sur le futur proche en histoire.

Exemple de rédaction

De 1947 à 1989, la division de Berlin illustre la bipolarisation du monde. Chaque crise qui s'y déroule, le blocus de Berlin-Ouest par les Soviétiques en 1948-1949, qui débouche sur la création de deux États allemands mais sans rien changer à la situation de la ville, et la construction du mur en 1961 par les autorités de la RDA, avec l'accord de Moscou, qui aggrave la séparation à laquelle les Occidentaux réagissent vivement, symbolisent la division du monde en deux blocs antagonistes et irréconciliables. Pendant toute la guerre froide, les Berlinois sont ainsi l'enjeu de l'affrontement Est/Ouest et souffrent de

la division de leur ville. En novembre 1989, la chute du mur incarne l'espoir et marque la fin de l'enjeu que représentait Berlin entre les deux Grands depuis la fin de la Seconde Guerre mondiale.

Après la disparition du « mur de la honte », la réunification allemande devient une priorité pour les autorités de la RFA. Celle-ci est effective en octobre 1990 et Berlin, ville réunifiée elle aussi, devient la capitale de toute l'Allemagne et de tous les Allemands.

Sujet blanc pour vous entraîner

– Les conflits périphériques majeurs de la guerre froide à partir de l'étude de Berlin, de Cuba et du Vietnam.
– Hégémonie et contestations de l'hyperpuissance des États-Unis dans le monde de l'après-guerre froide.

L/ES

Des crises de la guerre froide aux nouvelles conflictualités

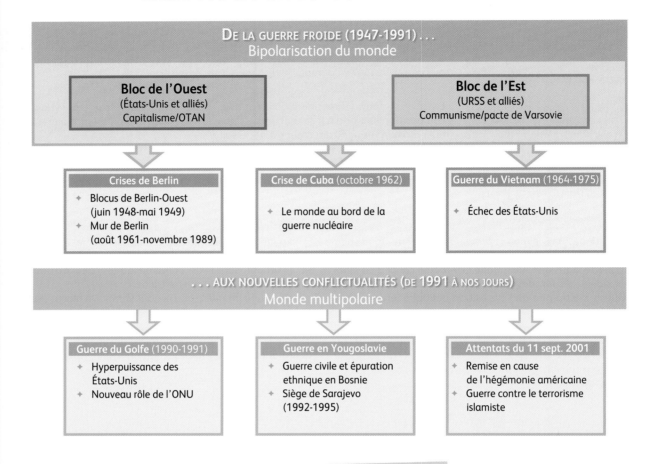

DE LA GUERRE FROIDE (1947-1991)...
Bipolarisation du monde

Bloc de l'Ouest
(États-Unis et alliés)
Capitalisme/OTAN

Bloc de l'Est
(URSS et alliés)
Communisme/pacte de Varsovie

Crises de Berlin
+ Blocus de Berlin-Ouest (juin 1948-mai 1949)
+ Mur de Berlin (août 1961-novembre 1989)

Crise de Cuba (octobre 1962)
+ Le monde au bord de la guerre nucléaire

Guerre du Vietnam (1964-1975)
+ Échec des États-Unis

...AUX NOUVELLES CONFLICTUALITÉS (DE 1991 À NOS JOURS)
Monde multipolaire

Guerre du Golfe (1990-1991)
+ Hyperpuissance des États-Unis
+ Nouveau rôle de l'ONU

Guerre en Yougoslavie
+ Guerre civile et épuration ethnique en Bosnie
+ Siège de Sarajevo (1992-1995)

Attentats du 11 sept. 2001
+ Remise en cause de l'hégémonie américaine
+ Guerre contre le terrorisme islamiste

Je sais définir les mots suivants

- **Épuration ethnique** : Politique consistant à créer un territoire ethniquement homogène par les massacres ou les expulsions forcées. Elle relève en droit international du crime contre l'humanité.
- **Guerre froide** : Conflit fondé sur une opposition idéologique entre les États-Unis et l'URSS qui représentent des modèles politiques, économiques et sociaux opposés. Il ne dégénère jamais en affrontement armé direct entre les deux Grands mais se manifeste par la création de deux blocs antagonistes et l'éclatement de conflits périphériques.
- **Multilatéralisme** : Coopération entre plusieurs États dans la gestion des relations internationales.
- **Nouvelles conflictualités** : Expression qui définit la diversité des conflits armés qui caractérisent le monde de l'après-guerre froide – notamment des guerres civiles plutôt qu'interétatiques, ou encore des conflits asymétriques entre États et organisations terroristes –, ainsi que les nouvelles relations internationales qui en résultent.
- **OTAN** : Organisation du traité de l'Atlantique Nord. Créée en 1949, elle regroupe militairement les États-Unis, le Canada, la Turquie et plusieurs pays d'Europe occidentale et méditerranéenne. Son but est d'assurer leur défense commune contre la menace soviétique. Elle survit à la fin de la guerre froide et compte 28 membres en 2014 dont certains anciens pays communistes comme la Pologne.
- **Terrorisme** : Usage de la violence et de la terreur à des fins politiques, notamment en organisant des attentats visant les populations civiles.

Je connais les dates importantes

- **1961-1989** : Mur de Berlin
- **1964-1975** : Guerre du Vietnam
- **1992-1995** : Siège de Sarajevo
- **1962** : Crise de Cuba
- **1990-1991** : Guerre du Golfe
- **2001** : Attentats de New York et Washington

Je connais les points suivants

- **La division de Berlin pendant la guerre froide illustre la bipolarisation du monde**. En 1948-1949, les Soviétiques font le blocus de la partie ouest de la ville. En 1961, la construction du Mur aggrave la séparation. Mais le **9 novembre 1989, sa chute marque la fin de la guerre froide**.

- **La crise de Cuba en octobre 1962 est la plus grave de la guerre froide**. L'installation de rampes de missiles sur l'île communiste à 150 km des États-Unis provoque un bras de fer entre les États-Unis et l'URSS.

- **En 1964, les États-Unis interviennent contre la guérilla Viêt-cong au Sud-Vietnam**. L'âpreté des combats, l'enlisement et la contestation de la population américaine mènent au retrait américain en 1973 et à la victoire communiste en 1975.

- **Après la fin de la guerre froide, les États-Unis sont, pour une décennie, la seule puissance mondiale** comme le montre leur intervention en Irak en 1991, à la tête d'une coalition internationale que l'ONU soutient.

- La fin de la guerre froide provoque aussi un réveil des **tensions nationalistes en Yougoslavie** et la guerre civile en Bosnie en 1992.

- **Mais la puissance américaine est contestée**, notamment par des mouvements islamistes. Le 11 septembre 2001, des attentats spectaculaires à New York provoquent une guerre d'un nouveau genre. Celle de la lutte contre le terrorisme islamiste (fait référence à l'islam idéologique) international.

Je connais les personnages suivants

- John F. Kennedy
  p. 144

- Nikita Khrouchtchev
  p. 152

- Hô Chi Minh
  p. 149

- Saddam Hussein
  p. 160

- George W. Bush
  p. 163

- Barack Obama
  p. 166

Pour aller plus loin

 **À voir**

- *Apocalypse Now*, film américain de Francis Ford Coppola, 1979. Adaptation libre du roman de Joseph Conrad, *Au cœur des ténèbres*, il évoque la sauvagerie de la guerre du Vietnam.

- *Funeral in Berlin* (*Mes funérailles à Berlin*), film britannique de Guy Hamilton, 1966. Il traite de l'espionnage à Berlin pendant la guerre froide et du désir d'un agent soviétique de « passer à l'Ouest ».

- *Good Bye Lenin*, film allemand de Wolfgang Becker, 2003. Il retranscrit la vie d'une famille de Berlin-Est qui vit la chute du mur de Berlin et la réunification allemande.

- *La Sixième Face du Pentagone*, film documentaire en couleur de 26 minutes de Chris Marker et François Reichenbach, sorti en 1968. Il relate la marche sur le Pentagone de la jeunesse américaine lors de son opposition à la guerre du Vietnam le 21 octobre 1967.

- *Le monde selon Bush*, documentaire de William Karel, 2004. Une critique sans concession de l'administration Bush, de ses liens avec les marchands d'armes et les pétroliers, ainsi que des raisons mensongères avancées pour justifier l'attaque de l'Irak.

 À lire

- *Captain America*, bande dessinée créée en 1940 par Joe Simon et Jack Kirby.

- *Quinze ans qui bouleversèrent le monde : de Berlin à Bagdad*, Thierry de Montbrial, Dunod, 2006.

S

La guerre et les régimes totalitaires au XXe siècle

La Première Guerre mondiale (voir chapitre 3)

PREMIÈRE GUERRE MONDIALE

Une guerre totale :
+ Importance du front intérieur et mise en place d'économies de guerre.
+ Mobilisation des moyens scientifiques et techniques.

Une guerre mondiale :
+ Des fronts européens majeurs.
+ L'appel aux colonies.
+ Intervention décisive des États-Unis en 1917.

Le bilan humain :
+ 10 millions de morts militaires.
+ Des civils victimes de guerre : exécutions d'otages, génocide des Arméniens, déplacements forcés de populations.

Des conséquences durables :
+ Réorganisation de l'Europe et du Moyen-Orient.
+ « Brutalisation » des sociétés.
+ États-Unis, première puissance mondiale.

Genèse et affirmation des régimes totalitaires (soviétique, fasciste, nazi) (voir chapitre 5)

Les totalitarismes	Différences majeures	Points communs
	Totalitarismes : conception inégalitaire du monde, anticommunisme.	• Rejet du libéralisme, de la démocratie. • Parti unique, culte du chef. • Encadrement, mobilisation de la société. • Terreur contre les « adversaires ».
	Nazisme : « révolution raciale » contre les juifs, préparation de la guerre. / **Fascisme :** création d'un État fort mais « totalitarisme inachevé ».	
	Stalinisme : • idéologie internationaliste. • collectivisation de l'économie. • antifascisme mais alliance tactique avec Hitler en 1939-1941.	

La Seconde Guerre mondiale (voir chapitre 3)

SECONDE GUERRE MONDIALE

Une guerre totale :
+ Science au service de la guerre : projet Manhattan.
+ Guerre contre les civils (bombardements).
+ Mobilisation de toutes les sociétés.

Une guerre mondiale :
+ Tous les continents touchés.
+ Importance de la maîtrise des mers.
+ Rôle majeur de la guerre aérienne et des blindés.

Une guerre d'anéantissement :
+ 50 millions de morts dont 50 % de civils.
+ Génocide des juifs et des Tziganes.
+ Utilisation de la bombe A.

Un monde nouveau :
+ Deux superpuissances sans rival (É-U et URSS).
+ Déclin de l'Europe.
+ Colonialisme européen contesté.

La guerre froide

BERLIN EN 1945	BERLIN, LIEU DE L'AFFRONTEMENT EST-OUEST	BERLIN, LIEU DE LA DÉTENTE	1989, CHUTE DU MUR DE BERLIN
Berlin, comme l'Allemagne, est divisé en 4 zones d'occupation, sous un contrôle commun (États-Unis, Royaume-Uni, France, URSS).	1948-1949, échec du blocus soviétique contre Berlin-Ouest. 1961 : construction du Mur coupant la ville.	1971, accord sur le statut de la ville entre les quatre puissances occupantes.	9 novembre : chute du Mur symbole de l'échec du modèle communiste et de la réunification allemande.

Je connais les points suivants

• Dès 1914, la **Première Guerre mondiale** devient une guerre de position. La durée de la lutte, la volonté d'aller jusqu'au bout entraînent une mobilisation des sociétés et une mondialisation du conflit. Les Alliés l'emportent en 1918, notamment grâce à l'aide américaine.

• Les **totalitarismes** naissent après 1919, dans des États fragilisés par les crises. Les fascismes sont détruits par la Seconde Guerre mondiale, l'URSS en sort renforcée.

• La **Seconde guerre mondiale** est la plus meurtrière de l'histoire : de 50 à 60 millions de victimes dont 50 % de civils contre 5 % pendant la Grande Guerre. Les juifs et les Tziganes sont victimes d'un génocide.

• La **guerre froide**. Par peur de la guerre nucléaire, les États-Unis et l'URSS ne s'affrontent pas directement. Mais ils appuient leurs alliés respectifs lorsque ceux-ci entrent en conflits ouverts.

Je sais définir les mots suivants

- **antisémitiste** : haine des juifs, vus comme une « race » nuisible et inassimilable aux autres peuples. Cette haine se distingue de l'antijudaïsme, religieux, qui veut la conversion des juifs.
- **Crime contre l'humanité** : chef d'accusation forgé lors du procès de Nuremberg désignant la déportation : l'extermination et les actes inhumains contre des civils. Il est imprescriptible.
- **Détente** : phase de la guerre froide qui s'étend de la crise de Cuba en 1962 à l'invasion de l'Afghanistan par l'URSS en 1979 : elle se caractérise par un apaisement dans les relations directes entre les États-Unis et l'URSS mais sans que ne cessent les conflits périphériques dans lesquels les deux puissances interviennent.
- **Guerre d'anéantissement** : guerre visant à détruire l'adversaire, sans négociation possible, et à obtenir une victoire totale.
- **Shoah** : catastrophe en hébreu. Appellation donnée au génocide des juifs, d'après le titre du documentaire de Claude Lanzmann, *Shoah* (1985).

Je connais les dates importantes

- **Juin-août 1914** : enchaînement menant à la Première Guerre mondiale.
- **Février-décembre 1916** : bataille de Verdun.
- **11 novembre 1918** : armistice de la Première Guerre mondiale
- **28 juin 1919** : signature du traité de Versailles
- **20 janvier 1942** : conférence de Wannsee organisant la « Solution finale ».
- **Juillet 1942-février 1943** : bataille de Stalingrad.
- **Juin 1948-mai 1949** : blocus de Berlin par les Soviétiques.
- **13 août 1961** : construction du Mur de Berlin.
- **9 novembre 1989** : chute du Mur de Berlin.
- **25 décembre 1991** : fin de l'URSS

Je connais les personnages suivants

- Georges Clemenceau p. 370

- Joseph Staline p. 188

- Adolf Hitler p. 191

- Jean Moulin p. 372

- Nikita Khrouchtchev p. 152

- John F. Kennedy p. 144

Pour aller plus loin

 À voir

- Frédéric Rossif, *De Nuremberg à Nuremberg*, 1989.
- Steven Spielberg, *La Liste de Schindler*, 1993.
- Bertrand Tavernier, *Capitaine Conan*, 1996.
- Wolfgang Becker, *Good Bye Lenin*, 2003
- Oliver Hirschbiegel, *La Chute*, 2004
- Florian Henckel von Donnersmarck, *La vie des autres*, 2006.
- Lu Chuan, *City of life and death*, 2009.

 À lire

- Vercors, *Le Silence de la mer*, Albin Michel, 1951.
- Jacques Tardi, *C'était la guerre des tranchées*, Casterman, 1993.
- Nicolas Meylaender, Zong Kai, *Nankin*, Éditions Fei, 2012.

 *À visiter*

- Historial de la Grande Guerre (<u>www.historial.org</u>)
- Mémorial de Caen (<u>www.memorial-caen.fr</u>)

Prépa BAC

Étude critique d'un texte
EXEMPLE CORRIGÉ

L/ES

Capacités travaillées

II-1 Cerner le sens général d'un document et le mettre en relation avec la situation historique étudiée

II-1 Critiquer un document

> **Consigne** Après avoir présenté ce document en insistant sur son contexte historique, expliquez comment le président des États-Unis analyse les raisons de ces attentats meurtriers et comment il souhaite y répondre.

Discours de George W. Bush depuis la Maison-Blanche le soir du 11 septembre 2001

Bonsoir,

1 Aujourd'hui, nos concitoyens, notre mode de vie, notre liberté même ont été attaqués dans une série d'actes terroristes meurtriers et délibérés. Les victimes étaient dans des avions ou dans leur bureau : secrétaires, hommes et
5 femmes d'affaires, militaires et officiers, pères et mères, amis et voisins. Des milliers des vies ont soudainement pris fin par les actes ignobles et maléfiques de la terreur. Les images des avions s'écrasant dans des bâtiments, des incendies, d'énormes structures s'effondrant nous ont
10 remplis d'incrédulité, d'une tristesse terrible et d'une colère silencieuse mais inébranlable. Ces massacres ont été planifiés pour précipiter notre nation dans le chaos et la retraite. Mais ils ont échoué. Notre pays est fort. Un grand nombre de personnes s'est
15 mobilisé pour défendre notre grande nation. [...] L'Amérique a été visée parce que nous sommes la lanterne de la liberté et des opportunités dans le monde. Et personne n'empêchera cette lumière de briller. [...]

Toutes nos ressources sont dirigées pour que nos services
20 de renseignement et d'application de la loi trouvent ces responsables et les mettent à la disposition de la justice. Nous ne ferons aucune distinction entre les terroristes qui ont commis ces actes et ceux qui les hébergent. J'apprécie beaucoup que les membres du Congrès m'aient
25 rejoint dans la condamnation de ces attaques. Et au nom des Américains, je remercie les nombreux chefs d'États étrangers qui ont appelé pour présenter leurs condoléances et offrir leur aide. L'Amérique et nos amis et alliés se joignent à tous ceux qui veulent la paix et la
30 sécurité dans le monde et nous ferons front ensemble pour gagner la guerre contre le terrorisme. [...] Merci. Bonne nuit et que Dieu bénisse l'Amérique.

Étape 1 Analyser la consigne

Pour vous aider

La rédaction de l'introduction doit commencer habilement. Une phrase introductive simple est souvent la bienvenue, pour éviter les formulations comme « le document qu'on va étudier est un texte... ».

Pensez à bien faire apparaître des alinéas dans votre introduction pour qu'elle soit claire pour votre correcteur : présentation du document dans un premier temps par exemple, puis développement du contexte qui est essentiel en histoire, toujours en rapport avec la date, et enfin annonce des parties du développement.

L'annonce adroite des parties du développement est souvent aussi appréciée.

POINT MÉTHODE

– La première partie de la consigne insiste sur la présentation du document et son contexte historique. L'introduction doit donc fournir plusieurs informations :
- Qui est l'auteur et quelle est sa fonction ?
- Quelle est la nature du document ? Le ou les destinataires ?
- Le lieu ? Est-il officiel ?
- Quels sont la date et le contexte historique ?

– À la fin de l'introduction, vous devez annoncer les parties que vous allez traiter en vous basant sur le sujet : dois-je en faire deux ou trois ? Quelles sont-elles ?

– La formulation du sujet ici impose deux parties.

Rédaction de l'introduction

Les États-Unis, hyperpuissance mondiale après la fin de la guerre froide, subissent une attaque terroriste de grande ampleur le 11 septembre 2001. Dans ce discours prononcé le soir même à la Maison-Blanche à Washington, le président George W. Bush dénonce un acte ignoble et meurtrier et annonce à la nation américaine, ainsi qu'au monde, sa stratégie pour y répondre.

Ces attentats ont été commandités par l'organisation islamiste Al-Qaïda dont le leader est Oussama Ben Laden. Quatre avions ont été détournés pour les faire s'écraser sur des lieux symboliques : deux sont allés s'encastrer dans les tours jumelles du World Trade Center à New York, symbole de la puissance économique mondiale des États-Unis, un sur le Pentagone à Washington, le ministère de la Défense, et un autre, destiné à la Maison-Blanche, a manqué sa cible après la révolte des passagers à bord et a fini sa course dans la campagne de Pennsylvanie. Près de 3 000 morts ont été recensés.

Dans cet extrait, le président Bush qui réagit rapidement aux attentats analyse les raisons de ces agressions et annonce son désir d'y répondre.

Étape 2 — Analyser le document avec une démarche critique

Pour vous aider

- La structure est importante. Chaque thème à développer doit correspondre à un paragraphe visible par un alinéa.

- N'oubliez pas de citer le texte, soit les numéros de lignes, soit des passages entre guillemets. Attention toutefois à ne pas citer des passages trop longs qui pourraient vous faire perdre du temps à l'écrit. Votre correcteur connaît le texte !

- Trois erreurs à éviter : donner son avis, faire des raccourcis approximatifs qui n'apportent rien (par exemple : « le président Bush a mis du temps à réagir aux attentats… » Totalement inutile) et redire le texte autrement sans rien expliquer et sans rien apporter (ce que l'on appelle la paraphrase).

– Le sujet invite à traiter deux axes du discours : les raisons de ces attentats meurtriers et la réponse que le président américain souhaite leur donner.

– Au brouillon, il importe de vous poser une série de questions essentielles à sa bonne compréhension :

- Le président commence son discours sur le ton de l'émotion et de l'audace des attaques. Quel est son objectif ? Pourquoi décide-t-il d'énumérer des catégories de victimes ?

- Pourquoi à plusieurs reprises George W. Bush parle-t-il d'attentats délibérés et planifiés ? En quoi cela renforce-t-il aux yeux du monde le caractère barbare de ces actes ?

- Pourquoi au début du deuxième paragraphe, l'auteur dit-il que les terroristes ont échoué ? Quel est le message qu'il leur envoie, ainsi qu'à ses auditeurs ?

- Comment le président analyse-t-il les raisons de ces attentats sur le sol américain ? Comment présente-t-il son pays sur la scène internationale ?

- Comment George W. Bush souhaite-t-il répondre aux attentats ?

- Enfin, comment peut-on expliquer le fait que l'auteur ne cite aucun nom, aucune organisation et aucun pays dans ce discours ? Est-ce un signe de prudence ?

Rédaction du développement

Dans la première partie de cet extrait (l. 1 à 7), le président des États-Unis rappelle les atrocités commises par les terroristes et que les victimes sont des innocents. Il renvoie par là à la définition même du terrorisme, à savoir l'usage de la violence et de la terreur à des fins politiques. Ce registre émotionnel est essentiel au message qu'il souhaite transmettre. C'est pourquoi la suite du discours montre le désir d'évoquer les raisons des attentats, tout en stigmatisant les terroristes. Selon le président Bush, les États-Unis ont été attaqués parce qu'ils représentent « le phare de la liberté et des opportunités dans le monde ». Il s'agit d'un rappel de ce que représente dans le monde le modèle américain. Depuis leurs origines, les États-Unis se présentent comme le pays de la démocratie, des libertés et de la promotion sociale. Chaque individu peut espérer y réussir et l'attraction que cette contrée exerce sur le reste du monde le prouve. Des représentants de nombreuses nationalités étaient d'ailleurs présents dans les tours jumelles au moment des attentats. Faire s'écraser des avions détournés sur les buildings du World Trade Center est une atteinte au rayonnement économique et à la puissance des États-Unis qui aspirent à éclairer le monde (« lanterne »). Mais pour le président américain, ces attentats sont un échec (l. 13) car le peuple américain, fier et libre, ne peut céder au terrorisme, et l'union nationale lui permettra toujours de vaincre.

Le second temps du discours est lié au désir de montrer au monde que les États-Unis ont adopté une stratégie qui vise à briser le terrorisme international et à trouver les coupables (l. 19). Toutes les ressources seront utilisées et le président annonce qu'il ne sera fait « aucune distinction entre les terroristes qui ont commis ces actes et ceux qui les hébergent ». En effet, si les services américains se doutent dès le premier jour que Ben Laden et Al-Qaïda sont potentiellement les auteurs des attentats, le président reste prudent, faute de certitude fiable. C'est pourquoi il ne cite aucun nom. Mais des États avec lesquels Washington entretient des relations conflictuelles comme l'Afghanistan ou l'Irak sont déjà visés. La fin de cet extrait insiste notamment sur le soutien international dans l'adversité. Il est vrai qu'à l'exception de l'Irak de Saddam Hussein, tous les pays du monde ont condamné les attentats. Être tous « ensemble pour gagner la guerre contre le terrorisme » (l. 30-31), c'est déjà mobiliser toute la nation américaine et des alliés potentiels dans les luttes qui s'annoncent. Ici, George Bush défend le multilatéralisme.

Étape 3 — Conclure

Pour vous aider

- Comme pour l'introduction, chaque paragraphe doit faire ressortir les deux temps forts de la conclusion.

- Vous pouvez aussi montrer l'intérêt du document après la synthèse des grandes idées en montrant quel a été le but de l'analyser.

- L'ouverture est un exercice plus périlleux qu'il n'y paraît. Elle doit concerner le sujet directement traité, son futur proche et ne pas donner l'impression de prophétiser.

La conclusion est une synthèse des grandes idées du développement et une ouverture sur un futur proche qui permet de replacer le document dans un temps plus long.

Exemple de conclusion

Ainsi, ce discours du président des États-Unis le soir des attentats du 11 septembre 2001 présente bien à la fois l'émotion qui en a découlé mais aussi le désir de ne pas fléchir face aux terroristes. L'Amérique, plus que jamais, rappelle au monde qu'elle est le pays des libertés et qu'elle se battra jusqu'au bout contre le fanatisme. D'où la volonté de pourchasser les coupables.

La guerre contre le régime des talibans en Afghanistan quelques semaines seulement après ces attaques s'inscrit dans cette stratégie avec toutes les difficultés que cette lutte contre le terrorisme international implique. Cependant, en 2003, la décision unilatérale d'envahir l'Irak, sans mandat de l'ONU ni preuve d'un quelconque lien entre le régime irakien et Al-Qaïda, montre que l'Amérique a vite abandonné le multilatéralisme auquel son président se référait le soir du 11 septembre 2001. Cette guerre en Irak va coûter aux États-Unis une large part de la sympathie que les attentats leur avaient value dans le monde.

5 GENÈSE ET AFFIRMATION DES RÉGIMES TOTALITAIRES

Après la Grande Guerre, des régimes totalitaires voient le jour en URSS, en Italie puis en Allemagne. Ils souhaitent contrôler, endoctriner et transformer totalement leurs sociétés. Si leurs pratiques sont souvent semblables, ils reposent sur des idéologies contradictoires et mènent des politiques différentes.

L/ES **S**

▶ **Comment des régimes nés dans des pays différents ont-ils néanmoins des fonctionnements comparables ?**

Vocabulaire et notions

• **Régime totalitaire** : régime fondé sur le contrôle total et la transformation radicale de l'individu et de la société par un État tout-puissant, un chef charismatique, un parti unique et une idéologie qui s'impose à tous.

• **URSS** : Union des républiques socialistes soviétiques, État fédéral créé le 22 décembre 1922, pour organiser la nouvelle Russie communiste.

L'aigle, symbole de puissance de l'Allemagne.

Les rayons du soleil présentent Hitler comme l'espoir d'un peuple.

Drapeau nazi, avec la croix gammée, le *svastika* (symbole indo-européen).

Croix de guerre : décoration décernée à Hitler lors de la Première Guerre mondiale.

« Vive l'Allemagne ! », écrit en écriture gothique.

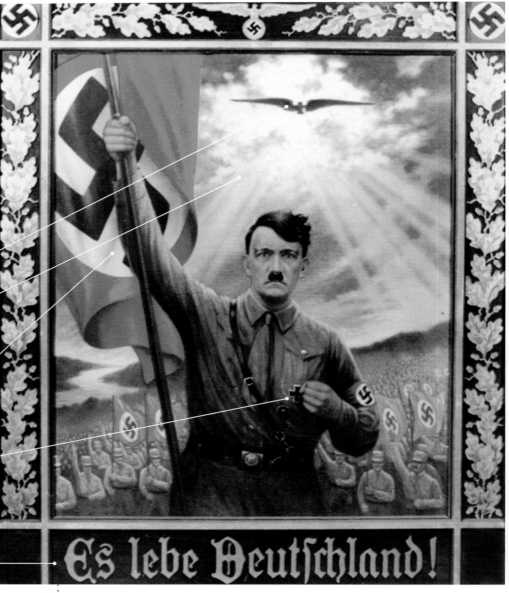

1 **Affiche de propagande nazie (1935)**

1. Quels symboles du régime nazi sont ici présents ?
2. Quelle place laisse-t-on à l'individu dans le régime nazi ?

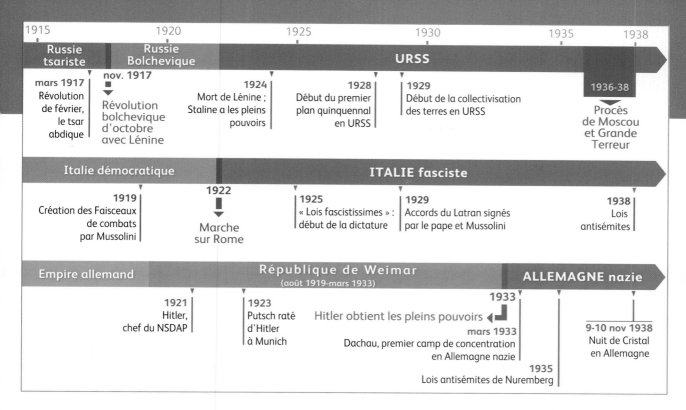

| 1915 | 1920 | 1925 | 1930 | 1935 | 1938 |

Russie tsariste | **Russie Bolchevique** | **URSS** |

mars 1917
Révolution de février, le tsar abdique

nov. 1917
Révolution bolchevique d'octobre avec Lénine

1924
Mort de Lénine ; Staline a les pleins pouvoirs

1928
Début du premier plan quinquennal en URSS

1929
Début de la collectivisation des terres en URSS

1936-38
Procès de Moscou et Grande Terreur

Italie démocratique | **ITALIE fasciste**

1919
Création des Faisceaux de combats par Mussolini

1922
Marche sur Rome

1925
« Lois fascistissimes » : début de la dictature

1929
Accords du Latran signés par le pape et Mussolini

1938
Lois antisémites

Empire allemand | **République de Weimar** (août 1919-mars 1933) | **ALLEMAGNE nazie**

1921
Hitler, chef du NSDAP

1923
Putsch raté d'Hitler à Munich

1933
Hitler obtient les pleins pouvoirs

mars 1933
Dachau, premier camp de concentration en Allemagne nazie

1935
Lois antisémites de Nuremberg

9-10 nov 1938
Nuit de Cristal en Allemagne

Vocabulaire

• Komsomols : Jeunesses communistes créées en 1918 par Lénine.

2 : **Une affiche de propagande des Komsomols (1933)**

« Komsomols, préparez-vous à être les dignes successeurs de Lénine »
Auteur anonyme, Archives nationales russes.

• Quel est l'objectif assigné à l'encadrement de la jeunesse par le régime soviétique ?

1917-1921, un contexte favorable à la mise en place des régimes totalitaires

Capacité travaillée

I.2.1 Situer un événement dans le temps court et le temps long

La guerre a fourni le terreau sur lequel ont pu germer les régimes totalitaires. En 1917, les révolutions russes permettent à Lénine d'instaurer un régime communiste. Après la guerre, dans un contexte économique difficile, les traités de paix provoquent ressentiments et rancœurs chez les Allemands comme chez les Italiens.

A En Russie, la révolution de 1917 et la guerre civile (1918-1921) engendrent le totalitarisme soviétique

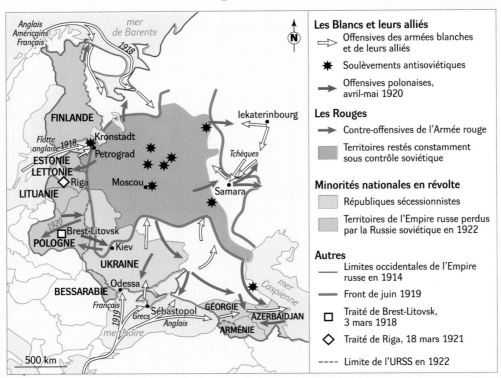

Les Blancs et leurs alliés

⟹ Offensives des armées blanches et de leurs alliés

✴ Soulèvements antisoviétiques

➜ Offensives polonaises, avril-mai 1920

Les Rouges

➜ Contre-offensives de l'Armée rouge

▨ Territoires restés constamment sous contrôle soviétique

Minorités nationales en révolte

☐ Républiques sécessionnistes

☐ Territoires de l'Empire russe perdus par la Russie soviétique en 1922

Autres

── Limites occidentales de l'Empire russe en 1914

── Front de juin 1919

☐ Traité de Brest-Litovsk, 3 mars 1918

◇ Traité de Riga, 18 mars 1921

---- Limite de l'URSS en 1922

1 La guerre civile

La guerre civile puis la famine de 1921-1922 qui s'ensuit causent plusieurs millions de morts et d'exilés. Les affrontements sont confus : la ville de Kiev change 14 fois de main ! Ils opposent Armée rouge, armées blanches (tsaristes) et armées vertes (paysannes). Tous les camps commettent des atrocités. Vainqueurs grâce à leur discipline supérieure et leur position centrale, les partisans de la révolution communiste ont forgé un État policier impitoyable, qui a écrasé toute opposition.

2 Corps de victimes de la « Terreur rouge »

Ils ont été exhumés par les Blancs (tsaristes) à Kharkov en Ukraine (1919).

B En Italie, la « victoire mutilée » et les révoltes de 1919-1920

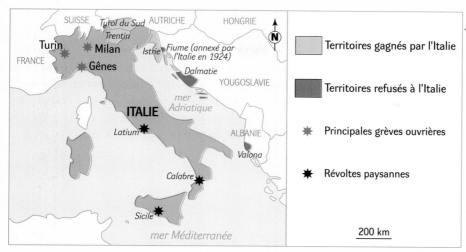

Territoires gagnés par l'Italie

Territoires refusés à l'Italie

✳ Principales grèves ouvrières

✴ Révoltes paysannes

200 km

3 Frustration nationale et crise sociale (1919)

L'Italie victorieuse n'obtient pas tous les territoires promis en échange de son entrée en guerre – le poète nationaliste D'Annunzio forge alors l'expression de « victoire mutilée ». Par ailleurs, le gouvernement oublie les promesses de réformes qu'il avait faites aux ouvriers et aux paysans pauvres pour leur faire accepter la guerre.

C En Allemagne, le traumatisme de la défaite

« Ce que nous sommes obligés de perdre ! »

L'Allemagne est coupée en deux par le corridor de Dantzig.

20 % de nos territoires productifs

10 % de la population

Suppression de la flotte militaire

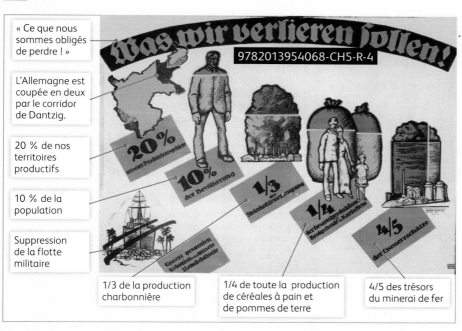

1/3 de la production charbonnière

1/4 de toute la production de céréales à pain et de pommes de terre

4/5 des trésors du minerai de fer

4 Une Allemagne amoindrie et qui se sent humiliée (1919)

En Allemagne, le traité de paix est vécu comme le « Diktat de Versailles ». L'Allemagne est déclarée responsable de la guerre et contrainte à verser de lourdes réparations aux vainqueurs. L'armée allemande est réduite à 100 000 hommes, la flotte se saborde pour ne pas être livrée, et la Rhénanie est démilitarisée.
Le pays perd ses colonies et une partie de son territoire, dont le couloir de Dantzig, cédé à la Pologne.
Affiche de 1919 sur les résolutions prises par la Conférence de la paix de Versailles.

Source : Documentation Photographique n°8085, J. Chapoutot, le Nazisme, une idéologie en actes, 2012

Frontières de l'Empire allemand (IIe Reich) en 1914

Territoires perdus

Rhénanie : zone démilitarisée

Territoire revenu à l'Allemagne après plébiscite local

● Ville libre administrée par la Société des Nations

200 km

Vocabulaire

Diktat de Versailles : surnom péjoratif donné par les Allemands au traité de Versailles signé le 28 juin 1919 entre l'Allemagne et ses vainqueurs. Il est considéré par les Allemands comme extrêmement dur envers leur pays, et lui ayant été imposé par la force, sans que l'armée allemande ait été réellement vaincue (ce qui est faux).

5 Une Allemagne coupée en deux par le traité de Versailles (1919)

La Russie, engagée dans la Première Guerre mondiale, a essuyé défaite sur défaite. Le régime du tsar Nicolas II s'effondre en février 1917 en raison du désastre militaire, de la pauvreté croissante et des inégalités. Une première révolution met en place un gouvernement provisoire démocratique, qui continue la guerre et retarde les réformes. Aussi, en octobre, les bolcheviks, menés par Lénine et Trotski, prennent le pouvoir lors d'une seconde révolution. Une dictature communiste se met en place pendant la guerre civile de 1918-1921.

Capacité travaillée
I.2.1 Situer un événement dans le temps court ou le temps long

▶ Comment de Lénine à Staline le totalitarisme prend-il forme après la révolution de 1917 ?

	Année 1917		1920	1925	1929
Révolution de février		**Révolution d'octobre**			
8-12 mars (23-27 février) Grèves et manifestations à Petrograd	15 mars (3 mars) Abdication du tsar Nicolas II	6-7 novembre (24-25 octobre) Révolution bolchevique : Lénine au pouvoir	1918-1921 Guerre civile russe Famine	1924 Mort de Lénine	1929 Staline contrôle le parti communiste et le pays

1 Lénine, un chef populaire

Sur la place Rouge de Moscou, pendant la guerre civile, Lénine s'adresse à des soldats partant repousser une offensive polonaise (1920). Au pied de la tribune, ➊ Trotski (1879-1940), chef de l'Armée rouge.

Vocabulaire et notions

● **Bolchevik** : terme russe signifiant « majoritaire » (au congrès du parti social démocrate russe de 1903). Il désigne d'abord les socialistes les plus radicaux avant de devenir le synonyme de « communiste » après la prise de pouvoir par Lénine en 1917.

● **Communisme** : doctrine politique opposée à la propriété privée des moyens de production (usines, entreprises…) et visant l'instauration d'une société sans classe par la révolution.

● **Soviets** : conseils d'ouvriers, paysans et soldats qui se forment dans toute la Russie en 1917, et qui exigent en vain des réformes et la paix. Les bolcheviks prétendent prendre le pouvoir en leur nom.

● **Stalinisme** : exercice totalitaire du pouvoir par Staline à partir de la fin des années 1920. Il est marqué par une terreur de masse contre les opposants et les moindres suspects, souvent accusés de crimes imaginaires, et par la purge du parti communiste lui-même.

● **Vojd** : terme russe signifiant le chef. Surnom donné à Staline à des fins de propagande et montrant le rôle primordial qu'il joue dans le pays. Staline est aussi surnommé « le petit père des peuples ».

Biographies

Vladimir Ilitch Oulianov, dit Lénine (1870-1924)
Chef du parti bolchevik, il revient d'exil en avril 1917. En octobre, il dirige la révolution qui fait de la Russie le premier pays communiste au monde. Il fonde l'URSS en 1922, année où la maladie l'écarte du pouvoir.

Joseph Djougachvili, dit Staline, le Vojd soviétique (1879-1953)
Né en Géorgie, il joue un rôle secondaire lors de la révolution bolchevique d'octobre 1917, mais s'impose en 1922 au poste de Premier Secrétaire du Comité central du Parti communiste. Après la mort de Lénine en 1924, il se débarrasse de ses rivaux. Dès 1928-1929, il obtient ainsi le pouvoir absolu, qu'il conserve jusqu'à sa mort en 1953.

2 La révolution d'Octobre 1917

Selon la proclamation rédigée par Lénine (25 octobre[1], à 10 h du matin)
Le pouvoir gouvernemental est passé entre les mains de l'organe du soviet des députés ouvriers et soldats de Petrograd, le comité militaire révolutionnaire qui s'est placé à la tête du prolétariat et de la garnison de Petrograd.
L'objectif de ce combat populaire : la proposition immédiate d'une paix démocratique, la suppression de la propriété des grands possédants terriens, le contrôle ouvrier sur la production, la constitution d'un gouvernement soviétique comme garantie.

Selon Maxime Gorki, écrivain, alors opposé aux bolcheviks
Le pouvoir n'est passé aux soviets que sur le papier, non dans la réalité. Les bolcheviks ont placé le Congrès des soviets devant le fait accompli de la prise du pouvoir par eux-mêmes, non par les soviets. Ce fut dans un climat insurrectionnel que les débats se déroulèrent : les bolcheviks s'y appuyèrent sur la force des baïonnettes. […] Voilà comment le mot d'ordre "tout le pouvoir aux soviets" a été transformé en un autre mot d'ordre : tout le pouvoir à une poignée de bolcheviks.

Cité par Marc Ferro, *1917. Les hommes de la révolution*, Omnibus, 2007.
1. 7 novembre du calendrier occidental.

3 : Trotski, bras droit de Lénine, justifie la « Terreur rouge »

Chef de l'Armée rouge, Trotski écrase les armées blanches (tsaristes), mais aussi les révoltes populaires et les partis révolutionnaires antibolcheviks.

La conquête du pouvoir par les Soviets au début de novembre 1917 (nouveau style)[1] s'est accomplie au prix de pertes insignifiantes. À Petrograd, le pouvoir de Kerenski[2] fut renversé presque sans combat. [...] Dans la plupart des villes de province, le pouvoir passa aux Soviets sur un simple télégramme de Petrograd ou de Moscou. Si les choses en étaient restées là, il n'aurait jamais été question de terreur rouge. Mais dès novembre 1917, on voyait un début de résistance de la part des possédants. [...] C'est avec l'aide financière et technique de la France et la Grande-Bretagne que l'armée contre-révolutionnaire [du général] Denikine fut créée. [...]

La terreur du tsarisme était dirigée contre le prolétariat. La gendarmerie tsariste étranglait les travailleurs qui militaient pour le régime socialiste. Nos Tchekas[3] fusillent les propriétaires fonciers, les capitalistes, les généraux qui s'efforcent de rétablir l'ordre capitaliste. [...] Nous supprimons la presse de la contre-révolution comme nous détruisons ses positions fortifiées, ses dépôts, ses communications, ses services d'espionnage. [...] Nous ne nous sommes jamais préoccupés des bavardages sur le « caractère sacré » de la vie humaine. Nous étions des révolutionnaires dans l'opposition, nous le sommes restés au pouvoir. Pour rendre la personne sacrée, il faut détruire le régime social qui l'écrase. Et cette tâche ne peut être accomplie que par le fer et par le sang.

Léon Trotski, *Terrorisme et communisme*, 1920.

1. La révolution du 25 octobre (calendrier julien) a donc eu lieu le 7 novembre du calendrier grégorien. – 2. Chef du gouvernement provisoire. – 3. Tcheka : police politique créée par le pouvoir bolchevik.

4 : Un opposant dénonce la Terreur Rouge

Opposant socialiste au tsarisme puis au bolchevisme, Serguei Melgounov (1879-1956) subit 23 perquisitions et 5 arrestations par la Tcheka, avant d'être banni de Russie en 1924.

Les artisans de la Terreur Rouge ont établi un arbitraire illimité à l'intérieur des Tcheka. [...] On tuait officiellement des gens, mais quelquefois on ne savait pas pourquoi, et quelquefois même on ne savait pas qui l'on tuait. [...] Le « collège »[1] qui prononce le jugement ne voit même jamais en personne celui qu'il condamne à mort. [...] Le 19 mai 1919, la commission examina 40 dossiers et prononça 25 condamnations à mort. Les jugements dans les procès-verbaux sont motivés de façon extraordinaire, nulle part il n'est fait état du crime. [...]

L'appel adressé à l'opinion publique de l'Europe par le comité exécutif des membres de l'ex-Assemblée constituante[2] à Paris (27 octobre 1921) protestait contre la débauche d'assassinats politiques en Russie et contre l'emploi de la violence et la torture. [...] En vérité, n'est-ce pas une torture presque physique que le séjour dans ces prisons, pendant des mois, sans interrogatoire, sans acte d'accusation, sous la menace permanente de la mort qui à la fin arrive inévitablement ?

Serguei Melgounov, *La Terreur Rouge en Russie 1918-1924*, 1924, réed. Syrtes, 2004.

1. Le tribunal mis en place par la Tcheka. – 2. En janvier 1918, dès sa première séance, l'Assemblée constituante russe, librement élue, a été dissoute de force par les Bolcheviks, minoritaires.

❶ Marx et ❷ Engels, théoriciens du communisme et philosophes du XIXe siècle.

ВЫШЕ ЗНАМЯ МАРКСА, ЭНГЕЛЬСА, ЛЕНИНА и СТАЛИНА!

❸ Lénine, premier dirigeant de l'URSS à partir de 1917, ❹ Staline, maître de l'URSS de 1924 à 1953.

« Levez plus haut la bannière de Marx, Engels, Lénine et Staline ! »

5 : Staline veut être perçu comme le successeur de Lénine

À la mort de Lénine en 1924, Staline impose sa dictature, le stalinisme. En 1929, en se prétendant seul successeur légitime de Lénine, il a éliminé progressivement tous ses concurrents dont Trotski, exilé puis assassiné. Le pouvoir cesse d'être collégial, au profit d'un seul homme, auquel le parti et le peuple doivent rendre un culte. Affiche de G. Klucis, 1936.

BAC

Consigne 1. À l'aide du document 2 montrez les divergences qui existent entre Lénine et Gorki quant à l'interprétation de la révolution d'Octobre 1917.

Consigne 2. À partir des documents 3 et 4, relevez les fondements idéologiques de la terreur et expliquez la manière dont elle est mise en œuvre.

Pour vous aider pensez à :
– Relever les justifications que Trotski donne à la mise en place de la terreur (doc. 3).

– Indiquer les moyens utilisés par le régime bolchevik contre ses opposants (doc. 4).

Consigne 3. En vous appuyant sur l'analyse des documents 1 et 5, montrez comment Staline justifie sa prise de pouvoir.

En Italie et en Allemagne, des totalitarismes nés de la guerre et des crises

Capacités travaillées

I.1.3 Situer une date dans un contexte chronologique

I.2.1 Situer un événement dans le temps court ou le temps long

En Italie et en Allemagne, les régimes démocratiques, récents et fragiles, ne parviennent plus à répondre aux difficultés, sociales et économiques. Des partis extrémistes et violents en profitent pour séduire les électeurs, puis pour confisquer ensuite le pouvoir et instaurer leur dictature. C'est le cas, dès les années 1920, de Mussolini et du parti fasciste en Italie, puis, dans les années 1930, d'Hitler et du parti national-socialiste (NSDAP) en Allemagne.

▶ Comment Mussolini et Hitler instaurent-ils légalement un régime totalitaire ?

1920					1925		1935

1919
Création des Faisceaux de Combat par Mussolini

1920
Hitler définit le programme du **NSDAP**

1921
Création du PNF, Parti national fasciste

1922
Marche sur Rome Mussolini au pouvoir

1923
Échec du putsch d'Hitler à Munich

1925
Hitler publie *Mein Kampf*

1925-1926
Établissement de la dictature (lois « fascsitissimes »)

30 janvier 1933
Hitler nommé chancelier

Italie   Allemagne

1 : Mussolini obtient le pouvoir lors de la marche sur Rome

Fin 1921, le parti fasciste compte plus de 300 000 membres et est le premier d'Italie aux élections. Le 24 octobre 1922, les fascistes menacent le roi Victor-Emmanuel III de marcher sur Rome. La marche du 27-28 octobre (Mussolini n'y participe pas personnellement) n'est qu'un demi-succès. Pourtant, le roi, sans chercher à résister ni à envisager une solution alternative, confie à Mussolini la tête du gouvernement.

Biographie

Benito Mussolini, le Duce italien (1883-1945)

D'abord révolutionnaire et pacifiste, il est exclu du parti socialiste pour avoir voulu l'entrée de l'Italie dans le conflit mondial, survenue en 1915. Après la guerre, il s'appuie sur d'anciens combattants nationalistes pour créer en 1919 les faisceaux de combat, qui deviennent en 1920 le parti fasciste. Il est nommé chef du gouvernement en 1922, après la marche sur Rome. Il instaure la dictature en 1925.

2 : La violence du fascisme italien (1919-1922)

Le communiste Angelo Tasca (1892-1960) a dû s'exiler en France comme des milliers d'Italiens antifascistes. Il décrit les pratiques des partisans de Mussolini au temps de la montée du fascisme.

Les fonctionnaires, les rentiers, les membres des professions libérales, les commerçants. C'est dans ces catégories que se recrutent les fascistes et ce sont elles qui fournissent les cadres des premières escouades armées. L'expédition punitive part donc presque toujours d'un centre urbain et rayonne dans les campagnes environnantes. Montées sur des camions, armées par l'Association agrarienne ou par les magasins des régiments, les « chemises noires[1] » se dirigent vers le but de l'expédition. Une fois arrivé, on commence par frapper à coups de bâton tous ceux qui ne se découvrent pas au passage des fanions fascistes ou qui portent une cravate, un corsage rouge. On se précipite au siège du Syndicat, de la coopérative, à la Maison du Peuple, on enfonce les portes, on jette dans la rue mobilier, livres et on verse des bidons d'essence. Des groupes vont à la recherche des « chefs », maires et conseillers : on leur impose de se démettre, on les bannit pour toujours du pays, sous peine de mort ou de destruction de leur maison, s'ils se sont sauvés, on se venge sur leur famille.

Angelo Tasca, *Naissance du fascisme. L'Italie de 1918 à 1922*, Gallimard, 1938.

1. Surnom des miliciens fascistes.

Vocabulaire et notions

• **Fascisme** : mouvement et idéologie nationalistes affirmant la toute-puissance de l'État et de son chef, Benito Mussolini, le *Duce*.

• **Duce** : terme venant du latin *dux*, et signifiant le Guide. Surnom donné à Mussolini par la propagande pour montrer sa capacité à diriger l'Italie.

3 La fin des spartakistes (1919)
Tableau de Heinrich Ehmsen. Musée de la Halle, Leipzig.

Biographie

Adolf Hitler, le Führer allemand
(1889-1945)
Né en Autriche, engagé volontaire dans l'armée allemande pendant la Première Guerre mondiale qu'il termine avec le grade de caporal, il prend en 1921 la tête du parti national-socialiste des travailleurs allemands, le NSDAP, et fonde le nazisme. Il est brièvement emprisonné pour avoir tenté un coup d'État à Munich en 1923. Il en profite pour écrire *Mein Kampf* (*Mon combat*, 1925), où il développe ses théories racistes et antisémites. Chancelier le 30 janvier 1933, il instaure une dictature, et précipite l'Europe dans la guerre.

Vocabulaire et notions

- **Spartakisme** : mouvement marxiste révolutionnaire allemand qui tire son nom de Spartacus, l'esclave révolté à l'époque romaine, et qui souhaite obtenir des progrès sociaux par la révolution.
- **Nazisme** (abréviation de national-socialisme) : doctrine raciste, antisémite et antidémocratique élaborée par Hitler.
- **NSDAP** : parti national-socialiste des travailleurs allemands ou parti nazi, dont le programme est défini par Hitler en 1920. Seul parti autorisé en Allemagne à partir de 1933.
- **Führer** : terme allemand signifiant le Guide. Surnom porté par Hitler pour se présenter en sauveur providentiel de l'Allemagne.

BAC

Consigne 1. Après avoir présenté les documents 1 et 4, expliquez les conditions qui ont permis aux régimes fasciste et nazi d'arriver au pouvoir.

Consigne 2. Expliquez que pour les fascistes et les nazis, l'usage de la menace et de la violence est au fondement de leur projet politique (doc. 2 et 5).

Pour vous aider pensez à :

– Relever les moyens utilisés par les fascistes et les nazis pour arriver au pouvoir (doc. 2 et 5).

« Au pire de la détresse, Hindenburg a choisi Adolf Hitler comme chancelier, choisissez à votre tour la liste 1 »

4 Hitler nommé et soutenu par Hindenburg
Des industriels et dirigeants de la droite persuadent le président Hindenburg de nommer Hitler chancelier le 30 janvier 1933. Ils croient pouvoir se servir de lui.
Affiche nazie pour les législatives du 5 mars 1933.

5 L'instauration du totalitarisme nazi (1933)

L'universitaire juif Victor Klemperer (1881-1960) est chassé de l'enseignement par les nazis en 1934.

10 mars 1933. 30 janvier : Hitler chancelier. Ce que j'avais appelé terreur jusqu'au jour de l'élection, le dimanche 5 mars, n'était qu'un doux prélude. [...] L'incendie du Reichstag – je ne peux m'imaginer un instant que quiconque puisse croire vraiment à une action des communistes plutôt qu'à un coup monté à l'instigation des nazis. [...] Puis les interdictions sauvages et les violences. Et dans les rues, à la radio, etc., la propagande sans bornes. [...] Résultat : la monstrueuse victoire électorale des nationaux-socialistes. [...] Et depuis, jour après jour, gouvernements locaux foulés aux pieds, drapeaux à croix gammée un peu partout, maisons occupées, gens abattus au coin des rues, interdictions [...]. Révolution totale et dictature de parti. Et toutes les forces d'opposition semblent avoir disparu comme par enchantement.

12 avril. [...] Le maire[1] social-démocrate vient d'être destitué. [...] Le parti ne fait plus du tout mystère de sa domination absolue. Loi sur les fonctionnaires d'État [chassant les juifs de la fonction publique]. Dans quelque entreprise que ce soit, on a le droit de licencier tout ouvrier ou employé qui n'a pas la fibre nationale.

30 juin. [...] Dans les réunions publiques du nouveau régime, il n'est question [que] de « révolution nationale-socialiste ». Avec ce nouveau slogan : « État total » comme objectif. Le 29 juin, un ministre du Reich [Goebbels] dit pour la première fois dans un discours officiel : nous ne tolérerons aucun parti à côté du nôtre.

19 août. [...] Tout le monde est mort de peur. Plus aucune lettre, plus aucune conversation téléphonique, pas un mot dans la rue ne sont à l'abri des dénonciations.

Victor Klemperer, *Mes soldats de papier. Journal 1933-1941*, Seuil, 2000.

1. De Berlin.

1 Les totalitarismes, nés d'une Europe en crise

L/ES ▶ Dans quelles circonstances des régimes totalitaires apparaissent-ils en Europe ?

S

A Un contexte de guerre et d'après-guerre favorable à l'émergence des totalitarismes Repères pages 186-187 + doc. 1

■ **En Russie, le régime du tsar Nicolas II, engagé dans la Grande Guerre aux côtés des franco-britanniques, est miné par les défaites face à l'Allemagne, les problèmes politiques et les profondes inégalités sociales.** En février 1917, une révolution démocratique l'emporte en quelques jours. Mais le gouvernement provisoire déçoit le peuple en poursuivant la guerre et en ajournant les réformes. Une révolution bolchevique a alors lieu en octobre, dirigée par Lénine et Trotski.

■ **L'Italie, alliée à la France et au Royaume-Uni, se plaint de sa « victoire mutilée »** : elle n'a pas obtenu tous les territoires promis. La crise économique d'après-guerre et les troubles révolutionnaires effrayent bien des Italiens. En 1919, Mussolini fonde les Faisceaux de combat puis, en 1921, le parti national fasciste. Nationalistes, antidémocratiques et antibolcheviks, les fascistes usent de violence contre les opposants, les grévistes nombreux en 1920-1921 ou les paysans révoltés.

■ **L'Allemagne sort vaincue de la Première Guerre mondiale, et humiliée par ce qu'elle considère comme le Diktat de Versailles (1919).** La fragile République de Weimar, née en novembre 1918, est rendue responsable de la défaite et des troubles révolutionnaires puis contre-révolutionnaires qui la suivent. Dès 1923, Hitler, chef du NSDAP (parti nazi), tente à Munich un coup d'État qui échoue.

B Une prise de pouvoir rapide

Études pages 188-189 et 190-191 + doc. 3

■ **En Russie, la révolution d'Octobre débouche sur une violente guerre civile (1918-1921)** dont les bolcheviks sortent victorieux. Seul reste autorisé le parti communiste de l'URSS (PCUS), censé incarner la dictature du prolétariat. Toute opposition a été anéantie par l'Armée rouge et par une police politique toute-puissante, la Tcheka.

■ **En Italie, dès 1922, Mussolini a obtenu le ralliement de la bourgeoisie, des propriétaires terriens, des classes moyennes, ainsi que des nationalistes** : tous espèrent qu'il va rétablir l'ordre et la grandeur du pays. Fin octobre, les partisans du Duce organisent une « marche sur Rome ». Le roi Victor-Emmanuel III cède sans chercher à résister et nomme Mussolini chef du gouvernement.

■ **En Allemagne**, la crise économique mondiale de 1929 met jusqu'à 30 % des actifs au chômage. Elle permet la percée électorale foudroyante du petit parti nazi. **Fin 1932, le NSDAP est devenu le premier parti d'Allemagne.** Mais il ne rassemble qu'un tiers des voix, et recule aux législatives de novembre. Cependant, grâce à une intrigue de quelques grands industriels et hommes de droite, Hitler est nommé chancelier le 30 janvier 1933 par le maréchal Hindenburg, président de la République.

C La destruction totale des dernières oppositions

Études pages 188-189 et 190-191 + doc. 2, 4 et 5

■ **En Italie**, Mussolini maintient d'abord les apparences démocratiques, mais truque les élections de 1924. Le 10 juin, son principal opposant, le député socialiste Matteotti, est assassiné par des militants fascistes agissant sans ordre mais pensant plaire au *Duce*. **Mussolini assume l'assassinat et instaure un régime totalitaire par les « lois fascistissimes » (3 janvier 1925)** qui suppriment toutes les libertés.

■ **En URSS**, à la mort de Lénine en 1924, Staline, secrétaire général du PCUS depuis 1922, s'appuie sur la police politique et sur la bureaucratie du Parti pour écarter ses rivaux, dont Trotski, exilé. **En 1928-1929, Staline contrôle totalement le pays, et radicalise la dictature héritée de Lénine.** C'est la naissance du stalinisme.

■ **En Allemagne, à peine nommé chancelier, Hitler déchaîne les violences contre ses opposants.** Il attribue aux communistes l'incendie du siège du Parlement allemand, le Reichstag (nuit du 27 au 28 février 1933). Il interdit aussitôt leur parti et suspend les libertés. Le 24 mars, il obtient les pleins pouvoirs. Dès juillet, l'Allemagne est devenue un État policier, et le NSDAP reste le seul parti autorisé.

1 **Grévistes en armes occupant leur usine à Milan (1920)**
En Italie comme en Allemagne, la crise économique d'après-guerre favorise des troubles révolutionnaires sur le modèle russe.

en Italie
- assassinat de Matteotti, chef de l'opposition socialiste, par des fascistes le 10 juin 1924
- Les lois fascistissimes du 3 janvier 1925 lui permettent de jeter les fondements de sa dictature

en Allemagne
- incendie du Reichstag (nuit du 27 au 28 février 1933), attribué aux communistes par les nazis
- interdiction du parti communiste
- 24 mars 1933 : Hitler se fait voter les pleins pouvoirs

en URSS
- Trotski, fondateur de l'Armée rouge et fidèle soutien de Lénine, s'oppose à Staline
- à partir de 1928-1929, Staline durcit sa politique et instaure un véritable régime totalitaire
- élimination des cadres léninistes et des officiers supérieurs : procès de Moscou (1936-1938)

2 **Des opposants politiques écartés ou éliminés pour mettre en place les dictatures**

Vocabulaire

• **Bureaucratie** : fonctionnaires contrôlant la société civile et jouissant de privilèges.

La situation aux États-Unis à la fin des années 1920

une spéculation effrénée	une agriculture en grande difficulté	forces et faiblesses de l'industrie	de grands écarts de revenus
• facilité d'accès au crédit bancaire y compris pour acheter des actions • hausse de la valeur des actions en Bourse, sans rapport avec la valeur réelle des entreprises	• baisse des prix agricoles • baisse des revenus des agriculteurs	• dynamisme de certains secteurs comme l'automobile • grande difficulté d'autres secteurs comme le textile ou les mines	• 1% des Américains reçoivent 19% des revenus • des couches populaires appauvries • des écarts sociaux qui se creusent

crise de 1929 aux États-Unis

• crise financière : chute des cours de la Bourse (krach de Wall Street le 24 octobre 1929)

• crise bancaire : les banques font faillite

• crise économique : faillites d'entreprises

la crise en Europe : l'exemple allemand

Les conséquences économiques et sociales	Les conséquences politiques
• les États-Unis rapatrient leurs capitaux investis en Allemagne • l'effondrement du commerce international frappe l'Allemagne, grande puissance exportatrice • faillites, chômage (6 millions en 1932), pauvreté.	• progression fulgurante du parti nazi • Hitler fait campagne contre les pays étrangers et contre les ennemis intérieurs (les juifs selon les nazis), boucs émissaires rendus responsables de la crise. Il promet aux chômeurs « une soupe le midi, une bière le soir ».

3 : **La crise économique de 1929 et la montée du nazisme**
La crise de 1929, née aux États-Unis, frappe ensuite l'Europe et le reste du monde, à l'exception de l'URSS dont l'économie collectiviste ne participe pas aux échanges mondiaux.

4 : **Mussolini assume le meurtre du député socialiste Matteotti**

Cet assassinat a eu lieu le 10 juin 1924.

Je déclare, ici, devant cette assemblée et devant le peuple italien tout entier, que j'assume, seul, la responsabilité politique, morale, historique de ce qui s'est passé […] Si le fascisme n'a été qu'huile de ricin[1] et *manganello*[2], et non pas la passion orgueilleuse de ce que la jeunesse italienne a de meilleur, à moi la faute ! Si le fascisme a été une association criminelle, je suis le chef de cette association criminelle ! Si toutes les violences ont été le résultat d'un certain climat historique, politique et moral, c'est moi qui l'ai créé […]. L'Italie veut la tranquillité, elle veut le calme dans le travail. Nous, ce calme, cette tranquillité dans le travail, nous les lui donnerons, si c'est possible par l'amour, et si c'est nécessaire par la force.

Discours de Mussolini à l'Assemblée nationale italienne
(3 janvier 1925)

1. Violent laxatif utilisé pour torturer les opposants.
2. Gourdin utilisé pour torturer les opposants.

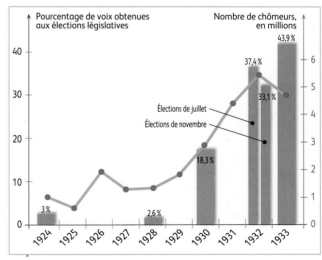

5 : **La percée du NSDAP après la crise de 1929**
Début 1933, tout en restant le premier parti allemand, le NSDAP était en recul électoral. Mais quelques industriels et dirigeants de droite demandent alors au président Hindenburg de nommer Hitler chancelier.

Questions

1. Comment les régimes totalitaires assoient-ils leur autorité dans le domaine politique (doc. 2) ?

2. Dans quelle mesure la crise économique née aux États-Unis en 1929 explique-t-elle les succès électoraux du nazisme (doc. 3 et 5) ?

3. Comment Mussolini justifie-t-il l'utilisation de la force pour asseoir son pouvoir (doc. 4) ?

Culte du chef et propagande dans les régimes totalitaires

Capacités travaillées

II.1.2 Prélever, hiérarchiser et confronter des informations selon des approches spécifiques en fonction du document

II.1.3 Cerner le sens général d'un document et le mettre en relation avec la situation historique étudiée

Dans les États totalitaires, un chef charismatique impose son pouvoir absolu et entreprend de remodeler les individus et la société en fonction de ses idées. Pour leur inculquer sa vision du monde et contrôler les esprits, il utilise massivement la propagande. Il se fait rendre un culte obligatoire, qui renforce son autorité complète sur le parti unique et sur le pays.

▶ **Comment la propagande construit-elle le culte du chef, élément central des régimes totalitaires ?**

Vocabulaire et notion

• **Propagande** : action de diffuser par tous les moyens une doctrine afin d'influencer l'opinion publique.

• **Culte du chef** : vénération d'un dirigeant politique charismatique (*Vojd*, *Duce* ou *Führer*), vu comme le sauveur infaillible qui guide son peuple vers un nouveau monde idéal. Ses partisans lui prêtent des qualités surhumaines.

1 Appel à voter « oui » à un plébiscite en faveur de Mussolini (1934).
Façade du siège du parti national fasciste à Rome.

2 **Hitler mène le combat pour l'Allemagne**
Hitler est ici représenté en chevalier teutonique, un ordre militaire germanique qui colonisa les pays Baltes aux XIIIᵉ et XIVᵉ siècles.
Hubert Lanzinger, *Le Porte-drapeau*, huile sur toile, 1938.
US Center of Military History, Washington.

3 **Le *Duce* décrit dans un pamphlet de propagande du parti national fasciste (1929)**

D'où vient alors son pouvoir ?
Le pouvoir de Benito Mussolini vient à la fois du roi et du peuple.

Vient-il d'une famille noble ?
Non, son père était un forgeron qui pliait sur l'enclume le fer ardent. Lui-même, tout petit, aidait son père dans son dur et humble labeur.

Et comment a-t-il pu monter si haut ?
Avec sa volonté tenace, sa constante et infatigable activité, sa confiance sereine dans ses propres forces, son amour ardent pour la Patrie et pour le Peuple.

Quelles sont ses ambitions ?
Il n'a aucune ambition personnelle. Sa seule ambition est celle de rendre fort, prospère, grand et libre le peuple italien.

Quel est donc son grand but ?
Faire en sorte qu'au XXᵉ siècle Rome redevienne le centre de la civilisation latine, la dominatrice de la Méditerranée, le phare pour tous les gens.

Aime-t-il les enfants ?
Beaucoup. C'est à eux qu'il réserve sa plus tendre affection. Il voit dans les enfants d'aujourd'hui le futur de la Patrie, et il veut et il œuvre pour qu'ils soient dignement préparés pour ce futur. [...]

Quel est le devoir des Italiens envers Mussolini et la révolution fasciste ?
Il se résume à ceci : « Je jure d'exécuter sans discuter les ordres du Duce et de servir avec mes forces et, si nécessaire, avec mon sang la cause de la Révolution fasciste. »

Extraits d'un pamphlet de propagande de 1929, d'Augusto Turati, secrétaire du parti national fasciste.

4 : **Le culte de la personnalité rendu à Staline**

Notre amour, notre fidélité, notre force, notre cœur, notre héroïsme, notre vie – tout est à toi, prends-les, ô grand Staline, tout t'appartient, ô leader de la patrie. Commande à tes fils, ils sont capables de se déplacer en l'air et sous terre, dans l'eau et dans la stratosphère. Les humains de toutes les époques et de toutes les nations diront que ton nom est le plus glorieux, le plus fort, le plus sage, le plus beau de tous. Ton nom figure sur chaque usine, sur chaque machine, sur chaque lopin de terre, dans chaque cœur humain. Si ma femme bien-aimée met au monde un enfant, le premier mot que je lui apprendrai sera « Staline ».

La gazette rouge de Leningrad, 1935.

BAC

Consigne 1. En confrontant les documents 1 et 2, montrez comment les chefs des régimes totalitaires sont mis en scène par la propagande.

Consigne 2. Après avoir présenté les documents 3 et 4, expliquez les raisons qui poussent les propagandistes à exagérer autant les portraits des chefs des régimes totalitaires.

Analyser une affiche de propagande
Une mise en scène au service de l'idéologie

5 : **« Longue vie au grand Staline !
Le grand architecte du communisme ! »**
Au centre défilent les membres de l'organisation de la jeunesse communiste, les Komsomols (15-28 ans).
Affiche soviétique de Sirocenqo (1938).

Consigne BAC

Présentez le contexte dans lequel a été créée cette œuvre de propagande. Analysez le message que veut faire passer l'auteur de cette affiche.

Méthode

1 Présenter l'affiche

Il s'agit de présenter le destinataire du document et de tenter de définir la raison de la réalisation de cette affiche. Par exemple, pour une commémoration, une fête ou une inauguration.

2 Décrire l'affiche

■ Son sujet, ses personnages, le décor, les symboles éventuels, le slogan politique…

■ La composition de l'affiche (lignes directrices, formes géométriques utilisées, jeu sur les différents plans…)

3 Analyser et interpréter l'affiche

■ Quel est son contexte général ? Il faut notamment se demander si elle s'intègre dans une propagande plus vaste.

■ Quel message veut faire passer cette affiche de propagande ? On s'interroge sur le sens de cette affiche, sur les raisons qui ont pu pousser à la réaliser et à la diffuser.

■ Pourquoi peut-on qualifier cette affiche d'œuvre de propagande ? Il faut être capable d'avoir un esprit critique sur le document, d'en voir les exagérations, les omissions ou les manipulations, notamment en comparant avec d'autres sources sur la période.

■ Quelle portée ce document a-t-il eue ? Il faut se demander si cette affiche a pu avoir une influence, si son but a été atteint, si ceux qui l'ont regardée ont été convaincus. Pour cela, il faut la croiser avec d'autres documents ou avec ses connaissances générales sur la période (popularité attestée ou non du personnage représenté, existence ou non de révoltes ou de résistances…)

Le sport au service des totalitarismes

Les régimes totalitaires entendent contrôler et instrumentaliser toutes les activités humaines. Ils attachent une importance particulière au sport, car il contribue à former « l'homme nouveau » sain et fort voulu par l'idéologie officielle et à lui donner une préparation militaire. Les compétitions sportives internationales sont aussi un moyen d'exalter le régime par une profusion de propagande, ainsi lors de la Coupe du monde de football à Rome en 1934 ou des Jeux olympiques de Berlin de 1936. Les victoires des sportifs sont portées au crédit du pays et du régime.

Capacité travaillée
II.1.2 Prélever, hiérarchiser et confronter des informations

▶ Comment les régimes totalitaires utilisent-ils le sport pour contrôler la société et exalter leur pays ?

A Le sport permet de former une population forte et obéissant au régime

1 L'importance du sport pour forger la jeunesse nazie

Consacrer, comme on le fait actuellement, deux courtes heures du programme hebdomadaire des écoles secondaires à la gymnastique et, par-dessus le marché, rendre la présence des élèves facultative, c'est commettre une lourde erreur, même au point de vue de la formation purement intellectuelle. Il ne devrait pas se passer de jour où le jeune homme ne se livre, au moins une heure matin et soir, à des exercices physiques, dans tous les genres de sport et de gymnastique. Il ne faut pas notamment négliger un sport, la boxe […]. Pourquoi ? Il n'y a pas de sport qui, autant que celui-là, développe l'esprit combatif, exige des décisions rapides comme l'éclair et donne au corps la souplesse et la trempe de l'acier. Il n'est pas plus brutal, pour deux jeunes gens, de vider à coups de poing une querelle née d'une divergence d'opinions que de le faire avec une lame bien aiguisée. Il n'est pas plus vil, pour un homme attaqué, de repousser son agresseur avec ses poings que de prendre la fuite en appelant la police à son secours. Mais, avant tout, le garçon jeune et sain de corps doit apprendre à supporter les coups. Ce principe paraîtra naturellement, à nos champions de l'esprit, digne d'un sauvage. Mais l'État raciste n'a pas précisément pour rôle de faire l'éducation d'une colonie d'esthètes pacifistes et d'hommes physiquement dégénérés. L'image idéale qu'il se fait de l'humanité n'a pas pour types l'honorable petit bourgeois et la vieille fille vertueuse, mais bien des hommes doués d'une énergie virile et hautaine, et des femmes capables de mettre au monde de vrais hommes. Ainsi le sport n'est pas destiné seulement à rendre l'individu fort, adroit et hardi, mais il doit aussi l'endurcir et lui apprendre à supporter épreuves et revers.

Hitler, *Mein Kampf*, 1925.

« Vive le guide du grand parti communiste, le meilleur ami des gymnastes, le camarade Staline »

CCCP = URSS (en russe)

« Prêt pour le travail et la défense »

L'étoile rouge, la faucille et le marteau sont les symboles du communisme. La faucille représente les paysans et le marteau les ouvriers, unis pour la réussite de l'URSS.

2 Des gymnastes exaltent le régime soviétique
Grande parade des gymnastes soviétiques à Moscou en 1935.

3 Le sport au service du fascisme

Lando Ferretti préside le Comité national olympique italien, le CONI, de 1925 à 1928.

Réagissons contre la formule de compétition « le sport pour le sport » qui réduirait l'éducation sportive à un passe-temps sans but, à un jeu sans âme, à un spectacle vide. Le sport est pour nous, surtout et avant tout, une école de volonté qui prépare au fascisme les citoyens conscients de la paix, les héroïques soldats de la guerre. S'il n'eût pas cette suprême valeur éthique de milice et de religion au service de la patrie, le sport serait une vulgaire contorsion de muscles, un divertissement de jeunes. […] Se préparer ; affronter la lutte ; la conduire d'une manière chevaleresque; mourir pour vaincre, s'il est nécessaire, quand le commande l'honneur du drapeau, voici tout le cycle de l'éducation sportive et de son but suprême. […] Si comme but immédiat l'éducation sportive se propose la santé physique et morale des personnes, elle a pourtant, comme destination naturelle suprême, l'honneur, la puissance et la grandeur de la patrie.

Lando Ferretti, *Il libro dello sport*, 1928.

B Les grandes compétitions sportives exaltent les régimes totalitaires

4 Les Jeux olympiques de Berlin, vitrine du nazisme

Dans l'histoire du régime nazi, la célébration des Jeux olympiques, à Berlin, en août 1936, marque un haut moment, une sorte de point culminant, sinon d'apothéose, pour Hitler et le IIIe Reich. [...] Hitler s'est imposé à l'Europe comme un personnage extraordinaire. Il ne répand pas seulement la crainte ou l'aversion ; il excite la curiosité ; il éveille des sympathies ; son prestige grandit ; la force d'attraction qui émane de lui s'exerce au-delà des bornes de son pays. Des rois, des princes, des hôtes illustres se pressent dans la capitale du Reich. [...] Et tout le monde, en face d'une organisation sans lacune, d'un ordre et d'une discipline sans fissure, d'une prodigalité sans limite, tout le monde s'extasie. De fait, le tableau est magnifique.

André François-Poncet, *Souvenirs d'une ambassade à Berlin, septembre 1931-octobre 1938*, Paris, Flammarion, 1946.

5 La Coupe du monde de football de 1934 au service du fascisme

Mussolini obtient l'organisation de la Coupe du monde de football de 1934, remportée par l'équipe italienne le 10 juin dans le stade national du Parti national fasciste à Rome. L'équipe italienne fait le salut fasciste avant chaque match.

BAC

Consigne 1. Après avoir présenté les documents 1 et 3, vous confronterez leur point de vue afin d'expliquer comment le sport peut être un instrument au service du pouvoir dans les régimes totalitaires.

Pour vous aider pensez à :

– Retrouver dans les textes les affirmations qui indiquent que le sport doit former des combattants (doc. 1 et 3).
– Relever les arguments qui soulignent que le sport permet la glorification de la patrie (doc. 3).

Consigne 2. Après avoir présenté les documents 4 et 5, vous analyserez la manière dont les régimes totalitaires mettent en scène les compétitions sportives au service de leur idéologie.

Consigne 3. Après avoir présenté les documents 2 et 6, expliquez comment le sport sert à exalter l'idéologie d'un régime totalitaire.

6 Les Spartakiades, au service du stalinisme

L'URSS se tient à l'écart du mouvement olympique « capitaliste » jusqu'en 1952. Elle organise de 1928 à 1937 ses propres compétitions internationales, les Spartakiades, dont le nom fait référence à l'insurrection écrasée du parti spartakiste à Berlin en 1919. Affiche pour les Spartakiades de Moscou en 1928.

Étude

L/ES
S

La peinture réaliste soviétique au service du régime stalinien

Capacités travaillées

II.1.2 Prélever, hiérarchiser et confronter des informations selon des approches spécifiques en fonction du document

II.2.4 Lire un document et en exprimer les idées clés, les parties ou composantes essentielles

Dans les années 1930, la politique économique de Staline est fondée sur la suppression de la propriété privée, la collectivisation des terres et l'industrialisation du pays à marche forcée. Une intense propagande veut montrer les réussites du régime stalinien, gommer les échecs ou les difficultés. L'art est enrôlé dans cette action de propagande. Les peintres doivent servir l'idéologie et les réussites supposées du régime, à travers des œuvres se voulant réalistes, au style simple et épuré. Ils se doivent aussi de glorifier l'action de Staline. Cet art académique prive les artistes de leur liberté de création.

▶ Comment ce tableau sert-il la propagande stalinienne ?

Silos à grains

Pylône, évoquant l'électrification des campagnes par Staline

Usine de transformation de produits agricoles

Vastes étendues de terres du kolkhoze (blés mûrs)

Un ouvrier venu de la ville avec son vélo partager la joie des paysans (alliance de la faucille et du marteau)

Table couverte de victuailles

1 *La fête des moissons au kolkhoze*, **de Sergueï Gerasimov (1937)**
Huile sur toile, 235 cm X 370 cm, coll. privée.

Point méthode : Analyser une peinture officielle

A Présenter le tableau : auteur, type, contexte

Les informations sont indiquées sous les tableaux. Replacer le tableau dans son contexte signifie préciser les événements se déroulant au moment de sa réalisation et permettant d'éclairer son analyse.

B Décrire le tableau

– les techniques picturales utilisées : palette des couleurs employées (couleurs contrastées ? couleurs chaudes ou froides ?), lumière (d'où vient-elle ?

que met-elle en valeur ?), lignes directrices du tableau ;
– les éléments peints : décor, personnages, objets (faire attention aux détails apportés par le peintre).

C Interpréter le tableau

– pourquoi le peintre a-t-il choisi de représenter ces détails ?
– quel message veut-il faire passer ?
– en quoi cette œuvre sert-elle la propagande stalinienne ?

2 • La réalité dissimulée : la famine de 1932-1933 en Ukraine

La vive résistance paysanne aux réquisitions et à la collectivisation est brisée par la violence. Cette politique brutale aboutit à la famine de 1932-1933, en Ukraine notamment. Le régime la laisse survenir et s'aggraver, et cache son existence à l'étranger. De 6 à 8 millions de personnes périssent.

3 • Le réalisme socialiste selon Jdanov

Andreï Jdanov (1896-1948), membre de la direction soviétique, définit pour la première fois l'idéologie du « réalisme socialiste » à propos de la littérature. Celle-ci est étendue aussitôt à la peinture et à tous les arts.

Dans notre pays, les principaux héros des œuvres littéraires, ce sont les bâtisseurs actifs de la vie nouvelle : ouvriers et ouvrières, kolkhoziens et kolkhoziennes, membres du Parti, administrateurs, ingénieurs, jeunes communistes, pionniers. Les voilà, les types fondamentaux et les héros essentiels de notre littérature soviétique.

L'enthousiasme et la passion de l'héroïsme imprègnent notre littérature. [...] La force de notre littérature soviétique, c'est qu'elle sert la cause nouvelle, la cause de la construction du socialisme. Le camarade Staline a appelé nos écrivains les « ingénieurs des âmes ». Cela veut dire, tout d'abord, connaître la vie socialiste afin de pouvoir la représenter véridiquement dans les œuvres d'art [...]. Et là, la vérité et le caractère historique concret de la représentation artistique doivent s'unir à la tâche de transformation idéologique et d'éducation des travailleurs dans l'esprit du socialisme. [...] c'est ce que nous appelons la méthode du réalisme socialiste.

Andreï Jdanov, discours au premier congrès des écrivains soviétiques[1],
17 août 1934.

1. Union des écrivains, créée en 1934, dont il faut être membre pour pouvoir publier.

Questions

1. Comment la collectivisation des terres lancée par Staline est-elle mise en image par l'artiste (doc. 1) ?
2. Quels éléments peints par l'artiste servent-ils à montrer la réussite économique du régime (doc. 1) ?
3. Montrez que cette œuvre ne représente pas la réalité des campagnes soviétiques dans les années 1930 (doc. 1 et 2).
4. Montrez que le tableau ci-contre répond aux objectifs que Jdanov fixe aux artistes (doc. 1 et 3).

Consigne BAC

Après avoir replacé le document 1 dans son contexte, vous montrerez comment cette peinture est au service de l'idéologie stalinienne à la fois dans le style utilisé et dans les thèmes abordés.

Les fondements idéologiques comparés des régimes totalitaires

Capacités travaillées

II.1.2 Prélever, hiérarchiser et confronter des informations selon des approches spécifiques en fonction du document

II.2.4 Lire un document et en exprimer les idées clés, les parties ou composantes essentielles

Les trois régimes veulent remodeler l'individu. Il s'agit de créer un homme nouveau dont l'esprit, les activités et les comportements sont contrôlés de la naissance à la mort. L'économie du pays est aussi organisée par l'État : l'URSS va jusqu'à la collectivisation des terres et de l'industrie, et à la planification impérative de la production ; l'Italie et l'Allemagne maintiennent la propriété privée, mais imposent l'autarcie. Malgré un fonctionnement souvent semblable, ces régimes reposent sur des idéologies et des visées très différentes.

▶ Comment des régimes aux idéologies différentes ont-ils néanmoins des fonctionnements comparables ?

1 Le parti au service du prolétariat en URSS

Le parti est nécessaire au prolétariat tout d'abord comme état-major pour la prise du pouvoir. Il est évident que, sans un parti capable de rassembler autour de lui les organisations de masse du prolétariat et de centraliser au cours de la lutte la direction de tout le mouvement, les ouvriers n'auraient pu réaliser en Russie leur dictature révolutionnaire. Mais le parti n'est pas nécessaire seulement pour l'instauration de la dictature ; il l'est encore davantage pour maintenir la dictature, la consolider et l'élargir. […]

Mais qu'est-ce que « maintenir » et « élargir » la dictature ? C'est inculquer aux masses prolétariennes l'esprit de discipline et d'organisation, les prémunir contre l'influence délétère de l'élément petit-bourgeois, rééduquer les couches petites-bourgeoises et transformer leur mentalité, aider les masses prolétariennes à devenir une force capable de supprimer les classes et de préparer les conditions pour l'organisation de la production socialiste. Mais tout cela est impossible à accomplir sans un parti fort par sa cohésion et sa discipline […]. Le parti se fortifie en s'épurant.

Staline, *Les questions du léninisme*, 1931.

« Les terres et les usines aux propriétaires terriens et aux capitalistes »

bourgeois

koulak

pope

2 Les ennemis du peuple selon les communistes

Bourgeois, popes (prêtres de l'Église orthodoxe) et koulaks tirent le char de l'amiral Koltchak, chef des armées blanches tsaristes en Sibérie. Affiche bolchevik, 1919.

3 La primauté de l'État selon l'idéologie fasciste

Les individus sont d'abord et avant tout l'État. L'État n'est pas nombre, comme une somme d'individus formant la majorité du peuple. C'est pourquoi le fascisme est contre la démocratie, car celle-ci rabaisse le peuple au niveau du plus grand nombre ; mais il est la forme la plus pure de la démocratie puisque le peuple est conçu, comme il doit l'être, qualitativement et non quantitativement, comme l'idée la plus puissante parce que plus morale, plus vraie, plus cohérente, parce que dans le peuple s'effectue la conscience et la volonté de quelques-uns, même d'un seul, et que cet idéal tend à s'effectuer dans la conscience et la volonté de tous. […] Il est aussi l'éducateur et le promoteur de la vie spirituelle. Il peut renouveler non pas les formes extérieures de la vie humaine, mais son essence même. Et dans ce dessein, il exige une discipline, une autorité dominant les esprits pour y régner sans conteste.

Benito Mussolini, « Fascisme », in *Enciclopedia italiana*, t. XIV, 1934.

Achetez des produits italiens

4 L'Italie développe l'autarcie pour son économie nationale

Affiche de 1935.

« L'Allemand est un homme fier qui sait travailler et combattre. Parce qu'il est si beau et si fort, le juif le hait depuis toujours. »

« Voici le juif, on voit tout de suite, le plus grand misérable de tout le Reich ! Il pense qu'il est le plus beau et pourtant il est si laid ! »

5 : **L'Aryen et le juif selon un livre nazi pour enfants**

Elvira Bauer, *Ne te fie pas au renard de la plaine, pas plus qu'au serment d'un juif*, Nuremberg, 1936.

Vocabulaire et notions

• **Antisémitisme** : haine des juifs, vus comme une « race » nuisible et inassimilable aux autres peuples. Cette haine se distingue de l'anti-judaïsme, religieux, qui veut la conversion des juifs au christianisme.

• **Autarcie** : rupture de tout échange économique avec l'extérieur, pour ne dépendre que de ses propres ressources.

• **Classe sociale** : ensemble de personnes partageant les mêmes caractéristiques de profession et/ou de revenus.

• **Idéologie** : vision du monde organisée autour d'idées comme la lutte des classes (communisme) ou des « races » (nazisme).

• **Planification** : plan organisant la production industrielle du pays.

• **Prolétariat** : dans la Rome antique, citoyens pauvres qui n'ont que leurs enfants (*proles*) pour toute richesse. Pour les communistes, ouvriers et paysans pauvres exploités par la bourgeoisie capitaliste.

BAC

Consigne 1. Après avoir présenté les documents 5 et 6, montrez que le racisme et l'antisémitisme font la spécificité du nazisme.

Pour vous aider pensez à :

– Indiquer les critères raciaux que ce dessin antisémite prête à l'Aryen et au Juif (doc. 5).

– Relever les arguments supposés sur lesquels repose l'antisémitisme nazi (doc. 6).

Consigne 2. En vous appuyant sur l'analyse des documents 1 et 3, dégagez les points communs que l'on peut observer entre communisme et fascisme.

Pour vous aider pensez à :

– Définir le caractère antidémocratique de ces régimes totalitaires.

Consigne 3. Après avoir présenté les documents 2 et 4, analysez-les afin de montrer les fondements idéologiques mis en avant par les deux régimes.

6 : **Au cœur du nazisme : la haine raciste et antisémite**

La conception raciale ne croit nullement à l'égalité des races, mais reconnaît au contraire leur diversité et leur valeur plus ou moins élevée. Il est donc nécessaire de favoriser la victoire du meilleur et du plus fort, d'exiger la subordination des mauvais et des faibles. Les Aryens ont été les seuls fondateurs d'une humanité supérieure, celle qui a créé la civilisation. Une fraction restreinte, mais puissante, de la population mondiale a choisi le parasitisme. Feignant intelligemment de s'assimiler, elle cherche à s'établir parmi les peuples sédentaires, à priver ceux-ci du fruit de leur travail par des ruses mercantiles, et à prendre elle-même le pouvoir. L'espèce la plus dangereuse de cette race est la juiverie. [...]

Le juif a, de tout temps, vécu dans les États d'autres peuples ; il formait son propre État qui se dissimulait sous le masque de la « communauté religieuse » [...]. La vie que le juif mène comme parasite dans le corps d'autres nations et États comporte un caractère spécifique, qui a inspiré à Schopenhauer[1] le jugement [...] que le juif est « le grand maître des mensonges ». [...] Plus grande est l'intelligence d'un juif et plus la supercherie aura de succès. [...] Les Protocoles des Sages de Sion[2], que les juifs renient officiellement avec une telle violence, ont montré d'une façon incomparable combien toute l'existence de ce peuple repose sur un mensonge permanent. [...] Si le juif, grâce à sa religion marxiste, arrive à vaincre les autres peuples de ce monde, sa couronne sera la couronne funéraire de l'humanité et la planète évoluera dans l'univers, comme elle le fit il y a des millions d'années, sans êtres humains.

Hitler, *Mein Kampf*, chapitre XI, 1925.

1. Arthur Schopenhauer (1788-1860), philosophe allemand très pessimiste.
2. Faux antisémite forgé en 1901 par la police tsariste. Il prétend relater un complot juif mondial en vue de la domination universelle.

2 Les totalitarismes, des fonctionnements comparables

L/ES S : ▶ Quelles sont les pratiques communes aux régimes totalitaires de l'entre-deux-guerres ?

A Parti unique, culte du chef et idéologie

Études pages 194-195 et 200-201 + doc. 1

■ **Dans un pays totalitaire, un seul parti est autorisé (PNF en Italie, NSDAP en Allemagne, PCUS en URSS).** Il prend le contrôle total de l'État et de la société. Des syndicats uniques et des organisations de masse encadrent chaque profession ou activité. Aucune libre discussion n'existe dans le parti lui-même. Le 30 juin 1934, Hitler fait ainsi massacrer les chefs SA, qui critiquaient son alliance avec les capitalistes (« Nuit des longs couteaux »). Staline, lui, radicalise le centralisme démocratique.

■ **Le parti est dirigé par un chef tout-puissant, objet d'un culte qui le présente en sauveur infaillible.** Ses portraits sont omniprésents, son anniversaire fêté de manière grandiose, son nom cité à toute occasion. Le fascisme prétend que « Mussolini a toujours raison ». Le salut nazi, obligatoire, consiste à crier un « Heil Hitler ! » (Vive Hitler !) bras tendu.

■ **Le chef et le parti exercent le pouvoir au nom d'une idéologie révolutionnaire, qui prétend transformer la société et créer un homme nouveau.** Mussolini pose la primauté du nationalisme et de l'État : « Tout par l'État, rien hors de l'État, rien contre l'État. » Hitler théorise le nazisme dès 1925 dans *Mein Kampf*, et Staline se réfère au marxisme-léninisme. Chacun doit adhérer à cette idéologie et s'y conformer uniformément dans sa vie privée et publique.

B L'endoctrinement des masses

Études pages 196-197 et 198-199 + doc. 4

■ **Pour créer un individu conforme à leurs idéologies, les totalitarismes embrigadent les masses dès le plus jeune âge.** Mussolini proclame ainsi : « Je prends l'homme au berceau et je ne le laisse qu'au moment de sa mort, où je le rends au pape. » Filles et garçons doivent adhérer à des organisations de jeunesse uniques, de type paramilitaire : Balilla en Italie, Jeunesses hitlériennes en Allemagne, Komsomols en URSS. Ils y perdent leur esprit critique et leur individualité, remplacés par le dévouement aveugle au chef et au régime.

■ **Pour développer une propagande de chaque instant, les totalitarismes s'arrogent aussi le monopole des moyens d'information** (presse, affiches, radio, cinéma). Ils organisent des manifestations de masse spectaculaires (congrès du parti nazi à Nuremberg, parades au milieu des ruines de Rome ou sur la place Rouge de Moscou). La propagande prêche la haine des ennemis idéologiques. Elle censure ou maquille informations, images et statistiques.

■ **L'endoctrinement se poursuit à travers les loisirs**, offerts par l'État via le *Dopolavoro* (après le travail) en Italie ou la Force par la Joie en Allemagne. Les arts sont mis au service du régime. Staline impose le « réalisme socialiste ». Mussolini encourage un art fasciste inspiré de la Rome antique, y compris par le tournage de péplums. Hitler fait exalter la race aryenne et persécuter l'« art dégénéré » d'avant-garde. Les trois régimes privilégient les œuvres monumentales et conformistes.

C État policier et terreur de masse doc. 2 et 3

■ **Les totalitarismes font disparaître toute liberté, tout État de droit, toute opposition organisée. La délation est encouragée**, des enfants dénonçant parfois leurs parents. Des polices politiques toutes-puissantes sévissent, telles l'OVRA en Italie ou la Gestapo en Allemagne. En Russie, les bolcheviks créent dès décembre 1917 la Tcheka, devenue Guépéou (1923) puis NKVD (1934). La justice est truquée, comme lors des procès de Moscou (1936-1938). Brutalités en pleine rue et torture sont banales.

■ Les totalitarismes ne se contentent pas d'arrêter ou d'exiler massivement leurs opposants, ni de les faire parfois assassiner à l'étranger. **Le moindre geste suspect ou déviant est durement sanctionné.** En URSS, des gens sont déportés pour avoir mal orthographié le nom de Staline ou enveloppé un pot de fleurs avec une page de journal contenant sa photo.

■ **Cette terreur de masse about à la création de systèmes concentrationnaires** : îles Lipari en Italie, camps de concentration nazis (le premier est Dachau, près de Munich), zones pénitentiaires du Goulag, notamment en Sibérie (doc. 2 et 3).

1 : **« Ein volk, ein Reich, ein Führer » : le culte du chef**
« Un peuple, un Reich, un Führer »
Carte postale de propagande de1938 célébrant l'Anschluss, l'annexion de l'Autriche par l'Allemagne

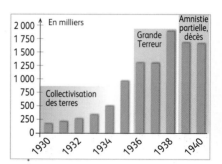

2 : **Les effectifs du Goulag dans les années 1930**

Vocabulaire et notions

• **Centralisme bureaucratique** : règle qui interdit de défendre une opinion rejetée par la direction du parti après un vote..

• **Goulag** : organisme chargé des camps de travail en URSS où sont internés les opposants au régime ou de simples citoyens accusés de délits réels ou imaginaires.

• **Masses** : nombre considérable de personnes, partageant les mêmes opinions ou comportements.

• **Marxisme-léninisme** : terme forgé par Staline après la mort de Lénine. La révolution prédite par Marx doit être menée, selon Lénine, par un parti très discipliné qui sert d'avant-garde au prolétariat.

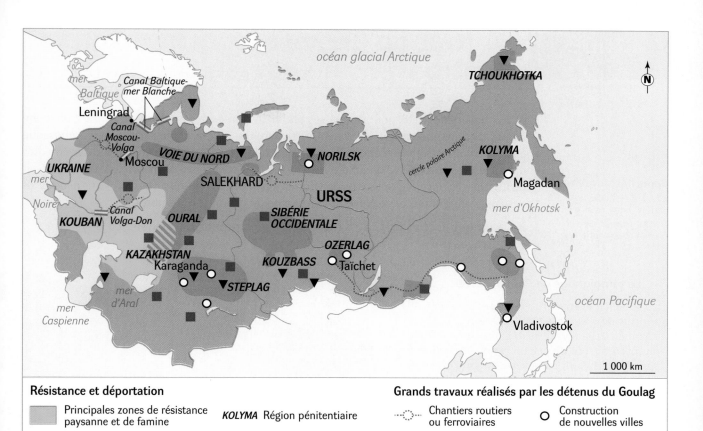

Résistance et déportation

▨ Principales zones de résistance paysanne et de famine	***KOLYMA*** Région pénitentiaire
▨ Principales zones de déportation	■ Principaux camps gérés par le Goulag

Grands travaux réalisés par les détenus du Goulag

⬭ Chantiers routiers ou ferroviaires	○ Construction de nouvelles villes
▤ Grands canaux	▼ Exploitation de mines

3 **Le Goulag stalinien**

	Écoliers et collégiens	Lycéens	Étudiants, soldats, travailleurs
Organisations fascistes	– Les Fils et Filles de la louve (4-8 ans) – Les *Balilla* et les Petites Italiennes (8-14 ans)	– Les Avant-Gardistes et les Jeunes Italiennes (14-18 ans)	– Les Jeunesses fascistes (18-21 ans)
Organisations nazies	– Les *Pimpfe* (6-10 ans) – Les jeunes du peuple : la *Deutsches Jungvolk* pour les garçons, la *Jungmädelbund* pour les filles (10-14 ans)	– La Jeunesse hitlérienne (14-18 ans), • La *Hitlerjugend* pour les garçons, • La *Bund Deutscher Mädel* pour les filles (la Ligue des filles d'Allemagne), obligatoires dès 1936	– Service de travail (17-18 ans) – Organisations du NSDAP (SA, SS…)
Organisations soviétiques	– Les Petits Octobristes (6-9 ans) – Les Pionniers (10-14 ans)	– Les Komsomols (15-28 ans)	– Les Komsomols (15-28 ans)

4 **L'endoctrinement de la jeunesse**

5 Des Italiens embrigadés dès leur plus jeune âge
Couverture de cahier d'élève italien dans les années 1920.

Questions

1. Quelles sont les victimes du Goulag (doc. 2) ?

2. En quoi le travail des détenus du Goulag sert-il à transformer l'Union soviétique (doc. 3) ?

3. Comment les régimes totalitaires agissent-ils pour contrôler leur jeunesse (doc. 4 et 5) ?

4. Comment peut-on expliquer le nom donné aux organisations de la jeunesse soviétique (doc. 4) ?

La Nuit de Cristal : l'antisémitisme nazi se déchaîne

Le 7 novembre 1938, pour venger ses parents victimes des persécutions nazies, un jeune juif d'origine polonaise, Herschel Grynszpan, tire à Paris sur le secrétaire d'ambassade allemand von Rath, qui décède le 9. La nuit du 9 au 10, dans tout le Reich, ont lieu des émeutes antijuives. Les autorités feignent d'y voir une réaction spontanée au meurtre. Le nom de « Nuit de Cristal » est inspiré par les bris de vitrines jonchant les trottoirs. Les historiens allemands actuels préfèrent parler de *Novemberpogrome* (pogrom de novembre).

Capacités travaillées
I.2.1 *Situer un événement dans le temps court ou long*
II.2.1 *Décrire et mettre en récit une situation historique*

▶ Comment la Nuit de Cristal marque-t-elle le passage à la violence physique contre les juifs ?

1   Le témoignage de Paul Schaffer

[Je suis], en France, l'un des rares témoins du pogrom de novembre 1938, appelé cyniquement « Nuit de Cristal ». Cette dénomination évoque plutôt la pureté du cristal pouvant donner à penser qu'il s'agit de la célébration d'une nuit de fête, alors que c'est aux débris des vitrines jonchant le sol, qu'on doit cet euphémisme. Permettez-moi de rappeler ici, ce que j'ai vécu à l'âge de 14 ans à Vienne, ma ville natale, et évoquer l'ambiance qui régnait durant ces journées horribles. C'est avec une incroyable brutalité que fut déclenchée dans la nuit du 9 au 10 novembre 1938 une agression sauvage, sans aucune retenue, un déchaînement d'une haine sans bornes, contre les juifs, leurs biens et leurs lieux de culte. Déchaînement prémédité et organisé. D'une façon mensongère, les autorités déclarèrent que cette manifestation était une « réaction spontanée de la population » à la suite de la tentative d'assassinat par le jeune Herschel Grynszpan, d'un secrétaire d'ambassade d'Allemagne à Paris. En réalité, ce sont les troupes des SA nazis, à qui l'ordre fut donné d'agir en vêtements civils, la Gestapo, la jeunesse hitlérienne, avec le concours de la police, qui ont provoqué une véritable terreur au sein de la communauté. Tout leur a été permis, les nazis pouvaient disposer de nous comme bon leur semblait et aucune exaction commise alors n'a fait l'objet de poursuite […].

Dès l'annexion de l'Autriche en mars 1938, nous avons eu à subir de multiples humiliations, des expropriations et des arrestations. Cette nuit mémorable atteignait le sommet de l'horreur, elle était le résultat d'une propagande forcenée, s'ajoutant à la longue liste des crimes nazis. Ce pogrom, que l'on pourrait croire d'un autre temps, avait pour objectif d'accélérer l'émigration juive, afin de rendre le « Reich » plus rapidement JUDENREIN c'est à dire « sans aucune présence juive ».

Témoignage de Paul Schaffer le 8 novembre 2008 lors du séminaire « Afin de tirer des leçons de l'Holocauste » à l'Unesco à Paris.

2   Des Allemands devant l'une des boutiques juives détruites à Berlin (10 novembre 1938). Mémorial de la Shoah.

3   Le témoignage du consul des États-Unis à Leipzig (1938)

C'est le 10 novembre 1938 à trois heures du matin que se déchaîna un tourbillon de cruauté sans égal en Allemagne et dans le monde depuis les temps anciens de la barbarie. Les logements juifs furent envahis, leur contenu détruit ou pillé. […] Les vitrines des magasins juifs furent démolies systématiquement par centaines, les dégâts étant estimés à quelques millions de marks. D'après des témoignages dignes de foi, les actions violentes furent menées par des SS et des SA en civil – chaque groupe étant muni de marteaux, de haches, de leviers et de bombes incendiaires […]. Une action proche du démoniaque se déroula au cimetière juif où l'on incendia le lieu de culte et la maison des gardiens. Les pierres tombales furent renversées, des tombes profanées. La phase la plus terrible de « l'action spontanée » concerne les arrestations massives et l'envoi des hommes juifs de 16 à 60 ans de nationalité allemande ou apatrides dans les camps de concentration. Plusieurs personnes furent jetées dans le petit cours d'eau qui traverse le jardin zoologique tandis que l'on ordonnait aux spectateurs épouvantés de leur cracher dessus, de les couvrir de saleté et de railler leur situation ridicule. Parmi les victimes, il y avait des hommes, des femmes et des enfants. Il existe de nombreuses preuves de violences physiques, y compris quelques cas mortels.

Rapport du consul des États-Unis à Leipzig (Allemagne), 21 novembre 1938. Cité par Rita Thälmann et Emmanuel Feinermann, La Nuit de Cristal, Robert Laffont, 1972.

4 : **La foule devant une synagogue de Vienne encore en flammes (10 novembre 1938)**

En Autriche fraîchement annexée (Anschluss, 14 mars 1938), les habitants adhèrent au NSDAP et à la SS plus qu'en aucune autre partie du Reich. Le pogrom y est encore plus violent qu'ailleurs. 42 synagogues sont détruites, 27 juifs tués, 88 gravement blessés, 6 500 envoyés en camp de concentration. Mémorial de la Shoah.

<table>
<tr><td colspan="2">Notion</td></tr>
</table>

Notion

• **Pogrom** (« dévastation », en russe) : violente émeute antijuive, spontanée ou organisée par les autorités.

En Russie tsariste, les pogroms sont très fréquents des années 1880 à 1917, avec la complicité du pouvoir. En 1919-1920, les pogroms des armées tsaristes blanches tuent des dizaines de milliers de juifs russes.

Le pogrom allemand de la Nuit de Cristal marque le début de l'élimination physique des juifs par les nazis.

5 : **Bilan chiffré d'un** pogrom

La nuit même (9-10 novembre)	
Juifs tués dans la nuit même	Au moins 91
Juifs blessés	Plusieurs milliers
Synagogues incendiées	267
Magasins saccagés	7 500 à 8 000
Logements privés vandalisés	Plusieurs dizaines de milliers ?
Dans les mois qui suivent	
Arrêtés et conduits en camps de concentration	30 000 dont 4 600 de Vienne
Dont décédés dans ces camps les mois suivants	2 000 à 2 500
Suicides de juifs dans les semaines suivant le pogrom	Plusieurs milliers, dont 680 à Vienne
Contraints à l'exil de novembre 1938 à septembre 1939	80 000
Amende imposée aux juifs « en expiation des dégâts occasionnés »	Un milliard de Reichsmarks
Biens « aryanisés » (volés aux juifs, notamment exilés) dans l'année suivant la Nuit de Cristal	Un à deux milliards de Reichsmarks

Mémorial de la Shoah, United States Holocaust Memorial Museum.

BAC

Consigne 1. Après avoir présenté le document 1, vous montrerez comment l'auteur permet de faire comprendre aux générations actuelles le déroulement de la Nuit de Cristal.

Pour vous aider pensez à :

– Expliquer la raison donnée par les nazis pour s'en prendre aux juifs lors de la Nuit de Cristal.

– Relever ce qu'ont subi les juifs pendant ce pogrom.

– Analyser la manière dont l'auteur démonte l'affirmation des autorités nazies selon laquelle il ne s'agissait que d'une manifestation « spontanée ».

Consigne 2. Présentez les documents 2 et 3, puis montrez de quelle manière la violence nazie à l'égard des juifs s'est exprimée lors de la Nuit de Cristal.

Consigne 3. En confrontant les documents 3 et 5, expliquez pourquoi il est difficile de dresser un bilan des événements survenus pendant la Nuit de Cristal.

La Grande Terreur (1936-1938) en URSS

Au début des années 1930, la transformation radicale de l'URSS (collectivisation, industrialisation) provoque de nombreuses victimes et pénuries. Staline décide alors d'éliminer toute contestation possible de sa politique. En 1936-1938, il s'en prend à ses propres anciens camarades bolcheviques et, au-delà, à tous les mécontents ou suspects. Le moindre geste jugé déviant, la moindre relation personnelle ou familiale avec un inculpé, la moindre accusation imaginaire peuvent conduire en prison, au Goulag ou à la mort (700 000 fusillés, 2 millions de déportés). Cette terrible répression dont les Soviétiques sont les premières victimes distingue l'URSS de l'Allemagne nazie ou de l'Italie fasciste, qui avant-guerre répriment des opposants réels ou des catégories précises de population (les juifs en Allemagne).

▶ Comment Staline soumet-il la société soviétique par un usage systématique de la terreur ?

Capacités travaillées

II.1.3 Cerner le sens général d'un document et le mettre en relation avec la situation historique étudiée

II.1.4 Critiquer des documents de différents types dans le temps court ou le temps long

1935 — 1938

avril 1934
Staline dissimule qu'il n'est réélu qu'en dernier au comité central du PCUS par le XVIIᵉ Congrès

1ᵉ déc. 1934
Kirov, chef du Parti à Leningrad, est abattu
Staline déporte des milliers d'habitants et suspend les droits des accusés

Août 1936-mars 1938
Procès de Moscou contre les anciens compagnons de Lénine

31 juillet 1937
Ordre opérationnel n° 00447 du NKVD, lançant la Grande Terreur

fin 1938
Ralentissement de la Terreur

L'Humanité, organe du Parti communiste français, contrôlé par Moscou, relaie la propagande stalinienne.

Les victimes des procès sont accusées d'avoir été des traîtres et des espions à la solde des pays capitalistes.

Boukharine, chef de l'aile droite du PCUS dans les années 1920, est accusé sans vraisemblance d'avoir comploté avec les amis de Trotski, chef de l'aile gauche.

Maxime Gorki (1868-1936), le plus célèbre écrivain soviétique du temps, rallié au stalinisme, était mort de vieillesse. Les accusés se voient aussi reprocher son assassinat imaginaire, ainsi qu'une prétendue tentative contre Lénine et Staline.

1 Les procès de Moscou purgent la « vieille garde » bolchevik

D'août 1936 à mars 1938, Staline organise de grands procès-spectacles pour liquider ses ex-rivaux : les compagnons de Lénine, torturés, doivent s'accuser de crimes imaginaires.
Les « Purges » remplacent la « vieille garde » du Parti par de nouveaux cadres qui doivent tout à Staline. Elles n'ont pas d'équivalent en Allemagne nazie ou en Italie fasciste, où les partis au pouvoir sont soumis au chef fondateur. Staline, lui, doit éliminer ceux qui se souviennent que son rôle durant la révolution a été mince.
Une de L'Humanité, organe du Parti communiste français, 1ᵉʳ mars 1938.

Vocabulaire et notion

• **Goulag** : organisme chargé des camps de travail en URSS où sont internés les opposants au régime ou de simples citoyens accusés de délits réels ou, plus souvent, imaginaires.

• **NKVD** : Commissariat du Peuple aux Affaires intérieures, qui sert de police politique en URSS. Précédé par la Tcheka (1917) et par le Guépéou (1922).

2 : Des accusations fabriquées par la police

En septembre 1939, après l'arrêt de la Grande Terreur, un responsable local du NKVD critique, dans un rapport secret, son déroulement au Turkménistan (République soviétique d'Asie centrale).

Les arrestations de masse effectuées par l'appareil du NKVD ont commencé à partir d'août 1937, c'est-à-dire du moment où a été mis en oeuvre l'ordre opérationnel du NKVD n° 00447[1]. [...]

Dès le début de l'opération, un grand nombre de personnes ont été arrêtées sans aucun fondement. Dès que le nombre, extrêmement limité, des éléments socialement nuisibles eut été épuisé, les arrestations injustifiées prirent une ampleur massive, dans le seul but de remplir les quotas fixés par Nodev et Monakov[2]. Lors de ces arrestations, n'étaient pris en compte ni l'âge des individus, ni surtout leur passé, ni leurs activités présentes. Il suffisait d'avoir été par hasard raflé sur un marché pour être arrêté, soumis à des interrogatoires et accusé de crimes antisoviétiques – espionnage, sabotage, appartenance à une organisation contre-révolutionnaire, etc. [...]

Au cours des grandes rafles de février-mai 1938, le NKVD turkmène arrêta plus de 1 200 individus, de simples travailleurs dans leur immense majorité, parmi lesquels figuraient des membres du parti, des députés au soviet local, etc. [...] Toutes ces arrestations se faisaient sans l'aval du procureur. [...] Il faut souligner l'importance d'une pratique très répandue : l'utilisation de documents falsifiés par les agents du NKDV. [...] Afin d'obtenir des aveux de la part des individus arrêtés, les organes du NKVD turkmène, à tous les niveaux, avaient systématiquement recours à des coups et à des tortures particulièrement raffinées. Je m'arrêterai maintenant sur la fabrication d'affaires impliquant des dizaines voire plusieurs centaines d'innocents, [ainsi] l'affaire de « l'organisation contre-révolutionnaire nationaliste turkmène Alach-Orda » : environ 800 individus furent arrêtés.

Cité par Nicolas Werth, *L'ivrogne et la marchande de fleurs. Autopsie d'un meurtre de masse 1937-1939*, Tallandier, 2009.

1. Cet ordre fixait des quotas de suspects à fusiller (première catégorie) ou déporter (deuxième catégorie).
2. Dirigeants du NKVD turkmène, à leur tour purgés et arrêtés vers la fin de la Grande Terreur.

3 : Staline efface jusqu'au souvenir de ceux qu'il élimine

Les dirigeants purgés sont systématiquement effacés des photographies. Ici, le chef du NKVD Nicolas Iejov (1936-1938) a été démis de ses fonctions en décembre 1938 (et fusillé en 1940).

4 : La violence des procès vue de France

Voici donc Zinoviev, Kamenev, deux pionniers de la révolution russe, puis des comparses, qui ont à répondre d'une accusation de complot avec Trotski, contre le régime actuel de l'URSS et ses dirigeants. Ces conspirateurs étranges, tous, sans exception, commencent par avouer : « Nous sommes coupables. » Admettons cette franchise. Quelques-uns d'entre eux ajoutent : « Oui, nous sommes coupables, et Kamenev est une fripouille », ou « Zinoviev est une canaille... ». Soit.

Mais où l'astuce se hausse jusqu'à la bouffonnerie tragique, c'est quand on voit les accusés, les uns après les autres, dire aux jurés : « Tuez-nous ! Nous méritons la mort ! Surtout, ne nous acquittez pas ! Ne nous condamnez pas à une petite peine. Nous sommes tellement indignes de vivre qu'il serait scandaleux de ne pas nous supprimer. » Mais ce n'est pas tout. La subtilité orientale a voulu que ce procès conduisît à l'apothéose de Staline.

Toutes les déclarations des accusés sous-entendaient la question : « Mais pourquoi cette soif du martyre ? » Et la réponse est venue : « Parce que nous avons méconnu la grandeur du bolchevisme en général et de Staline en particulier. Maintenant la foi nous illumine. Notre mort mettra une auréole au front de notre Staline, aujourd'hui notre bien-aimé. »

René Bizet, *Le Jour*, mardi 25 août 1936. (journal français de droite, anticommuniste)

Qu'est-ce qu'un totalitarisme ?

Capacités travaillées
II.1.2 Prélever, hiérarchiser, confronter des informations

Mussolini est le premier à parler de régime « totalitaire » pour définir la forme idéale à donner à son État. Utilisé avant-guerre pour critiquer et comparer les régimes fasciste, nazi et stalinien, le terme sert après 1945, pendant la guerre froide, à discréditer le monde communiste en confrontation avec le monde capitaliste. Mais des philosophes et des historiens mènent aussi une réflexion sur le concept de totalitarisme, afin de dégager la nouveauté de ces régimes et leurs points communs, sans nier leurs différences.

▶ Pourquoi le concept de totalitarisme est-il à la fois discuté et pertinent ?

1 **Pavillons nazi et soviétique face à face à l'Exposition universelle** L'aigle nazi dominateur affronte « l'ouvrier et la kolkhozienne » en plein élan vers « l'avenir radieux » promis par le communisme. Carte postale, 1937.

2 **« Totalitarisme », historique d'un concept**

L'historien Michel Heller (1922-1997) a été interné au Goulag de 1950 à 1956.

Quand Benito Mussolini, dans un article de *L'Encyclopédie italienne* paru en 1932, se déclare « totalitariste » et fait de l'Italie un État totalitaire, il confère à ces notions une valeur on ne peut plus positive. Lorsque Hitler prend le pouvoir en Allemagne et pendant les années de guerre, le totalitarisme devient une injure, synonyme de sentiments antihumains, de crimes contre l'humanité. Une fois vaincus les totalitarismes allemand et italien, on découvre l'existence d'un troisième : soviétique. [...] Leszec Kolalowski indique que le concept de totalitarisme est souvent controversé, sous prétexte qu'il n'existe aucun modèle idéal de société totalitaire, puisque jamais, [...] « l'idéal de l'unité absolue de la direction et du pouvoir illimité n'a été atteint ». Le philosophe polonais balaie cette argumentation, en notant fort justement que la plupart des concepts utilisés pour décrire des phénomènes sociaux de grande envergure n'ont pas d'équivalents empiriques parfaits.

Michel Heller, *La Machine et les rouages. La formation de l'homme soviétique*, Calmann-Lévy, 1985

3 **Hannah Arendt : un régime radicalement nouveau, fondé sur la terreur**

Philosophe allemande d'origine juive, Hannah Arendt (1906-1975) fuit le nazisme en 1933.

Le totalitarisme diffère par essence des autres formes d'oppression que nous connaissons, tels le despotisme, la tyrannie et la dictature. Partout où il s'est hissé au pouvoir, il a engendré des institutions politiques entièrement nouvelles, il a détruit toutes les traditions sociales, juridiques et politiques du pays. [...]
La terreur devient totale quand elle devient indépendante de toute opposition. Son règne est souverain lorsque plus personne ne s'y oppose. Si la légalité est l'essence du régime non tyrannique et l'absence de lois celle de la tyrannie, alors la terreur est l'essence de la domination totalitaire. [...] Le totalitarisme a défini idéologiquement ses ennemis avant de s'emparer du pouvoir. [...] Ainsi les juifs en Allemagne nazie n'étaient-ils, pas plus que les descendants des anciennes classes dirigeantes en Russie soviétique, suspects d'activités hostiles : ils s'étaient vus déclarer ennemis « objectifs » du régime, conformément à l'idéologie de celui-ci.

Hannah Arendt, *Le système totalitaire*, Calmann-Lévy, 1951.

4 Caractéristiques communes et différences des régimes totalitaires

Les cinq éléments principaux sont les suivants :
– le phénomène totalitaire intervient dans un régime politique qui accorde à un parti le monopole de l'activité politique ;
– le parti monopolistique est animé ou armé d'une idéologie à laquelle il confère une autorité absolue et qui, par la suite, devient la vérité officielle de l'État ;
– pour répandre cette vérité officielle, l'État se réserve à son tour un double monopole, le monopole des moyens de force et celui des moyens de persuasion. L'ensemble des moyens de communication, radio, télévision, presse, est dirigé, commandé, par l'État et ceux qui le représentent.
– la plupart des activités économiques et professionnelles sont soumises à l'État et deviennent, d'une certaine façon, partie de l'État lui-même […] ;
– tout étant désormais activité d'État et toute activité étant soumise à l'idéologie, une faute commise dans une activité économique ou professionnelle est simultanément une faute idéologique. D'où, […] une politisation […] de toutes les fautes possibles des individus et, en conclusion, une terreur à la fois policière et idéologique. […] Le phénomène terroriste dont le régime hitlérien nous offre l'exemple est l'extermination de six millions de juifs, en pleine guerre, entre 1941 et 1944. […] Ce phénomène terroriste est sans précédent dans l'histoire […]. Dans l'histoire moderne, jamais un chef d'État n'a décidé, de sang-froid, d'organiser l'extermination industrielle de six millions de ses semblables. […] L'objectif que se donne la terreur soviétique est de créer une société entièrement conforme à un idéal, cependant que dans le cas hitlérien, l'objectif est purement et simplement l'extermination. Entre ces deux phénomènes, la différence est essentielle […] Dans un cas l'aboutissement est le camp de travail, dans l'autre la chambre à gaz.

Raymond Aron, *Démocratie et totalitarisme*, Gallimard, 1965.

5 Le rêve d'un homme nouveau : la famille idéale selon les nazis

Chaque totalitarisme vise à créer un homme nouveau, sain et heureux, qu'il définit à sa manière et selon son idéologie propre. Le peuple nouveau ». Calendrier édité par le Service de la Politique raciale du NSDAP, 1938.

S'initier au travail de l'historien

A Vous analysez ce qui a pu conduire des contemporains à juger nécessaire de regrouper sous un même terme des régimes opposés

1. En quoi le doc. 1 suggère-t-il au visiteur de 1937, tout comme à l'historien, les oppositions et les points communs entre les régimes nazi et stalinien ?

2. Quels sont les « hommes nouveaux » promis respectivement par le stalinisme et le nazisme (doc. 1 et 5) ?

B Vous prenez connaissance des évolutions de l'usage du concept de totalitarisme, décrites par le document 2

1. De quand date l'expression de « totalitarisme », et quelles sont son origine et son histoire (doc. 2) ?

2. Quels reproches certains ont-ils adressés au concept de totalitarisme (doc. 2) ?

C Confrontez les documents 3 et 4 par une démarche critique

Des régimes identiques et interchangeables ?

1. En quoi le totalitarisme est-il radicalement nouveau selon Hannah Arendt (doc. 3) ?

2. Selon H. Arendt, est-il important que les idéologies des régimes totalitaires soient différentes (doc. 3) ?

Quelle est la singularité essentielle du nazisme ?

3. Quelle différence fondamentale R. Aron voit-il entre nazisme et stalinisme (doc. 4) ?

4. Quels critères restent communs aux régimes totalitaires selon lui (doc. 4) ?

Consigne BAC

En vous aidant des documents 3 et 4, montrez que l'historien, afin de bien comprendre les réalités des régimes totalitaires, doit tenir compte de leurs caractéristiques communes mais surtout des différences qui les opposent.

3 Différences et oppositions entre les régimes totalitaires

A Une vision opposée de l'humanité

(Étude) pages 208-209 + doc. 1

◼ **En Italie, le fascisme veut reconstituer l'Empire romain par la guerre, refaire de la Méditerranée un lac italien.** Avec la conquête de l'Éthiopie (1935-1936), marquée par les massacres de civils africains, Mussolini entame ce qu'il appelle sa « conversion à la race » : le fascisme devient raciste et antisémite (lois antijuives, 1938).

◼ **En Allemagne, le nazisme se construit d'emblée autour du présupposé de la supériorité de la** « race aryenne ». L'Allemagne nazie veut regrouper les personnes de sang allemand dans le Reich (pangermanisme). Au-delà, elle veut accroître sans limite son « espace vital », au détriment des autres peuples, notamment des « sous-hommes » slaves (Russes, Polonais, etc.). À l'intérieur, il s'agit aussi de « purifier » la race aryenne des homosexuels, ou encore des handicapés ne répondant pas à l'idéal de l'Aryen sain et fort. Cet eugénisme entraîne dès 1933 la stérilisation forcée des handicapés, puis à partir de 1939, leur extermination.

◼ **Le** communisme **affirme au contraire la primauté de la lutte des classes sur l'appartenance nationale.** Il considère les peuples et les individus comme égaux et prône la paix, l'internationalisme et la fin des colonies. De même, si les fascismes rejettent l'égalité des sexes par culte du guerrier, le communisme défend l'émancipation des femmes.

B Une vision opposée de l'économie et de la société

(Étude) pages 206-207 + doc. 2

◼ Hitler et Mussolini s'allient vite aux capitalistes. **Ils rejettent la lutte des classes,** qui divise la nation, et créent des corporations censées résoudre les différends sociaux. Ils écartent nationalisations et réforme agraire. L'État intervient toutefois dans l'économie par des grands travaux (autoroutes) et impose l'autarcie, pour rendre le pays indépendant en cas de guerre.

◼ **Staline, au contraire, entend instaurer une société sans classes.** Au-delà, son but est de transformer l'URSS en pays industriel capable de résister à une invasion des pays capitalistes. Pour financer l'industrialisation aux dépens des paysans, il lance en 1929 la collectivisation des terres, déportant deux millions de supposés koulaks. Cette politique brutale provoque la famine de 1932-1933, qui fait des millions de victimes, notamment en Ukraine et au Kazakhstan.

◼ **En quelques années, l'URSS change radicalement d'aspect.** Des milliers d'usines surgissent de terre. Le régime exalte les exploits des ouvriers stakhanovistes. Mais les industries de consommation sont sacrifiées, et la pénurie sévit. Les ouvriers sont soumis à une discipline de fer. Une classe privilégiée, la Nomenklatura, est apparue.

C Un usage différent de la Terreur

(Études) pages 204-205 et 206-207 + doc. 3

◼ **La terreur stalinienne, assez imprévisible, peut s'abattre sur n'importe qui, même sur des communistes sincères :** de 1936 à 1938, les grandes purges broient le PCUS et remplacent la « vieille garde » bolchevique par de jeunes promus qui doivent tout à Staline. Au-delà, ces trois années de la « Grande Terreur » voient le NKVD exécuter 700 000 suspects et en déporter deux millions. Staline s'assure ainsi que les mécontents engendrés par sa politique ne se révolteront pas, notamment en cas d'invasion.

◼ Si les fascistes tuent plusieurs milliers d'opposants avant leur prise du pouvoir, et en exilent des dizaines de milliers d'autres, **l'État mussolinien n'exécute que quelques dizaines de prisonniers politiques de 1922 à 1943.** En Allemagne, des centaines de milliers de personnes doivent fuir, et 7 000 à 9 000 sont tuées avant 1939.

◼ **Les nazis ont pour cible principale les juifs**, vus comme des « poux » ou des « vermines », menace radicale à éliminer à tout prix. La persécution des Juifs débute dès la prise de pouvoir. En 1935, les lois de Nuremberg les privent de leur citoyenneté. Le 9 novembre 1938, pendant la Nuit de Cristal, des pogroms sont organisés dans tout le pays. Les opposants et les juifs sont envoyés en camp de concentration.

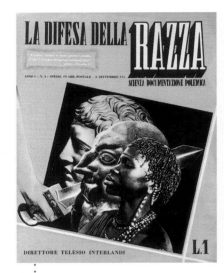

1 : **Une « race italienne »**
Un profil gréco-latin est séparé des profils sémites et noirs. Des lois raciales existent aussi en Italie notamment contre les juifs. Couverture du premier numéro de *La défense de la race*, août 1938.

Vocabulaire et notions

● **Corporation** : organisation créée dans l'Italie fasciste et regroupant par métier patrons et ouvriers.

● **Espace vital** (*Lebensraum*) : théorie nazie selon laquelle la « race aryenne » supérieure a le droit de conquérir et d'exploiter un vaste territoire nécessaire à son épanouissement.

● **Eugénisme** : théorie visant à améliorer l'espèce humaine par la sélection biologique.

● **Lutte des classes** : conception marxiste de la société en classes antagonistes et irréconciliables. Selon les marxistes, la lutte des classes aboutira au renversement de la bourgeoisie par le prolétariat et à une société sans classes.

● **Nomenklatura** : surnom donné à la bureaucratie privilégiée en URSS

● **Pangermanisme** : mouvement politique né au XIXe siècle visant à regrouper toutes les personnes de sang allemand dans un même pays.

	Italie de Mussolini	Allemagne d'Hitler	URSS de Staline

Choix de politiques économiques	• Politique libérale de 1922 à 1927, pour conserver le soutien des industriels
	• Politique dirigiste à partir de 1927, pour développer l'autarcie économique
	• Bataille du blé
	• Priorité à l'industrie d'armement
		• Intervention de l'État pour lutter contre la crise économique :
		  – Politique de grands travaux
		  – Autarcie
		  – Dirigisme économique
		• Priorité à l'économie de guerre : Göring lance en 1936 un plan de réarmement du pays
			• Économie collectiviste : l'État possède toutes les ressources, les terres et les industries.
			• Économie planifiée
			• Productivisme vanté par la propagande (stakhanovisme) du nom du mineur Stakhanov

Résultats de la politique économique	• Augmentation des surfaces cultivables et de la production agricole • Développement des usines de matériel de guerre • Création d'autoroutes	• Création d'autoroutes • Développement des usines d'armement • Quasi-disparition du chômage en 1939 • Multiplication des *ersatz*, produits de substitution, comme le caoutchouc synthétique	• Développement important de l'industrie lourde (2e industrie mondiale en 1939, chômage inexistant) • L'agriculture est sacrifiée. En 1935, Staline concède à chaque kolkhozien un lopin de terre : ces 5 % de terres réalisent alors 25 % de la production agricole • Les industries de consommation sont sacrifiées : pénurie constante.

Affiche pour la bataille du blé en 1928

« Vous êtes en première ligne » : affiche de propagande pour le réarmement de l'Allemagne.

Affiche de propagande pour la mécanisation agricole (affiche de 1932).

2 Des objectifs et des réalisations économiques différents

	Éléments « sains » ou modèles idéaux	Opposants, ennemis idéologiques et boucs émissaires
Fascisme italien	– Guerriers héritiers de l'Empire romain	– Socialistes, communistes, démocrates – Pacifistes – Juifs à partir de 1938
Nazisme	– Travailleurs et guerriers « aryens », grands, forts, blonds et aux yeux bleus	– Juifs accusés d'être une race inférieure – Socialistes, communistes, démocrates – Pacifistes – Artistes « dégénérés » d'avant-garde – Homosexuels – Handicapés mentaux – Slaves (notamment Polonais et Russes)
Stalinisme	– Révolutionnaires – Héros du travail, ouvriers stakhanovistes, paysans favorables au communisme – Délateurs (modèle : le jeune Pavlik Mourouzov) – Militants de l'athéisme	– Anticommunistes (socialistes, démocrates, hommes de droite, fascistes et nazis) – Trotskistes, communistes tombés en disgrâce et purgés. – « Ennemis du peuple » : capitalistes, bourgeois, koulaks, représentants de toutes les religions – « Traîtres », « saboteurs », « espions », généralement imaginaires – Certaines minorités nationales accusées de « menées antisoviétiques »

3 « Amis » et « ennemis » selon les totalitarismes

Questions

1. Comment le régime nazi combat-il le chômage avec sa politique économique (doc. 2) ?
2. Quelle place occupe l'agriculture dans la politique économique menée par Staline (doc. 2) ?
3. Quels sont les principaux objectifs de la politique économique d'un régime totalitaire (doc. 2) ?
4. Quels sont les ennemis idéologiques communs aux trois totalitarismes (doc. 3) ?
5. Quels sont les ennemis idéologiques spécifiques à chacun d'entre eux (doc. 3) ?

Travailler à partir d'un film *Olympia – les dieux du stade* de Leni Riefenstahl (1938)

Berlin a obtenu l'organisation des Jeux olympiques d'été en 1931. Ils se déroulent du 1er au 16 août 1936. Le ministre de la propagande Joseph Goebbels se sert de cet événement sportif pour montrer la supériorité de la race aryenne. Les résultats sportifs donnent l'avantage à l'Allemagne (89 médailles), mais l'athlète afro-américain Jesse Owens remporte les épreuves d'athlétisme, ridiculisant les préjugés racistes nazis. La cinéaste Leni Riefensthal, proche du régime nazi, a été chargée de filmer les jeux, une première dans l'histoire du sport olympique. Elle cherche à exalter la virilité et la force, et fait référence à l'esthétique grecque antique.

▶ **Comment ce film documentaire sert-il l'idéologie nazie ?**

Capacité travaillée
II.1.3 Cerner le sens général d'un document et le mettre en relation avec la situation historique étudiée

A. Le discobole

a. Discobole antique. VIe siècle av. J.-C.

b. Erwin Huber, décathlonien, discobole dans le film.

B. Le porteur de la flamme olympique

c. Porteur de la flamme antique. Ve siècle av. J.-C.

d. Fritz Schilgen, dernier porteur de la flamme dans le film.

1 **L'exaltation du corps : la récupération nazie de l'esthétique grecque antique**

Biographie

Leni Riefensthal (1902-2003)
Actrice et réalisatrice allemande, elle réalise un grand documentaire de propagande pro-nazi, *Le Triomphe de la volonté* (1934), qui glorifie le congrès de Nuremberg. Si elle n'a jamais adhéré au NSDAP, elle partage nombre de valeurs avec les nazis, et fait partie des intimes de Hitler. L'État nazi met à sa disposition des moyens matériels et financiers colossaux pour la réalisation d'*Olympia*. Après la guerre et la fin du nazisme, critiquée, elle se reconvertit dans la photographie puis dans le film sous-marin.

2 **Affiche du film *Olympia – les dieux du stade***

Olympia est projeté pour la première fois le 20 avril 1938 pour l'anniversaire du Führer. Le film révolutionne les techniques cinématographiques (travelling, ralentis, contre-plongée, caméras sur rails, montage…).

Questions

1. À partir des images b. et d. tirées du film, montrez comment Leni Riefensthal s'inspire de l'art grec pour exalter le culte du corps cher aux nazis (doc. 1).

2. **TICE** Visionner l'extrait de la première partie, *Fest der Volker*, de 6'50 à 21'40 sur YouTube.
   a. Où commence-t-il ? Pourquoi ?
   b. Comment est présenté le parcours de la flamme olympique ?
   c. En quoi le défilé des nations peut-il être perçu comme un hommage au dirigeant nazi ?
   d. Pourquoi le choix du dernier relayeur de la flamme représente-t-il bien l'idéologie nazie ?

3. Pourquoi L. Riefensthal a-t-elle été choisie pour réaliser ce film ?

La Corée du Nord, un régime totalitaire

Capacité travaillée

I.2.3 Mettre en relation des faits ou événements de périodes différentes

Après la Seconde Guerre mondiale, la Corée est divisée en deux. La Corée du Nord, communiste, est aux mains de Kim Il-Sung. Celui-ci va fonder une dynastie communiste et mettre le pays sous une chape de plomb, l'isolant totalement du reste du monde.

▶ **Quels éléments permettent de définir la Corée du Nord comme un régime totalitaire ?**

Kim Jong-IL, petit-fils du fondateur de la dynastie communiste, « Chef suprême de la république populaire de Corée » jusqu'à sa mort en décembre 2011. Son fils **Kim Jong-Un** a pris sa suite.

Kim Il-Sung, fondateur de la dynastie, « chef suprême de la République populaire et démocratique de Corée » de septembre 1948 à sa mort en juillet 1994.

Questions

1. En quoi cette photo rappelle-t-elle des manifestations fréquentes dans les années 1930 (doc. 1) ?

2. Quels crimes permettent de qualifier le régime actuel de la Corée du Nord de régime totalitaire (doc. 2) ?

1 **Culte de la personnalité et dynastie communiste en Corée du Nord**
Défilé militaire en Corée du Nord, avril 2012.

2 **Système concentrationnaire et crimes de masse nord-coréens en 2014**

Genève, le 17 février 2014 – Un nouveau rapport publié par les Nations unies a établi que des crimes contre l'humanité sont commis régulièrement en Corée du Nord, et appelle à l'ouverture d'une enquête par un tribunal international ainsi qu'à la traduction en justice des auteurs de ces crimes, a déclaré Human Rights Watch[1] aujourd'hui.
[...] Le rapport établit que des crimes contre l'humanité ont été commis en Corée du Nord pendant plusieurs décennies « suite à des politiques décidées au plus haut niveau de l'État », et comprenaient « exterminations, meurtres, esclavage, tortures, emprisonnements, viols, avortements forcés et autres violences sexuelles, persécutions pour des motifs politiques, religieux, raciaux et sexistes, déplacements forcés de personnes, disparitions forcées de personnes, ainsi que l'acte inhumain consistant à causer délibérément la prolongation d'une situation de famine ». Le rapport relève en particulier « des attaques systématiques et généralisées contre tout élément de la population considéré comme posant une menace pour le système politique et sa hiérarchie ».

Simultanément, Human Rights Watch[1] a diffusé aujourd'hui une vidéo contenant des entretiens avec des Nord-Coréens ayant survécu à des années d'abus lorsqu'ils étaient incarcérés dans des camps de travail forcé (*kwanliso*, « colonie de travail pénitentiaire »), notamment aux passages à tabac, aux privations de nourriture et aux exécutions publiques, auxquels les autorités avaient recours systématiquement afin de contrôler les détenus. Le film inclut des entretiens avec d'anciens gardes de ces camps, qui évoquent en détail la façon dont ils étaient administrés et les atrocités qui y étaient commises. En ce qui concerne ce genre de camps, la commission a constaté : « Les atrocités indicibles qui sont commises contre les détenus des camps de travail forcé *kwanliso* rappellent les horreurs des camps de concentration créés par les États totalitaires du XXe siècle. »

Human Rights Watch, « Corée du Nord : Les Nations unies devraient agir suite à leur rapport faisant état d'atrocités », 17 février 2014.

1. Organisation internationale de défense des droits de l'Homme.

Exercices

1 Réactiver ses connaissances : la vision des juifs par les nazis

le juif éternel

GROSSE POLITISCHE SCHAU IN DER NORDWESTBAHNHALLE
IN WIEN. AB 30. JULI 1938. TÄGLICH GEÖFFNET VON 10-20 UHR

Affiche du « juif éternel »

« Grande exposition politique dans le hall de la gare
du Nord-Ouest à Vienne, à partir du 30 juillet 1938.
Ouvert tous les jours de 10 heures à 20 heures. »

Consigne BAC

Consigne Analysez cette affiche de propagande afin de montrer les caractéristiques de l'antisémitisme nazi dans les années 1930.

Pour vous aider

Pour analyser l'affiche :
1. Relevez les traits du personnage mis en avant par l'auteur.
2. Indiquez ce que symbolisent les pièces que le personnage porte dans sa main droite.
3. Donnez la signification des objets qu'il porte dans sa main gauche et sous son bras.

Pour interpréter l'affiche :
4. Indiquez les raisons qu'ont les Nazis d'organiser ce genre d'exposition.
5. Expliquez que cette affiche est représentative de l'antisémitisme nazi .

2 Utiliser la méthode d'analyse d'une affiche de propagande

Hinaus mit allen Störenfrieden!

Einheit der Jugend in der
Hitlerjugend!

« Dehors les trouble-fête ! » « Unité de la jeunesse dans la jeunesse hitlérienne » Affiche allemande de propagande de 1936.

Consigne BAC

Consigne Après avoir présenté le contexte dans lequel a été créée cette œuvre de propagande, vous l'analyserez afin d'interpréter le message que veut faire passer l'auteur de cette affiche.

Pour vous aider

1. Présentez l'affiche dans votre introduction (destinataire du document, raison de la réalisation de cette affiche).

2. Décrivez l'affiche dans une première partie :
– les personnages, le décor, les symboles éventuellement présents, le slogan politique ;
– la composition de l'affiche.

3. Interprétez l'affiche dans une seconde partie :
– le message que cette affiche de propagande veut communiquer ;
– ce qui permet de qualifier cette affiche d'œuvre de propagande.

4. Faites une phrase de conclusion.

Vera Moukhina, *L'ouvrier et la kolkhozienne*, 1937
Voici le projet qui a remporté le concours :
une œuvre en acier de 25 mètres de haut
et pesant 80 tonnes.

Tâche complexe

Une Exposition universelle a lieu à Paris en 1937. Une sculpture doit orner le pavillon de l'Union soviétique. Un concours est organisé pour choisir l'artiste qui réalisera cette œuvre. Vous êtes un haut responsable du PCUS et vous précisez les critères qui permettront au jury de sélectionner le meilleur projet.

Coup de pouce

■ **Sur le contenu**

– Il faut prendre en compte les contraintes matérielles :
la sculpture sera à Paris, en extérieur, visible du sol (taille, matériaux employés).
– Cette sculpture est une œuvre de propagande pour illustrer la grandeur du pays :
   - relire les caractéristiques de l'idéologie communiste. Études pp. 188-189 et
   198-199.
   - Trouver comment cette idéologie s'incarne dans des personnages
et des symboles.

■ **Sur la forme**

– Un responsable du PCUS s'adresse à des artistes qui désirent réaliser une commande officielle. Le vocabulaire doit reprendre les termes spécifiques au communisme (camarade, kolkhozien, progrès, socialisme) en dénigrant les ennemis (bourgeoisie, capitalisme, impérialisme, koulak). Il doit employer un ton convaincant.
– Plusieurs formes peuvent être envisagées pour transmettre l'information : lettre, discours, échange dialogué avec les artistes…

Rechercher le film sur YouTube.

Regarder l'extrait de ce film de propagande de 4' à 11' sur la situation agricole au temps de l'individualisme économique, puis de 11' à 20' pour étudier les effets de la collectivisation des terres menée par Staline avec la création des kolkhozes.

Les pauvres paysans dans la misère de l'ancien système agricole (Capture d'écran : 22 min 29 s)

Le jeune kolkhozien heureux, dans un riche champ cultivé (Capture d'écran : 1 h 14 min 02 s)

Biographie

Sergueï Mikhaïlovitch Eisenstein (1898-1948)
Engagé dans l'Armée rouge dès 1917, Eisenstein met rapidement son art cinématographique au service de la propagande communiste. Ses principales œuvres sont *Le cuirassé Potemkine* en 1925 et *Octobre* en 1927.

Questions

1. Comment Eisenstein met-il en scène le système agricole avant Staline ?

2. Quels avantages le kolkhoze apporte-t-il aux paysans d'après Eisenstein ?

3. Quels moyens cinématographiques Eisenstein met-il en œuvre pour faire passer ces idées (plans, musique…) ?

4. Quel message Eisenstein cherche-t-il à transmettre ?

L/ES **S**

Capacités travaillées

II.1.2 Prélever, hiérarchiser et confronter des informations du corpus documentaire

Trebbiano (blanc) et *Torrevecchia* (rouge). Vins fins : les préférés de chaque table pour leur qualité inégalée. Représentant pour Gênes et sa région, Mario Rivaro.

1 **La Fiat Balilla**
La Fiat 508 Balilla fut construite de 1932 à 1937. C'est la première automobile à un prix accessible pour les classes moyennes italiennes.
Affiche publicitaire Fiat, 1935

2 **Mussolinia**
Affiche des années 1930 vantant les vins de Mussolinia, une des nombreuses villes fondées par les fascistes en Italie sur des terres bonifiées. Ici, les terres fertiles ont été gagnées sur l'étang de Sassu et la ville d'Arborea (son nom depuis 1945), fondée en 1929, est réputée pour ses vins, ses fruits et ses légumes.
Affiche publicitaire, 1935

Pour vous aider

• « Replacer dans son contexte » signifie qu'il faut expliquer les circonstances dans lesquelles ont été produites ces affiches.

• Pensez à montrer comment ces deux affiches, par une démarche cumulative, permettent de caractériser l'encadrement idéologique du fascisme sur la société italienne.

• Il s'agit de l'encadrement au quotidien de la société italienne par le fascisme. Ainsi, même les incitations à l'achat de biens de consommation (ici, le vin et l'automobile) utilisent des références au fascisme.

• Pour comparer les documents, commencez par les présenter (nature, auteur, date et contexte).

• Réfléchissez à l'intérêt que peut avoir une entreprise privée de faire connaître les vins de cette ville.

• Faites la critique des documents L/ES.
Montrez les limites des documents S.

Consigne **Après avoir replacé ces deux documents dans leur contexte, vous montrerez comment ils témoignent de l'encadrement de la vie quotidienne des Italiens par l'État fasciste.**

POINT MÉTHODE

1 **Lire et comprendre le sujet et la consigne**
– relevez les verbes d'action qui indiquent ce que vous devez faire et identifiez les tâches à effectuer.
– comparez les deux documents proposés.

2 **Au brouillon, dégager les idées générales des deux documents**
– présentez les éléments mis en avant par Fiat dans cette publicité pour en déduire le message publicitaire. Indiquez quel pouvait être, à votre avis, l'intérêt pour Fiat de faire passer ce message via un symbole fasciste.
– Faites de même avec l'affiche des vins de Mussolinia.

3 **Rédiger la réponse organisée à la consigne donnée**
– **introduction** : présenter les documents et le contexte de réalisation. Définissez la notion clé de l'analyse.
– **construire un plan organisé** : deux ou trois parties ; chaque partie est organisée autour d'une idée forte ; chaque affirmation doit s'appuyer sur une justification, un exemple (date, événement…).
– **conclusion** : bilan de l'analyse des affiches et portée de ces documents.

L/ES S

Capacités travaillées

II.1.2 Prélever, hiérarchiser et confronter des informations selon des approches spécifiques en fonction du document ou du corps documentaire

II.1.4 Critiquer des documents

Le fascisme nie que le nombre, par le fait d'être le nombre, puisse diriger les sociétés humaines. Il nie que ce nombre puisse gouverner grâce à une consultation périodique. Il affirme l'inégalité ineffaçable, féconde, bienfaisante des hommes qu'il n'est pas possible de niveler grâce à un fait mécanique et extérieur comme le suffrage universel. On peut définir les régimes démocratiques comme ceux qui donnent au peuple, de temps en temps, l'illusion de la souveraineté. Le fascisme repousse dans la démocratie l'absurde mensonge conventionnel de l'égalité politique, l'habitude de l'irresponsabilité collective, le mythe du bonheur et du progrès infinis. Mais si la démocratie peut être comprise différemment, si elle signifie ne pas refouler le peuple en marge de l'État, le fascisme a pu être défini par celui qui écrit ces lignes comme une « démocratie organisée, centralisée, autoritaire ».

Benito Mussolini, *La doctrine du fascisme,* Milan, 1932.

Pour vous aider

- Le mot-clé de la consigne est « montrer » : ce verbe d'action signifie identifier, définir un phénomène ou une notion, par la présentation de ses caractéristiques propres.

- Les fondements idéologiques sont la manière particulière dont un régime se fait une opinion de ce que l'on peut faire ou ne pas faire en politique, de la façon dont on doit diriger un État. La pratique politique repose sur la manière d'agir mise réellement en œuvre, c'est le comportement politique.

Consigne Montrez quels sont les **fondements idéologiques** du fascisme mis en avant par ce texte. Indiquez quelles pratiques politiques fascistes ne sont délibérément pas évoquées ici.

POINT
MÉTHODE

1 Lire et comprendre le sujet et la consigne posée
— Faites ressortir le ou les mot(s)-clé(s) de la consigne.
— les mots clés de la question permettent de définir les objectifs que l'on souhaite atteindre ; ici, la « conception politique » et les « pratiques politiques » doivent être expliquées. Il faut donc penser à les définir pour en comprendre le sens et les limites.

2 Rédiger une phrase d'introduction pour expliquer ces mots-clés et analyser le sujet posé
— établir un plan en deux ou trois parties permettant de répondre à la consigne ; chaque partie est organisée autour d'une idée forte ; chaque affirmation doit s'appuyer sur une justification (date, événement…).
— rédiger une conclusion de quelques lignes faisant le bilan de l'analyse réalisée ici et ouvrant le sujet, par exemple sur la mise en œuvre réelle de ces idées dans le régime totalitaire fasciste.

- Un plan en deux parties se justifie :
— 1re partie : les caractères du fascisme que Mussolini a choisi de présenter
— 2e partie : ce qu'il a volontairement gardé sous silence (répression, absence de libertés…)

- Pensez à critiquer les documents L/ES. Montrez les limites des documents S.

Exercice d'application

Ô Grand Staline, ô chef des peuples,
Toi qui fais naître l'homme
Toi qui fécondes la terre
Toi qui rajeunis les siècles
Toi qui fais fleurir le printemps
Toi qui fais vibrer les cordes musicales
Tu es la fleur de mon printemps
Un soleil reflété par des millions de cœurs humains.

Source : Rashimov, poème publié dans le quotidien *Pravda*, 28 août 1936.

Consigne

Après avoir replacé le document dans son contexte, vous préciserez comment expliquer que ce journal soviétique publie un tel texte.

Composition

Rédiger à partir d'un plan donné

Capacités travaillées

II.2.3 Rédiger un texte ou présenter à l'oral un exposé construit et argumenté en utilisant le vocabulaire historique et géographique spécifique

III.1.2 Développer un discours oral ou écrit construit et argumenté, à le confronter à d'autres points de vue

Sujet

Nazisme et stalinisme dans les années 1930

Étape 1

Analyser le sujet et formuler une problématique L/ES ou un fil directeur S

A. Identifier et définir les termes du sujet pour l'analyser

Pour vous aider

Pensez à vous poser des questions :
Qui ? Pour cerner les acteurs, c'est-à-dire ici les dirigeants des régimes totalitaires
Quand ? Pour établir les bornes chronologiques du sujet
Quoi ? Pour comprendre ce que demande d'analyser le sujet donné

Cette conjonction de coordination invite à étudier par comparaison les deux situations politiques, à travers leurs différences et leurs points de convergence. Elle permet d'écarter un plan qui présenterait successivement les deux régimes.

Nazisme et stalinisme dans les années 1930

Recenser les éléments et notions qui caractérisent et définissent le régime nazi mis en place par Hitler en 1933 avec son parti, le NSDAP. ***Exemples :*** camp de concentration, Gestapo, Jeunesses hitlériennes, espace vital, Führer…	Recenser les éléments et notions qui caractérisent et définissent ce régime stalinien mis en place par Staline, secrétaire du PCUS et seul dirigeant du pays à la fin des années 1920. ***Exemples :*** collectivisation, planification, NKVD, goulag, komsomols…	Limites chronologiques du sujet : – Hitler n'est devenu chancelier qu'en janvier 1933. – Staline dirige déjà le pays dès la fin des années 1920. – Les temporalités sont en fait très proches : il s'agit de voir les caractères communs et les spécificités des régimes pendant cette période.

Relever les thèmes communs
Relever des différences (dans les modalités d'application, dans les objectifs visés…)

Pour vous aider

- La problématique commence en général par un adverbe interrogatif, par exemple :
Pourquoi ? (ce qui permet de s'interroger sur les causes)
Comment ? (ce qui permet de s'interroger sur les moyens).

B. Formuler une problématique L/ES **ou un fil directeur** S **, c'est-à-dire la question centrale du sujet.**

Problématique possible ici : « Comment ces totalitarismes contrôlent-ils tous deux leur peuple respectif malgré leurs différences ? »

A. Faire une liste des notions et des thèmes à aborder en relation avec le sujet posé et la problématique trouvée

Quelques exemples de notions et thèmes possible :

– définir la notion de régime totalitaire : régime politique fondé sur le contrôle de la société par un État tout-puissant, un chef charismatique, un parti unique et une idéologie qui s'impose à tous.

– nazisme arrivé au pouvoir en 1933 avec Hitler (nommé chancelier le 30 janvier par le président Hindenburg) .

– chefs charismatiques : Staline et Hitler, qui organisent de vastes manifestations et utilisent la propagande et les médias pour influencer l'opinion.

– idéologie : dictature du prolétariat et collectivisation des terres en URSS ; idéologie de la race aryenne et de l'espace vital en Allemagne.

– propagande (affiches, cinéma avec par exemple les films de Leni Riefensthal en Allemagne nazie et d'Eisenstein en URSS, parades militaires, contrôle des médias).

– moyens de contrôle de la population : police politique (NKVD, Gestapo), programmes scolaires orientés, médias…

– répression et terreur comme moyens de gouvernement : élimination des opposants politiques et camps d'internement dans les deux pays (Dachau en Allemagne nazie, ouvert dès mars 1933, ou le système du goulag en URSS ; mise à l'écart et violences à l'égard des handicapés et des juifs en Allemagne nazie et des « ennemis de classe » en URSS).

B. Regrouper les éléments listés en fonction du plan proposé pour organiser les idées (plusieurs autres plans sont possibles sur le même sujet)

Pour vous aider

On peut surligner à l'aide de différentes couleurs les thèmes notés au brouillon en fonction du plan pour facilement retrouver les idées à développer lors de la rédaction. Ainsi, la répression (dernière idée notée au brouillon) sera mise dans la couleur du I) C) .

I. Deux régimes fondés sur l'usage de la terreur
A) des dictatures politiques fondées sur un parti unique
B) des régimes fondés sur le pouvoir d'un chef tout-puissant
C) une répression radicale des opposants et des « ennemis de classe »

II. Deux régimes qui encadrent la société et l'économie du pays
A) des esprits contrôlés par une propagande permanente
B) une économie dirigée au service du régime
C) une jeunesse et une société endoctrinées pour créer un homme nouveau

III. Deux régimes aux spécificités cependant très marquées
A) deux idéologies profondément différentes
B) un nazisme centré sur l'antisémitisme et l'exclusion des plus faibles
C) un régime stalinien reposant sur un totalitarisme de classe

A. Partir ici du plan fourni ci-dessus et construire chaque partie du devoir.

Une partie est organisée en paragraphes. Chaque paragraphe correspond à une idée développée.

Pour vous aider

• Cela peut être une date, un chiffre, un nom, un fait précis.

• Pas d'idée présentée sous forme de tiret, ni de style télégraphique !

B. Chaque idée repose sur un **exemple précis** vu dans le cours.

C. Toute la composition doit être rédigée.

Il faut faire attention à l'orthographe et à la grammaire. Elle doit être bien écrite et bien présentée : il faut aérer la copie, en sautant des lignes entre les différentes parties.

Exemple de rédaction pour le II C :

La jeunesse est embrigadée dès le plus jeune âge, afin de forger un homme nouveau, obéissant envers le chef et respectueux de toutes ses décisions.

Ainsi, en URSS, les Komsomols, les Jeunesses communistes, encadrent les adolescents depuis 1918. En Allemagne sont créées en 1926 les Jeunesses hitlériennes, qui deviennent même obligatoires pour tous les Allemands de race aryenne à partir de 1936. En Italie, les Fils de la Louve encadrent les enfants dès l'âge de 4 ans.

Mais les adultes n'échappent pas à cet encadrement : les individus doivent s'effacer devant la collectivité, pour briser leur volonté et mieux les contrôler. Ainsi, en URSS, les soviets gèrent collectivement les quartiers comme les usines. En Allemagne, les syndicats sont remplacés par des corporations de métiers, regroupant patrons et ouvriers. Une seule pensée s'impose à tous.

Un homme nouveau peut donc émerger, comme le souhaitent ces régimes totalitaires : un homme sans personnalité ni existence propre, totalement soumis au pouvoir en place, dès son plus jeune âge.

L/ES   S

Genèse et affirmation des totalitarismes

LA MISE EN PLACE DES TOTALITARISMES

Des contextes favorables à leur émergence

✦ En Russie, la défaite provoque deux révolutions, en février puis octobre 1917.

✦ En Italie, les fascistes exploitent la victoire mutilée et la peur de la révolution.

✦ En Allemagne, le traité de Versailles de 1919 est vécu comme un diktat.

Une prise de pouvoir rapide

✦ En Russie, pendant la guerre civile (1918-1921), les bolcheviks écrasent les opposants.

✦ En Italie, la marche sur Rome porte Mussolini à la tête du gouvernement (1922).

✦ En Allemagne, le parti nazi profite de la crise économique de 1929. Le 30 janvier 1933, Hitler se fait nommer chancelier.

La destruction des dernières oppositions

✦ En URSS, de la mort de Lénine (1924) à 1929, Staline écarte ses rivaux.

✦ En Italie, Mussolini profite de l'affaire Matteotti pour instaurer la dictature (lois fascistissimes, 1925).

✦ Hitler obtient les pleins pouvoirs (24 mars 1933). En juillet, le parti nazi est le seul autorisé.

LES RÉGIMES TOTALITAIRES : DES PRATIQUES COMMUNES

Parti unique, culte du chef et idéologie

✦ Un seul parti autorisé.

✦ Culte de la personnalité.

✦ Une idéologie unique.

L'endoctrinement de la population

✦ Encadrement de la jeunesse.

✦ Propagande permanente.

✦ Des loisirs et un art encadrés.

État policier et terreur

✦ Des polices politiques toutes-puissantes.

✦ Arrestations et dénonciations contre les opposants des catégories persécutées (juifs en Allemagne).

✦ Systèmes concentrationnaires.

DIFFÉRENCES ET OPPOSITIONS ENTRE LES RÉGIMES TOTALITAIRES

Société de race ou société sans classes

✦ En URSS, le communisme veut l'élimination des ennemis de classe.

✦ L'Italie veut refaire de la Méditerranée un lac italien.

✦ En Allemagne, Hitler veut « purifier la race aryenne ».

Les politiques économiques et sociales

✦ L'URSS collectivise les terres et développe l'industrialisation à marche forcée.

✦ L'Italie et l'Allemagne restent capitalistes, mais développent l'autarcie.

Un usage différent de la terreur

✦ En URSS, purges massives du parti et de la société.

✦ En Italie, la violence d'État est limitée.

✦ En Allemagne, la violence s'abat particulièrement sur les juifs.

Je sais définir les mots suivants

● **Antisémitiste** : haine des juifs, vus comme une « race » nuisible et inassimilable aux autres peuples. Cette haine se distingue de l'antijudaïsme, religieux, qui veut la conversion des juifs.

● **Espace vital** (*Lebensraum*) : théorie nazie selon laquelle la « race aryenne » supérieure a le droit de conquérir et d'exploiter un vaste territoire nécessaire à son épanouissement.

● **Fascisme** : mouvement et idéologie nationalistes affirmant la toute-puissance de l'État et de son chef, Benito Mussolini, le *Duce*.

● **Goulag** : organisme chargé des camps de travail en URSS où sont internés les opposants au régime ou de simples citoyens accusés de délits réels ou imaginaires.

● **Idéologie** : projet de société parfaite, fondé sur une vision du monde particulière.

● **Nazisme** (abréviation de national-socialisme au départ péjora-

tive) : doctrine raciste, antisémite et antidémocratique élaborée par Hitler.

● **NKVD** : Commissariat du peuple aux Affaires intérieures, qui sert de police politique en URSS. Précédé par la Tcheka (1917) et par le Guépéou (1922).

● **Propagande** : action de diffuser par tous les moyens une doctrine afin d'influencer l'opinion publique.

● **Stalinisme** : exercice totalitaire du pouvoir par Staline à partir de la fin des années 1920. Il est marqué par une terreur de masse contre les opposants et les moindres suspects, souvent accusés de crimes imaginaires, et par la purge du parti communiste lui-même.

● **Totalitarisme** : régime fondé sur le contrôle total et la transformation radicale de l'individu et de la société par un État tout-puissant, un chef charismatique, un parti unique et une idéologie qui s'impose à tous.

Je connais les dates importantes

● **1917** : révolution d'Octobre (novembre) en Russie

● **1922** : marche sur Rome

● **1924** : mort de Lénine

● **1925** : lois « fascistissimes »

● **1933** : Hitler devient chancelier

Je connais les points suivants

- **Les régimes totalitaires s'installent rapidement**. En 1917, Lénine prend le pouvoir par une révolution. À sa mort en 1924, Staline établit un régime politique encore plus répressif. En Italie, Mussolini obtient le pouvoir dès 1922 et instaure la dictature en 1925. Enfin, Hitler, nommé chancelier le 30 janvier 1933, supprime rapidement les libertés.

- **Ces régimes reposent sur un chef tout-puissant, une propagande permanente et un embrigadement de la jeunesse**. Tous les efforts des citoyens doivent tendre vers la réussite du projet idéologique collectif fixé par le régime. Ces trois régimes utilisent la violence comme principal moyen d'action. La répression des opposants et de ceux considérés comme des nuisibles est terrible. La police politique est toute-puissante.

- **Pourtant, ces régimes diffèrent par leur idéologie et par leurs objectifs**. En URSS, le marxisme-léninisme vise à créer une société sans classes par la dictature du prolétariat. En Italie, Mussolini veut rétablir la grandeur du pays. En Allemagne, le nazisme croit à la supériorité de la « race aryenne » et veut conquérir pour elle un « espace vital ». Staline finit par tourner la violence du régime contre la société soviétique, alors que la violence d'Hitler et Mussolini vise des catégories particulières raciales ou politiques.

Je connais les personnages suivants

- Lénine
  p. 188

- Staline
  p. 188

- Mussolini
  p. 190

- Hitler
  p. 191

Pour aller plus loin

 À voir

- Sergeï Eisenstein, *Le Cuirassé Potemkine*, 1925
- Leni Riefenstahl, *Les Dieux du stade*, 1938
- Charlie Chaplin, *Le Dictateur*, 1940
- Dino Risi, *La Marche sur Rome*, 1962
- Frédéric Rossif, *De Nuremberg à Nuremberg*, 1988
- Mathieu Schwartz, *Staline, Le Tyran rouge*, 2007

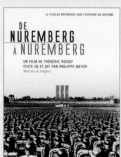

 *À lire*

- Hergé, *Tintin au pays des Soviets*, 1930
- André Gide, *Retour de l'URSS*, 1936

6 LA FIN DES RÉGIMES TOTALITAIRES

La dénazification commence dès la défaite de l'Allemagne hitlérienne. Ses temps forts se situent surtout pendant les premières années de l'après-guerre avec le procès des hauts dirigeants nazis à Nuremberg (1945-1946). De nouveaux procès pour crimes contre l'humanité se tiennent jusqu'à nos jours. En Union soviétique, le totalitarisme perdure après la mort de Staline en 1953, mais ses successeurs abandonnent la terreur de masse. En voulant réformer le système, Mikhaïl Gorbatchev (1985-1991) provoque involontairement l'implosion de l'Union soviétique et la chute du communisme.

L/ES

▶ **Comment l'Allemagne et l'Union soviétique ont-elles rompu avec leur passé totalitaire ?**

1 **Une rue Adolf-Hitler devient le boulevard Roosevelt en Allemagne (1945)**

1. Quelle est la situation de l'Allemagne en 1945 ?
2. Qui prend en charge l'effacement du passé nazi ?

Vocabulaire et notions

• **Dénazification** : action d'extirper le nazisme des lois et des mentalités, ainsi que d'écarter les anciens nazis des responsabilités et de les poursuivre en justice.

• **KGB** : « Comité pour la sécurité de l'État », regroupant à la fois la police politique de l'URSS et ses services secrets à l'étranger. Il est le dernier successeur, entre 1954 et 1991, de la Tcheka (1917), remplacée par le Guépéou (1922) et le NKVD (1934).

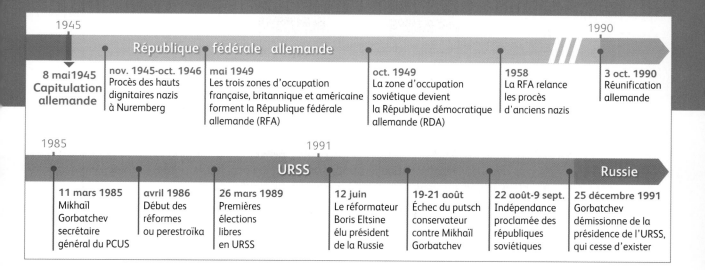

1945					1990

République fédérale allemande

8 mai 1945
Capitulation allemande

nov. 1945-oct. 1946
Procès des hauts dignitaires nazis à Nuremberg

mai 1949
Les trois zones d'occupation française, britannique et américaine forment la République fédérale allemande (RFA)

oct. 1949
La zone d'occupation soviétique devient la République démocratique allemande (RDA)

1958
La RFA relance les procès d'anciens nazis

3 oct. 1990
Réunification allemande

1985			1991			

URSS · **Russie**

11 mars 1985
Mikhaïl Gorbatchev secrétaire général du PCUS

avril 1986
Début des réformes ou perestroïka

26 mars 1989
Premières élections libres en URSS

12 juin
Le réformateur Boris Eltsine élu président de la Russie

19-21 août
Échec du putsch conservateur contre Mikhaïl Gorbatchev

22 août-9 sept.
Indépendance proclamée des républiques soviétiques

25 décembre 1991
Gorbatchev démissionne de la présidence de l'URSS, qui cesse d'exister

Après plus de 70 ans de passivité forcée et de peur de l'État policier, la foule ose prendre son destin en main.

Le drapeau rouge soviétique est abandonné au profit du drapeau tricolore de la Russie indépendante.

La Loubianka, siège depuis 1917 de la police politique. Également prison, lieu de tortures et d'exécutions jusqu'en 1960.

Le bolchevik Felix Dzerjinski (1877-1926) créa la Tcheka à la demande de Lénine. Il fut aussi un ami et allié de Staline.

2 **La foule moscovite abat la statue du père de la police politique (22 août 1991)**

1. À l'aide de la chronologie, expliquez la situation de l'URSS le 23 août 1991.

2. Pourquoi le fait d'abattre cette statue symbolise-t-il la volonté d'en finir avec le totalitarisme ?

L'Allemagne n'existe plus en tant qu'État de 1945 à 1949. Les Alliés, qui l'occupent, mettent en œuvre la dénazification, puis la ralentissent avec l'arrivée de la guerre froide et les nécessités de la reconstruction de deux États allemands. Redevenus souverains, les deux gouvernements allemands sont tentés d'occulter le passé. Mais en Allemagne de l'Ouest, des citoyens agissent pour relancer la dénazification.

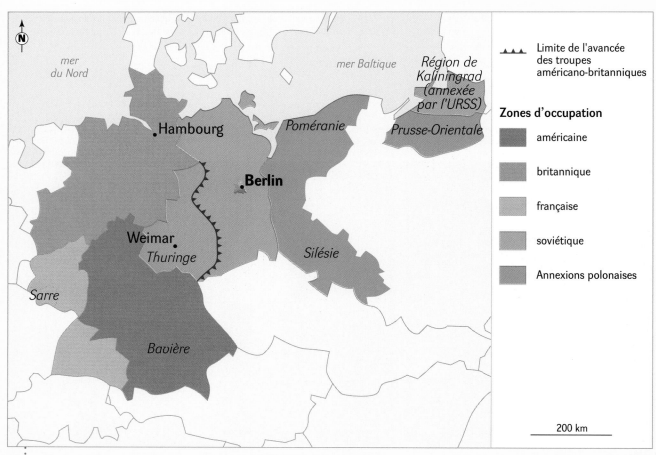

1 L'Allemagne vaincue, de l'occupation à la division (1945-1949)

2 Beate Klarsfeld vient de gifler le chancelier Kiesinger (1966-1969), ancien nazi (7 novembre 1968)

Avocate et « chasseuse de nazis », Beate Klarsfeld (née en 1939) est condamnée à un an de prison pour avoir giflé en public le chancelier de la RFA, ex-membre du NSDAP. Mais elle est aussitôt libérée. Par la suite, elle obtient la tenue de procès contre plusieurs ex-responsables nazis.

Le communisme soviétique, un système qui s'effondre de l'intérieur

En donnant aux Soviétiques la liberté d'expression et en refusant d'utiliser la force, Gorbatchev permet aux différents nationalismes de se réveiller. Leur pression aboutit à l'implosion de l'URSS en 1991, deux ans après l'effondrement des régimes communistes d'Europe de l'Est.

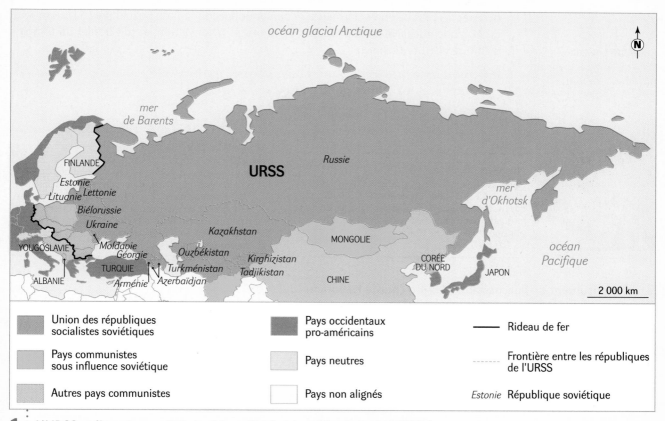

Légende :
- Union des républiques socialistes soviétiques
- Pays communistes sous influence soviétique
- Autres pays communistes
- Pays occidentaux pro-américains
- Pays neutres
- Pays non alignés
- —— Rideau de fer
- ------ Frontière entre les républiques de l'URSS
- *Estonie* République soviétique

1 ⋮ **L'URSS et l'empire soviétique à la veille de leur effondrement (1985)**

2 ⋮ **L'ouverture permise par les réformes : le premier McDonald's à Moscou (1990)**

« **Toi ! As-tu visité le McDonald's à Moscou ?** » Détournement d'une affiche célèbre de 1920 qui demandait, en pleine guerre civile : « Toi ! T'es-tu engagé dans l'Armée rouge ? »

3 ⋮ **Le président soviétique Mikhaïl Gorbatchev humilié par le président russe Boris Eltsine (23 août 1991)**

Lors d'un débat télévisé sans précédent, Gorbatchev se voit sommé de lire un document prouvant que ses ministres l'ont tous trahi sauf un, en soutenant le coup d'État du 19 août dirigé contre lui.

Göring devant le tribunal de Nuremberg

En 1945-1946, le procès sans précédent des dirigeants d'un État se tient devant le Tribunal militaire international. Il se déroule à Nuremberg, l'ancienne ville des congrès du parti nazi et des lois antisémites de 1935. C'est la seule ville allemande disposant d'installations intactes. Lors du procès, la notion de crime contre l'humanité est définie pour la première fois, tout comme le droit d'inculper des organisations. Göring est l'un des accusés les plus célèbres parmi les 24 personnalités du régime nazi jugées à Nuremberg. En 403 audiences, le procès produit 6 613 pièces à conviction, et fait défiler 34 témoins à charge et 61 à décharge.

Capacité travaillée
II.1.4 Critiquer des documents
II.2.1 Décrire et mettre en récit une situation historique

▶ Comment le procès de Nuremberg permet-il à l'historien de mieux connaître la réalité et les crimes contre l'humanité nazis ?

Biographie

Hermann Göring (1893-1946)
Héros de l'aviation de guerre en 1914-1918, il se rallie en 1923 à Hitler, qui en fait le n° 2 du régime et son successeur désigné, puis le disgracie pendant la guerre pour ses échecs répétés. Il est l'accusé principal du procès de Nuremberg.

Notion

• **Crime contre l'humanité** : notion élaborée par le tribunal de Nuremberg lors du procès, et depuis intégrée au droit international. Imprescriptible, le crime contre l'humanité couvre le génocide, les persécutions, la réduction en esclavage de populations entières, ou encore l'enlèvement d'enfants d'un peuple pour les faire élever au sein d'un autre.

1 : Un document de l'accusation : Göring charge Heydrich de la « Solution finale » (31 juillet 1941)

Le maréchal du Reich
de la Grande Allemagne
Responsable du plan
de quatre ans

Président du Conseil
ministériel pour la défense
du Reich

Berlin, le 31 juillet 1941

Au chef de la Sipo-SD,
le SS-Gruppenführer
Heydrich, Berlin

En complément de la tâche qui vous a déjà été confiée par l'arrêté du 24 janvier 1939 de résoudre la question juive par le moyen de la migration ou de l'évacuation de la façon la plus avantageuse, je vous charge, étant donné les conditions actuelles, d'effectuer tous les préparatifs de nature organisationnelle, pratique et matérielle en vue d'une solution globale de la question juive dans la sphère d'influence allemande en Europe.

Dans la mesure où les compétences d'autres autorités centrales sont concernées, elles doivent être impliquées.

En outre, **je vous charge de me soumettre dans les plus brefs délais un plan d'ensemble des mesures préliminaires de nature organisationnelle, pratique et matérielle nécessaires à l'exécution de la solution finale de la question juive telle qu'elle est envisagée.**

[Signé :] Göring

2 : Les principaux chefs d'accusation

Hermann Göring (1893-1946) fait figure d'accusé principal. Comme tous les 24 inculpés, il doit répondre de tous les chefs d'accusation.

Les actes suivants, ou l'un quelconque d'entre eux, sont des crimes soumis à la juridiction du Tribunal et entraînent une responsabilité individuelle :

a. « Les crimes contre la Paix » : c'est-à-dire la direction, la préparation, le déclenchement ou la poursuite d'une guerre d'agression, ou d'une guerre en violation des traités ; [...]

b. « Les crimes de Guerre » : c'est-à-dire les violations des lois et coutumes de la guerre. Ces violations comprennent, sans y être limitées, l'assassinat, les mauvais traitements et la déportation pour des travaux forcés ou pour tout autre but, des populations civiles dans les territoires occupés, l'assassinat ou les mauvais traitements des prisonniers de guerre [...] ;

c. « Les crimes contre l'Humanité » : c'est-à-dire l'assassinat, l'extermination, la réduction en esclavage, la déportation, et tout autre acte inhumain commis contre toutes populations civiles, ou bien les persécutions pour des motifs politiques, raciaux ou religieux.

Accords de Londres du 8 août 1945 fixant statut du Tribunal militaire international, adoptés par les États-Unis, la Grande-Bretagne, l'URSS et la France.

3 : La défense de Göring

Ainsi que tous les inculpés, Göring plaide non coupable, mais ne nie pas la réalité des crimes commis.

Le procureur britannique : Maintenant, pouvez-vous regarder le document qui va vous être présenté, le document n° D-728. [...] [Il] est adressé à tous les échelons administratifs, et il laisse entendre qu'ils savent tout de la situation des camps de concentration. Allez-vous dire au tribunal que vous, qui étiez jusqu'en 1943 le deuxième homme du Reich, vous ne saviez rien des camps de concentration ?

Göring : D'abord, je veux redire que je n'accepte pas ce document, et que son contenu m'est inconnu. Je ne savais rien de ce qui se passait dans les camps et de quelles méthodes y étaient employées. [...]

Le procureur français : Les questions ont été posées et nous avons entendu les réponses de l'accusé, dans la mesure où il a été possible d'obtenir de lui autre chose que des discours de propagande. Je pense que la défense ne pourra pas se plaindre que sa liberté ait été rognée. Elle a pu user de cette liberté amplement, pendant les douze dernières audiences, sans avoir pu convaincre personne que le deuxième homme du Reich n'avait aucune responsabilité dans le déclenchement de la guerre ou qu'il le savait rien des atrocités commises par les hommes qu'il était si fier de commander.

Interrogatoire d'Hermann Göring,
audience du 21 mars 1946.

Les gardes — Les avocats — Les accusés : les plus hauts dirigeants du Reich encore en vie — La traduction simultanée — Premier procès en partie filmé de l'Histoire

4 : Le tribunal en séance

350 journalistes du monde entier couvrent le procès — Les juges sont américains, britanniques, français et soviétiques

5 : Le verdict du tribunal (1er octobre 1946)

Reconnu coupable de tous les chefs d'accusation, Göring se suicide dans sa cellule la veille de son exécution.

Les preuves montrent qu'après Hitler, [Göring] fut l'homme le plus important du régime nazi. Il était commandant en chef de la Luftwaffe, plénipotentiaire au Plan de Quatre ans, et avait une influence considérable sur Hitler, au moins jusqu'en 1943 quand leur relation se détériora, se terminant par son arrestation en 1945. Il a témoigné qu'Hitler le tenait informé de tous les problèmes militaires et politiques importants.

Crimes contre la paix
[...] Il a commandé la Luftwaffe lors de l'attaque de la Pologne et pendant les guerres d'agression qui suivirent. [...] Il était le planificateur et le premier acteur de la préparation militaire et diplomatique de la guerre que voulait l'Allemagne.

Crimes de guerre et crimes contre l'humanité
[...] Il a conduit la guerre d'agression, à la fois comme chef politique et militaire, il était le chef du programme de travail forcé et le créateur du programme d'oppression des Juifs et des autres races, en Allemagne et à l'étranger. Tous ces crimes il les a admis franchement. [...] Sa culpabilité est unique par son ampleur. Les archives ne révèlent aucune excuse pour cet homme.

Les condamnations du tribunal de Nuremberg
12 condamnations à mort ; 9 condamnations à la prison ; 3 acquittements
Le corps des chefs politiques du parti nazi, la SS, la Gestapo et le SD sont déclarés organisations criminelles.

S'initier au travail de l'historien

A Vous analysez le déroulement du procès de Göring

1. Quelles sont les preuves apportées par l'accusation (doc. 1 et 3) ?
2. En quoi les droits de la défense sont-ils respectés (doc. 3 et 4) ?
3. Quelle définition le tribunal donne-t-il du crime contre l'humanité, et en quoi se différencie-t-il des crimes de guerre (doc. 2) ?

B Vous prenez connaissance des chefs d'inculpation établis à l'encontre de Göring

4. Pourquoi la ligne de défense de l'accusé Göring ne convainc-t-elle pas le tribunal (doc. 3 et 5) ?

C Vous montrez l'intérêt d'étudier ce procès

5. En quoi les crimes commis par Göring correspondent-ils bien à la notion de crimes contre l'humanité (doc. 1 et 5) ?
6. Pourquoi ce procès est-il fondamental ?

Consigne BAC

Comment le document 5 permet-il de mettre en lumière les différents actes d'accusation du procès de Nuremberg et, plus largement, de prendre la mesure de l'horreur de la barbarie nazie ?

Le camp de Buchenwald, lieu des dénazifications

Le camp de concentration de Buchenwald ouvre en 1937 près de Weimar. Les SS y assassinent 56 000 déportés de toute l'Europe, dont 11 000 juifs. Libéré en avril 1945 par l'armée américaine, il est réutilisé pendant cinq ans par les Soviétiques sous le nom de « camp spécial n° 2 ». Ils y internent des milliers d'anciens nazis et d'innocents accusés d'avoir été nazis. Après 1958, la RDA fait du mémorial du camp nazi un haut lieu de célébration « antifasciste ». L'Allemagne réunifiée ajoute en 1992 un musée du camp soviétique au musée du camp nazi.

▶ **Comment un haut lieu des crimes nazis sert-il des visions différentes de la dénazification ?**

Capacités travaillées

I.2.4 Confronter des situations historiques

II.1.3 Cerner le sens général d'un document ou d'un corpus documentaire, et le mettre en relation avec la situation historique

---

1945   1950   République démocratique allemande (RDA)   1990   Allemagne réunifiée

11 avril 1945
Libération du camp nazi par les Américains

1945-1950
Camp spécial soviétique n° 2

juin 1945-oct.1949
Zone d'occupation soviétique

1958
Inauguration du mémorial par les dirigeants de la RDA

1992
Nouveau musée

1 **Les habitants de Weimar obligés de visiter le camp de Buchenwald**
Les Américains emmènent plus de mille notables qui répétaient n'avoir « rien su » découvrir le camp, libéré quatre jours plus tôt.

Vocabulaire

• **Camp de concentration** : camp ouvert après 1933 par les nazis pour interner opposants, juifs, suspects, droits communs, etc. Pendant la guerre, ces « camps de la mort lente » visent la déshumanisation radicale et l'anéantissement des détenus qui meurent en masse des maltraitances, de la faim et du travail forcé. Il faut les distinguer des camps d'extermination où tous les déportés sont tués dès leur arrivée.

Étudier une photographie

Consignes BAC

Après avoir présenté et décrit la photographie, montrez qu'elle accable le régime nazi mais aussi les civils allemands qui l'ont laissé agir.

Méthode

1 Présenter la photographie

■ Il s'agit ici de présenter le destinataire de la photographie et le contexte de sa réalisation.

2 Décrire la photographie

■ son sujet, ses personnages, le décor des lieux photographiés ;

■ la composition de la photographie : toute photographie est une construction de son auteur. Ici, le photographe a soigneusement choisi l'angle de vue, afin de renforcer la portée dramatique de l'événement.

3 Analyser et interpréter la photographie

■ Quel est son contexte général ?

■ Pourquoi cette photographie est-elle importante pour comprendre les horreurs commises par les nazis et l'attitude du peuple allemand pendant le génocide ?

■ Quel message veut transmettre le photographe ? On peut analyser cette image comme un symbole de la mise en accusation du peuple allemand lui-même, pour son silence et sa passivité face aux crimes de ses dirigeants.

2 Ilse Koch, la « chienne de Buchenwald », condamnée à perpétuité par un tribunal militaire américain (1947)

Veuve du commandant du camp, elle est à nouveau condamnée à la prison à vie en 1951, cette fois par un tribunal allemand, toujours pour ses cruautés envers les détenus (dont la fabrication d'abat-jour en peau humaine). Elle se suicide en prison en 1967.

4 Les missions du Mémorial national de Buchenwald du temps de la RDA

En 1958, Buchenwald est le premier camp nazi en territoire est-allemand doté d'un mémorial par le régime en place. Les dirigeants de la RDA y tiennent chaque année leurs cérémonies commémoratives les plus importantes.

– Représenter la lutte de la classe ouvrière allemande et de toutes les forces démocratiques contre le danger fasciste menaçant ;
– montrer que le Parti communiste allemand était la force conductrice la plus importante dans la lutte contre le régime criminel nazi ;
– représenter la résistance antifasciste des années 1933-1945 en Allemagne et dans les pays européens ;
– expliquer la terreur SS dans les camps et ses méthodes de mépris de la vie humaine ;
– représenter la lutte commune des prisonniers de tous les pays européens, en particulier la lutte des prisonniers soviétiques contre la terreur SS, l'importance de la solidarité internationale dans cette lutte et les mesures qui ont conduit à la libération des camps ;
– montrer la survivance du fascisme et du militarisme en Allemagne de l'Ouest ;
– expliquer le rôle historique de la République démocratique Allemande.

Statut du mémorial national de Buchenwald, 1961

BAC

Consigne 1. En confrontant les photographies 1 et 3, montrez les points communs et les différences entre l'usage nazi et l'usage soviétique du camp de Buchenwald.

Consigne 2. Montrez à travers les documents 4 et 5 comment les Soviétiques puis la RDA ont pu détourner la dénazification pour servir leurs objectifs politiques.

3 Les derniers internés quittent le « camp spécial n° 2 » (début 1950)

De 1945 à 1950, la police politique soviétique interne arbitrairement à Buchenwald de nombreux Allemands accusés d'être des nazis. Début 1950, les derniers prisonniers sont déférés aux tribunaux de la RDA.

5 Les trois vies de Buchenwald selon Jorge Semprun

Résistant, déporté à Buchenwald à 19 ans, Jorge Semprun (1923-2011) devient un romancier et homme politique. Il quitte le parti communiste en 1964. L'article rend compte d'une conférence qu'il prononce au Salon du livre de Paris en mars 2010.

Le 11 avril 1945, avec d'autres déportés du camp de **Buchenwald**, le jeune résistant communiste de 22 ans qu'il était alors avait pris les armes, et, avec les autres insurgés du camp, avait vu les portes de l'enfer s'abattre enfin.
« *En juin 1945, les derniers déportés quittaient le camp d'extermination* », semble conclure l'écrivain devant le public parisien. Mais il rappelle que dès le mois d'août, les Soviétiques rouvrirent ses portes pour y interner d'anciens nazis et des opposants de tout genre au régime. 28 455 personnes, selon les données officielles soviétiques, furent détenues dans ce qui devint le **Camp spécial n° 2**, ouvert jusqu'en janvier 1950. Les conditions de vie, entre famine et froid, étaient telles que 7 113 personnes décédèrent, enterrées dans des charniers.
Jusqu'à la chute du bloc soviétique, la seule mémoire collective évoquée dans le *Mémorial national de l'exhortation et du souvenir* érigé par le régime communiste allemand à Buchenwald est celle du camp de concentration nazi. Pire, hormis les fours crématoires, le bâtiment d'entrée et les tours ouest et est, le gouvernement ordonne de raser le camp, et fait planter une forêt pour masquer les charniers des victimes du camp spécial n° 2. […]
Depuis 1992, le Mémorial de Buchenwald propose, outre des formations pédagogiques, des ateliers de formation qui reviennent sur l'expérience du camp nazi, mais aussi sur « *la façon d'aborder Buchenwald, de l'époque de la RDA jusqu'à nos jours* ». Un moyen de faire en sorte que l'on se penche autant sur l'histoire que sur la manière dont elle est écrite, afin de ne pas faire du devoir de mémoire un rituel imposé sans dialogue, comme ce fut le cas sous le régime soviétique.

Emmanuel Haddad, « Jorge Semprun : Buchenwald, 65 ans après », *Café Babel*, 11 avril 2010.

1 La dénazification des deux Allemagnes après 1945

L/ES ▶ Quelles sont les étapes et les limites de la dénazification dans les deux Allemagnes ?

A « L'année zéro » 1945 : les Alliés partagés entre l'ambition de rééduquer et la volonté de punir

Études pages 226-227 et 228-229 + doc. 1, 2 et 3

■ **Dès la chute du Reich, les Alliés mettent le peuple allemand face à ses responsabilités.** La population de Weimar doit ainsi visiter le camp de Buchenwald. Affiches et films font découvrir la réalité des crimes nazis. Le procès des plus hauts dirigeants nazis à Nuremberg est radiodiffusé. Parallèlement, pour dénazifier les esprits, les organisations et symboles nazis sont interdits, les manuels scolaires remplacés.

■ **Dans les trois zones occidentales, tous ceux inscrits au NSDAP sont mis en cause** : à l'été 1945, les Américains renvoient ainsi 100 000 fonctionnaires bavarois. Fin 1945, Britanniques et Américains lancent des enquêtes plus précises : 16 millions de personnes doivent remplir un questionnaire. Les sanctions sont graduées selon les engagements et les responsabilités passés. Mais le risque est de punir indistinctement simples carriéristes et vrais criminels et, surtout, de priver le pays de cadres indispensables à sa reconstruction.

■ **En zone soviétique, la dénazification sert de prétexte à la mise en place du communisme.** Les occupants internent arbitrairement plus de 120 000 personnes : authentiques nazis, simples suspects, opposants politiques, représentants des groupes sociaux proscrits (bourgeoisie, aristocratie). Pour les communistes, le nazisme est un pur produit du capitalisme, qu'il faut donc abolir.

B La reconstruction des deux Allemagnes freine la dénazification (1946-1950)

Étude pages 228-229 + doc. 2 et 3

■ **Dès 1947-1948, avec la guerre froide, la dénazification passe après la reconstruction d'un État allié au bloc occidental.** Pour faciliter celle-ci, les Alliés réintègrent d'anciens cadres nazis de l'économie ou de la fonction publique. La nouvelle République fédérale d'Allemagne (1949) raréfie les procès. Les Allemands songent plus à profiter du « miracle économique » qu'à poursuivre une dénazification impopulaire.

■ **La République démocratique allemande, de son côté, organise en 1950 les procès de Waldheim** : 3 300 ex-internés supposés tous nazis sont condamnés après une parodie de justice. Après cet épisode, le régime arrête globalement la dénazification, supposée achevée.

■ **À partir des années 1950, des scandales éclatent périodiquement en RFA lorsqu'il apparaît que de nombreux nazis impunis y font toujours de belles carrières.** Ainsi, le chancelier Adenauer a pour conseiller personnel le juriste Hans Globke, rédacteur des lois antisémites de Nuremberg. La RDA accuse la RFA d'être l'héritière du IIIe Reich, mais elle fait aussi une place à d'anciens nazis.

C La relance d'une dénazification inachevée (depuis 1950)

Études pages 226-227 et 228-229 + doc. 2 et 3

■ **Malgré des réticences à évoquer le passé, la RFA assume les crimes nazis.** Dès 1952, elle conclut avec l'État d'Israël et les organisations de la diaspora un accord, scrupuleusement appliqué, sur le versement de réparations aux survivants de la Shoah. Au contraire, la RDA rejette sur l'Ouest capitaliste la responsabilité des crimes nazis, et fait silence sur le génocide des juifs.

■ **En 1958, la RFA fonde le Service central d'enquête sur les crimes nationaux-socialistes.** Les enquêtes de ce service sont à l'origine de nouveaux procès pour crimes contre l'humanité, tels ceux de gardiens du camp d'Auschwitz, tenus à Francfort (1963-1964). Elles permettent de poursuivre 7 000 personnes jusqu'aux années 2010. Bien des criminels nazis sont cependant morts impunis, réfugiés dans le monde arabe ou en Amérique du Sud.

■ **À partir des années 1960, les nouvelles générations s'indignent du caractère en partie inachevé de la dénazification.** Dans les années 1980-2000, population et dirigeants expriment généralement un rejet radical du nazisme.

1 | **Des Allemands remplissent un questionnaire devant des soldats britanniques (1946)**
Dans les zones occidentales, un adulte sur quatre doit remplir un questionnaire (*Fragebogen*) sur son passé nazi, soit 16 millions de personnes. Selon le degré de compromission établi par les 131 réponses, les sanctions vont du retrait du droit de vote au procès passible de peine de mort.

Vocabulaire et notions

• **Diaspora** : du mot grec signifiant « dispersion ». Ensemble des Juifs du monde vivant hors de l'ancienne Terre promise et, après 1948, du nouvel État juif, Israël.

• **Miracle économique allemand** : période de forte croissance connue par l'Allemagne de l'Ouest de 1950 à 1973. Elle permet au pays de se reconstruire et d'accéder à la société de consommation, et elle contribue à enraciner la démocratie.

• **République fédérale allemande (RFA)** : État démocratique et capitaliste créé en Allemagne de l'Ouest par les Occidentaux en avril 1949. Il absorbe l'État de RDA en 1990 lors de la réunification allemande.

• **République démocratique d'Allemagne (RDA)** : État communiste satellite de l'URSS créé en octobre 1949 par les Soviétiques dans leur zone d'occupation en Allemagne de l'Est. Il disparaît le 3 octobre 1990.

Diese Schandtaten: Eure Schuld!

2 « Ces actes honteux : votre faute ! »

Affiche américaine de 1945 en Allemagne occupée, blâmant les habitants d'avoir laissé faire les crimes nazis.

3 La dénazification des deux Allemagnes après la guerre

République fédérale d'Allemagne	République démocratique allemande
A. La dénazification par les Alliés	

Total des enquêtes ouvertes en Allemagne de l'Ouest de 1945 à 2014 : 106 496
 	
1. Procès intentés par les Alliés ou sous leur contrôle
– Inculpés par les tribunaux des trois zones occidentales (1945-1951) : 5 006
   (dont 794 condamnés à mort, parmi lesquels 486 exécutés)
– Condamnés par les tribunaux allemands avant 1950 : 5 288
	1. Répression soviétique menée au nom de la dénazification
	122 671 internés entre 1945 et 1950.
	
	2. Procès intentés par la RDA (1950-1968)
	– 3 300 ex-internés sont condamnés aux procès-spectacles
	   de Waldheim en 1950, dont 33 à mort.
	– Peu de procès ensuite, puis aucun de 1956 à 1968.

B. La dénazification par les Allemands	
2. Procès intentés par la RFA (1950-1955) Poursuivis de 1950 à 1955 : 1 865 dont 628 condamnés **3. Poursuites de 1958 à nos jours : 7 000**	**3. Procès intentés par la RDA après la réforme pénale de 1968** Environ 10 000 jusqu'en 1990
C. L'épuration administrative et professionnelle	
Fonctionnaires renvoyés définitivement en 1952 : 58 000 sur 1 000 000.	520 000 anciens nazis, 80 % des juges et 50 % des professeurs perdent leur travail après 1945.
En 1951, en Bavière, les anciens nazis forment : 94 % des juges et procureurs, 77 % des fonctionnaires du ministère des Finances, 60 % de ceux de l'Agriculture.	En 1960, plus de la moitié des recteurs sont d'anciens nazis, et plus de 10 % des parlementaires. Des agents de la Gestapo servent la Stasi, police politique communiste.
D. La dénazification des mentalités	
En 1952, selon des sondages, 25 % des citoyens de la RFA pensent qu'Hitler est un grand homme d'État.	Selon le régime, la RDA est par nature antinazie, et il ne peut y exister aucune survivance du nazisme.

Sources : Tony Judt, *Après-guerre*, Armand Colin, 2007, p. 79-80, et D. L. Barks et D. R. Gress, *Histoire de l'Allemagne depuis 1945*, Robert Laffont, Bouquins, 1992.

Questions

1. Comment les Alliés mettent-ils les Allemands face à la réalité des crimes nazis (doc. 2) ?

2. Identifiez laquelle des deux Allemagnes semble la plus dénazifiée. À quel prix cependant (doc. 3) ?

3. Montrez en quoi la dénazification de la fonction publique et des mentalités semble n'avoir eu lieu qu'en partie dans les deux États allemands (doc. 3).

4. Expliquez pour quelles raisons la dénazification n'a pas pu aller jusqu'au bout (doc. 3).

La Petite Vera (1988), une critique du système soviétique

En 1988, 55 millions de Soviétiques se pressent en salle pour découvrir ce premier film de Vassili Pitchoul. Pour la première fois, un film évoque le quotidien médiocre d'une génération de Soviétiques désabusés, qui ont perdu toute foi en l'idéologie officielle, à l'image de l'adolescente rebelle qui donne son nom à l'œuvre. La levée de la censure par Gorbatchev permet à ce film une liberté de ton qui surprend et séduit jusqu'au-delà des frontières de l'URSS. Le film reçoit plusieurs récompenses soviétiques et étrangères, notamment au festival du film de Venise.

▶ **En quoi ce film montre-t-il une réalité soviétique bien différente de ce que prétend la propagande ?**

Capacité travaillée
II.1.3 Cerner le sens général d'un document et le mettre en relation avec la situation historique étudiée

1 L'affiche française du film

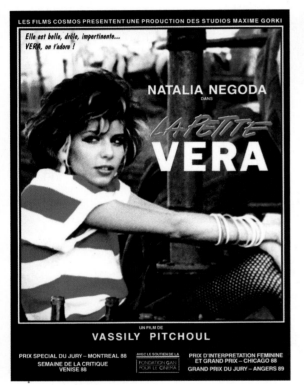

2 Filmer un cadre de vie sordide et pollué
(image d'ouverture du film)
Le pouvoir soviétique a systématiquement ignoré le respect de l'environnement. Vera vit dans une ville industrielle sale et ennuyeuse.

Biographie

Vassili Pitchoul (né en 1961)
Il incarne la nouvelle génération de cinéastes indépendants apparue après le relâchement de la censure au cinéma en mai 1986. Autorisé après six mois d'interdiction, *La Petite Vera* est son premier film – et son dernier succès.

Le synopsis

Dans une ville industrielle des bords de la mer d'Azov, laide et ennuyeuse, Vera est une adolescente partagée entre ses angoisses et son désir de liberté. Cherchant à fuir la cellule familiale, elle échappe à sa mère, contrôleuse d'usine installée dans son rôle de ménagère, et à son père, chauffeur de camion porté sur la vodka. Elle suit les modes américanisées, fume, se drogue, affiche une coiffure et une tenue extravagantes. Son fiancé Sergueï, étudiant en métallurgie, se propose de l'épouser et vient habiter chez elle. Un soir d'ivresse, le père frappe le fiancé d'un coup de couteau. Poussée par sa mère, Vera cache la vérité à la police pour sauver son père, avant de faire une tentative de suicide. Ce film est le premier en URSS à porter la sexualité à l'écran, et à aborder le malaise d'une jeunesse qui rejette un univers en faillite.

Point méthode : Analyser un film

A   Présenter le film
– La nature de l'œuvre : titre du film, les principaux personnages, leurs traits dominants, les lieux évoqués, le genre de film (dramatique, fantastique…), la nationalité du réalisateur.
– Le contexte de production du film : comment a-t-il été accueilli à sa sortie ? Quels événements peuvent expliquer le choix de la thématique de ce film ?
– Le résumé rapide de ce film, que l'on appelle le synopsis.

B   Analyser un extrait de film
– Situer la scène dans le film, puis historiquement et géographiquement.
– Décrire la scène : les personnages, les situations mises en avant, le décor choisi par le réalisateur, les dialogues et/ou la musique présente.

C   Interpréter cet extrait de film
– Que veut montrer le réalisateur par cette scène filmée ? Quel est son message ?
– Cet extrait est-il conforme à la réalité historique ?

3 Filmer une américanisation interdite

Le film s'ouvre sur le dialogue suivant (extrait à 4'46). Détenir des devises étrangères est passible de prison en URSS, mais le dollar y pénètre clandestinement grâce aux petits trafics de drogue, comme celui auquel Vera est mêlée, ou à l'économie parallèle, qui supplée les défaillances de l'économie collective officielle.

– LE PÈRE : Où as-tu pris l'argent ?
– VERA : Je l'ai trouvé...
– LA MÈRE : Je veux que tu ailles à la police et que tu leur racontes tout ! *[Puis la mère téléphone au frère, Victor, médecin, qui, lui, a « réussi » dans l'armée à Moscou (extrait à 6'00)]* :
– LA MÈRE : Vitia, c'est maman qui appelle. Je te téléphone au sujet de Vera. J'ai fouillé dans son sac aujourd'hui, pour trouver un stylo. Et tout à coup, je tombe sur un drôle de papier. Je le retourne. Et c'était un billet de 20 dollars étrangers. Oui, 20 dollars.
– ... *[Réponse de Victor, inaudible du spectateur]*.
– LA MÈRE : Comment ça « où » ? Elle dit qu'elle les a trouvés. Elle marchait dans la rue et elle les a trouvés. [...] Depuis quand trouve-t-on des dollars par terre chez nous ? Je lui ai dit « va à la police et dis-leur comment cela s'est passé » et elle n'a pas voulu.

4 Filmer l'absence de libertés (extrait : 13'30-14'43)

Un concert de rock clandestin réprimé sans sommation. Comme presque tout ce qui vient d'Occident, le rock est interdit dans le monde communiste, pratiquement jusqu'à sa chute. La jeunesse soviétique assiste à des concerts clandestins. Photo du film (13'43).

5 Filmer une idéologie suscitant indifférence et dérision
(extrait : 1 h 47 min 34 s)

« – Quel est ton but dans la vie ? – On a tous le même, Serguëï, le communisme. » Cette allusion politique, la seule du film, montre par son ironie l'indifférence que suscite une idéologie en laquelle plus personne ne croit. Pour autant, si le système laisse les personnages apathiques, jamais ils ne se préoccupent de politique ni ne songent à explorer une autre voie que le communisme.

HISTOIRE DES ARTS — Le cinéma soviétique sous Gorbatchev

• Le cinéma soviétique, nationalisé depuis 1917, devient un outil de propagande, soumis à une censure étroite. En mai 1986, Gorbatchev lève le contrôle politique des films.
• Des films autrefois interdits ou victimes de coupures sont désormais visibles, et de nouvelles œuvres peuvent traiter de sujets jusqu'alors tabous.
• Une génération de nouveaux cinéastes peut donc produire des films critiques, et former en 1990 l'Association pour le cinéma indépendant. En 1991, avec la fin de l'URSS, le cinéma cesse d'être un monopole d'État. Cependant, la ruine économique du pays entraîne la fin des subventions publiques et le cinéma russe se retrouve durablement affaibli.

Questions

Présenter l'œuvre
1. Quel est le réalisateur du film ? À quel genre cinématographique est-il rattaché ?

Analyser l'œuvre
2. Comment le réalisateur rend-il compte de la tristesse d'une ville industrielle soviétique (doc. 2) ?
3. En quoi le dialogue qui ouvre le film dévoile-t-il au spectateur l'existence de comportements déviants en URSS (doc. 3) ?
4. Comment Vera se révèle-t-elle une adolescente rebelle à toute autorité (doc. 3) ?

5. Comment est montrée la violence de la réponse des autorités (doc. 4) ?

Interpréter l'œuvre
6. En quoi cette scène montre-t-elle que la société soviétique, par des moyens non politiques, n'hésite plus à désobéir au régime (doc. 4) ?
7. Comment le régime soviétique est-il tourné en dérision par cette simple image (doc. 5) ?
8. Quels mythes de l'URSS sont ici mis à mal (doc. 3) ?

Consigne BAC

À partir des documents 3 et 4, montrez que ce film est un moyen de rejeter un système soviétique étouffant et en crise.

De l'échec des réformes à la chute de l'URSS (1985-1991)

L/ES

M ikhaïl Gorbatchev est un jeune dirigeant réformateur résolu à réformer un système en crise et figé par Brejnev (1964-1982). Il libère la parole de la société civile mais il suscite des oppositions contradictoires (conservateurs, réformateurs radicaux, nationalismes réveillés). Impuissant à contrôler les évolutions qu'il a lui-même enclenchées, Gorbatchev doit quitter le 25 décembre 1991 la présidence d'une URSS qui n'existe plus.

▶ Comment les réformes de Gorbatchev pour sauver le système soviétique aggravent-elles les faiblesses du régime ?

Capacités travaillées

I.1.1 Nommer et périodiser les continuités et ruptures chronologiques

I.2.1 Situer un événement dans le temps court ou le temps long

1 Gorbatchev, un dirigeant jeune en rupture avec la gérontocratie

Une réunion du bureau politique du PCUS en 1985. Nouveau secrétaire général du Parti à 54 ans, Mikhaïl Gorbatchev ❶ est pratiquement le seul dirigeant jeune au milieu de vieux apparatchiks souvent en place depuis les purges staliniennes de 1937-1938.

Biographie

Mikhaïl Sergueïévitch Gorbatchev
(né en 1931)

Fils de paysans kolkhoziens, il adhère au PCUS en 1952. Sa carrière d'apparatchik le conduit à la tête du Parti et de l'URSS de 1985 à 1991.

Résolument réformateur, il lance la *perestroïka* et la *glasnost* (la transparence) pour libéraliser un système figé. À l'extérieur, il met fin à la guerre froide et laisse en 1989 l'Europe de l'Est reprendre sa liberté. Très populaire en Occident, il reçoit le prix Nobel de la paix en 1990.

Mais en URSS, ses réformes conduisent à la chute du niveau de vie et à l'implosion du pays. Il démissionne de la présidence de l'Union soviétique le 25 décembre 1991. Sa candidature à la présidentielle russe de 1996 ne reçoit que 0,5 % des suffrages.

Vocabulaire et notions

- **Apparatchik** : cadre supérieur de l'appareil du Parti ou de l'État.
- **Gérontocratie** : gouvernement aux mains de personnes âgées.
- **Glasnost** : mot russe signifiant « transparence ». Il s'agit d'admettre les carences du système soviétique, de libérer la critique et de tenir un discours de vérité sur les réalités passées et présentes du pays.
- **Perestroïka** : mot russe signifiant « restructuration ». Ensemble des réformes économiques et sociales initiées par Gorbatchev, et qui prévoient notamment l'autonomie des entreprises, l'acceptation d'initiatives privées et l'ouverture sur l'Occident.
- **Société civile** : la société en ce qu'elle est organisée de manière autonome par rapport au pouvoir politique, et capable de s'exprimer ou de se mobiliser d'elle-même, notamment au travers de partis, de syndicats, d'associations, d'Églises, etc.

2 La situation en 1985 selon Gorbatchev

Engagé dans la course épuisante aux armements, le pays, c'était manifeste, était à bout de forces. Les mécanismes économiques fonctionnaient de plus en plus mal. Le rendement de la production baissait. Les acquis de la pensée économique et technique étaient annulés par une économie entièrement bureaucratisée. Le niveau de vie de la population chutait de manière de plus en plus manifeste. La corruption perçait, s'affichait effrontément à tous les maillons du système de gestion. [...]

En dépit du mécontentement accumulé dans la société, en particulier au sein de l'intelligentsia, il n'y avait aucun mouvement de protestation de masse sur lequel on pût s'appuyer pour mener une politique de transformations. Et cela pour plusieurs raisons, dont l'une, et non des moindres, était la soumission habituelle d'une partie importante du peuple, sa passivité, sa tendance au conformisme. Obstacle sérieux sur la voie des transformations : l'immense couche gestionnaire moyenne composée des fonctionnaires du Parti et de l'État pour lesquels le système créé sous Staline constituait un milieu naturel, une source de privilèges, de pouvoir pratiquement incontrôlable sur les gens. Dans ces conditions, l'impulsion aux changements devait venir d'en haut. [...] Ceux qui les avaient commencés n'avaient aucune expérience de ce type de transformations. Il existe, bien sûr, plus d'une expérience de passage du totalitarisme à la démocratie dans le cadre d'un même type de société. Mais nul ne s'était encore heurté à un passage du totalitarisme à la démocratie combiné à un changement du système économique, politique, juridique. [...]

Sans changement de régime, les transformations économiques étaient tout simplement impossibles. [...] La régulation étatique s'étendait pratiquement à toutes les activités de la société. [...] Le monstre qui écrasait la société avait condamné à l'échec toutes les tentatives faites précédemment pour réformer le système. Il en aurait été de même pour nous. D'où la nécessité d'une réforme politique profonde.

Mikhaïl Gorbatchev, *Avant-mémoires*, Odile Jacob, 1993, p. 10-12.

3 : Gorbatchev et les réformes : du changement impulsé au changement subi

On a parlé de *perestroïka* dès juin 1985, et même de « *perestroïka* révolutionnaire » un an plus tard. [...] C'est donc, jusqu'à l'été 1989, la période de la perestroïka triomphante, avec deux acquis essentiels : la *glasnost* d'abord, inaugurée partiellement au printemps 1986 après la catastrophe nucléaire de Tchernobyl, mais élargie à partir de 1987 à la politique, et d'abord à la critique du passé. L'autre acquis est le libre débat : la vie politique s'anime d'abord au sein du Parti communiste avec la conférence nationale de l'été 1988, puis autour des urnes avec l'organisation, en mars 1989, des premières élections semi-libres de l'histoire soviétique [...].
Les changements avaient été jusqu'alors le fruit des initiatives [de Gorbatchev] ; on va avoir de plus en plus l'impression qu'ils se font contre lui. [...] C'est Boris Eltsine qui apparaît désormais comme le champion des réformes radicales, beaucoup plus qu'un président soviétique quelque peu désemparé. [...]
Tout en prônant dès l'été 1987 une réforme économique « radicale », Mikhaïl Gorbatchev n'aura rien fait de sérieux en ce sens, ébranlant par ses réformes politiques tout le système de « commandement administratif » sans le remplacer par un autre. La ruine de l'économie et le mécontentement des populations seront au bout du chemin. La seconde [occasion manquée] est l'impuissance à traiter en temps utile le « problème national ». [...] Le refus des diktats de Moscou se manifeste dès la fin de 1986 au Kazakhstan, le conflit du Karabach éclate en 1988, les indépendantistes baltes s'agitent dès la même année avant de conquérir leurs Parlements nationaux l'année suivante. Mikhaïl Gorbatchev va lutter pied à pied contre le démembrement de l'empire, mais toujours avec un temps de retard. [...] L'homme peut être crédité d'une sincère hostilité à l'emploi de la force.

Michel Tatu, « Les quatre vies de Mikhaïl Sergueïevitch », *Le Monde*, 26 décembre 1991.

4 : Le coup d'État manqué des conservateurs accélère la décomposition de l'URSS (août 1991)

Juché sur un tank devant le Parlement russe, le président de la République de Russie réformateur Boris Eltsine ❶ mobilise la foule contre le putsch des conservateurs (19 août 1991). Contrastant avec des décennies de passivité imposée, la mobilisation de la société civile fait échouer en 48 heures le coup de force qui veut enterrer les réformes de Gorbatchev.

5 : La Russie et les minorités nationales prennent leur indépendance

Dans la foulée de l'échec du putsch, toutes les républiques soviétiques proclament leur indépendance puis la confirment aux accords de Minsk (8 décembre) et d'Alma-Ata (21 décembre). Gorbatchev reste président d'une URSS devenue très théorique, avant de devoir démissionner le 25 décembre.
Caricature de Plantu, *Le Monde*, décembre 1991.

BAC

Consigne 1. À l'aide des documents 1 et 2, présentez les principaux problèmes que connaît l'URSS en 1985.

Consigne 2. En vous appuyant sur les documents 2 et 3, décrivez les réformes politiques de Gorbatchev puis expliquez les raisons de leur échec.

Consigne 3. À partir des documents 3 et 5, montrez que les réformes de Gorbatchev ont conduit à la fin du système soviétique.

2

Les réformes de Gorbatchev et la fin de l'URSS

L/ES ▶ Comment les réformes de Gorbatchev pour sauver le système soviétique favorisent-elles sa chute ?

A 1985 : un réformateur à la tête d'une URSS en crise

(Études) pages 232-233 et 234-235 + doc. 1 et 3

■ **En 1985, Mikhaïl Gorbatchev, nouveau secrétaire général du PCUS à 54 ans, dénonce la « stagnation » que l'URSS connaît depuis vingt ans.** Après la mort de Staline (1953) et l'éviction de Khrouchtchev (1964), la nomenklatura a en effet renoncé à toute réforme. Entouré d'une équipe vieillissante, Leonid Brejnev (1964-1982) a laissé s'accumuler de graves problèmes économiques et politiques.

■ **La catastrophe nucléaire de Tchernobyl (26 avril 1986), que Gorbatchev ne dissimule pas, symbolise la faillite du système.** L'agriculture ne s'est pas remise de sa violente collectivisation sous Staline (de 1969 à 1984, 8 récoltes sur 15 sont désastreuses). La croissance industrielle est faible, le retard technologique considérable, la sous-productivité patente : « On fait semblant de travailler, ils font semblant de nous payer », ironise la population. La guerre froide oblige à des dépenses d'armement ruineuses.

■ **Gorbatchev est conscient que la population, démoralisée, ne croit plus à l'idéologie officielle, et qu'elle souffre du manque de libertés et de biens de consommation.** La pénurie et l'alcoolisme sévissent, la natalité s'effondre et la mortalité augmente. Depuis les années 1960, de petits groupes de dissidents réprimés critiquent le régime.

B *Perestroïka* et *glasnost* : rétablir les libertés pour améliorer le communisme

(Étude) pages 234-235 + doc. 3

■ **Rompant avec l'immobilisme et la « langue de bois »**, Gorbatchev libéralise le système soviétique avec pour mots d'ordre les termes *perestroïka* (« restructuration ») et *glasnost* (« transparence »). Reprenant la déstalinisation interrompue en 1964, il achève de reconnaître les crimes de Staline et de réhabiliter ses victimes. Il remplace les vieux dirigeants en poste depuis les purges de 1937 par de jeunes réformateurs. Il donne aux Soviétiques la possibilité de contester les autorités.

■ Cette libéralisation permet l'émergence d'une société civile qui ose discuter, manifester ou produire des œuvres critiques, tel le film *La Petite Vera* (1988). **En mars 1989, les Soviétiques votent lors d'élections libres : le PCUS cesse d'être parti unique.** Cependant, Gorbatchev ne veut pas mettre fin au communisme, mais le réformer pour en accomplir les idéaux.

■ En économie, Gorbatchev introduit des éléments de marché et d'autonomie des entreprises dans un système trop bureaucratisé et centralisé. **Mais ses réformes entraînent la chute de la production et du niveau de vie.** Jusque-là inconnu, le chômage apparaît. La protection sociale se dégrade et les inégalités s'aggravent.

C Le réveil des oppositions et des nationalismes fait imploser l'URSS

(Étude) pages 234-235 + doc. 2

■ **En libérant la parole, Gorbatchev se heurte aux oppositions de ceux qui refusent ses réformes, de ceux qui les jugent au contraire insuffisantes, et des nationalismes longtemps étouffés.** Débordé, mais refusant d'utiliser la violence, Gorbatchev s'enfonce dans l'impuissance et l'impopularité.

■ En juin 1991, le réformateur Boris Eltsine est élu président de la Russie, la principale des républiques de l'URSS que dirige Gorbatchev. Le 19 août, les conservateurs tentent un coup d'État contre Gorbatchev : une mobilisation populaire inédite le fait échouer en deux jours. **Le putsch, qui prétendait sauver l'URSS, précipite sa décomposition** : Eltsine suspend l'activité du PCUS, et laisse toutes les républiques soviétiques proclamer leur indépendance, ainsi que la constitution les y autorise. Le 25 décembre 1991, Gorbatchev démissionne de la présidence de l'URSS, ce qui met un terme final à l'existence de l'Union soviétique. En 1992, la justice russe acquitte cependant le PCUS de l'accusation d'avoir été une « organisation criminelle ».

1 **La catastrophe de Tchernobyl (1986)**
Au lendemain de l'explosion du réacteur n° 4 (26 avril 1986), 50 000 « liquidateurs » se relaient sur son toit pour en « nettoyer » la surface. Beaucoup mourront. Le nuage radioactif contamine des milliers d'habitants et se répand sur les trois quarts de l'Europe.

Biographie

Boris Nikolaievitch Eltsine (1931-2007)
Pendant la *perestroïka*, cet ex-apparatchik se pose en représentant des réformateurs radicaux et en rival de Gorbatchev. Premier président russe élu (juin 1991), il joue un rôle déterminant dans l'échec du putsch conservateur d'août et dans la disparition de l'URSS. Réélu en 1996, il voit durant ses deux mandats la Russie postcommuniste s'enfoncer dans une grave crise économique, sociale et politique. Miné par l'alcool et la maladie, il démissionne le 31 décembre 1999 et est remplacé par son dernier Premier ministre, Vladimir Poutine.

Vocabulaire et notions

● **Déstalinisation** : mouvement amorcé par Khrouchtchev au XXe congrès du PCUS (1956). Il vise à reconnaître une partie au moins des crimes de Staline, à réhabiliter ses victimes et à abolir tout hommage à sa personne.

● **Dissidents** : citoyens qui critiquent le régime soviétique.

● **Langue de bois** : terme dénonçant le discours stéréotypé des dirigeants soviétiques, qui leur permet de masquer les problèmes du pays.

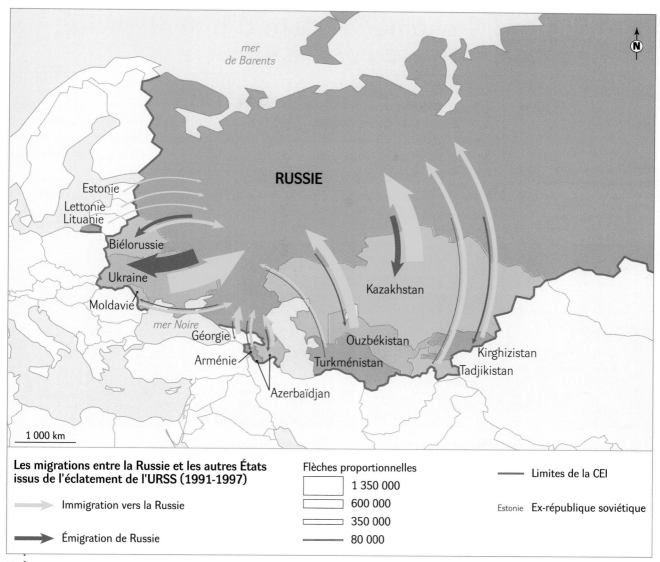

Les migrations entre la Russie et les autres États issus de l'éclatement de l'URSS (1991-1997)

→ Immigration vers la Russie

→ Émigration de Russie

Flèches proportionnelles
- 1 350 000
- 600 000
- 350 000
- 80 000

—— Limites de la CEI

Estonie Ex-république soviétique

2 De l'URSS des 16 républiques à la Communauté des États indépendants (fin 1991)

3 La faillite économique de l'URSS

a. Le ralentissement économique avant Gorbatchev : taux annuels de croissance moyens

	Croissance de l'industrie	Croissance de l'agriculture	Croissance de la productivité	Croissance de l'investissement	Croissance de la population active
1965-1970	8,4 %	4,3 %	6,3 %	7,5 %	2 %
1980-1985	3,5 %	1,4 %	< 3 %	1,8 %	0,25 %

D'après Nicolas Werth, *Histoire de l'Union soviétique*, PUF, 2008, p. 495-496.

b. La situation en 1991 : un effondrement

Production industrielle	– 10 % au premier semestre
Inflation	25 % par semaine
Valeur de la monnaie	Janvier : $ 1 = 10 roubles Décembre : $ 1 = 120 roubles
Chômeurs	Janvier : 2 millions Décembre : 10 millions ?
Chute du PIB	Le PIB russe chute de moitié entre 1991 et 1997, et son niveau de 1990 n'est retrouvé qu'en 2007
Chute des salaires	En 2007, les salaires russes restaient à 80 % de leur niveau de 1990
Naissance d'un secteur privé	Fin 1991, 7 millions de Soviétiques travaillent en coopératives et 1 million comme artisans.

D'après notamment Nicolas Werth, *Histoire de l'URSS*, op. cit., p. 552-556.

Questions

1. Quels pays refusent de faire partie de la CEI ? En quoi voit-on cependant que la CEI reste l'héritière de l'URSS (doc. 2) ?

2. Quelle est l'ampleur des pertes territoriales de la Russie (doc. 2) ?

3. Pourquoi la présence russe dans ces territoires est-elle remise en cause par l'implosion de l'URSS (doc. 2) ?

4. Montrez que la crise de l'économie soviétique avant Gorbatchev est générale (doc. 3).

5. Montrez que la situation est pire à la fin de la *perestroïka* qu'avant son déclenchement, mais que la transition vers l'économie de marché est cependant engagée (doc. 3).

Travailler à partir d'une publicité,
Gorbatchev et Pizza Hut (1997)

Capacité travaillée
II.1.3 Cerner le sens général d'un corpus documentaire et le mettre en relation avec une situation historique

L'ex-dirigeant de la deuxième superpuissance mondiale joue son propre rôle dans ce spot publicitaire de Pizza Hut diffusé aux États-Unis. En 1990, sa *perestroïka* a permis l'apparition à Moscou de produits emblématiques du consumérisme américain (McDonald's, Coca-Cola). Durant le putsch d'août 1991, Boris Eltsine a commandé des Pizza Hut pour tous les hommes barricadés dans le Parlement russe.

▶ **Comment la publicité exploite-t-elle avec humour les controverses russes sur le bilan contrasté de Gorbatchev ?**

1 Gorbatchev offre une Pizza Hut à sa petite-fille

"Because of him, we have opportunity!"

« Grâce à lui, nous avons une nouvelle chance ! »

2 Un jeune Russe enthousiaste

3 Un résumé de la publicité

« Tu as vu ? C'est Gorbatchev ! », souffle l'homme. Un homme tout simple, en veste de tweed, pull noir ras cou et chemise. Il parle russe. Nous sommes en Russie, dans un Pizza Hut. À la table voisine, Mikhaïl Gorbatchev s'installe. Il est habillé en président. Costume sombre, cravate discrète et chemise blanche. À côté de lui, Anastasia, sa petite-fille. « À cause de lui, c'est la crise économique », dit l'homme en tweed. Il parle bas à sa famille réunie autour d'une table ronde.

[…] Nous regardons Gorbatchev. Il coupe une pizza à l'aide d'une pelle à tarte et d'un geste large, propose à sa petite-fille de se servir. « Mais il nous a quand même donné une nouvelle chance », proteste le fils en chemise à carreaux. « Le chaos total ! » répond le père en montrant les poings. Lavallière grise sur gilet noir, la grand-mère écoute. Elle semble inquiète du tapage. « Grâce à lui, on a eu pas mal de choses », murmure-t-elle à son tour. Elle regarde son petit monde. Elle ajoute gravement : « Comme Pizza Hut. » Alors, l'homme en tweed se tait. Il sourit, hoche la tête, prend une part de pizza dans sa paume de main et se lève. « Vive Gorbatchev ! » crie-t-il au garde-à-vous. Mikhaïl Sergueïevitch sourit, baisse les yeux. Il esquisse un geste d'humilité. « Vive Gorbatchev ! » reprennent dix autres voix. La table familiale s'est levée, et aussi les autres clients, chacun un quartier de pizza en main, qui portent un toast vibrant à l'ancien président de l'Union soviétique.

Sorj Chalandon, « La pizza », *Libération*, 20 septembre 2005.

4 Le contexte d'une figuration

Mikhaïl Gorbatchev a accepté de tourner un spot télévisé pour Pizza Hut. Pas par amour de la pizza : « Je n'en suis pas fou », a-t-il déclaré au quotidien russe *Moskovski Komsomolets*. Ni par goût du lucre : tous les bénéfices iront à sa fondation, qui vient d'être mise à la porte de son siège et se trouve en quête de nouveaux locaux pour abriter les archives de la *perestroïka*. Cette campagne devrait rapporter une « somme importante », indique pudiquement « Gorbi ». Et puis la pizza est « un aliment populaire, qui parle de la vraie vie. Ce n'est pas comme faire de la pub pour de l'armement ou un journal douteux ». Destiné aux États-Unis, le spot sera-t-il aussi diffusé en Russie ? Peu probable : la popularité du fossoyeur du communisme y est déjà au plus bas.

« Perestroïka Hut », *Courrier international*, n° 371, 11 décembre 1997.

Questions

Visionner la publicité sur https ://www.youtube.com/watch?v=fgm14D1jHUw. Réalisée en 1997 par Peter Smilie.

1. Quelles sont les opinions contradictoires au sujet de Gorbatchev ? Sont-elles fondées (doc. 3) ?

2. Quel rapport implicite est suggéré entre l'âge des personnages et leurs positions opposées (doc. 2 et 4) ?

3. En quoi cette publicité est-elle symbolique de la victoire du modèle américain sur le modèle soviétique ?

4. À votre avis, pourquoi cette publicité n'a-t-elle jamais été diffusée en Russie ?

Les nostalgies du communisme en Russie depuis 1991

Capacité travaillée

I.2.3 Mettre en relation des faits ou des événements de périodes différentes

En 2000, le nouveau président russe Vladimir Poutine, ancien officier du KGB, rétablit l'hymne soviétique. Il qualifie en 2005 la disparition de l'URSS de « plus grande catastrophe géopolitique du XXe siècle ». Les manuels scolaires minimisent la terreur stalinienne. Les cadres formés sous le communisme continuent à diriger la Russie, et le Parti communiste russe, bien que dans l'opposition depuis fin 1991, reste une force importante.

▶ Pourquoi bien des Russes regrettent-ils le passé soviétique et oublient-ils ses zones d'ombres ?

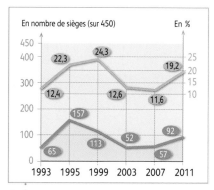

Regrettez-vous la chute de l'Union soviétique ?

8 % nsp*
27 % OUI
11 % NON
26 % PLUTÔT NON
28 % PLUTÔT OUI

* ne sait pas

Sondage effectué sur un échantillon de 1 000 adultes de plus de 18 ans.

1 **Le regret de la disparition de l'URSS reste fort**
Sondage effectué par le Pew Center Research (2014)

En nombre de sièges (sur 450) — En %

22,3 — 24,3 — 19,2
12,4 — 12,6 — 11,6
157
65 — 113 — 52 — 92
57
1993 1995 1999 2003 2007 2011

4 **Résultats du Parti communiste aux élections à l'Assemblée fédérale de Russie**

2 **Manifestation sur la place Rouge pour le 130e anniversaire de la naissance de Staline (2009)**
La même année, 54 % des sondés ont une opinion favorable de Staline, même si 58 % estiment que la Russie actuelle n'a plus besoin d'un dirigeant tel que lui.

3 **Être jeune électeur communiste en Russie en 2012**

Tous trois sont nostalgiques de l'ère soviétique, qu'ils n'ont pourtant pas connue. « À l'époque, tous les jeunes ingénieurs diplômés trouvaient un emploi dès la fin des études. Moi, quand j'ai terminé ma formation d'ingénieur, en 2009, j'ai trouvé un emploi dont le salaire était ridicule, comparable à celui d'un ouvrier », détaille Andreï Arjanykh. Le camarade Dmitri Zvonkov renchérit : « Au temps de l'URSS, tous les jeunes parents pouvaient compter sur des places en crèche pour leurs enfants. [...] Plus personne n'a les moyens de faire des enfants. Ce qui explique la chute de la natalité, en Russie. »
Lorsqu'on rappelle à ces « camarades » que le système soviétique était, malgré tout, un système totalitaire où les libertés d'expression, de réunion et de circulation étaient réprimées, les contre-arguments fusent. « Ce sont les Soviétiques qui ont gagné la Seconde Guerre mondiale ! » dit l'un. « À l'époque, la société était organisée et les jeunes n'étaient pas tentés de choisir la voie de la délinquance », ajoute l'autre. « En plus, complète le troisième, l'URSS était un grand pays, leader dans le domaine des sciences, de l'éducation et de la conquête spatiale. Aujourd'hui, la Russie, c'est quoi ? Juste un grand espace traversé par des gazoducs. »

Axel Gyldén et Alla Chevelkina, « Russie : "pourquoi je vote communiste" », *L'Express*, 3 mars 2012.

Questions

1. Montrez quel sentiment domine en Russie en ce qui concerne l'ancienne URSS (doc. 1 et 2).

2. Relevez quelles pratiques de l'ère stalinienne rappelle cette photo (doc. 2).

3. Expliquez par quels mérites prêtés au passé communiste ces jeunes électeurs justifient leur nostalgie de l'URSS (doc. 3).

Exercices

Une critique de la dénazification en zone soviétique (1950)

Après l'occupation de l'Allemagne orientale et centrale, on assista à une vague d'arrestations et d'internements presque aveugles de tous les Allemands que les Soviétiques considéraient comme dangereux. Des dizaines de milliers d'hommes vinrent remplir les maisons d'arrêt, les prisons et les camps de concentration, parmi lesquels ceux de Buchenwald, Sachsenhausen, Neubrandenburg, Mühlberg et Bautzen. Par la faim et quelquefois par la torture, on leur arracha des « aveux » qui servirent de base aux procédures des tribunaux militaires soviétiques, dans la mesure où les prisonniers n'étaient pas déjà morts de privations, de maladies ou de mauvais traitements. […] De même, des milliers de soldats allemands que les Soviétiques avaient faits prisonniers furent traduits devant des tribunaux militaires et condamnés au cours de procès expéditifs – généralement sur la foi d'aveux forcés ou simplement pour appartenance à certaines unités – à une peine unique de 25 ans de prison ou, dans de nombreux cas, à la mort. […] Parmi les condamnés, il y avait cependant aussi des gens qui avaient commis des crimes graves, par exemple d'anciens gardiens ou médecins de camps de concentration, qui ont tous fait l'objet de nouvelles poursuites en Allemagne fédérale. Les condamnés furent dans bien des cas transférés en Union soviétique pour y accomplir des travaux forcés. Il est impossible d'en déterminer le nombre avec précision ; selon des sources soviétiques, il restait en mai 1950 13 352 personnes condamnées pour crimes de guerre dans les camps soviétiques.

Parmi les individus condamnés par les tribunaux militaires soviétiques, 10 513 furent remis aux autorités [de la nouvelle République démocratique allemande] pour qu'ils « purgent leur peine », d'après une lettre adressée en janvier 1950 par le général soviétique Tchouïkov à Ulbricht[1].

Propos tenus par le ministre de la Justice de la RFA, cité par D. L. Barks et D. R. Gress, *Histoire de l'Allemagne depuis 1945*, Robert Laffont, coll. « Bouquins », 1992, p. 68-69.

1. Walter Ulbricht (1893-1973) : principal dirigeant de la RDA de 1949 à 1971.

Consigne BAC

Après avoir présenté le document, décrivez la dénazification menée par les Soviétiques puis expliquez pourquoi ces méthodes peuvent être qualifiées de totalitaires.

Pour vous aider pensez à :

1. Présenter le document en insistant sur son contexte précis.
2. Décrire avec précision les méthodes utilisées par les Soviétiques.
3. Nuancer votre propos : toutes les personnes concernées sont-elles vraiment innocentes ?

Lénine   Staline

RAISA

AFGHANISTAN

« Un nouveau début »
Caricature ouest-allemande de Fritz Behrendt en 1985.

Sakharov   Afghanistan

Consigne BAC

Après avoir présenté ce document, expliquez quel lourd héritage Gorbatchev trouve à son arrivée au pouvoir et montrez comment sa politique aboutit cependant à la fin de la guerre froide et à la rupture de l'URSS avec son passé totalitaire.

Pour vous aider pensez à :

1. Présenter le dessin de presse dans votre introduction.

2. Décrire ce dessin avec précision :
– quels drapeaux brandissent Gorbatchev et sa femme Raïssa ? Qu'est-ce que cela traduit quant aux intentions diplomatiques du nouveau dirigeant soviétique ?
– relevez les différentes allusions du dessin aux violations des droits de l'homme en URSS ainsi qu'au passé totalitaire du pays ;
– comment le contexte de guerre froide est-il rappelé ?
– en quoi le dessinateur se montre-t-il sceptique quant aux chances de Gorbatchev de dégager l'URSS de l'héritage du passé ? A-t-il raison ?

3. Rédiger une phrase de conclusion en montrant l'intérêt et les limites de ce document.

3 Rédiger un texte

Caricature de Plantu, *Le Monde*, janvier 1989.

Tâche complexe

Vous êtes un citoyen soviétique en 1989. Vous avez soutenu Gorbatchev dans sa tentative de changement politique et économique. Mais, déçu par lui, vous vous lancez en public à Moscou dans un discours dénonçant les insuffisances de résultats de la *perestroïka*.

Coup de pouce

■ **Sur la forme**

– Reprenez les termes et les notions propres au régime soviétique sous Gorbatchev : *perestroïka*, *glasnost*, Politburo, PCUS.
– Pensez à rédiger un discours : soyez clair, donnez des arguments, prenez la foule à témoin, ayez des effets de style.

■ **Sur le contenu**

– Présentez les principaux axes de cette politique, puis montrez ce qu'elle a changé, mais aussi ce qu'elle n'a pas réussi à modifier ou ce qu'elle a provoqué de négatif.
– Multipliez les exemples argumentés.
– Pensez également à peser les risques encourus en 1989 par un opposant politique s'exprimant en public, même s'ils sont moindres qu'à l'époque stalinienne.

4 TICE L'association Memorial lutte pour la mémoire des crimes soviétiques

Memorial

Memorial est la plus importante ONG soviétique puis russe. Elle est fondée en 1988, au plus fort de la *perestroïka*, par le dissident et prix Nobel de la paix Andreï Sakharov. Son but est de défendre les droits de l'homme, de prévenir « le retour du totalitarisme », et de « perpétuer la mémoire des victimes de la répression politique exercée par les régimes totalitaires ». Elle subit des intimidations de la part des autorités russes, dans l'indifférence de l'opinion publique.

Questions

Allez sur le site de l'Association des amis de Memorial en France, qui présente l'activité et les textes traduits de Memorial :
http ://associationdesamisdememorialenfrance.hautetfort.com/

1. Allez dans la rubrique « Memorial à travers ses écrits »
   Relevez au moins deux textes qui montrent la popularité ou l'absence de condamnation dont Staline et le stalinisme font toujours l'objet en Russie. Pourquoi et comment la Russie actuelle peine-t-elle à condamner Staline et ses crimes ?

2. Dans la même rubrique, lisez l'article « 1937, l'héritage de la Grande Terreur », en vous rapportant à l'étude pages 206-207 du chapitre 5. Quelles sont les conséquences encore sensibles de la terreur stalinienne sur la société russe d'aujourd'hui ?

3. Toujours dans ce même article, que propose l'association Memorial pour achever la sortie du stalinisme ?

4. Cherchez sur le site comment le pouvoir russe tente ces dernières années de brider l'action de Memorial. En vous aidant du Passé Présent p. 239, expliquez pourquoi.

Prépa BAC

L/ES

Capacités travaillées

II.2.1 Décrire et mettre en récit une situation historique

II.2.3 Rédiger un texte construit et argumenté

Composition

Rédiger une introduction et une conclusion

Sujet

La dénazification de l'Allemagne, échec ou succès (de 1945 à nos jours) ?

Étape 1 Analyser le sujet

La dénazification de l'Allemagne, échec ou succès (de 1945 à nos jours) ?

En quoi consiste-t-elle ? Comment s'est-elle déroulée ?

– Penser à définir ce qu'on appelle dénazification.
– Insister sur le fait qu'elle a été décidée conjointement par les Alliés avant même la fin de la guerre (déclaration de Moscou de 1943).
– Réfléchir aussi aux différentes formes de dénazification. La première étape de ce processus est le procès de Nuremberg de 1945-1946.
– Cette dénazification ne s'est pas déroulée de la même manière à l'Ouest et à l'Est.

Les limites chronologiques du sujet

Le sujet ne concerne pas uniquement les années d'après-guerre, ou le simple procès de Nuremberg : il faut réfléchir à ce sujet dans la durée, y compris sur le début du XXIe siècle où les jeunes générations allemandes sont en grande majorité profondément hostiles au souvenir même du nazisme.

Quel bilan tirer de cette dénazification ?

– Quelles raisons peuvent laisser penser à un échec de ce processus ? Ex. : anciens dirigeants nazis toujours à des postes de responsabilité dans les deux États allemands durant les années 1950-1970.
– Quelles raisons peuvent laisser penser que c'est néanmoins un succès ? Penser aux milliers de procès, aux 16 millions de questionnaires remplis, aux révocations de fonctionnaires, au fait que le nazisme est effectivement extirpé définitivement de la sphère publique et des lois.
– Il faudra donc établir un bilan circonstancié. C'est-à-dire argumenté et nuancé.

Étape 2 Bâtir une introduction et établir un plan

POINT MÉTHODE

– L'introduction commence par une phrase d'accroche, donnant envie d'entrer dans le sujet, donc dans le devoir. Il est recommandé de partir d'un fait précis, d'un chiffre ou d'une image significative pour capter l'attention du lecteur, et pour mener dans la foulée à la problématique.
– L'introduction annonce le plan choisi, il faut donc construire le devoir autour d'un plan adapté au sujet posé. Un plan thématique en deux parties n'est pas impossible (échec/succès) mais il serait risqué, puisqu'il faudrait évoquer les périodes de ralentissement ou d'arrêt de la dénazification après les périodes où elle bat son plein. Le mieux est donc un plan chronologique, qui peut être en trois parties.
– Dès l'introduction, il est bon de placer certains mots-clés (surlignés en rose ci-après) que le correcteur attend de voir employés dans la copie.

Pour vous aider

L'introduction définit les termes et les limites du sujet et annonce le plan. Elle doit être problématisée. La problématique commence souvent par un adverbe interrogatif, par exemple :

- **Pourquoi ?** (ce qui permet de s'interroger sur les causes).
- **Comment ?** (ce qui permet de s'interroger sur les moyens).

- Il faut évoquer l'introduction des deux Allemagnes, donc de la RFA et de la RDA nées en 1949.
- Il faut évoquer le contexte qui suit la Seconde Guerre mondiale, donc les zones d'occupation (1945) et la guerre froide (dès 1947).
- Il faut enfin présenter le sort réservé aux anciens nazis après guerre : certains sont jugés (procès), d'autres restent impunis voire occupent des postes de responsabilité.

En 1968, une future « chasseuse de nazis », Beate Klarsfeld, gifle en public le chancelier de la République fédérale d'Allemagne (RFA), Kurt Kiesinger, un ancien nazi directeur adjoint de la propagande sous le IIIe Reich. Ce geste rappelle soudain au public ouest-allemand que plus de vingt ans après la défaite de l'Allemagne hitlérienne en 1945, bien des anciens membres du NSDAP restent impunis et/ou occupent encore des hauts postes de responsabilité en RFA, tout comme d'ailleurs en République démocratique allemande (RDA). La dénazification aurait-elle donc été un échec ?

Pourtant, il faut sans doute éviter aussi de sous-estimer l'ampleur qu'elle a revêtue. De nombreux procès ont en effet eu lieu dès la chute du IIIe Reich. Et jamais le phénomène nazi n'a ressurgi en Allemagne.

Dans une première partie, nous verrons comment chacun avec leurs méthodes, les Occidentaux et les Soviétiques, ont purgé leurs zones d'occupation de nombreux nazis entre 1945 et 1948. Une deuxième partie s'interrogera sur le ralentissement de la dénazification par les Alliés puis par les Allemands eux-mêmes, avec l'arrivée de la guerre froide (1949-1958). Une dernière partie montrera que les poursuites contre les anciens nazis accusés de crimes contre l'humanité n'ont jamais cessé depuis leur reprise à la fin des années 1950.

Étape 3 — Rédiger une conclusion bien structurée

POINT MÉTHODE

– N'oubliez pas que la conclusion doit être préparée à l'avance, au brouillon, car elle est capitale : c'est la dernière impression qu'on laisse au correcteur du devoir.

– Elle doit d'abord répondre à la problématique posée en introduction, donc sur la réalisation et la portée de la dénazification, en apportant les nuances nécessaires (premier paragraphe).

– Elle doit ensuite s'ouvrir sur l'avenir, déboucher sur d'autres problèmes sur lesquels le devoir peut ouvrir la réflexion, ou sur une comparaison avec un autre pays, une autre situation. L'exemple rédigé ci-dessous a choisi la comparaison avec la situation de l'URSS, un autre totalitarisme (dernier paragraphe).

- Ne résumez pas votre devoir.
- Reprenez les arguments majeurs afin de répondre précisément à la problématique.
- Évitez les jugements de valeur ou les prises de position personnelles.
- En ouverture : une comparaison avec la Russie.

Au terme de cette étude, nous pouvons constater que, sans être parfaite, la dénazification a bel et bien eu lieu en Allemagne. Notamment, les plus hauts dirigeants encore en vie de l'État nazi ont été jugés à Nuremberg. Dès 1945, les organisations et les symboles hitlériens ont disparu sans retour d'Allemagne, et plus jamais le national-socialisme n'y a existé comme force politique importante. Certes, au nom de la remise en marche du pays et des impératifs de la guerre froide, beaucoup d'anciens cadres membres du NSDAP ont été recyclés par les Alliés puis par les deux États allemands créés en 1949. Le scientifique Werner von Braun par exemple a été un des hommes clés du programme spatial américain. Mais aucun nazi de premier plan n'a plus joué de rôle en RFA ou en RDA. L'œuvre de pédagogie entreprise par les Alliés a permis de familiariser très tôt le public allemand avec la réalité des crimes nazis. Les Allemands ont appris à rejeter massivement et radicalement le nazisme.

De nos jours, alors que se tiennent les dernières procédures contre les ex-nazis, les Allemands rejettent pleinement l'épisode nazi et assument leur passé. Par comparaison, la Russie semble mal guérie de l'autre grand totalitarisme du siècle, le stalinisme : aucune décommunisation judiciaire d'ampleur n'y a eu lieu, et le pays, souvent nostalgique de l'URSS, reste géré par les cadres formés par le PCUS et le KGB. Malgré des limites, la dénazification allemande a rencontré davantage de succès que la sortie russe du communisme.

L/ES

La fin des régimes totalitaires

LA DÉNAZIFICATION ALLEMANDE

✦ Un processus engagé de l'extérieur, immédiatement après la défaite du IIIe Reich

✦ Un volet répressif : écarter et sanctionner les criminels nazis

✦ Un volet pédagogique : faire connaître aux Allemands les crimes nazis, effacer du quotidien et de l'éducation les traces du régime hitlérien

✦ Les Alliés mènent ensemble le procès de Nuremberg (1945-1946) qui définit la notion de crimes contre l'humanité

Mais la dénazification prend des sens différents selon les zones d'occupation puis selon les deux États allemands

À l'Ouest

✦ Les trois zones d'occupation occidentales mènent d'abord une dénazification importante. Ensuite, elles utilisent des cadres compromis pour créer un nouvel État, la RFA

✦ Depuis 1958, le Service central de recherche sur les crimes nationaux-socialistes permet la tenue de nouveaux procès pour crimes contre l'humanité

✦ À partir des années 1960, les jeunes générations allemandes exigent que les anciens nazis toujours en poste soient écartés et punis

À l'Est

✦ En zone soviétique, la dénazification sert aussi de prétexte à l'élimination arbitraire de tous les suspects et opposants

✦ La RDA dissimule la présence d'anciens nazis parmi ses cadres et ne reconnaît pas la responsabilité de l'Allemagne dans le génocide des juifs

Depuis 1990 (réunification allemande) : sauf exceptions, les nouvelles générations de l'Allemagne réunifiée rejettent radicalement le nazisme

LA FIN DU COMMUNISME SOVIÉTIQUE

1985-1991

✦ Elle est le fruit involontaire des réformes engagées par Mikhaïl Gorbatchev (1985-1991)

✦ La *perestoïka* vise à « restructurer » un système figé et à bout de souffle. La *Glasnost* veut la « transparence » sur la situation réelle du pays

✦ Un certain succès politique et culturel (liberté de parole, élections libres en 1989).

✦ Un échec économique : la production et le niveau de vie s'effondrent.

1991

✦ Après l'échec du coup d'État conservateur du 19 août 1991, les républiques soviétiques se proclament indépendantes, avec l'approbation de Boris Eltsine, président réformateur de la Russie.

✦ Gorbatchev démissionne le 25 décembre de la présidence d'une Union soviétique qui a perdu toute réalité.

de nos jours

✦ Les anciens serviteurs du système soviétique restent nombreux à diriger la Russie. Les nostalgiques de l'URSS ne manquent pas dans la société.

Je sais définir les mots suivants

● Camp de concentration : camp ouvert après 1933 par les nazis pour interner opposants, juifs, suspects, droits communs, etc. Pendant la guerre, ces « camps de la mort lente » visent la déshumanisation radicale et l'anéantissement des détenus qui meurent en masse des maltraitances, de la faim et du travail forcé.

● Crime contre l'humanité : notion élaborée en 1945-1946 par le tribunal de Nuremberg, et depuis intégrée au droit international. Imprescriptible, le crime contre l'humanité couvre le génocide, les persécutions systématiques, la réduction en esclavage de populations entières, ou encore l'enlèvement systématique d'enfants d'un peuple pour les faire élever au sein d'un autre.

● Déstalinisation : mouvement amorcé par Khrouchtchev au XXe congrès du PCUS (1956). Il vise à reconnaître une partie au moins des crimes de Staline, à réhabiliter ses victimes et à abolir tout hommage à sa personne.

● Dénazification : action d'extirper le nazisme des lois et des mentalités, ainsi que d'écarter les anciens nazis des responsabilités et de les poursuivre en justice.

● Dissident : citoyens qui critiquent le régime soviétique.

● *Glasnost* : mot russe signifiant « transparence ». Il s'agit d'admettre les carences du système soviétique, de libérer la critique et de tenir un discours de vérité sur les réalités passées et présentes du pays.

● *Perestroïka* : mot russe signifiant « restructuration ». Ensemble des réformes économiques et sociales initiées par Gorbatchev, et qui prévoient notamment l'autonomie des entreprises, l'acceptation d'initiatives privées et l'ouverture sur l'Occident.

Je connais les dates importantes

● **Octobre 1945-octobre 1946** : procès des hauts dignitaires nazis à Nuremberg

● **1949** : naissance de la RFA et de la RDA, réunifiées en 1990

● **1958** : la RFA relance les procès d'anciens nazis

● **1963-1964** : Procès de gardiens d'Auschwitz à Francfort

Je connais les points suivants

- **Les Alliés engagent la dénazification aussitôt le Reich vaincu.** Le procès des hauts dirigeants du Reich à Nuremberg (1945-1946) définit la notion de crimes contre l'humanité.

- **La dénazification est ralentie par les Occidentaux et l'URSS** à partir de 1947-1948.

- **Après une période de dénazification massive, les vainqueurs passent à une dénazification plus ciblée,** car ils ont besoin de conserver des cadres compétents pour recréer un nouvel État allemand (1949) qui soit leur allié dans la guerre froide.

- **La dénazification est relancée en RFA en 1958.** De nouveaux procès pour crimes contre l'humanité se tiennent jusqu'à nos jours.

- **En URSS, la sortie du communisme est provoquée** de l'intérieur, involontairement, **par les réformes de Mikhaïl Gorbatchev** (1985-1991).

- **En 1985, la société soviétique, désabusée, ne croit plus au communisme.** Les pénuries et l'absence de libertés lui pèsent. Gorbatchev veut réformer le système. Il met en œuvre la *perestroïka* (« restructuration ») et la *glasnost* (« transparence »).

- La société civile acquiert une liberté de parole. Mais les réformes n'aboutissent qu'à la **chute de la production et du niveau de vie**.

- **L'URSS implose fin 1991**, après l'échec du putsch conservateur contre Gorbatchev.

Je connais les dates importantes

- **11 mars 1985** : Mikhaïl Gorbatchev, secrétaire du PCUS
- **26 avril 1986** : catastrophe nucléaire de Tchernobyl
- **19 au 21 août 1991** : échec du putsch conservateur contre Mikhaïl Gorbatchev
- **25 décembre 1991** : Gorbatchev démissionne de la présidence de l'URSS, qui cesse d'exister

Je connais les personnages suivants

- Mikhaïl Gorbatchev
  p. 234
- Boris Eltsine
  p. 236

Pour aller plus loin

 À lire

- Ernst von Salomon, *Le Questionnaire*, 1951, tr. fr. Gallimard, 1953. Récit autobiographique de cet ancien combattant nationaliste de la guerre de 1914-1918, qui a lutté armes à la main contre la République de Weimar. Remplir le questionnaire de dénazification après 1945 lui a été fort désagréable.

- Alexandre Zinoviev (1922-2012), *Katastroïka*, L'Âge d'Homme, 1990, rééd. Le Livre de Poche, 1997. Fable satirique mordante sur la perestroïka, par un dissident soviétique qui devient paradoxalement communiste au moment où l'URSS disparaît.

Alexandre Zinoviev
KATASTROÏKA
ROMAN

L'Âge d'Homme

À voir

- Roberto Rosselini, *Allemagne, année zéro*, 1947. Le contexte de la dénazification : la misère dans Berlin détruit, juste après la chute du Reich.

- Stephen Daldry, *The Reader*, 2009. En 1958, un jeune lycéen allemand de 15 ans vit une histoire d'amour avec une femme plus âgée que lui, à qui il fait la lecture à chacune de leurs rencontres. Un jour, elle disparaît. Lorsqu'il la revoit en 1966, elle est dans le box des accusées, au procès d'anciennes gardiennes SS du camp d'Auschwitz… D'après le roman de Bernhard Schlink, *Le Liseur*, 1985, rééd. Gallimard, 1996.

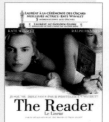

The Reader
Le Liseur

Prépa BAC

Composition
EXEMPLE CORRIGÉ

Capacités travaillées

II.2.1 Décrire et mettre en récit une situation historique

II.2.3 Rédiger un texte construit et argumenté

Sujet

Le système soviétique de 1985 à 1991 : crise, essai de réformes et disparition

Étape 1 — Identifier et définir les termes du sujet

Bien délimiter le sujet : insister sur le système soviétique en tant que tel, et non sur l'action du dirigeant Gorbatchev ou sur la population et ses comportements.

Le sujet invite aisément à un plan en trois parties, chronologique.

Il s'agit à l'évidence d'aller de l'avènement à la démission de Gorbatchev.

Le système soviétique de 1985 à 1991 : crise, essai de réformes et disparition

S'interroger sur les aspects multiformes de la crise du système (crise économique et technologique, crise morale et politique, mais aussi par exemple crise de l'environnement, que Tchernobyl aggrave).

On attend bien sûr les notions de *perestroïka* et *glasnost*, et le désir de Gorbatchev de réformer le système pour mieux le sauver et le rendre conforme à l'idéal communiste.

Pourquoi le désir de Gorbatchev de « restructurer » le système n'aboutit-il qu'à sa disparition ? Quelles forces a-t-il libérées qui finissent par emporter l'ensemble du système ?

Étape 2

Au brouillon, recenser les idées essentielles pour pouvoir ensuite construire le plan en trois parties. On peut ainsi passer à l'étape de la rédaction.

Étape 3 — Rédiger

Introduction

Pour vous aider

- Pour vous aider : pour construire une bonne introduction il faut :
Amener le sujet posé en précisant les éléments chronologiques antérieurs utiles.

Présenter le changement opéré par Gorbatchev à partir de 1985 et ses limites.

- Définir une problématique.

- Annoncer le plan de la composition.

En 1985, le système soviétique est toujours marqué par le lourd héritage de l'ère stalinienne, et les réformes ont pratiquement été stoppées durant le long règne de Leonid Brejnev (1964-1982). Cette année-là, le nouveau dirigeant de l'Union soviétique, Mikhaïl Gorbatchev, annonce son intention de réformer le système soviétique en profondeur. Il résume ses réformes par les mots d'ordre de *perestroïka* (restructuration) et *glasnost* (transparence). Le but est de réformer le système pour l'améliorer et le sauver, et non pour le détruire. Cependant, six années de réformes n'aboutissent qu'à sa faillite complète : en 1991, l'URSS implose et le communisme disparaît. Le système soviétique était-il donc irréformable, et condamné à disparaître à la première tentative sérieuse de le modifier ?

Dans une première partie, nous dresserons un état des lieux de l'URSS à l'avènement de Gorbatchev, et verrons en quoi le système soviétique est bien alors en proie à une crise multiforme. Dans une deuxième partie, nous examinerons les réformes mises en œuvre alors, avec leurs succès et leurs limites. Dans la troisième partie, nous nous demanderons quelles forces libérées par les réformes ont poussé à la disparition pure et simple du communisme soviétique, qu'il s'agissait initialement de corriger et non de supprimer.

Première partie

En 1985, l'URSS est en proie à une triple crise économique, politique et morale, dont le nouveau dirigeant Mikhaïl Gorbatchev est parfaitement conscient : à ses yeux, elle impose de réformer enfin au plus vite, en profondeur, un système figé et à bout de souffle.

Sur le plan économique, le système collectiviste de l'URSS n'a pas réussi à rattraper le niveau des pays capitalistes. Pire, il accumule les échecs. L'agriculture ne s'est jamais remise des conditions très violentes dans lesquelles Staline a collectivisé les terres au début des années 1930. Sur les quinze années précédant l'arrivée au pouvoir de Gorbatchev, huit ont vu des récoltes calamiteuses. Le pays, qui exportait des céréales à l'époque des tsars, ne survit que parce qu'il en importe des États-Unis, situation humiliante. L'industrie ne se porte guère mieux : les taux de croissance annuels et la productivité ne cessent de baisser au fil des ans, et le retard technologique pris sur l'Occident est considérable (l'URSS a ainsi manqué la révolution informatique). L'absence de libre entreprise, les plans quinquennaux et l'organisation hiérarchisée et bureaucratisée de l'économie étouffent tout esprit d'initiative. La médiocrité des résultats économiques se traduit par la pénurie permanente dans laquelle vivent les Soviétiques.

Sur le plan politique, la nomenklatura (les hauts fonctionnaires dirigeants du Parti) n'a pratiquement pas évolué depuis la mort de Staline : les cadres promus lors des purges de 1937 restent en poste jusqu'au début des années 1980. Ils bloquent toute réforme du système qui pourrait conduire à une remise en cause de leurs privilèges et de leur pouvoir absolu. La nomenklatura a évincé du pouvoir le réformateur Khrouchtchev en 1964, et son représentant, Leonid Brejnev, au pouvoir de 1964 à 1982, a renoncé à toute réforme d'envergure. Cette gérontocratie s'enferme dans une « langue de bois » qui nie les difficultés du système. Elle refuse d'écouter les désirs de liberté des Soviétiques. Si la terreur de masse a disparu, le goulag et la police politique (le KGB) existent toujours. Les dissidents risquent l'exil ou la prison, et le régime post-stalinien a même innové en enfermant certains contestataires dans des hôpitaux psychiatriques. Tout ce qui vient d'Occident reste banni, que ce soit le rock, la liberté sexuelle ou l'art moderne.

Sur le plan moral, la société soviétique des années 1980 a perdu toute illusion dans le système et ne croit plus à l'idéologie officielle. La propagande est désormais sans effet, tant la médiocrité du quotidien est évidente. La montée de l'alcoolisme, l'apparition de la drogue, la chute dramatique de la natalité et la hausse de la mortalité montrent l'absence complète de confiance dans le présent et le manque de perspective d'avenir. Par ailleurs, l'environnement a été sacrifié et les Soviétiques vivent dans une pollution endémique. La catastrophe de Tchernobyl (26 avril 1986) prouve la faillite technologique et technique de l'œuvre communiste. En choisissant de ne pas dissimuler l'ampleur du désastre, Gorbatchev rompt avec le culte habituel du secret et du mensonge, et laisse entrevoir l'espoir d'une réforme réelle du système.

Seconde et troisième parties

II. les réformes menées par Gorbatchev

A. La *glasnost* et ses effets immédiats

B. Une société plus ouverte

C. La *perestroïka*

III. les raisons expliquant la chute du régime soviétique

A. Une faillite économique

B. Des oppositions politiques renforcées

C. Un régime qui s'effondre rapidement

Conclusion

Gorbatchev, le dernier dirigeant soviétique, voulait réformer le système communiste pour le sauver, mais il n'a pu aboutir qu'à sa disparition. Certes, ses initiatives ont permis aux Soviétiques de découvrir la liberté de parole, les élections libres et la vérité sur les crimes staliniens. Mais l'échec du volet économique des réformes a tout compromis. Découvrant une pauvreté et un chômage inconnus sous l'ancien système, la population soviétique en veut à Gorbatchev. Affaibli, il subit les événements au lieu de les diriger : l'échec du putsch conservateur d'août 1991 permet à Eltsine et aux républiques soviétiques d'en finir totalement avec l'ancien système.

Mais si ce système est mort le 25 décembre 1991, son souvenir se porte bien : la société russe reste souvent nostalgique d'une URSS qui signifiait l'ordre, la puissance nationale et la protection sociale, et les anciens cadres du KGB et du PCUS demeurent nombreux à la tête du pays. Et rares sont ceux qui, à l'image de Memorial, tentent toujours de rappeler aux Russes les crimes et zones d'ombre du système totalitaire qui a marqué leur XXe siècle.

Pour vous aider

Pour vous aider à rédiger votre devoir :
- Chaque partie doit s'organiser en paragraphes, construits autour d'une idée justifiée par un argument et/ou un exemple précis.
- Chaque paragraphe va présenter la situation de l'URSS sur un plan différent : économique, moral, politique…

- Penser à bien définir Glasnost, à évoquer la reconnaissance des crimes staliniens et la libération des arts et de la culture.
- Penser à bien définir Perestroïka, à montrer ses objectifs et son échec cinglant.
- Aborder le marché noir, l'arrivée des entreprises privées, les problèmes économiques du peuple russe.
- Évoquer à la fois l'action des réformateurs, et celle des conservateurs ; insister aussi sur la montée des nationalismes.

Pour vous aider

- La conclusion doit être préparée à l'avance, au brouillon, car elle est capitale : c'est la dernière impression qu'on laisse au lecteur d'un devoir.
- Elle doit comporter un récapitulatif de ce qui a été dit dans le corps du texte, et surtout pour répondre à la problématique.
- Elle doit généralement s'ouvrir sur l'avenir et amener de nouveaux problèmes sur lesquels ouvre la réflexion.

- Évoquer les progrès des libertés de parole, l'apparition de syndicats libres puis d'élections libres en 1989.
- Coup d'État raté des conservateurs le 19 août 1991, action de Boris Eltsine, indépendance des républiques soviétiques, disparition de l'URSS le 25 décembre.

7 LE TEMPS DES DOMINATIONS COLONIALES : L'EMPIRE FRANÇAIS EN 1931

En 1931 est organisée à Paris, au bois de Vincennes, une Exposition coloniale internationale qui réunit sur plusieurs hectares des pavillons représentant les différentes colonies françaises, aux côtés de pavillons de puissances étrangères. Dans un contexte de crise économique mondiale, des moyens sans précédent ont été mobilisés pour célébrer la gloire et la puissance de l'Empire français.

L/ES **S**

▶ **En 1931, quel regard la République porte-t-elle sur son empire colonial alors à son apogée ?**

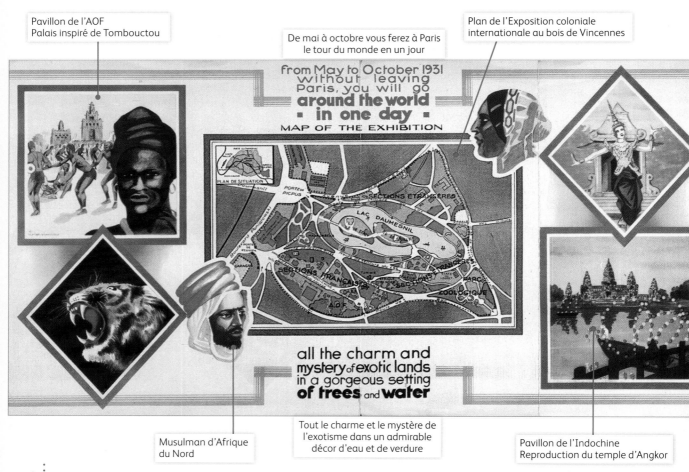

Pavillon de l'AOF
Palais inspiré de Tombouctou

De mai à octobre vous ferez à Paris le tour du monde en un jour

Plan de l'Exposition coloniale internationale au bois de Vincennes

from May to October 1931 without leaving Paris, you will go **around the world** ▪ **in one day** ▪ MAP OF THE EXHIBITION

all the charm and **mystery** of **exotic lands** in a gorgeous setting **of trees** and **water**

Musulman d'Afrique du Nord

Tout le charme et le mystère de l'exotisme dans un admirable décor d'eau et de verdure

Pavillon de l'Indochine
Reproduction du temple d'Angkor

1 **Le tour du monde en un jour : l'Exposition coloniale internationale**

Plan de l'Exposition coloniale, 1931.
Présentation en anglais destinée aux touristes anglo-saxons.

1. Quels sont les espaces de l'Empire ici mis en image ?

2. Quels moyens sont employés pour reconstituer les colonies ?

3. Quels sont les arguments avancés pour séduire le visiteur ?

L'expansion coloniale : la conquête de territoires français

3 juil. 1830
Prise d'Alger, début de la conquête de l'Algérie

1887
Création de l'Indochine française
(Tonkin, Annam et Cochinchine formant l'ancien Vietnam, ainsi que Cambodge et Laos)

1895
Création de l'AOF[1]

1910
Création de l'AEF[2]

1922
Mandats confiés par la SDN
(Togo, Cameroun, Syrie, Liban)

1. AOF : Afrique Occidentale française
2. AEF : Afrique Équatoriale française

1920 1921   1925 1926   1930

Les contestations nationalistes au sein de l'Empire français

1920
Partis communistes algérien et tunisien

1926
Étoile nord-africaine (Algérie), parti nationaliste dirigé par Messali Hadj

Guerre du Rif (Maroc) menée par Abd el-Krim
★ **1921-1926** ★

Émeutes à Madagascar
1929 ★

1930
Parti communiste indochinois (dirigé par Ho Chi Minh)

Tonkin (Indochine)
★ **1930-1931**

1934
Néo-Destour (Tunisie), parti nationaliste dirigé par Habib Bourguiba

★ = rébellions armées contre le pouvoir colonial

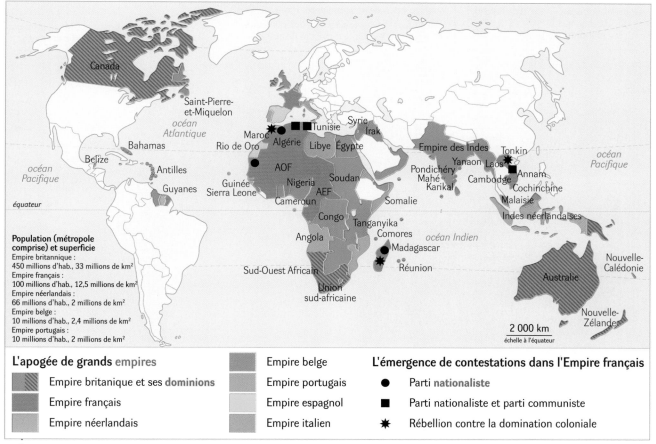

Population (métropole comprise) et superficie
Empire britannique :
450 millions d'hab., 33 millions de km²
Empire français :
100 millions d'hab., 12,5 millions de km²
Empire néerlandais :
66 millions d'hab., 2 millions de km²
Empire belge :
10 millions d'hab., 2,4 millions de km²
Empire portugais :
10 millions d'hab., 2 millions de km²

2 000 km
échelle à l'équateur

L'apogée de grands empires

- Empire britanique et ses **dominions**
- Empire français
- Empire néerlandais
- Empire belge
- Empire portugais
- Empire espagnol
- Empire italien

L'émergence de contestations dans l'Empire français

- ● Parti **nationaliste**
- ■ Parti nationaliste et parti communiste
- ✸ Rébellion contre la domination coloniale

2 : Les empires coloniaux dans les années 1930

1. Quels sont les atouts de l'Empire colonial français ?
2. Quelles sont les limites de cette domination dans le cas de l'Empire français ?

Vocabulaire et notions

- **Colonie** : territoire privé de souveraineté, soumis à la domination d'un autre pays (la métropole) sur le plan de la politique intérieure et étrangère. Il est directement administré par la métropole et repose sur une organisation économique et sociale très inégalitaire.

- **Dominion** : territoire issu de la colonisation britannique, qui garde des liens avec la Couronne britannique mais qui est complètement souverain en politique intérieure comme en politique étrangère.

- **Empire** : ensemble de territoires rassemblant des peuples différents, dominés et administrés par un même pays.

- **Nationaliste** : personne qui milite pour la reconnaissance de la souveraineté d'une nation.

Les impérialismes européens dominent le monde

L/ES

Aussi ancienne que les Grandes Découvertes, l'expansion coloniale européenne s'accélère brusquement entre 1860 et 1900 : le Japon en Asie et l'Éthiopie en Afrique sont les seuls grands pays à préserver leur indépendance. L'impérialisme des États industriels se traduit par la formation de grands empires coloniaux au détriment de peuples jugés inférieurs et au nom d'une mission civilisatrice. La constitution de ces empires leur permet d'accroître leur puissance face à leurs voisins, de disposer de matières premières et de débouchés économiques, ou encore d'aider les missionnaires à propager le christianisme.

Capacité travaillée

I.2.1 Situer un événement dans le temps court et le temps long

1830 — **1900**

XVᵉ -XVIIIᵉ siècles
Grandes Découvertes et premiers empires espagnol, portugais, britannique et français

1830-1843
Conquête française de l'Algérie

1874
L'explorateur Stanley fonde l'État indépendant du Congo pour le compte du roi des Belges

1877
La reine Victoria d'Angleterre proclamée impératrice des Indes

1885
Conférence de Berlin

1899-1902
Guerre des Boers, l'Afrique du Sud devient britannique

1908
Suite au scandale du travail forcé, Léopold II de Belgique vend à son pays l'État du Congo

1919
La SDN confie les colonies allemandes et turques à la Grande-Bretagne et à la France

A Les Européens se partagent l'Afrique

LA CONFÉRENCE DE BERLIN
— A chacun sa part, si l'on est bien sage.

1 La conférence de Berlin (1885)

Le chancelier Bismarck réunit une conférence européenne qui reconnaît au roi des Belges Léopold II la souveraineté personnelle du Congo et convient des règles du partage de l'Afrique. Des frontières artificielles sont tracées à la règle sans tenir compte des réalités géographiques et ethniques.
Caricature de Draner parue dans L'Illustration du 3 janvier 1885.

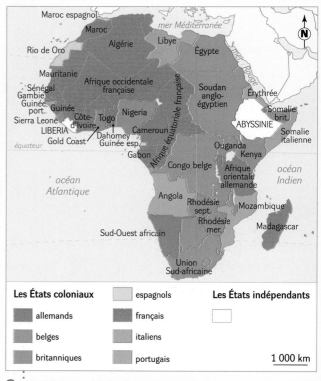

Les États coloniaux

allemands	espagnols
belges	français
britanniques	italiens
	portugais

Les États indépendants

1 000 km

2 L'Afrique dépecée

Hors l'Éthiopie (Abyssinie) qui fait échec aux tentatives de l'Italie (1896), l'Afrique est de loin le continent le plus colonisé, après avoir été jusque-là le moins exploré.

Vocabulaire et notions

• **Grandes Découvertes** : aux XVᵉ et XVIᵉ siècles, période qui voit les Européens explorer et coloniser des territoires jusque-là peu ou pas connus (découverte notamment de l'Amérique en 1492, et de la route des Indes en 1498).

• **Guerre des Boers** : guerre menée en Afrique australe par les Britanniques contre les Boers (1899-1902), descendants des colons néerlan-dais, pour s'emparer de leurs États et unifier toute l'Afrique du Sud à leur profit.

• **Impérialisme** : doctrine et pratique par lesquelles un pays établit sa domination directe ou indirecte sur d'autres territoires. Le colonialisme est la forme la plus directe de l'impérialisme.

B L'Empire britannique, source de fierté nationale

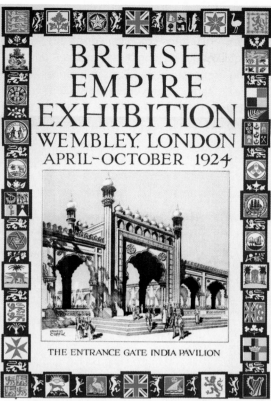

3 **Affiche pour l'Exposition coloniale de Londres (1924)**

4 **Le fardeau de l'homme blanc**

Rudyard Kipling (1865-1936), écrivain britannique rendu célèbre par son Livre de la jungle *(1894), fut également un des plus fervents défenseurs de la colonisation.*

Ô Blanc, reprends ton lourd fardeau :
Envoie au loin ta plus forte race,
Jette tes fils dans l'exil
Pour servir les besoins de tes captifs ;

Pour – lourdement équipé – veiller
Sur les races sauvages et agitées,
Sur vos peuples récemment conquis,
Mi-diables, mi-enfants.
Ô Blanc, reprends ton lourd fardeau :
Non pas quelque œuvre royale,
Mais un travail de serf, de tâcheron,
Un labeur commun et banal.

Les ports où nul ne t'invite,
La route où nul ne t'assiste,
Va, construis-les avec ta vie,
Marque-les de tes morts !

Ô Blanc, reprends ton lourd fardeau ;
Tes récompenses sont dérisoires :
Le blâme de celui qui veut ton cadeau,
La haine de ceux-là que tu surveilles.

La foule des grondements funèbres
Que tu guides vers la lumière :
« Pourquoi dissiper nos ténèbres,
Nous offrir la liberté »

Rudyard Kipling,
The White Man's Burden, 1899.

C Les empires coloniaux en 1931

5 **Les empires coloniaux européens en 1931**

En 1931, 7 pays d'Europe (hors URSS) soit environ un quart des États européens disposent de colonies. L'Allemagne a perdu ses colonies en 1918 au profit de ses vainqueurs. Hors d'Europe les États-Unis et le Japon ont aussi des colonies.

MÉTROPOLES	Royaume-Uni	France	Italie	Portugal	Espagne	Pays-Bas	Belgique
Rôle essentiel de l'Empire	Permettre à Londres de contrôler l'économie mondiale	Compenser la défaite française de 1870	Faire de l'Italie une grande puissance comme à l'époque romaine	Vestiges d'un empire autrefois important		Exploiter les matières premières	
Localisation	AFRIQUE **Est** : Kenya, Ouganda **Ouest** : Nigeria, Sierra Leone **Sud** : Afrique du Sud, etc.	AFRIQUE **Nord** : Algérie, Maroc, Tunisie **Ouest** : Sénégal, Côte d'Ivoire **Sahel et Centre** : Niger, Tchad, etc.	AFRIQUE **Nord** Libye **Est** Erythrée Somalie	AFRIQUE **Ouest** Guinée-Bissau Cap Vert **Sud** Mozambique Angola	AFRIQUE Rio de Oro (Maroc espagnol) ; villes de Ceuta et Melilla (Maroc) Guinée équatoriale		AFRIQUE Congo belge futur Zaïre puis République démocratique du Congo
	ASIE **Empire des Indes** : Inde Pakistan, Birmanie… **Proche-Orient** : Palestine, Jordanie, Irak AMÉRIQUE : Canada	ASIE Indochine : Vietnam, Laos, Cambodge Proche-Orient : Liban, Syrie ; Comptoirs des Indes AMÉRIQUE Antilles (Martinique…) Guyane		ASIE Goa Macao Timor		ASIE Indes néerlandaises, future Indonésie	
	Les deux premiers empires mondiaux 450 millions d'habitants sur 26 millions de km²	100 millions d'habitants sur 12 millions de km²					
Création	XVIIIe-XIXe siècle		XIXe-XXe siècles	XVIe siècle			XIXe siècle

L'Empire français en 1931

Capacités travaillées

I.1.3 Situer une date dans un contexte chronologique

I.2.1 Situer un événement dans le temps court ou le temps long

L'empire colonial de 1931 regroupe les anciennes colonies, conquises sous l'Ancien Régime, et les nouvelles colonies conquises tout au long du XIXᵉ siècle. À partir de 1880, la colonisation s'accélère sous la direction de Gambetta et Ferry ; les puissances européennes se partagent l'Afrique lors de la conférence de Berlin (15 novembre 1884-26 février 1885) et la France établit sa souveraineté sur l'Indochine (1887). La République française, traumatisée par la défaite des provinces perdues (Alsace et Moselle en 1871), réaffirme ainsi son statut de grande puissance.

A Un empire qui s'est élargi au XIXᵉ siècle

1 Les acteurs de la colonisation au XIXᵉ siècle

Acteurs	Exemple	Motivation
Explorateurs	Savorgnan de Brazza. Explorations du Congo en 1875-1878.	Scientifique : découvrir des territoires et des espèces. Goût de l'aventure.
Missionnaires	Les Pères blancs, prêtres catholiques. Deux tiers des missionnaires catholiques dans le monde sont français.	Religieuse : convertir les populations locales au christianisme.
Négociants et industriels	Industrie agroalimentaire : Banania, Cémoi, Louit Industrie automobile : pneus Michelin	Économique : exploitation et commercialisation des ressources du sol et du sous-sol (cacao, caoutchouc, minerais).
L'État français	IIIᵉ République : Jules Ferry (président du Conseil 1883-1885).	Politique : affirmer la puissance et le rayonnement de la France sur la scène internationale.

2 Un « héros » de la colonisation : Savorgnan de Brazza

Vignette publicitaire destinée à compléter le « Livre d'or des célébrités contemporaines » (1903) distribué par l'entreprise Guérin-Boutron. *In* E. Deroo, *L'Illusion coloniale*, Tallandier, 2005.

L'explorateur Savorgnan de Brazza remonte le fleuve Congo au cours de deux expéditions (1875-1878 et 1879-1882). Ses motivations sont la curiosité scientifique et le goût de l'aventure. Par des traités signés avec les chefs indigènes, il place les territoires explorés sous la protection de la France.

3 Une source d'enrichissement

L'hévéa est cultivé dans les plantations d'Indochine. La sève de cet arbre permet de produire du caoutchouc naturel. De grandes entreprises comme Michelin ont investi dans ces plantations, nécessaires à la fabrication de pneumatiques pour une industrie automobile en pleine croissance.

Vocabulaire et notions

• **Colonisation** : principe consistant à s'emparer du contrôle d'un pays étranger et le soumettre à une domination économique, politique et culturelle.

• **Missionnaire** : personne qui appartient à une Église chrétienne et qui est envoyé pour évangéliser et convertir des populations qui n'appartiennent pas à cette Église.

Commandant Jean-Baptiste Marchand (1863-1934). Militaire et explorateur, il dirige la mission Congo-Nil qui vise à étendre l'influence française en Afrique d'ouest (Congo) en est (Nil). Il est le héros de Fachoda : au Sud-Soudan en 1898, les troupes françaises et britanniques s'opposent. Les Français doivent laisser la ville de Fachoda aux Britanniques pour éviter une guerre avec l'Angleterre.

Tirailleurs sénégalais. Corps d'armée créé en 1857 constitué de soldats indigènes d'Afrique noire. Ils portent une chéchia (bonnet) rouge.

4 Un instrument de puissance politique et militaire
La fête du 14 juillet 1899 à Longchamp : le commandant Marchand à la tête des tirailleurs sénégalais. La France, traumatisée par la perte de l'Alsace et de la Moselle (Lorraine) en 1871, reconstruit sa puissance politique et militaire à travers l'impérialisme.

B La complexité d'un empire à son apogée en 1931

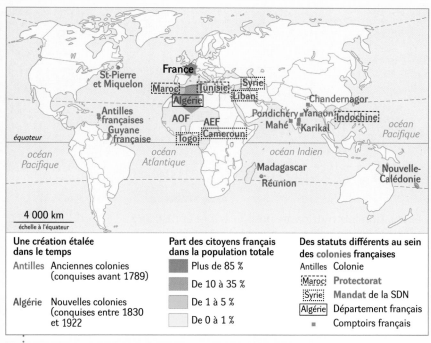

Une création étalée dans le temps

Antilles Anciennes colonies (conquises avant 1789)

Algérie Nouvelles colonies (conquises entre 1830 et 1922)

Part des citoyens français dans la population totale

■ Plus de 85 %
■ De 10 à 35 %
■ De 1 à 5 %
□ De 0 à 1 %

Des statuts différents au sein des colonies françaises

Antilles Colonie
Maroc **Protectorat**
Syrie **Mandat de la SDN**
Algérie Département français
■ Comptoirs français

Vocabulaire et notions

• **Indigénat** : système juridique adopté en 1881 selon lequel les habitants indigènes des colonies conservent leurs droits coutumiers, ne sont pas citoyens français et sont exclus du suffrage universel.

• **Mandat** : système de tutelle établi par la Société des Nations après la Première Guerre mondiale. Il transfère la gestion des anciennes colonies allemandes et turques à des États vainqueurs de la guerre. Le mandat conféré stipule que la colonie doit être menée à l'indépendance à moyen terme.

• **Protectorat** : situation d'un État qui dispose d'une relative autonomie pour les affaires intérieures mais dépend d'un autre État pour les relations extérieures. Le protectorat garde un chef d'État et un gouvernement propres, mais le pouvoir réel est aux mains du représentant de l'autorité coloniale.

5 Une hétérogénéité des territoires et des statuts

6 Un statut spécifique : l'indigénat

Le Code de l'indigénat rassemble une série de mesures établies depuis 1865 en Algérie, étendues à tout l'Empire colonial français en 1881 :

Sénatus-consulte du 14 juillet 1865

Article 1 : L'indigène musulman est français ; néanmoins il continuera à être régi par la loi musulmane. Il peut être admis à servir dans les armées de terre et de mer. Il peut être appelé à des fonctions et emplois civils en Algérie. Il peut, sur sa demande, être admis à jouir des droits des citoyens français[1].

Loi du 18 juin 1881

Article 1 : La répression par voie disciplinaire des infractions spéciales à l'indigénat appartient désormais [...] aux administrateurs de ces communes. Ils appliqueront les peines de simple police aux faits précisés par les règlements comme constitutifs de ces infractions. [...]

– Propos contre la France et le gouvernement.
– Retard dans le paiement des impôts.
– Dissimulation de la matière imposable.
– Défaut d'immatriculation des armes à feu.
– Tapages, scandales et autres actes de violence.
– Réunion sans autorisation de plus de vingt personnes à l'occasion de Zerda ou Riara[2].
– Ouverture sans autorisation de tout établissement religieux ou d'enseignement.

1. Il renonce alors à la loi musulmane en matière de mariage ou héritage.
2. Pèlerinage et repas publics.

L'Exposition coloniale de 1931, une mise en scène de l'Empire

L'Exposition coloniale de 1931 débute le 6 mai 1931 à Vincennes, aux portes de Paris. Organisée par le maréchal Lyautey, elle s'étend sur 110 ha et offre aux visiteurs une vaste reconstruction imaginaire de l'Empire français : elle met en scène dans les différents pavillons des bâtiments, des décors, des personnages, des animaux. 8 millions de visiteurs découvrent l'Exposition qui dure 6 mois.

▶ Quelle image la République veut-elle donner de son empire à travers l'Exposition coloniale ?

Biographie

Hubert Lyautey
(1854-1934)

Officier français, il devient en 1912 résident général de France au Maroc. Maréchal de France en 1921, il est rappelé du Maroc en 1925 en raison de son impuissance face à la rébellion d'Abd el-Krim (finalement réprimée). En 1931, il accepte d'être commissaire général de l'Exposition coloniale de Vincennes.

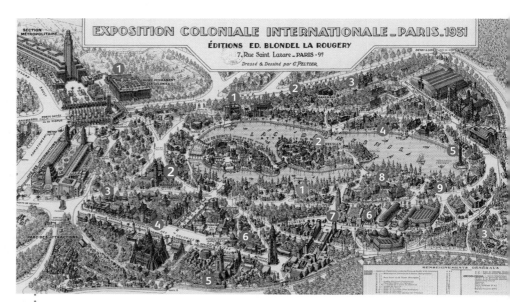

1 : Une exposition internationale pour instruire et distraire

Plan de l'Exposition coloniale internationale, dressé et dessiné par G. Peltier.

Possessions françaises :
❶ Musée permanent des Colonies (depuis 2007, musée de l'Immigration) ❷ Madagascar
❸ Indes françaises, Guyane, Nouvelle-Calédonie, Martinique, Guadeloupe, Réunion
❹ Indochine – Temple d'Angkor Vat ❺ AOF ❻ AEF ❼ Afrique du Nord
❽ Cameroun, Togo ❾ Syrie, Liban

Pays étrangers :
❶ Portugal ❷ Danemark ❸ États-Unis ❹ Pays-Bas ❺ Italie ❻ Congo belge

Espaces récréatifs :
❶ Cinéma ❷ Attractions ❸ Zoo : éléphants, girafes…

Un ticket d'entrée pour l'Exposition coloniale internationale, 1931

Le ticket reprend une affiche dessinée par Jacques et Pierre Bellenger, affichistes français.

Point méthode

A Présenter le document

Nature, auteur, date, contexte, support.

B Décrire l'image

– Quels sont les éléments représentés ?
– Quelles sont les techniques picturales : choix des couleurs ? Lignes ? Détails ?
– Relevez les éléments qui en font un exemple de l'Art déco.

C Interpréter l'image

– Que signifie le choix des couleurs ?
– Quel lien peut-on établir entre le personnage de l'image et le visiteur qui a acheté le ticket ?
– Pourquoi ce ticket illustre-t-il la propagande coloniale ?

HISTOIRE DES ARTS — Style Art déco

• Mouvement artistique qui se développe à partir de 1925 et de l'Exposition internationale des Arts décoratifs qui s'est tenue à Paris. Il s'intéresse au design des objets et du mobilier. Influencé par le cubisme, il privilégie les lignes géométriques simples (droite, cercle).

2 : La vocation coloniale de la France

Dans cette grande famille des peuples colonisateurs, quelle est la place de la France ? Cette exposition le dit. À nous, Français, elle donne une leçon de fierté, en nous montrant le résultat de trois siècles d'efforts.

Le Français est colonial par vocation. Ce n'est pas l'exiguïté de son territoire, ni les luttes religieuses qui l'ont chassé, c'est le goût de l'aventure, de la découverte, c'est la curiosité sympathique à l'égard des races nouvelles. [...] Au loin, seuls dans la brousse, des officiers, des administrateurs, des pionniers, souvent méconnus, désavoués même parfois, ont su prendre des initiatives, des responsabilités, des risques. À Paris, les hommes d'État, les grands républicains qui ont fondé, à la fois, une régime, un empire, Ferry-le-Tunisien[1], Ferry-le-Tonkinois, ont su braver l'impopularité de la rue et des assemblées. Aujourd'hui, dans l'épanouissement de l'empire qu'ils nous ont donné, que la foule se retourne vers ces morts avec humilité !

Encore, Messieurs, y avait-il, à cette erreur populaire, une excuse. Beaucoup pensaient alors qu'étendre la France c'était la diluer, l'affaiblir, la rendre moins apte à conjurer un péril toujours menaçant. Mais l'expérience a prononcé. La République, après avoir donné à la France des provinces lointaines, lui a restitué ses provinces perdues.

Discours prononcé par Paul Reynaud, ministre des Colonies, lors de l'inauguration de l'Exposition coloniale, 6 mai 1931.

1. Jules Ferry (1832-1893), président du Conseil de la IIIe République, fondateur de l'école publique laïque, grand défenseur de l'expansion coloniale française.

3 : La reconstitution du temple d'Angkor Vat (Cambodge) de nuit.
Temple d'Angkor de nuit, carte postale
Le clou de l'Exposition est la reproduction à l'échelle exacte du troisième étage du temple d'Angkor Vat. La nuit, il est illuminé par 144 projecteurs : l'auréole lumineuse porte à 5 km aux alentours.

5 : La certitude d'une hiérarchie raciale

Le docteur Papillant apporte à l'Exposition de Vincennes la caution de l'anthropologue pour différencier « la valeur des races coloniales » ; il en tire quatre lois dites « scientifiques » :

Il existe diverses races humaines dans la constitution morphologique, ce qui implique que les caractères d'évolution soient fixés aujourd'hui à des niveaux très différents.
L'aptitude à l'effort intellectuel et moral est en parallèle étroit avec le progrès de l'évolution organique.
Le métissage entraîne l'élévation du niveau d'une population peu évoluée et l'abaissement d'une population évoluée.
La différence de niveau dans l'évolution morphologique et fonctionnelle des races est parfois assez marquée pour créer une opposition irréductible à toute tentative d'assimilation et d'unification des conceptions morales et sociales. [...]
Il établit à partir de ces lois une hiérarchie entre les différents groupes ethniques de l'empire :
Les Africains du Nord et de Syrie sont de race blanche, de condition très évoluée dont l'assimilation est désirable.
Les négroïdes d'Afrique et du Pacifique peuvent être éduqués dans une certaine mesure, mais non assimilables.
[...] Dans tous les cas, un métissage lent avec des Français peut conduire à l'assimilation.

Rapport général de l'Exposition coloniale, 1931.

4 : À la découverte des colonies
Balade à dos de dromadaire, 1931, pavillon de l'Afrique du Nord,
Les figurants, des indigènes des colonies, sont des centaines à participer à l'Exposition. Ils animent des spectacles ou fabriquent des objets artisanaux qui sont vendus aux visiteurs. Ils ont interdiction de quitter l'espace de l'Exposition.

BAC

Consigne 1. À l'aide des documents 1 et 2, montrez que l'Exposition coloniale reflète les ambitions de grandeur de la République française. Quelle nation colonisatrice importante n'a pas de pavillon à l'Exposition ?

Consigne 2. À l'aide des documents 3 et 4, expliquez quels sont les moyens employés par la République pour convaincre les visiteurs du bien-fondé de l'empire.

Consigne 3. À partir du document 5, montrez quel regard la République porte sur les habitants de son empire.

Les premières contestations de l'ordre colonial

Capacité travaillée
II.1.2 Prélever, hiérarchiser et confronter des informations selon des approches spécifiques en fonction du document

L'entre-deux guerres marque l'apogée de l'empire colonial. Mais des contestations se font entendre, en métropole et dans différentes colonies. Alors que s'ouvre l'Exposition coloniale, une manifestation nationaliste est réprimée dans le sang à Saigon (Indochine) en mai 1931.

▶ **Comment la domination coloniale de la République française est-elle contestée ?**

1 : Ne visitez pas l'exposition coloniale

Le dogme de l'intégrité du territoire national, invoqué pour donner à ces massacres[1] une justification morale, est basé sur un jeu de mots insuffisant pour faire oublier qu'il n'est pas de semaine où l'on ne tue, aux colonies. La présence sur l'estrade inaugurale de l'Exposition coloniale du président de la République, de l'empereur d'Annam, du cardinal archevêque de Paris et de plusieurs gouverneurs et soudards, en face du pavillon des missionnaires, de ceux de Citroën et de Renault, exprime clairement la complicité de la bourgeoisie tout entière dans la naissance d'un concept nouveau et particulièrement intolérable : la « Grande France ». C'est pour implanter ce concept-escroquerie que l'on a bâti les pavillons de l'Exposition de Vincennes. Il s'agit de donner aux citoyens de la métropole la conscience de propriétaires qu'il leur faudra pour entendre sans broncher l'écho des fusillades lointaines. [...] Aux discours et aux exécutions capitales, répondez en exigeant l'évacuation immédiate des colonies et la mise en accusation des généraux et des fonctionnaires responsables des massacres d'Annam, du Liban, du Maroc et de l'Afrique centrale.

> Collectif de douze surréalistes (dont A. Breton, Aragon, R. Char), 30 avril 1931. Les surréalistes sont des artistes et intellectuels qui refusent la représentation figurative de la réalité.
> 1. La répression des protestations menées par les communistes en Indochine en 1930-1931.

3 : La contestation de la colonisation en Indochine

À l'occasion du premier mai, en Annam, des cortèges divers présentant des revendications ont été reçus partout à coups de fusil. Plusieurs centaines de morts parmi les indigènes. Aucune égratignure du côté des troupes. [...] On sait que dans l'Annam, surtout dans le « Nord rouge »[1] qui ne s'est jamais soumis, le mouvement des paysans pour la libération de leur pays du joug intolérable de l'impérialisme français s'est considérablement renforcé ces mois derniers. Les manifestations s'y succèdent sans interruption ; des soviets y furent constitués. Mais aussi la répression par la milice, la Légion étrangère et les avions y fut féroce. Le sang ne cesse de couler dans cette région soulevée, mais la volonté de lutte libératrice des masses odieusement exploitées y est indomptable.

> Article à la une de l'*Humanité*, 7 mai 1931
> 1. Le nord Vietnam connaît en 1930 un soulèvement très important : la mutinerie de Yen Bay. « Rouge » fait référence à la présence de communistes.

« Les impérialistes détruisent et brûlent les maisons de nos frères révolutionnaires. À bas l'ennemi cruel ! Signé le Parti communiste[1]. »

1. Parti communiste indochinois fondé en 1930 par Ho Chi Minh.

2 : La propagande anticoloniale, 1931

Tracts en quôc-ngu (alphabet latin transcrivant la langue vietnamienne) jeté de nuit par-dessus le mur d'enceinte de l'Exposition, à proximité du village des figurants indochinois.

4 : Le mouvement indépendantiste au Maghreb

Le Congrès anti-impérialiste rassemble des représentants nationalistes des peuples colonisés.

L'Étoile nord-africaine, qui représente les intérêts des populations laborieuses de l'Afrique du Nord, réclame pour les Algériens l'application des revendications suivantes [...] : l'indépendance de l'Algérie ; le retrait des troupes françaises d'occupation ; la constitution d'une armée nationale ; la confiscation des grandes propriétés accaparées par les féodaux agents de l'impérialisme, les colons et les sociétés capitalistes privées, et la remise de la terre confisquée aux paysans qui en ont été frustrés. Le retour à l'État algérien des terres et forêts accaparées par l'État français. [...] L'abolition immédiate de l'odieux code de l'Indigénat et des mesures d'exception. L'amnistie pour ceux qui sont emprisonnés, en surveillance spéciale, ou exilés pour infraction à l'indigénat. Liberté de presse, d'association, de réunion ; droits politiques et syndicaux égaux à ceux des Français qui sont en Algérie.

> Discours de Messali Hadj (voir biographie p.280) au Congrès de Bruxelles, février 1927

BAC

Consigne 1. À l'aide des documents 1 et 2, décrivez les caractéristiques de l'anticolonialisme en France dans son contenu et dans ses modalités d'action.

Consigne 2. À l'aide des documents 3 et 4, montrez que les revendications nationalistes dans les colonies témoignent d'une réappropriation des valeurs démocratiques.

Étudier deux affiches

5 **Affiche de l'Exposition coloniale**
Mai 1931, affiche de Victor Desmeures, lithographie.

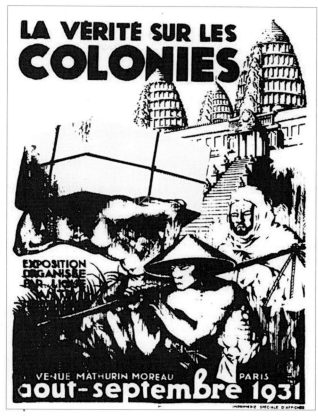

6 **Affiche de la contre-exposition coloniale**
Août 1931, exposition organisée par la Ligue anti-impérialiste.

Une contre-exposition est organisée par le parti communiste à partir de fin août 1931. 5 000 visiteurs s'y rendent. Elle dénonce les crimes de la colonisation (conquêtes, travail forcé).

Consigne BAC

À l'aide des documents 5 et 6, expliquez comment la propagande coloniale de la République est contestée en France en 1931.

Méthode

1 Introduction
- Présentez conjointement les deux affiches en précisant la date et le commanditaire (commande officielle ou non), le destinataire, le sujet traité de chaque document.

2 Développement
- Premier paragraphe : relevez les points communs :
– Décrivez les personnages (apparence physique, vêtements), le décor, les termes employés (colonie), la composition de l'affiche (lignes directrices, différents plans…).
– Expliquez en apportant des connaissances précises sur l'extension de l'Empire et sur l'Exposition coloniale (dates, organisation).
- Deuxième paragraphe : relevez les différences :
Attitude des personnages, dessin en couleurs ou en noir et blanc (peut aussi refléter une différence de moyens financiers), sens du texte.
Interprétez : quel message veut diffuser chacune de ces affiches ? Quelle affiche est favorable, laquelle est critique ?

3 Conclusion
- Précisez quelle portée ont eu les documents. Soulignez la différence de succès en relevant le nombre de visiteurs respectifs.

1 L'empire colonial en 1931 : la « Plus Grande France »

▶ Quelles sont les réalités, représentations et contestations de l'empire colonial en 1931 ?

A Un empire puissant et inégalitaire

(Études) pages 254-255 et 256-257 + doc. 2 et 3

■ **L'empire colonial est pour la IIIᵉ République le moyen d'affirmer la grandeur de la France.** Les explorations et conquêtes militaires du XIXᵉ siècle ont permis de constituer le deuxième empire colonial du monde (57 millions d'habitants dans les colonies et 12 millions de km²), derrière l'Empire britannique. La « Plus Grande France », avec ses colons, permet à la République d'affirmer une puissance politique, militaire et économique. L'Empire représente un débouché pour les produits manufacturés (métallurgie, textile). Il fournit des matières premières (vin et agrumes d'Algérie, cacao de Côte d'Ivoire, caoutchouc d'Indochine).

■ **Toutefois les inégalités sont grandes et les principes républicains n'y sont pas pris en compte.** Les « indigènes » sont considérés comme des sujets dépourvus de droits politiques. Les habitants des colonies peuvent être soumis au travail forcé (construction du chemin de fer Congo-Océan). Dans les colonies d'exploitation, quelques grandes firmes s'enrichissent grâce aux concessions. L'instruction ne touche qu'une minorité de la population de l'empire colonial. À la fin des années 1930, on compte 1 médecin pour 10 000 personnes à Madagascar, 1 pour 100 000 au Cambodge, mais 1 pour 2 000 en France.

B Une vaste entreprise de propagande coloniale

(Étude) pages 254-255 + doc. 1 et 2

■ **Les Français restent peu intéressés par l'Outre-mer.** « [Il faut] créer un vaste courant de sympathie, d'intérêt pour les colonies dans le pays tout entier », déclare en 1918 un député devant la Chambre des députés du Groupe colonial. La propagande officielle de la République est menée par l'Agence générale des colonies (1919). L'objectif est d'instruire et de séduire les Français afin de faire entrer l'empire colonial dans leur vie quotidienne et leur imaginaire. Les arguments sont patriotiques, économiques et humanitaires.

■ **Cette conquête du public met en œuvre de nombreux supports :** presse, cinéma, affiches, chansons, publicités, jeux. L'Exposition coloniale internationale de 1931 à Vincennes constitue l'apogée de cette propagande coloniale. Les spectacles exotiques, les concerts et jeux d'eau, les reconstitutions de monuments séduisent le public. Soucieux de développer le « sens colonial » des citoyens français, le ministère de l'Intérieur de la République organise en 1931 une série de « caravanes scolaires ». Des élèves de tous les départements français sont encadrés pour une visite guidée et méthodique des divers pavillons de l'Exposition.

■ **Aux résultats, cette propagande colonialiste se révèle assez efficace :** 8 millions de visiteurs ont découvert l'Exposition internationale, dont 7 millions de Français.

C Des contestations minoritaires qui s'affirment

(Étude) pages 256-257 + doc. 3

■ **En métropole, l'Empire est soutenu par les partis politiques de droite comme de gauche.** Seul le Parti communiste (moins de 10 % des voix à l'époque) dénonce « la foire de Vincennes » et organise la contre-exposition coloniale. L'anticolonialisme touche aussi quelques intellectuels et artistes : André Gide (*Voyage au Congo*, 1927), des surréalistes signent le tract « Ne visitez pas l'Exposition coloniale » en 1931. Mais la portée de leur action reste symbolique.

■ **Dans les colonies, des nationalistes accusent les colonisateurs de contredire leurs propres valeurs démocratiques, et demandent le respect du droit des peuples à disposer d'eux-mêmes**, en application du 5ᵉ des quatorze points du président américain Wilson (1918). En Asie, les revendications sont menées par le parti communiste indochinois (1930) qui supplante les autres partis nationalistes. En Algérie, la contestation est divisée : une minorité de notables francisés (Ferhat Abbas) milite pour l'assimilation. Messali Hadj, un temps proche des communistes, prône l'indépendance dans le respect de l'islam.

1 La propagande coloniale
Journal de la Ligue maritime et coloniale, juillet 1931. Cette Ligue, créée en 1921, compte 550 000 adhérents en 1931, dont de nombreux maîtres d'école.

Vocabulaire et notions

● **Assimilation** : politique qui consiste à rendre les indigènes semblables aux habitants de la métropole sur le plan culturel (langue, mode de vie), mais aussi égaux sur le plan politique. La finalité est que les indigènes deviennent des citoyens à part entière.

● **Colon** : habitant d'une colonie qui est originaire de la métropole ou dont les ancêtres sont originaires de la métropole.

● **Concessions** : le gouvernement colonial concède à des sociétés privées l'exploitation de ressources coloniales. Ces sociétés peuvent abuser de la main-d'œuvre coloniale sans limites légales.

● **Groupe colonial** : groupe de députés qui, sous la IIIᵉ République, soutiennent la colonisation.

● **Travail forcé** : tâche qui est imposée aux indigènes sans être rémunérée.

Questions

1. Comment la propagande coloniale prétend-elle justifier la colonisation (doc. 1 et 2) ?

2. Quels principes républicains sont contredits dans les colonies (doc. 2) ?

La « Plus Grande France » : France d'Europe + Outre-mer 12,5 millions de km² – 100 millions d'habitants[1]		
Domaine concerné	**Ce que la France apporte aux colonies**	**Ce que les colonies apportent à la France**
Politique 	• ADMINISTRER : Administrateurs sélectionnés par concours et formés par l'École coloniale. Pouvoirs étendus : ordre, justice, impôt, scolarisation, santé.	• Une puissance territoriale et humaine : « 12 millions de km² répartis sur tous les continents. 60 millions d'habitants supplémentaires.[1] »
Militaire 	• PROTÉGER : Les troupes coloniales ont conquis et bâti l'Empire. Les conquérants « n'ont fait la guerre que pour apporter la paix [2] ».	• L'engagement de soldats indigènes au sein de l'armée française.
Économique 	• BÂTIR des infrastructures : Routes, chemin de fer comme le Congo-Océan (500 km). Port de Pointe-Noire au débouché du Congo-Océan. « La France aménage le sol, crée des ports, des routes, pousse le rail à travers forêts et savanes [1]. »	• Un « admirable marché[1] » qui protège la France de la crise économique. • Exportations à destination des colonies : 11 milliards de francs. • Importations en provenance des colonies : 7 milliards de francs.
Social 	• SOIGNER : Vaccination de masse. Construction d'hôpitaux et dispensaires. • ENSEIGNER : Construction d'écoles. « Nous avons apporté la lumière dans les ténèbres [2]. »	• L'art africain ou asiatique influence certains artistes français : Gauguin puis les fauves (Vlaminck) et les cubistes (Picasso) Des étudiants formés en France deviennent des artistes et écrivains francophones, mais aussi des militants de la décolonisation (le poète Léopold S. Senghor, futur premier président du Sénégal).

2 **Les aspects de la « Plus Grande France » vantés par la propagande officielle en 1931**

1. Plaquette de présentation de l'Exposition coloniale, Commissariat du ministère des Colonies, 1931.
2. Texte de Paul Reynaud, ministre des Colonies, « L'Empire français », Édition de propagande du Sud-Ouest économique, n° 213, août 1931.

3 **Une dénonciation des abus de la colonisation**

Le célèbre écrivain André Gide (1869-1951) est chargé par le ministère des Colonies d'une mission au Congo, qu'il visite de juin à décembre 1925. Il témoigne de ce qu'il a observé dans la colonie, et décrit le système des concessions.

À Bambio, le 8 septembre, dix récolteurs de caoutchouc, (vingt, disent les renseignements complémentaires) de l'équipe de Goundi, travaillant pour la Compagnie forestière – pour n'avoir pas apporté de caoutchouc le mois précédent (mais ce mois-ci, ils apportaient double récolte, de 40 à 50 kilogrammes) – furent condamnés à tourner autour de la factorerie sous un soleil de plomb et porteurs de poutres de bois très pesantes. Des gardes, s'ils tombaient, les relevaient à coups de chicotte[1]. […] La cause de tout cela, c'est la CFSO (Compagnie forestière Sanga-Oubangui) qui, avec son monopole du caoutchouc

et avec la complicité de l'administration locale, réduit tous les indigènes à un dur esclavage. Tous les villages, sans exception aucune, sont forcés de fournir caoutchouc et manioc pour la CFSO, le caoutchouc au prix d'un franc le kilo, et le manioc à un franc le panier de dix kilos. Il est à remarquer que dans la colonie de l'Oubangui-Chari[2], le caoutchouc est payé de 10 à 12 francs le kilo aux indigènes et le manioc 2,50 F le panier. […]

Le chemin de fer Brazzaville-Océan est un effroyable consommateur de vies humaines. […] La mortalité a dépassé les prévisions les plus pessimistes[3]. À combien de décès nouveaux la colonie devra-t-elle son bien-être futur ?

André Gide, *Voyage au Congo*, Gallimard, 1927, rééd. Folio, 2004, p. 108-110 et p. 223-224.

1. Chicotte : fouet en cuir. – 2. Autre territoire de l'AEF.
3. Il y eut 20 000 morts entre 1921 et 1934.

Travailler à partir d'une chanson sur l'Exposition coloniale

L'Exposition de 1931 fut l'occasion de réutiliser des chansons coloniales anciennes comme « La Petite Tonkinoise » qui date de 1906. Elle a aussi suscité un grand nombre de créations comme « Nénufar » ou « Viens à l'Ex ».

▶ **Comment une chanson populaire permet-elle de rendre compte du ressenti des visiteurs de l'Exposition coloniale ?**

L/ES **S**

Capacité travaillée

II.1.3 Cerner le sens général d'un document et le mettre en relation avec la situation historique étudiée

HISTOIRE DES ARTS

Le point sur la chanson au moment de l'Exposition coloniale

• La chanson est à l'origine un art de la transmission uniquement oral. La diffusion se fait dans la rue, puis au début du XXᵉ siècle dans les salles de café-concert et de music-hall. La chanson connaît au début des années 1930 un nouvel essor avec l'enregistrement électrique des disques, qui rend les chansons plus audibles et limite leur durée à moins de trois minutes. C'est aussi à cette époque que se produit le développement de la TSF (la radio).

• L'intérêt pour l'historien : la chanson est considérée comme un art populaire, mineur et éphémère. Elle révèle sans censure les mentalités de l'époque et témoigne du paysage sonore et culturel des Français dans leur quotidien.

« Viens à l'Exposition », valse populaire, 1931

Viens à l'exposition, Léon Raiter, Géo Koger et Vincent Scotto, © 1931, Éditions Fortin et Raiter.

Refrain
Viens ma chéri', veux-tu que
Nous allions
A l'Ex, à l'Ex, à l'Exposition
Paraît qu'on voit des chos's à sensation
A l'Ex, à l'Ex, à l'Exposition
Toi qui aim's les voyag's, c'est une affaire,
Je te f'rai fair' tout le tour de la terre,
En allant de Vincenn's à Charenton,
A l'Ex, à l'Ex, à l'Exposition

Ca y est nous y voilà, regard' le mond' Qui rentre
Allons voir le Maroc, j'ador' cette nation
Tu verras des fatmas qui font la dans' du ventre
Et des cheiks qui n'sont pas des cheiks
    sans provisions
Là c'est les nègres du Congo
Ne les regard' pas trop
Sinon, demain, tu peux me croir'
Ca t'donnr'ait des idées noir's

Refrain
Viens, ma chéri', c'est plein d'animation
A l'Ex, à l'Ex, à l'Exposition
Je veux te fair' voir tout's les attractions
A l'Ex, à l'Ex, à l'Exposition
Regard' ces chameaux et ces dromadaires
Ca m'fait penser à notr' propriétaire[1],
Je n'savais pas qu'il était en pension
A l'Ex, à l'Ex, à l'Exposition

Regarde autour de nous voilà qu'tout s'illumine,
Et là-bas au lointain, c'est le théâtre d'eau
Qui lance vers le ciel ses gerbes cristallines
C'est une vrai' fééerie, hein ! Crois-tu que c'est beau !
Quel dommag' qu'on soit fatigués
Il va falloir rentrer,
D'main nous reviendrons voir, mon loup
Tahiti et Tombouctou

1. « Être un chameau » est une expression qui désigne quelqu'un sans pitié (équivalent de « peau de vache »).

Questions

1. Relevez les éléments qui montrent que l'Exposition coloniale fut un grand succès populaire.

2. D'après la chanson, quel regard est porté par les Parisiens sur les habitants de l'Empire ?

3. Au final, la propagande coloniale déployée à l'Exposition vous semble-t-elle avoir fonctionné ?

Le Palais de la Porte Dorée : de la vitrine de l'Empire au musée de l'Immigration

L'Exposition universelle est temporaire et les pavillons sont démontés en novembre 1931. Un seul bâtiment est construit pour durer : le musée permanent des Colonies, aussi surnommé « palais des Colonies ». Classé monument historique, le bâtiment abrite depuis 2007 la Cité nationale de l'histoire de l'immigration (CNHI). L'exposition permanente présente deux siècles d'histoire de l'immigration à travers des témoignages, documents d'archives, photographies et œuvres d'art.

Capacité travaillée
I.2.3 Mettre en relation des faits ou événements de périodes différentes

▶ Comment ce bâtiment illustre-t-il l'évolution du regard que la République a porté sur son Empire et son héritage ?

1 **« Ce que la France apporte aux colonies »**
La salle des fêtes (900 m²) abritait les réceptions et spectacles officiels. Elle est ornée d'une fresque de 600 m², réalisée par Pierre Ducos de la Haille (1886-1972) et ses élèves, qui décrit les apports culturels et sociaux de la France aux colonies.

2 **L'apport de la science**
Scène narrative illustrant le rôle des médecins coloniaux.

3 **La France entourée des différents continents**
Discours présidentiel d'inauguration du Musée national de l'histoire de l'Immigration le 13 décembre 2014 par F. Hollande.

4 **La mission de la Cité nationale de l'histoire de l'immigration**

La vocation de votre musée est de montrer le processus continu par lequel la Nation a intégré les populations d'origine étrangère et a su préserver son unité tout en reconnaissant la diversité des origines et des cultures. Ce musée est plus qu'un symbole. C'est un message de confiance dans l'histoire de notre pays mais aussi dans ce que nous sommes et de ce que nous pouvons faire. [...] Le palais de la Porte Dorée, qui avait connu son heure de gloire d'une époque dépassée, fut choisi. C'était en 2004. Ce lieu qui avait été celui de l'exposition coloniale, allait devenir le musée de toutes les immigrations, de toutes les fiertés après avoir été ce lieu où des peuples avaient exposé devant le colonisateur, leurs plus belles réussites. [...] Votre musée, votre institution, votre Cité a l'immense mérite de donner à des générations d'immigrés la place qui doit leur revenir et de nous faire comprendre qu'ils ont fait le visage de la France. Un visage qui a la couleur de la République. Celle qui unit, rassemble et fédère. Une Nation qui doit être fière d'elle-même et sûre de son destin.

Discours du président François Hollande à la CNHI, 15 décembre 2014.

Questions

1. Pourquoi peut-on dire que ce bâtiment était un outil de propagande impériale permettant de légitimer la colonisation (doc. 1 et 2) ?

2. Montrez que l'évolution du musée reflète l'évolution des rapports entre la République et les territoires qui ont constitué son empire (doc. 1 et 4).

3. En quoi la nouvelle vocation du bâtiment permet-elle de réaffirmer des valeurs républicaines qui avaient été négligées en 1931 (doc. 4) ?

Pour aller plus loin : consulter le site de la CNHI : http://www.histoire-immigration.fr/

Exercices

1 Analyser un texte

Le regard des organisateurs de l'Exposition sur les indigènes

Une des impressions les plus fortes qui se dégageaient de l'Exposition était bien que tous ces indigènes, traités encore parfois de « sauvages », ou de nègres, essentiellement inférieurs à nous, étaient en pleine évolution et avaient fait des pas de géant, si bien qu'ils arrivaient à nous ressembler comme des frères. On découvrait l'âme indigène et la profonde unité de la famille humaine. Et dans ce monde tout à coup dévoilé dans sa totalité, avec la solidarité inéluctable et grandissante de tous les peuples, il apparaissait qu'une coopération de toutes les énergies devait et pouvait être organisée dans l'intérêt commun. Mais en même temps, on sentait bien tout ce qui paralyse encore cette évolution et tous les dangers qui la menacent : d'une part la force des liens qui retiennent au passé qui disparaît (organisation sociale, coutumes, traditions, religions), d'autre part l'invasion blanche, avec toutes les aspirations nouvelles, et toutes les convoitises aussi, éveillées par une instruction largement répandue, et par les relations sans cesse multipliées ; par l'introduction de la démocratie et de tant d'idées toutes faites, mal assimilées, mal adaptées : en un mot la « civilisation extérieure » portée comme un vêtement de parade au lieu d'être l'expression, l'épanouissement d'un développement personnel, moral autant qu'intellectuel. Profonde, en réalité, est la détresse de l'âme de tous ces peuples, tirés si brusquement de leur torpeur séculaire, et grand est le danger d'une anarchie morale et sociale qui les livre aux plus illusoires promesses et aux pires convoitises. Il faut, pour les sauver, mobiliser toutes les bonnes volontés.

Conclusion des organisateurs de l'Exposition,
Rapport général de l'Exposition coloniale, 1931, tome V.

Consigne BAC

À l'aide de ce document, vous montrerez quelles sont les ambiguïtés de la mission civilisatrice prônée par la République à l'égard des peuples de son Empire.

Pour vous aider pensez à :

1. Relever les termes qui montrent que les indigènes sont considérés comme étant inférieurs aux Européens.
2. Identifier les passages qui caractérisent la « mission civilisatrice » de la République.
3. Expliquer cette contradiction en vous appuyant sur des connaissances précises (voir Leçon p. 258-259).

2 Commenter une affiche de propagande

Affiche de la Ligue maritime et coloniale, années 1930

Consigne BAC

À l'aide de ce document, montrez en quoi consiste la propagande coloniale.

Pour vous aider pensez à :

1. Montrer l'apogée territorial de l'empire colonial.
2. Présenter les avantages de la colonisation ici mis en valeur.
3. Critiquer le document en montrant ses limites.

3 Rédiger un texte sur l'Exposition coloniale

Tâche complexe

Vous avez visité l'Exposition coloniale internationale en 1931. Écrivez une lettre qui raconte votre journée.

Coup de pouce

- 1. Reportez-vous à l'étude « L'exposition coloniale de 1931 » p. 254-255 et à la leçon p. 258 paragraphe B.
- 2. Décidez de votre identité et du contexte dans lequel vous effectuez votre visite (famille, journaliste, écolier d'une caravane scolaire).
- 3. Décidez de l'identité de votre destinataire.
- 4. Repérez un parcours cohérent dans l'Exposition en vous aidant du plan (doc. 1 p. 254).
- 5. Appuyez votre récit sur des descriptions, mais aussi sur un ressenti qui traduise des émotions.
- 6. Attention à définir le ton de votre récit (admiratif / critique).
- 7. Allez-vous évoquer la contre-exposition ? Donnez vos raisons.

A TOMBOUCTOU QUI N'EST PLUS LA MYSTÉRIEUSE

FANTASIO

L'AUTRE EXPOSITION COLONIALE

ÇA, C'EST PARIS !

Dessin de VALLÉE.

Illustration de Armand Vallée dit Arval
(1884-1960) pour *Fantasio*, Paris, 1er juillet 1931

Consigne BAC

À partir du document et de vos connaissances, expliquez quelle vision de l'Empire et de la colonisation est ici critiquée.

Pour vous aider

1. Identifier l'orientation politique du journal pour comprendre le traitement de l'information. Ici *Fantasio* est un magazine satirique parisien bimensuel.
2. Analyser le contenu : quel événement est représenté ? Quel regard est porté sur cet événement ?
3. Être attentif aux procédés employés pour exprimer le message : aux caractères en gras, au rapport entre le texte et l'image, à la situation mise en scène.
4. Évoquer la portée de ce type de document en utilisant vos connaissances : reflète-t-il l'opinion majoritaire ?

Utilisez le site de la BNF pour comparer des unes de journaux au lendemain de l'inauguration de l'Exposition coloniale internationale, un événement politique retentissant.

1. Tapez « gallica » sur un moteur de recherche. Gallica est la bibliothèque numérique de la Bibliothèque nationale de France.

2. Cliquez sur l'onglet « Presse et revues ».
Vous trouvez un descriptif des principaux quotidiens de la première moitié du XXe siècle.

3. Cliquez sur l'image d'un journal qui existait en 1931.

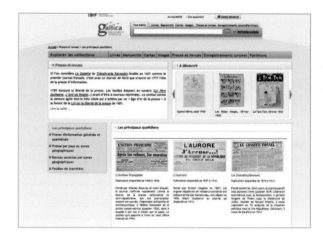

4. Les années de parution s'affichent ; cliquez sur « 1931 ». Sélectionnez le jeudi 7 mai, lendemain de l'inauguration de l'Exposition coloniale internationale.

5. Seul ou en groupe, comparez le traitement de l'information dans les différents journaux pour constituer une revue de presse.

Pour vous aider

Pour commenter la une, repérer les éléments essentiels en utilisant le vocabulaire approprié :

Manchette :
nom du journal

Oreille :
espace de
chaque côté
de la manchette

Tribune :
titre principal

Sous-tribune :
autres titres

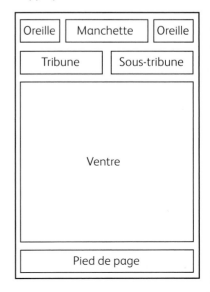

Étude critique de deux documents L/ES
Analyse de deux documents S

L/ES S

Capacités travaillées

II.1.2 Prélever, hiérarchiser et confronter des informations selon des approches spécifiques en fonction du document

II.2.4 Lire un document et en exprimer les idées clés, les parties ou composantes essentielles

1 **Les ambitions du pavillon de l'Algérie à l'Exposition coloniale de 1931**

Le souvenir des fêtes et des congrès organisés à l'occasion de la célébration du centenaire de l'Algérie laisse encore une empreinte toute fraîche dans la pensée et le cœur de bien des Français. [...] En 1930, il s'agissait de montrer ce que la France a réalisé en Algérie depuis son installation, les résultats obtenus, les progrès accomplis. Il s'agit, en 1931, de révéler au grand public international [...] l'Algérie actuelle avec sa population européenne et indigène au travail, dans son essor moral et matériel et ses possibilités économiques. Ce que recherche l'Algérie en 1931, [...] c'est d'intensifier sa propagande, de faire mieux connaître la valeur de ses produits et de leur procurer de nouveaux débouchés. Point de vue essentiellement différent de celui de colonies plus jeunes ou qui n'ont pas encore dépassé le stade de l'exploitation pour atteindre celui du peuplement, point de vue d'un pays désormais adulte et capable de jouer un rôle important dans la vie économique des nations.

Rapport général de l'Exposition coloniale, 1931, tome V.

2 **Affiche éditée par le Parti communiste à l'occasion du centenaire de la conquête de l'Algérie, 1930.**

Consigne **Après avoir replacé ces documents dans leur contexte, vous les confronterez pour montrer que la propagande coloniale officielle est contestée.**

Pour vous aider

• « Après avoir replacé ces documents dans leur contexte » implique d'expliquer ce qui s'est passé au moment où les documents ont été produits.

• « vous les confronterez » demande de bien comparer les documents en repérant les points communs et les différences.

• « pour montrer » : il s'agit de relever les éléments des documents, mais aussi de les expliquer en vous appuyant sur des connaissances précises tirées des leçons.

• « que la propagande coloniale officielle est contestée » : cette partie de la consigne indique le sujet à traiter : identifier les éléments de la propagande coloniale diffusée par la République, et voir comment elle est critiquée.

POINT MÉTHODE ....

1 Lire et comprendre le sujet et la consigne
– Relevez les verbes d'action qui indiquent ce que vous devez faire et identifiez les tâches à effectuer.
– Bien lire les documents et les comparer.

2 Au brouillon, dégager les idées générales et organiser votre réponse
Vous pouvez utiliser le tableau ci-contre.

3 Rédiger la réponse organisée à la consigne donnée
– **Introduction** : présentez conjointement les deux documents (nature, date et contexte, auteur, destinataire (sont-ils les mêmes ? qui peut lire le rapport ? voir l'affiche ? quel document est destiné à un public plus large ?).
– **Construire un plan organisé** : en deux ou trois parties ; pensez à citer ou décrire les documents et à apporter des explications en vous appuyant sur des connaissances précises.
– **Conclusion** : L/ES : portez un regard critique sur les documents en montrant qu'ils sont engagés. S : montrez quels sont les apports et les limites des documents: quel est le message le plus entendu à l'époque ?

	Doc. 1 : relever les termes	Doc. 2 : décrire les éléments de l'image
Description du territoire algérien : quelles ressources ?		
Description des colonisés		
Description des colons et colonisateurs		
Finalités de la colonisation		
Jugement porté sur la colonisation		

Étude critique de deux documents L/ES
Analyse de deux documents S

L/ES   S

Capacités travaillées

II.1.2 Prélever, hiérarchiser et confronter des informations selon des approches spécifiques en fonction du document

II.2.4 Critiquer des documents

1 : Article de journal pour l'assimilation

Si j'avais découvert la nation algérienne, je serais nationaliste et je n'en rougirais pas comme d'un crime. Les hommes morts pour l'idéal patriotique sont journellement honorés et respectés. Ma vie ne vaut pas plus que la leur. Et cependant, je ne mourrai pas pour la patrie algérienne parce que cette patrie n'existe pas. Je ne l'ai pas découverte. J'ai interrogé l'Histoire, j'ai interrogé les vivants et les morts, j'ai visité les cimetières : personne ne m'en a parlé. On ne bâtit pas sur du vent. Nous avons écarté une fois pour toutes les nuées et les chimères pour lier définitivement notre avenir à celui de l'œuvre française dans ce pays. Personne d'ailleurs ne croit à notre nationalisme. [...] Ce que l'on veut combattre derrière ce nationalisme, c'est notre émancipation économique et politique. Sans émancipation des indigènes, il n'y a pas d'Algérie française durable.

> Ferhat Abbas, journal *L'Entente franco-musulmane*
> (Constantinois, Algérie), 23 février 1936

2 : Discours pour l'indépendance

Messieurs, mes frères,

Au nom de l'Étoile nord-africaine je vous apporte le salut fraternel, la solidarité des 200 000 Nord-Africains qui résident en France. Par respect à notre langue nationale, la langue arabe que nous chérissons tous et que nous admirons, et aussi pour la noblesse du peuple algérien, brave, généreux j'ai tenu à m'exprimer, après un exil de douze ans, en ma langue maternelle, devant vous [...] [*Après avoir salué l'assistance en arabe, Messali Hadj poursuit en français*].

En effet, notre pays se trouve, aujourd'hui, administrativement rattaché à la France et dépend de son autorité centrale. Mais ce rattachement a été la conséquence d'une conquête brutale, suivie d'une occupation militaire qui repose sur le 19e corps d'armée, et auquel le peuple n'avait jamais donné son adhésion. [...] Nous sommes, nous aussi, les enfants du peuple algérien et nous n'accepterons jamais que notre pays soit rattaché à un autre pays contre sa volonté ; nous ne voulons sous aucun prétexte hypothéquer l'avenir, l'espoir de la liberté nationale du peuple algérien. [...] Et nous sommes pour la suppression des Délégations financières, du gouvernement général et pour la création d'un Parlement algérien, élu au suffrage universel, sans distinction de race ni de religion... [...] Je termine en criant : À bas le code de l'indigénat, à bas la loi d'exception et de haine des races ; vive le peuple algérien, et vive l'Étoile nord-africaine !

> Discours de Messali Hadj au stade d'Alger, 2 août 1936,
> retranscrit dans le journal *El-Ouma* le 26 août 1936.

Consigne En vous appuyant sur les documents et sur vos connaissances, vous montrerez quelles sont les forces et les faiblesses de la contestation anticoloniale en Algérie dans les années 1930.

Pour vous aider

- Citer en choisissant les citations pertinentes à mettre entre guillemets.
- Expliquer en utilisant des connaissances précises tirées du cours.
- Cette partie de la consigne vous indique les différents points à aborder dans le développement.
- Il y a deux documents, il faut penser à les confronter en les comparant. Critiquez éventuellement le singulier employé dans la consigne (« la »).
- L/ES : pensez à critiquer les documents.
- S : n'oubliez pas de montrer les apports et les limites des documents.

POINT MÉTHODE

1 Lire et comprendre le sujet et la consigne
- Relevez les verbes d'action, identifiez les tâches à effectuer.
- Bien lire les documents et les comparer.

2 Au brouillon, dégager les idées générales et organiser votre réponse

Vous pouvez vous aider du tableau ci-contre.

3 Rédiger la réponse organisée à la consigne donnée

Reprenez les éléments du tableau en rédigeant soigneusement. Attention à l'orthographe !

	Doc. 1	Doc. 2
Introduction : présentation des documents : auteur, destinataire, date et contexte		
1- Les forces du mouvement nationaliste		
Des leaders qui ont intégré les valeurs démocratiques		
Le refus du code de l'indigénat		
2- Les faiblesses : la division du mouvement nationaliste		
Position sur l'idée de nation algérienne		
Des revendications différentes		
Conclusion : évoquer la portée des documents et ouvrir sur la guerre d'Algérie.		

L/ES   S

Le temps des dominations coloniales : l'Empire français en 1931

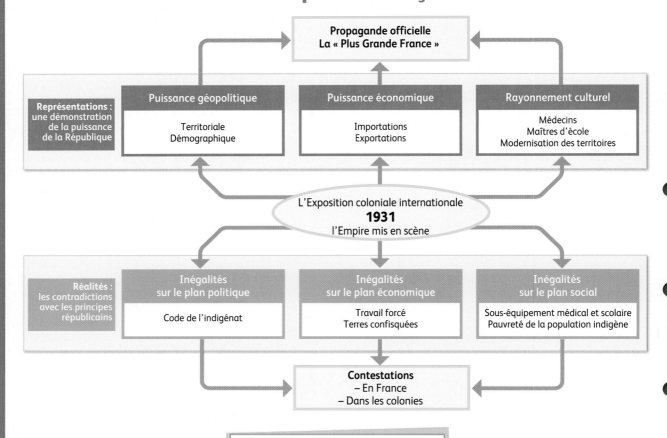

Propagande officielle
La « Plus Grande France »

Représentations :
une démonstration de la puissance de la République

Puissance géopolitique	Puissance économique	Rayonnement culturel
Territoriale Démographique	Importations Exportations	Médecins Maîtres d'école Modernisation des territoires

L'Exposition coloniale internationale
1931
l'Empire mis en scène

Réalités :
les contradictions avec les principes républicains

Inégalités sur le plan politique	Inégalités sur le plan économique	Inégalités sur le plan social
Code de l'indigénat	Travail forcé Terres confisquées	Sous-équipement médical et scolaire Pauvreté de la population indigène

Contestations
– En France
– Dans les colonies

Je sais définir les mots suivants

- **Assimilation :** politique qui consiste à rendre les indigènes semblables aux habitants de la métropole sur le plan culturel (langue, mode de vie), mais aussi égaux sur le plan politique. La finalité est que les indigènes deviennent des citoyens à part entière.
- **Colon :** habitant d'une colonie qui est originaire de la métropole ou dont les ancêtres sont originaires de la métropole.
- **Colonie :** territoire privé de souveraineté, soumis à la domination d'un autre pays (la métropole) sur le plan de la politique intérieure et étrangère. Il est directement administré par la métropole et repose sur une organisation économique et sociale très inégalitaire.
- **Concessions :** le gouvernement colonial concède à des sociétés privées l'exploitation de ressources coloniales.

- **Empire :** ensemble de territoires rassemblant des peuples différents, administrés et dominés par un même pays.
- **Indigénat :** système juridique adopté en 1881 selon lequel les habitants indigènes des colonies conservent leurs droits coutumiers, ne sont pas citoyens français et sont exclus du suffrage universel.
- **Mandat :** système de tutelle établi par la Société des Nations après la Première Guerre mondiale qui transfère la gestion des anciennes colonies allemandes et turques à des États vainqueurs de la guerre.
- **Protectorat :** situation d'un État qui dispose d'une relative autonomie pour les affaires intérieures mais dépend d'un autre État pour les relations extérieures. Le protectorat garde un chef d'État et un gouvernement propres, mais le pouvoir réel est aux mains du représentant de l'autorité coloniale.

Je connais les dates importantes

- **1881** : Code de l'indigénat
- **1884-1885** : conférence de Berlin
- **1920** : création des partis communistes algérien et tunisien
- **1926** : création de l'Étoile nord-africaine
- **1930** : révolte en Indochine ; création du parti communiste indochinois
- **1931** : Exposition coloniale internationale de Paris

Je connais les points suivants

• **L'Empire français s'est essentiellement constitué au XIXᵉ siècle** avec la conquête de l'Algérie ainsi que de l'Indochine et d'une partie de l'Afrique subsaharienne. Les territoires ont des statuts différents : départements, protectorats, colonies, mandats. Cet empire appelé « la Plus Grande France » est une source de puissance pour la République sur le plan politique, militaire, économique, culturel. Toutefois les inégalités sont importantes : les indigènes sont sujets français mais non citoyens, et sont exclus du suffrage universel. Le travail forcé entraîne dans les colonies un nombre de morts très important.

• **L'Exposition coloniale internationale de Paris organisée en 1931** mobilise des moyens sans précédent. Les différents territoires de l'Empire sont symbolisés par des pavillons avec des reconstitutions de bâtiments comme le temple d'Angkor. Les objectifs de l'Exposition sont d'instruire et séduire les visiteurs afin qu'ils soient convaincus du bien-fondé de l'Empire. La propagande coloniale insiste sur la mission civilisatrice de la France. L'Exposition connaît un immense succès et accueille 8 millions de visiteurs.

• **La contestation en France est minoritaire** et mobilise le Parti communiste, des artistes et intellectuels qui organisent une contre-exposition coloniale (5 000 visiteurs). **Des mouvements nationalistes et/ou communistes s'affirment dans les colonies.** Les mouvements nationalistes sont divisés entre partisans de l'assimilation et partisans de l'indépendance.

Je connais les personnages suivants

• Maréchal Lyautey
p. 254

• Hô Chi Minh
p. 149

• Messali Hadj
p. 280

Pour aller plus loin

 ### À consulter

• Le site du Palais de la Porte Dorée
http://www.palais-portedoree.fr/

• Le site Histoire par l'image www.histoire-image.org/
Cliquez sur « Recherche thématique » et consultez l'onglet « Colonisation et colonialisme ».

 ### À voir

• Léon Poirier, *La Croisière noire*. Documentaire qui raconte l'expédition des véhicules Citroën en Afrique en 1925.

• L. Poirier, A. Sauvage, *La Croisière jaune* (1933). Documentaire qui raconte l'expédition des voitures Citroën sur la route de la soie en 1926.

• Des films de Julien Duvivier avec Jean Gabin : *La Bandera* (1935), *Pépé le Moko* (1937).

• Rithy Panh, *Un barrage contre le Pacifique*, 2008. Adaptation du livre autobiographique de Marguerite Duras.

À lire

• André Gide, *Voyage au Congo*, Gallimard, 1927.

• Albert Londres, *Terre d'ébène*, Albin Michel, 1929.

• L.-F. Céline, *Voyage au bout de la nuit*, 1932. Le passage du personnage principal, Bardamu, dans une colonie africaine.

• Marguerite Duras, *Un barrage contre le Pacifique*, Gallimard, 1950. La vie de colons pauvres en Indochine vers 1930.

• D. Daeninckx, *Cannibale*, Poche Gallimard, 1998. Les tribulations de Kanaks à Paris en 1931.

• Éric Orsenna, *L'Exposition coloniale*, Seuil, 1988.

BD

• Hergé, *Tintin au Congo*, Casterman, 1931.

8 LA GUERRE D'ALGÉRIE (1954-1962)

La guerre d'Algérie a fragilisé la République française. Elle a provoqué la chute de la IVe République en 1958. Témoignage de ce traumatisme, le terme d'« événements » désignait le conflit ; il faut attendre 1999 pour que le terme de « guerre » soit officiellement reconnu par la Ve République.

L/ES   S

▶ **Pourquoi la guerre d'Algérie constitue-t-elle une crise majeure pour la République française ?**

1 **Fouille pendant la bataille d'Alger**

Opération de fouille systématique de la partie basse de la Casbah[1] à Alger, 16 janvier 1957. À partir de janvier 1957, le général Massu est chargé des pouvoirs de police à Alger afin de démanteler le FLN et mettre fin à la série d'attentats à la bombe qui ensanglantent les lieux publics de la capitale depuis septembre 1956 (751 attentats, 314 morts, 917 blessés en 14 mois).

1. Casbah signifie en arabe « la citadelle » et correspond à la vieille ville d'Alger à peuplement musulman, distincte des quartiers à peuplement européen.

1. Identifiez les personnes en présence. Qui est impliqué dans le conflit ?

2. Quel type de guerre cette photographie illustre-t-elle ?

Vocabulaire

• **FLN** : Front de libération nationale, mouvement indépendantiste algérien qui a préparé l'insurrection du 1er novembre 1954. Le FLN se dote d'une branche armée, l'ALN (armée de libération nationale).

• **MNA** : Mouvement national algérien créé en décembre 1954 par Messali Hadj, leader indépendantiste depuis 1926. Une lutte d'influence tournant à l'affrontement armé oppose les membres du FLN et du MNA.

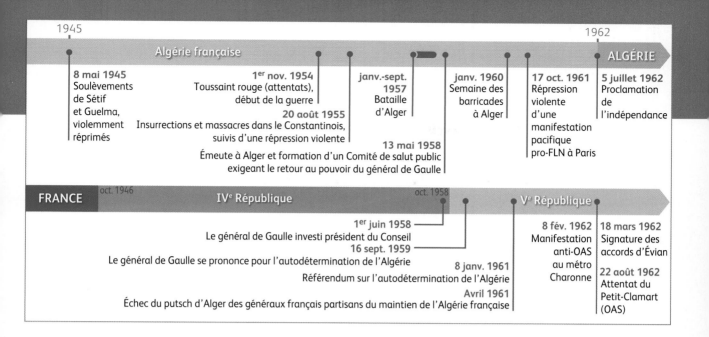

Chronologie :

1945 — Algérie française — **1962** ALGÉRIE

8 mai 1945 Soulèvements de Sétif et Guelma, violemment réprimés

1er nov. 1954 Toussaint rouge (attentats), début de la guerre

20 août 1955 Insurrections et massacres dans le Constantinois, suivis d'une répression violente

janv.-sept. 1957 Bataille d'Alger

13 mai 1958 Émeute à Alger et formation d'un Comité de salut public exigeant le retour au pouvoir du général de Gaulle

janv. 1960 Semaine des barricades à Alger

17 oct. 1961 Répression violente d'une manifestation pacifique pro-FLN à Paris

5 juillet 1962 Proclamation de l'indépendance

FRANCE — oct. 1946 — IVe République — oct. 1958 — Ve République

1er juin 1958 Le général de Gaulle investi président du Conseil

16 sept. 1959 Le général de Gaulle se prononce pour l'autodétermination de l'Algérie

8 janv. 1961 Référendum sur l'autodétermination de l'Algérie

Avril 1961 Échec du putsch d'Alger des généraux français partisans du maintien de l'Algérie française

8 fév. 1962 Manifestation anti-OAS au métro Charonne

18 mars 1962 Signature des accords d'Évian

22 août 1962 Attentat du Petit-Clamart (OAS)

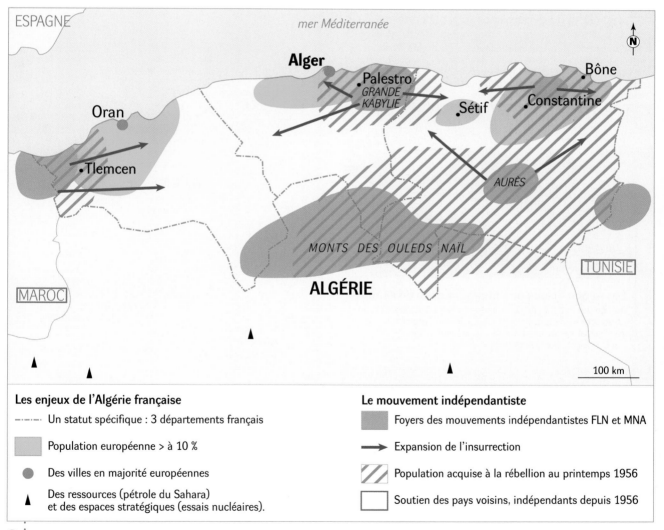

Les enjeux de l'Algérie française

— ·— · Un statut spécifique : 3 départements français

Population européenne > à 10 %

Des villes en majorité européennes

▲ Des ressources (pétrole du Sahara) et des espaces stratégiques (essais nucléaires).

Le mouvement indépendantiste

Foyers des mouvements indépendantistes FLN et MNA

→ Expansion de l'insurrection

Population acquise à la rébellion au printemps 1956

Soutien des pays voisins, indépendants depuis 1956

2 **L'affrontement de deux camps**

1. Quelles raisons peuvent justifier le maintien de l'Algérie française aux yeux du gouvernement français ?

2. Existe-t-il un lien entre la localisation du peuplement européen et les zones où le mouvement indépendantiste s'intensifie ?

Affaiblies par la guerre, les métropoles négocient l'indépendance avec leurs colonies ou se la voient arrachée après de durs conflits. Le Portugal attend son retour à la démocratie pour mettre fin aux dernières guerres coloniales (1975). Les nouveaux pays indépendants tentent de peser sur la scène mondiale à partir de la conférence de Bandung (1955) où « les peuples muets du monde ont la parole » (Soekarno, premier président de la république d'Indonésie).

Capacité travaillée

I.2.1 situer un événement dans le temps court et le temps long

1945

Pays arabes
Pays asiatiques

1960

Pays africains

1945-1949 Guerre d'indépendance indonésienne

1946-1954 Guerre d'Indochine

15 août 1947 Indépendance de l'Inde et du Pakistan

1956 Indépendance du Maroc et de la Tunisie

1955 Conférence de Bandung en Indonésie

1963 Indépendance du Kenya (britannique)

1975 Indépendance des colonies portugaises

1945 Indépendance de la Syrie et du Liban

1954-1962 Guerre d'Algérie

1960 Indépendance de l'Afrique subsaharienne française

A L'empire des Indes : une décolonisation négociée, le drame de la partition

J. Nehru, dirigeant hindou, souhaite une Inde unifiée entre hindous et musulmans

Lord Mountbatten, dernier vice-roi des Indes, gère la décolonisation au nom de la métropole britannique

Ali Jinnah réclame un État indépendant pour les musulmans de l'Inde

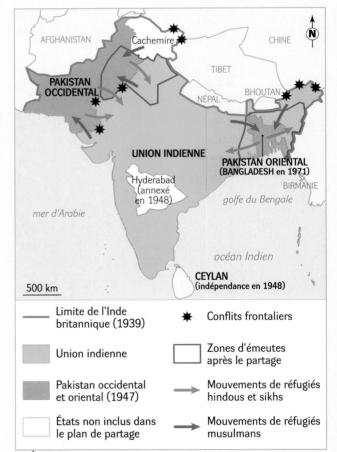

1 **Les négociateurs de l'indépendance de l'Inde**
Ruinée par la Seconde Guerre mondiale, la Grande-Bretagne abandonne précipitamment « la perle de l'Empire » en 1947, et négocie le transfert du pouvoir avec des dirigeants indépendantistes divisés.

Vocabulaire et notions

• **Cachemire** : État à majorité musulmane dont le souverain hindou a opté pour l'Inde en 1947. La possession du Cachemire, encore divisé de nos jours, reste le principal désaccord empêchant la réconciliation de l'Inde et du Pakistan.

• **Sikhs** : religion née au XVIIᵉ siècle en Inde, fusionnant en partie l'islam et l'hindouisme. Les sikhs se reconnaissent au port du poignard et du turban, que nécessite l'interdit religieux de se couper les cheveux.

• **Tiers-monde** : terme forgé en 1952 par le démographe français Alfred Sauvy, par allusion au Tiers État français d'avant 1789. À côté des deux mondes de la guerre froide (empire américain et empire soviétique) émerge le tiers-monde des pays nouvellement décolonisés et/ou en voie de développement : il cherche à exister sans être dominé par les deux blocs. Le terme de tiers-monde est de nos jours beaucoup moins employé, en raison de la diversité et de l'hétérogénéité croissantes des pays en voie de développement.

Carte :

AFGHANISTAN
Cachemire
CHINE
TIBET
PAKISTAN OCCIDENTAL
NÉPAL
BHOUTAN
UNION INDIENNE
PAKISTAN ORIENTAL (BANGLADESH en 1971)
BIRMANIE
Hyderabad (annexé en 1948)
golfe du Bengale
mer d'Arabie
océan Indien
CEYLAN (indépendance en 1948)

500 km

— Limite de l'Inde britannique (1939)

★ Conflits frontaliers

Union indienne

Zones d'émeutes après le partage

Pakistan occidental et oriental (1947)

→ Mouvements de réfugiés hindous et sikhs

États non inclus dans le plan de partage

→ Mouvements de réfugiés musulmans

2 **La catastrophe de la partition Inde-Pakistan**
Dès avant l'indépendance des deux États le 15 août 1947, hindous, sikhs et musulmans s'entretuent dans les régions frontalières (un million de morts), et provoquent le pire déplacement de populations de toute l'Histoire. En outre, l'Inde et le Pakistan sont en guerre dès octobre 1947 pour le Cachemire.

Le tiers-monde indépendant s'affirme à Bandung (1955)

Le président indonésien Soekarno réunit du 18 au 24 avril 1955 une conférence afro-asiatique à Bandung, à laquelle participent de nombreux États récemment devenus indépendants. La conférence marque la naissance politique du tiers-monde et exige la décolonisation des derniers empires, notamment en Afrique. Un représentant du FLN y assiste.

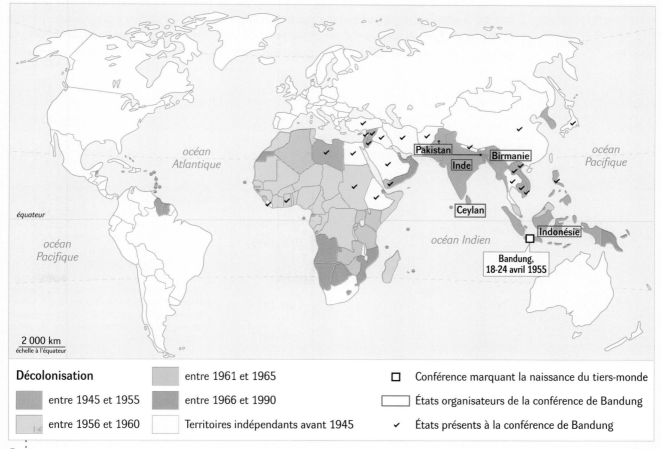

Décolonisation

- entre 1945 et 1955
- entre 1956 et 1960
- entre 1961 et 1965
- entre 1966 et 1990
- Territoires indépendants avant 1945

□ Conférence marquant la naissance du tiers-monde

▭ États organisateurs de la conférence de Bandung

✓ États présents à la conférence de Bandung

3 Les nouveaux pays émergeant de la décolonisation

4 **Quelques participants majeurs de la conférence**
Soekarno ❶, Nehru ❷ (1947-1964) Premier ministre de l'Inde indépendante, ancien compagnon de lutte de Gandhi, et Zhou Elaï, Premier ministre de la Chine ❸.

L'Algérie depuis 1830

L/ES S

Capacités travaillées

I.1.3 Situer une date dans un contexte chronologique

I.2.1 Situer un événement dans le temps court ou le temps long

À la différence des colonies asiatiques ou d'Afrique subsaharienne conquises à la fin du XIXᵉ siècle, la conquête de l'Algérie est ancienne (1830) : c'est une colonie de peuplement qui abrite une proportion importante de descendants de colons français. La violence du conflit trouve ses origines dans la violence de la conquête et dans les inégalités entre la communauté européenne et la communauté musulmane qui coexistent sur le même territoire.

A Conquête et peuplement

14 juin 1830
Débarquement de l'armée française près d'Alger

1830-1847
Louis Philippe poursuit la conquête de l'Algérie. Reddition d'Abd el-Kader en 1847

Juillet 1857
Reddition de la Kabylie

Mars-sep. 1871
Insurrection (Constantinois, Kabylie)

1920-1921
Grande famine

1934
Annexion du Sahara

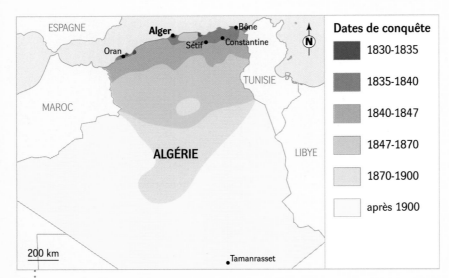

Vocabulaire et notions

• **Européens** : terme administratif désignant l'ensemble des descendants de migrants provenant de pays européens et installés en Algérie depuis la fin du XIXᵉ siècle. Ils sont aussi surnommés « pieds-noirs ».

• **Musulmans** : terme administratif désignant la population qui vivait en Algérie avant la conquête française (1830). Cette appellation dépasse le cadre religieux et englobe des ethnies diverses (Arabes, Kabyles, Touaregs…).

• **Pieds-noirs** : surnom donné aux Européens d'Algérie. Terme d'origine incertaine, qui désignait soit les pieds des premiers militaires en Algérie dont les chaussures en cuir noir décoloraient, soit les colons viticulteurs qui foulaient au pied le raisin. Les pieds-noirs sont d'origines et de statuts sociaux très variés, mais ils ont en commun le désir que l'Algérie reste française.

1 Une longue conquête

En 1830, l'Algérie est une province de l'Empire ottoman mal contrôlée par Istanbul. La conquête de territoire par la France est lancée par Charles X pour des raisons politiques : renforcer le prestige de la monarchie. Cette conquête débutée en 1830 est poursuivie par les différents régimes : monarchie de Juillet, Second Empire, Troisième République. L'armée française l'emporte sur les troupes turques, et Alger est prise dès le 5 juillet 1830. Mais les militaires français se heurtent à la résistance des populations locales arabes, berbères, touarègues qui ralentissent la conquête. Dans les territoires déjà conquis, des insurrections menacent régulièrement l'autorité française.

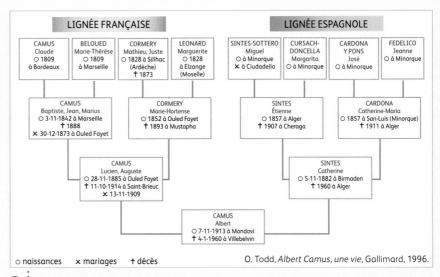

O. Todd, *Albert Camus, une vie*, Gallimard, 1996.

2 L'enracinement pied-noir en Algérie : l'exemple d'Albert Camus

Les autorités voient la colonisation de peuplement comme le moyen de pérenniser la conquête. 100 000 Français sont installés en Algérie en 1847, 700 000 en 1934. S'ajoutent à eux les juifs d'Algérie, devenus français en 1870 mais aussi des Italiens et des Espagnols. En 1889, une loi accorde la nationalité française à tous les Européens nés en Algérie.

La coexistence de deux communautés divisées par de profondes inégalités

3 · **Les inégalités entre deux communautés en 1954**

	Population « européenne »	Population « musulmane »
Nombre	984 000	8 400 000
Pourcentage de population urbaine	95 %	19 %
Origine des cadres supérieurs et techniciens	93 %	7 %
Manœuvres	5 %	95 %
Revenu individuel moyen annuel de l'agriculture	780 000 francs	22 000 francs
Taux de scolarisation (enseignement primaire)	100 % (application des lois Ferry)	18 %
Représentation politique (Assemblées)	Premier collège : 120 députés	Deuxième collège : 120 députés

Chiffres tirés de R. Branche et S. Thénault, *La Guerre d'Algérie*, Documentation photographique, août 2001.

5 · **Colon européen et ses ouvriers musulmans**

L'Algérie en 1954 : un territoire, deux communautés

- Une population européenne est implantée dans le pays depuis plusieurs générations. D'origines diverses, elle partage très majoritairement la conviction que l'Algérie doit rester française.

- Une minorité d'Européens sont toutefois convaincus de la légitimité des revendications indépendantistes et s'engagent auprès du FLN.

- Une population indigène, appelée musulmane, vit largement dans la pauvreté. Cette population désire tout d'abord obtenir l'égalité totale avec les Européens, puis se rallie massivement aux revendications indépendantistes, de gré ou de force, ou encore par indignation devant la répression.

- Les deux communautés sont victimes de la violence pendant la guerre, mais un nombre important de leurs civils s'engagent également activement dans l'un ou l'autre camp.

Part de la propriété européenne, en % des terres cultivées

Plus de 90   75 à 90   50 à 75   25 à 50

4 · **Les terres propriétés des colons : l'exemple de la région d'Oran**

« L'Algérien, exception faite d'une poignée d'hommes, étroitement associés aux Européens, vit des miettes que lui abandonne le colonialisme. »
Ferhat Abbas, *La Nuit coloniale*, Julliard, Paris, 1962.

6 · **Des revendications nationalistes qui se réclament des valeurs républicaines**

Ferhat Abbas est un nationaliste modéré qui prend tout d'abord parti pour l'intégration de l'Algérie à la France. L'absence de réforme l'amène à durcir ses revendications en 1943.

[Le] peuple algérien demande dès aujourd'hui [...]
La condamnation et l'abolition de la colonisation, c'est-à-dire de l'annexion et de l'exploitation d'un peuple par un autre peuple [...].
L'application pour tous les pays, petits et grands, du droit des peuples à disposer d'eux-mêmes.
La dotation à l'Algérie d'une Constitution propre garantissant :
La liberté et l'égalité absolues de tous ses habitants sans distinction de race ou de religion.
La suppression de la propriété féodale par une grande réforme agraire et le droit au bien-être de l'immense prolétariat agricole.
La reconnaissance de la langue arabe comme langue officielle, au même titre que la langue française.
La liberté de la presse et le droit d'association.
L'instruction gratuite et obligatoire pour les enfants des deux sexes. [...]
La participation immédiate et effective des musulmans algériens au gouvernement de leur pays.

Ferhat Abbas, *Le Manifeste du peuple algérien*, 10 février 1943.

Une situation explosive entre 1945 et 1954

Le statut de l'Algérie en 1954 est ambigu. L'Algérie est considérée comme un territoire français depuis 1848 elle est découpée en trois départements. Le ministre de l'Intérieur François Mitterrand déclare en novembre 1954, « l'Algérie c'est la France » ; pourtant tous les habitants n'y sont pas égaux en droits.

▶ À quelles contradictions la République est-elle confrontée en Algérie en 1954 ?

Capacité travaillée

II.1.2 Prélever, hiérarchiser et confronter des informations selon des approches spécifiques en fonction du document

1 : La répression à Sétif et Guelma

Le 8 mai 1945, à Sétif, une manifestation tourne à l'émeute quand les forces de l'ordre tirent sur un manifestant musulman qui brandissait un drapeau algérien.
Les manifestants s'en prennent à des Européens. La répression menée par l'armée et les milices des pieds-noirs est violente et massive.
Photographie prise par l'armée précisant qu'il s'agit de la reddition de communes au nord de Sétif le 15 mai 1945.

2 : Bilan des émeutes de Sétif

Victimes européennes	102 morts, 110 blessés, 10 femmes violées.
Victimes musulmanes	– Bilan officiel du ministère de l'Intérieur français de 1945 : 1 500 morts. – Chiffres de l'État algérien : 45 000 morts. – Estimations d'historiens : entre 8 000[1] et 20 000[2] morts.

1. Estimation de l'historien J.-P Peyroulou, *Guelma, 1945*, Paris, La Découverte, 2009.
2. Enquête de l'historien J.-L Planche, *Sétif 1945*, Perrin, 2006.

3 : Un fossé qui se creuse entre Européens et Musulmans

Alors que la fraternité régnait sur les champs de bataille de l'Europe, en Algérie le fossé se creusait de plus en plus entre les deux communautés. Déjà les provocations fusent. Les indigènes menacent les Français. Beaucoup n'osent plus se promener avec des Européens. Les pierres volent, les injures pleuvent. Les Européens répliquent par des termes de mépris [...]. Trois faits nous ont été racontés, prouvant l'état d'esprit de la population musulmane. Un instituteur de la région de Bougie donne à ses élèves français un modèle d'écriture : « Je suis français, la France est ma patrie. » Les enfants musulmans écrivent : « Je suis algérien, l'Algérie est ma patrie. » Un autre instituteur fait un cours sur l'Empire romain, il parle des esclaves. « Comme nous », crie un gosse. À Bône enfin une partie de football opposant une équipe entièrement européenne à un « onze » musulman doit être arrêtée par crainte d'émeute. La multiplicité des renseignements qui nous sont parvenus permet d'affirmer que les démonstrations de cet état d'esprit couvraient tout le territoire algérien.

Rapport de la commission présidée par le général de gendarmerie Tubert, Sétif, mai 1945. (Ce rapport sans concession fut vite étouffé.)

4 : Les attentats de la Toussaint rouge

Dans la nuit du 30 octobre au 1er novembre 1954, 34 attentats sont commis par le FLN sur le territoire algérien contre des symboles de la présence française (casernes, postes de police...). Celui qui marque beaucoup les esprits est l'attaque du car Biskra-Arris dans le massif des Aurès.
Une de l'hebdomadaire populaire *Radar*, 14 novembre 1954.

BAC

Consigne 1. En vous appuyant sur les documents 1 et 3, montrez que les principes républicains de liberté, d'égalité et de fraternité posent problème en Algérie en 1945.

Consigne 2. En vous appuyant sur les documents 4 et 6, montrez comment les indépendantistes sont perçus en métropole en 1954.

Confronter deux visions de la Toussaint rouge

5 : Tract indépendantiste laissé sur le lieu des attentats

Peuple algérien,
Pense à ta situation humiliante de colonisé. Avec le colonialisme, justice, démocratie, égalité ne sont que leurre et duperie. À tous ces malheurs, il faut ajouter la faillite de tous les partis qui prétendaient te défendre. Au coude à coude avec nos frères de l'Est et de l'Ouest qui meurent pour que vive leur patrie, nous t'appelons à reconquérir ta liberté au prix de ton sang. Organise ton action aux côtés des forces de libération à qui tu dois apporter aide, secours et protection. Se désintéresser de la lutte est un crime. Contrecarrer l'action est une trahison. Dieu est avec les combattants des justes causes et nulle force ne peut les arrêter désormais, hormis la mort glorieuse ou la libération nationale.
Vive l'Armée de Libération !
Vive l'Algérie indépendante.

Tract de l'appel de l'ALN du 1er novembre 1954.

6 : Discours du ministre de l'Intérieur : point de vue du gouvernement français

Nous sommes donc au milieu du troisième jour de ce trop bref voyage à travers la région qui a le plus souffert de la tentative insurrectionnelle manquée. [...] [Il] semble bien qu'à travers toute l'Algérie et spécifiquement dans ces lieux, en direction de Biskra, Khenchela et de Batna, on ait voulu lever le peuple contre celui qu'on appelait l'étranger ou l'occupant, le Français. La population n'a pas compris ce langage car elle est française [...]. D'abord nous avons voulu, en toute circonstance, que la population n'ait pas à souffrir de la présence parmi elle, de la présence d'agents de caractère terroriste [...]. Mais nous châtierons d'une manière implacable, sans autre souci que celui de la justice, et dans la circonstance, la justice exige de la rigueur, les responsables. Et tous ceux qui seront surpris agissant d'une façon évidente par le moyen des armes contre l'ordre doivent savoir que le risque pour eux est immense, dans leur vie, dans leurs biens et, si nous le regrettons puisque ce sont nos concitoyens, ils sont soumis, comme tout criminel, à la loi ; et la loi sera appliquée. Voilà ce que je vous dis, au nom du gouvernement.

Discours de François Mitterrand, ministre de l'Intérieur, dans les Aurès, 29 novembre 1954, diffusé au journal télévisé de la RTF (Radio-Télévision française) le 1er décembre 1954.

Consigne BAC

Après avoir présenté les documents 5 et 6, montrez qu'ils renvoient à deux visions opposées du statut et de l'avenir de l'Algérie.

Méthode

1 Lire et comprendre le sujet et la consigne

- Relevez les verbes d'action de la consigne, identifiez ce que vous devez effectuer.
- Cernez bien les bornes spatiales et chronologiques du sujet, ainsi que les notions à traiter.

2 Au brouillon, dégager les idées générales des deux documents

- Associez les éléments tirés des documents à des connaissances tirées du cours (voir Pour vous aider ci-contre).

3 Rédiger la réponse organisée à la consigne donnée

- Introduction : présentez les documents. Définissez la notion clé de l'analyse.
- Construire un plan organisé en 2 parties : pour chaque idée, associez un exemple tiré des documents ainsi que des connaissances précises. Pensez à confronter autant que possible les documents.
- Conclusion : il faut faire un bilan de l'analyse et préciser la portée de ces documents.

Pour vous aider à dégager les idées essentielles des documents :

– Repérez les points communs aux deux textes qui permettent de dire qu'ils évoquent le même sujet, puis confrontez les différences d'interprétation.

– Vous pouvez classer les informations dans un tableau :

	Document 5	Document 6
Présentation du document Nature / auteur / date / contexte / destinataire ?		
Une situation conflictuelle		
Citations des documents	« action », « lutte », « combattants » …	« tentative insurrectionnelle », « agents de caractère terroriste »…
Explication (connaissances) : lieux, action, acteurs…	IVe République, attentats, mouvements indépendantistes…	
Une vision différente de l'application des principes républicains		
Citations	« colonialisme », « justice », « démocratie », « égalité »…	« justice », « ordre », « loi »…
Explications	Inégalités entre les deux populations Une colonie de peuplement…	

La République dans l'engrenage de la violence à Alger

En 1956, le FLN, traqué dans les campagnes par l'armée française, décide de rallier la population urbaine à la cause nationaliste. Le FLN déclenche le terrorisme à Alger en septembre 1956. Face à la violence aveugle des nationalistes, la République autorise le recours à des pratiques contraires aux droits de l'homme avant d'être aussi confrontée aux partisans extrémistes de l'Algérie française.

▶ Comment les méthodes utilisées pendant la guerre à Alger mettent-elles la République en contradiction avec ses propres valeurs ?

1856   1960

30 sep. 1956	7 janv.-oct. 1957	28 mars 1957	24 sep. 1957	Février 1961	21-26 avril 1961
Explosion de 2 bombes posées par le FLN dans des cafés fréquentés par des Européens	Totalité des pouvoirs de police confiés à l'armée	Le général de Bollardière, opposé à la torture, demande à être relevé de ses fonctions	Arrestation par les paras de Yacef Saâdi, chef du FLN à Alger	Création de l'OAS (organisation de l'armée secrète)	Tentative de putsch de militaires qui refusent la voie de l'autodétermination

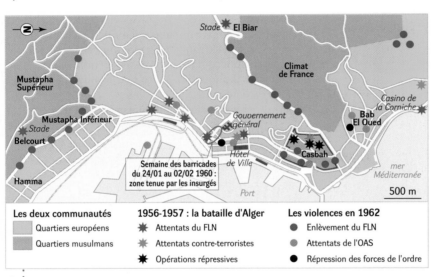

1 Alger au cœur de la violence

Les deux communautés
- Quartiers européens
- Quartiers musulmans

1956-1957 : la bataille d'Alger
- ✳ Attentats du FLN
- ✳ Attentats contre-terroristes
- ✳ Opérations répressives

Les violences en 1962
- ● Enlèvement du FLN
- ● Attentats de l'OAS
- ● Répression des forces de l'ordre

2 La torture légitimée

Texte rédigé en février 1957 par le père Delarue, aumônier de la 10ᵉ division parachutiste à Alger, et lu dans toutes les unités.

Nous nous trouvons en face d'une guerre d'un type nouveau, d'une guerre révolutionnaire. Nous sommes en face du TERRORISME dans toute sa lâcheté, dans toute son horreur. Qu'on veuille bien se rappeler les massacres d'El Halia en août 1955, les enfants dépecés, les femmes violées, éventrées, le mitraillage à 10 heures du matin dans les rues de Kroubs, ces treize familles de fermiers massacrés en 1956 à Palestro… Et l'on conviendra sans hésiter qu'à vrai dire il ne s'agit plus de faire la guerre, mais d'annihiler une entreprise d'assassinat organisée, généralisée… Dans ce cas qu'exige votre conscience de chrétien, d'homme civilisé ? […] Entre deux maux : faire souffrir passagèrement un bandit pris sur le fait en venant à bout de son obstination criminelle par le moyen d'un interrogatoire obstiné, harassant, et d'autre part, laisser massacrer des innocents que l'on sauverait si, de par les révélations de ce criminel, on parvenait à anéantir le gang, il faut sans hésiter choisir le monde : un interrogatoire sans sadisme mais efficace.

Benjamin Stora, *Algérie, 1954-1962*, Les Arènes, 2010.

Vocabulaire et notions

- **Autodétermination** : possibilité pour un peuple de décider lui-même de son sort, par le biais du suffrage.

- **OAS** : Organisation de l'armée secrète constituée de militaires et de civils qui refusent la marche à l'indépendance à partir de 1961.

- **Putsch** : soulèvement d'un groupe armé qui tente de s'emparer du pouvoir politique par la force.

- **Rapatriés** : désigne les habitants d'Algérie qui s'expatrient définitivement vers la France à l'issue de l'indépendance.

Biographies

Jacques Massu
(1908-2002)
Militaire de carrière. Il rallie la France libre pendant la Seconde Guerre mondiale. Il est affecté à la tête de la 10ᵉ division de parachutistes en 1957 à Alger afin de démanteler les réseaux du FLN. À cette fin il couvre l'utilisation de moyens expéditifs dont la torture. Le 13 mai 1958 il prend la tête du Comité de salut public et soutient l'appel au général de Gaulle.

Raoul Salan
(1899-1984)
Commandant en chef en Algérie en 1956. Partisan de l'Algérie française, il participe au Comité de salut public d'Alger en mai 1958. Déçu par la politique de négociations du général de Gaulle, il prend la tête du putsch des généraux en avril 1961 puis dirige l'OAS. Arrêté en avril 1962, il est condamné à la prison à perpétuité, puis amnistié en 1968.

3 : **Attentat du casino de la Corniche, nuit du 8 au 9 juin 1957**
Le casino était fréquenté par de nombreux Européens.
L'engin explosif était placé sous l'estrade de l'orchestre.
L'attentat a fait 8 morts et 80 blessés.

5 : **Un général contre la torture, Pâris de Bollardière**

Le colonel Barberot rapporte les propos tenus par le général Pâris de Bollardière, ancien résistant qui participe à la guerre d'Algérie. Ces propos ont valu au général 60 jours d'arrêt et ont mis un terme à sa carrière militaire.

La guerre révolutionnaire est une guerre dans laquelle la population est l'élément essentiel et l'action que l'on peut avoir sur la population ne se résume pas à la torture. C'est une véritable déviation de l'esprit. Comme si, [...] les tortures avaient jamais été un moyen d'arrêter une rébellion. Dites-moi (encore que sur beaucoup de points cela ne soit pas comparable) si la Gestapo a jamais empêché la Résistance d'exister. Pour ma part, quand j'apprenais que les petits gars du maquis étaient passés à la baignoire ou qu'on leur avait arraché les ongles et fait je ne sais quoi encore pour les faire parler, cela ne me donnait pas du tout envie de rentrer chez moi. Et c'est précisément contre cela que nous nous sommes battus pendant cinq ans, pour défendre une liberté et une dignité de l'homme.

Colonel Barberot, *Malaventure en Algérie avec le Général Pâris de Bollardière*, Plon, 1957.

6 : **Témoignage sur l'usage de la torture**

Militant communiste, Henri Alleg dirige le journal Alger républicain. *Il participe à des réseaux d'aide au FLN. Il est arrêté le 12 juin 1957 à Alger. Il témoigne de son expérience dans un livre écrit en cachette en prison.*

Il y a maintenant plus de trois mois que j'ai été arrêté. [...] Des nuits entières, durant un mois, j'ai entendu hurler des hommes que l'on torturait, et leurs cris résonnent pour toujours dans ma mémoire. J'ai vu des prisonniers jetés à coups de matraque d'un étage à l'autre et qui, hébétés par la torture et les coups, ne savaient plus que murmurer en arabe les premières paroles d'une ancienne prière. Mais depuis, j'ai encore connu d'autres choses. J'ai appris la « disparition » de mon ami Maurice Audin, arrêté vingt-quatre heures avant moi, torturé par la même équipe qui ensuite me « prit en mains ». [...] J'en ai vu d'autres : un jeune commerçant de la Casbah, Boualem Bahmed, dans la voiture cellulaire qui nous conduisait au tribunal militaire, me fit voir de longues cicatrices qu'il avait aux mollets. « Les paras, avec un couteau : j'avais hébergé un FLN. » De l'autre côté du mur, dans l'aile réservée aux femmes, il y a des jeunes filles dont nul n'a parlé [...] : déshabillées, frappées, insultées par des tortionnaires sadiques, elles ont subi elles aussi l'eau et l'électricité.

Henri Alleg, *La Question*, Paris, Éditions de Minuit, 1958

4 : **La terreur de l'OAS**
En 1961, l'OAS multiplie les attentats en Algérie, puis en métropole, visant des membres et sympathisants du FLN, des responsables politiques et soldats français mais aussi des civils. Les attentats de l'OAS font plus de 2 000 tués et 5 000 blessés, musulmans et européens. Tract distribué à Alger en 1961.

❶ « Regardez ces traîtres / Que leur image reste en vos mémoires, le symbole de la déchéance de la dictature gaulliste et l'insulte du pouvoir à tous ceux qui sont morts pour la patrie. L'OAS a déjà puni certains, les autres seront bientôt châtiés sans pitié ». ❷ Terme d'argot signifiant homme de main. ❸ « Exécuté ».

BAC

Consigne 1. En vous appuyant sur les documents 1 et 3, expliquez pourquoi il y a eu escalade de la violence pendant la « bataille d'Alger ».

Consigne 2. En vous appuyant sur les documents 4 et 6, montrez comment l'usage de la violence a pu être banalisé pendant la guerre d'Algérie.

Consigne 3. En vous appuyant sur les documents 2 et 5, montrez que l'usage de la torture est controversé.

La guerre d'Algérie en métropole

L/ES
S

Capacités travaillées

II.1.2 Prélever, hiérarchiser et confronter des informations

II.2.4 Lire un document et en exprimer les idées clés, les parties ou composantes essentielles

Le 8 février 1958, l'aviation française bombarde le village tunisien de Sakiet Sidi Youssef dans lequel se sont réfugiés des combattants de l'ALN. Soixante-neuf civils sont tués. L'opinion française et internationale s'émeut, la IVᵉ République semble s'enliser dans ce conflit. La guerre d'Algérie conduit à des changements majeurs en métropole, où se décidera le dénouement de cette guerre.

▶ **Quelles ont été les conséquences de la violence de la guerre d'Algérie en métropole ?**

1858

■ en France métropolitaine ■ à Alger

13 mai 1958	13 mai 1958	14 mai 1958	14 mai 1958	1ᵉʳ juin 1958	3 juin 1958	26 sept. 1958
P. Pflimlin, favorable à des négociations avec le FLN, est investi président du Conseil	Grande manifestation des Européens à Alger. Formation d'un Comité de salut public présidé par le général Massu	Le gouvernement Pflimlin déclare l'état d'urgence en France pour 3 mois	Appel du général Salan au général de Gaulle	Investiture du gouvernement de Gaulle	Pleins pouvoirs à de Gaulle pour 6 mois pour pouvoir changer la constitution	Référendum approuvant la constitution de la Vᵉ République

HISTOIRE DES ARTS

Le point sur la photo de presse

• **Le magazine** : Paris-Match a été créé en 1949 sur le modèle du magazine américain Life. C'est un magazine d'information hebdomadaire grand public qui couvre l'actualité nationale et internationale. Sa devise est « le poids des mots, le choc des photos » : la priorité est donnée à l'image, grand format, de préférence en couleur, qui doit parler d'elle-même.

• **Le reporter** : Daniel Camus est un photographe de presse qui couvre le conflit algérien pour le magazine.

• **Le destinataire** : Les années 1950 représentent l'âge d'or du magazine qui tire à 1,8 million d'exemplaires en 1958, ce qui représente près de 8 millions de lecteurs estimés. Les photographies publiées ont un impact très important sur l'opinion publique française.

Visite de de Gaulle à Alger le 4 juin 1958

Logo du magazine n° 479, 14 juin 1958

Immeuble du Gouvernement général, siège du pouvoir à Alger

Foule qui assiste à l'événement

Général de Gaulle

Le Général Massu, qui dirige les parachutistes, a pris la tête du Comité de salut public

Général Salan, commandant des forces françaises en Algérie

Jacques Soustelle, ancien gouverneur général de l'Algérie, partisan de l'Algérie française

1 : **La volonté de réaffirmer l'autorité de la République**

Point méthode : Analyser une photographie de presse

A Présenter le document pour ne pas faire de contresens

Nature : la une du magazine, le « scoop » qui va donner envie au lecteur de l'acheter / Idée principale / Date et contexte / Commanditaire / Destinataire.

B Décrire le document

Image : décrire la photographie :
Soyez attentifs aux différents plans, à l'angle de vue, au cadrage, à la lumière. Où se positionne le photographe ? Quel est donc le point de vue du lecteur ? Observez les

lignes de force, horizontales et verticales. Que traduisent-elles ? Quelles couleurs dominent ? Rapport texte / image : quelle est la position du texte ? Quel est son contenu (descriptif ? informatif ? interprétatif ?) ?

C Interpréter

Relevez d'une part les éléments qui évoquent le coup de force du 13 mai, d'autre part les éléments qui montrent le rétablissement de la légalité républicaine. Quel est le parti pris du magazine ? En quoi répond-il à une attente de l'opinion publique métropolitaine ?

2 : Le choix de l'autodétermination

Compte tenu de toutes les données, algériennes, nationales, internationales du problème, je considère comme nécessaire que ce recours à l'autodétermination soit proclamé aujourd'hui. Je poserai la question aux Algériens, en tant qu'ils sont des individus. [...] Quant à la date du vote, je la fixerai le moment venu, mais au plus tard quatre années après la paix revenue : j'entends par là une situation telle qu'embuscades et attentats ne coûteront pas la vie de plus de 200 personnes en un an. [...] [Trois] solutions concevables seront l'objet de la consultation. Ou bien la sécession où certains croient trouver l'indépendance. Alors la France quitterait les Algériens qui auraient manifesté la volonté de se séparer d'elle ; ils organiseraient sans elle le territoire où ils habitent, les ressources dont ils peuvent disposer, le gouvernement qu'ils souhaitent. Pour ma part, je considère qu'un tel aboutissement serait invraisemblable et désastreux. [...] Ou bien la francisation complète, telle qu'elle est d'ailleurs impliquée dans l'égalité des droits. [...] Ou bien, le gouvernement des Algériens par les Algériens, appuyé sur l'aide de la France et en union étroite avec elle pour l'économie, l'enseignement, la défense, les relations extérieures.

Discours télévisé du général de Gaulle, 16 septembre 1959.

3 : L'engagement d'intellectuels pour la cause indépendantiste

Certains Français apportent une aide matérielle et financière au FLN. Leur réseau est démantelé, ils sont condamnés à 10 ans de prison en octobre 1960. 121 intellectuels (parmi lesquels J.-P. Sartre) signent un manifeste pour défendre le droit à l'insoumission.

Pour les Algériens, la lutte poursuivie soit par des moyens militaires, soit par des moyens diplomatiques, ne comporte aucune équivoque. C'est une guerre d'indépendance nationale. Mais pour les Français, quelle en est la nature ? [...] Ni guerre de conquête, ni guerre de « défense nationale », ni guerre civile, la guerre d'Algérie est peu à peu devenue une action propre à l'armée et à une caste. [...] Faut-il rappeler que, quinze ans après la destruction de l'ordre hitlérien, le militarisme français, par suite des exigences d'une telle guerre, est parvenu à restaurer la torture. [...] Nous respectons et jugeons justifiée la conduite des Français qui estiment de leur devoir d'apporter aide et protection aux Algériens opprimés au nom du peuple français. La cause du peuple algérien, qui contribue de façon décisive à ruiner le système colonial, est la cause de tous les hommes libres.

Vérité-Liberté, 6 septembre 1960.

4 : Des manifestants défilent pour la paix à Paris (1962)

Manifestation anti-OAS du 8 février 1962.
Neuf personnes sont tuées au métro Charonne lors de la répression de la manisfestation.

5 : La réponse d'intellectuels : le contre-manifeste

C'est une imposture de dire que la France « combat le peuple algérien dressé pour son indépendance ». La guerre en Algérie est une lutte imposée à la France par une minorité de rebelles fanatiques, terroristes et racistes, conduits par des chefs dont les ambitions personnelles sont évidentes – armés et soutenus par l'étranger. C'est commettre un acte de trahison que de calomnier et de salir systématiquement l'armée qui se bat pour la France en Algérie. Nul n'ignore, au surplus, qu'à côté des tâches qui lui sont propres, cette armée accomplit depuis des années une mission civilisatrice, sociale et humaine à laquelle tous les témoins de bonne foi ont rendu publiquement hommage. C'est une des formes les plus lâches de la trahison que d'empoisonner, jour après jour, la conscience de la France et de faire croire à l'étranger que le pays souhaite l'abandon de l'Algérie et la mutilation du territoire.

Texte qui recueille 185 signatures d'intellectuels et personnalités, *Le Figaro*, 7 octobre 1960.

BAC

Consigne 1. En vous appuyant sur les documents 1 et 2, expliquez pourquoi les partisans de l'Algérie française ont pu se sentir trahis par le général de Gaulle.

Consigne 2. En confrontant les documents 3 et 5, décrivez la bataille de l'écrit que la guerre d'Algérie entraîne parmi les intellectuels français.

Consigne 3. En vous appuyant sur les documents 2 et 6, montrez comment le processus démocratique a finalement été pris en compte dans la résolution du problème algérien.

6 : Le recours à un processus démocratique

Date et territoire concerné	Sujet du référendum	Résultats
28 septembre 1958 France et Algérie	Approuver la constitution de la Ve République	OUI 82,6 % en métropole OUI 96 % en Algérie
8 janvier 1961 France et Algérie	Projet de loi sur l'autodétermination de l'Algérie	OUI 75,25 % en métropole OUI 69,09 % en Algérie
8 avril 1962 France	Validation des accords d'Évian	OUI 90,81 %

La guerre d'Algérie : une décolonisation complexe

▶ Pourquoi la décolonisation de l'Algérie fut-elle aussi problématique pour la République française ?

A Une situation de blocage

Étude pages 274-275

■ **Après 1945, le contexte est favorable à la** décolonisation. Les indépendantistes revendiquent le respect du droit des peuples à disposer d'eux-mêmes tel que proclamé par la Charte de l'Atlantique de 1941 et se réclament des valeurs républicaines de liberté et d'égalité. La répression des émeutes de Sétif (8 mai 1945) illustre le refus français de prendre en compte les revendications nationalistes au nom de l'unité de la République.

■ **La situation est bloquée en Algérie** : c'est une colonie de peuplement, depuis 1830, dans laquelle près d'un million d'Européens cohabitent aux côtés de 9 millions de musulmans. Deux assemblées représentatives sont créées en 1947, mais ces réformes sont tardives et incomplètes. De grandes inégalités existent entre les deux communautés sur le plan politique, économique et social.

B La République face à une violence multiforme et exacerbée

Études pages 274-275 et 276-277 + doc. 2 et 3

■ **La guerre d'Algérie commence le 1ᵉʳ novembre 1954 avec les attentats de la Toussaint rouge.** Le Front de libération nationale fait le choix de la guérilla et de la terreur pour arracher l'indépendance. À Alger, en 1957, plus de 700 attentats endeuillent la ville. Les soldats français prisonniers sont généralement abattus. Les musulmans refusant de rallier le FLN ou les membres du MNA rival risquent l'assassinat.

■ **La France déploie des moyens de répression très importants au nom du maintien de l'ordre républicain** : militaires de carrière (paras, légionnaires) et soldats du contingent participent au conflit. Le territoire est quadrillé, des espaces déclarés zones interdites sont vidés de leurs habitants. Afin de démanteler les réseaux du FLN, des pratiques contraires aux droits de l'homme sont employées : la torture est d'usage fréquent. Enlèvements, disparitions, « corvées de bois » (exécutions collectives de suspects sans jugement) sont pratiqués.

■ **Ce conflit suscite aussi des déchirements en métropole.** Des manifestations à Paris sont violemment réprimées par la police : celle des sympathisants du FLN du 17 octobre 1961 (plusieurs dizaines d'Algériens tués) ou celle de pacifistes français le 8 février 1962 contre l'OAS au métro Charonne (9 morts). Des intellectuels et des militants politiques sont arrêtés et jugés pour avoir critiqué la guerre, voire prêté main-forte au FLN (« porteurs de valises »).

C Crise et réaffirmation de l'état de droit

Étude pages 278-279 + doc. 1 et 4

■ **La IVᵉ République est impuissante à résoudre le conflit.** La guerre affaiblit la France sur le plan financier et sur la scène internationale. Le 13 mai 1958, une foule mécontente, soutenue par l'armée, s'empare du siège du gouvernement à Alger et fait appel au général de Gaulle. Le Parlement lui vote les pleins pouvoirs pour six mois afin d'accomplir une double mission : établir un nouveau régime (la Vᵉ République) et trouver une solution à l'impasse algérienne.

■ **Le général de Gaulle est déterminé à réaffirmer l'autorité de la République.** Pour sortir du conflit, il intensifie la pression militaire. En parallèle il fait le choix d'une solution négociée en lançant en 1959 le principe de l'autodétermination. L'approbation des électeurs lors du référendum de 1961 légitime son action. En avril 1961, de Gaulle fait échec au putsch de généraux pro-Algérie française à Alger. Lui-même échappe de peu à un assassinat par l'OAS (attentat du Petit-Clamart, 22 août 1962).

■ **La signature des accords d'Évian le 18 mars 1962 entre le gouvernement français et les représentants du FLN met fin au conflit.** Les violences de l'OAS et du FLN rendent le départ des pieds-noirs inéluctable. L'indépendance est proclamée le 5 juillet 1962, mais s'accompagne du drame des rapatriés et de l'abandon de la majorité des harkis qui sont laissés sans protection face aux représailles du FLN.

1 **Le drame des harkis**
Famille de harkis au camp de réfugiés de Rivesaltes, sud de la France, septembre 1962.

Vocabulaire et notions

● **Décolonisation** : processus par lequel un pays anciennement colonisé s'émancipe de la tutelle et de l'occupation par un État étranger.

● **Harkis** : musulmans qui ont choisi de combattre aux côté de l'armée française en Algérie. La minorité évacuée en France en 1962 est souvent mal accueillie. Ceux restés en Algérie seront massacrés après les accords d'Évian.

● **Porteurs de valises** : militants anticolonialistes français qui aident le FLN en collectant et transportant dans des valises des faux papiers et de l'argent.

Biographie

Messali Hadj
(1896-1974)
Né en 1896 dans une famille pauvre d'Algérie, Messali Hadj émigre en France pour travailler en 1918. En 1926, il fonde le mouvement nationaliste l'Étoile nord-africaine. Plusieurs fois emprisonné, il fonde en 1954 le Mouvement national algérien (MNA). Au cours de la guerre d'Algérie, les « messalistes » sont éliminés par le mouvement nationaliste concurrent : le FLN.

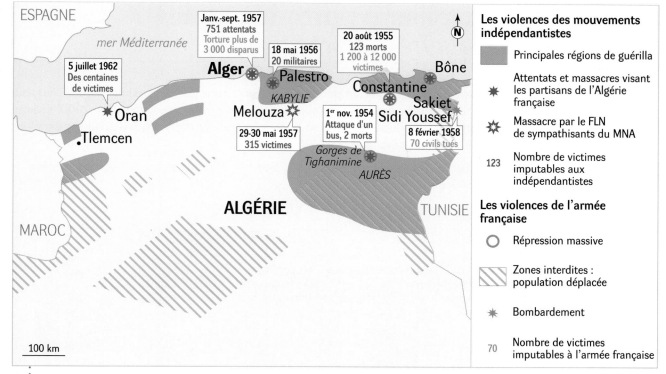

2 La spirale de la violence

3 Les combattants : estimation du nombre de soldats en 1958

Partisans de l'Algérie indépendante
– L'Armée de libération nationale (ALN) : 60 000 à 90 000 soldats. Branche armée du FLN qui est créée le 1er novembre 1954. Armée organisée et structurée, divisée en unités (*katibas*) de 30 à 100 hommes. Le territoire est divisé en 6 régions (*wilayas*).
– Le Mouvement national algérien : mouvement indépendantiste fondé par Messali Hadj qui s'oppose à l'armée française mais aussi au FLN car les deux mouvements sont en concurrence.

Armée française
– Militaires de métier : 120 000 soldats dont les parachutistes, gendarmes mobiles, ainsi que des troupes d'élite.
– Appelés : 260 000 soldats du contingent qui effectuent leur service militaire obligatoire.
– Harkis : 50 à 70 000 soldats Musulmans qui ont rejoint les rangs de l'armée française

D'après http://guy.perville.free.fr/spip/article.php3?id_article=96

4 Le lourd bilan de la guerre d'Algérie

	Algériens ALN	Français et leurs alliés
Effectifs militaires en 1957	60 000 soldats	Armée française : 450 000 dont – 260 000 appelés – 40 000 supplétifs arabes et berbères au service de la France parmi lesquels 17 000 harkis
Victimes militaires	– plus de 153 000 morts – 6 000 morts dans les affrontements MNA et FLN	– 15 009 morts – Plusieurs dizaines de milliers de harkis massacrés après le 19 mars 1962
Victimes civiles (morts)	300 000 victimes (estimation)	– Attentats du FLN : 2 788 tués européens et 16 378 musulmans. – plus de 3 000 Européens disparus après mars 1962.
Population déplacée	2 millions d'Algériens déplacés dans des villages et des camps	1 million de rapatriés à partir de l'été 1962 dont 60 000 harkis (y compris leur famille).

D'après G. Pervillé, *Atlas de la guerre d'Algérie*, Autrement, 2003 ; B. Stora,
Histoire de la guerre d'Algérie, 1954-1962, La Découverte, Repères, 2004 ;
B. Droz et E. Lever, *Histoire de la guerre d'Algérie*, Le Seuil Histoire, 1982

Questions

1. Qui sont les auteurs des violences ? Quelles sont les principales victimes (doc. 2 et 4) ?

2. Relevez les aspects qui permettent de parler de guerre civile. Quel camp est concerné (doc. 2 et 4) ?

3. Comparez les moyens employés par l'ALN et ceux déployés par l'armée française. Est-ce une guerre symétrique (doc. 3) ?

Travailler à partir d'une BD
La guerre fantôme

Capacité travaillée

II.1.3 Cerner le sens général d'un document et le mettre en relation avec la situation historique étudiée

La guerre d'Algérie a longtemps été perçue comme une guerre sans images, dans laquelle les photographies étaient le monopole de l'armée française. Depuis l'an 2000 environ, la multiplication de documentaires et de livres reprenant des images d'époque permet en partie de combler ce manque.

▶ **Par quels moyens la bande dessinée permet-elle au lecteur de se représenter la réalité du conflit algérien ?**

Jacques Ferrandez,
*Carnets d'Orient :
la guerre fantôme*,
Casterman, 2011, p. 53

L'œuvre *Carnets d'Orient* est une série de 10 albums qui met en scène le quotidien et les aventures d'hommes et de femmes ordinaires vivant en Algérie entre 1836 et 1962. Ces personnages de fiction s'inscrivent dans la réalité historique des événements. L'album *La Guerre fantôme* ouvre le second cycle en 1954, au début du conflit.

L'auteur Jacques Ferrandez est né à Alger en 1955, mais sa famille quitte l'Algérie en 1956. Son œuvre s'est inspirée des longues conversations avec son grand-père, de voyages réalisés en Algérie, mais aussi d'un énorme travail documentaire qui s'appuie sur les travaux d'historiens. Six mois de recherches et de préparation sont nécessaires pour chaque album. Le cycle *Carnets d'Orient* représente 25 ans de travail.

Son style Jacques Ferrandez travaille en doubles pages qui structurent le récit. Chaque fond de page, réalisé à l'aquarelle en grand format, plante le décor. L'action est traitée de manière plus traditionnelle en vignettes qui s'insèrent dans le fond et qui sont réalisées séparément.

Questions

1. Quels sont les différents personnages représentés ? Pourquoi la typographie des bulles est-elle différente selon l'identité des personnages ?

2. Comment le dessinateur met-il en scène la multiplicité des points de vue d'acteurs qui ne se comprennent pas ?

3. Interprétez : montrez comment l'auteur traduit la complexité du conflit.

Passé Présent

Les mémoriaux de la guerre d'Algérie

Capacité travaillée

I.2.3 Mettre en relation des faits ou événements de périodes différentes

Dès l'indépendance en Algérie, des monuments sont construits dans le pays à la gloire des combattants. Les commémorations sont célébrées le 5 juillet, anniversaire de l'indépendance. En France, la commémoration du conflit est problématique. Il faut attendre 1999 pour que l'Assemblée nationale reconnaisse le statut de « guerre » au conflit.

▶ **Quel regard est porté sur la guerre en Algérie et en France ?**

En Algérie

Le _Maqam el-Chahid_, mémorial national des Martyrs, a été construit en béton en 1982 sur les hauteurs de la ville d'Alger.

Gravé dans la pierre : « Ne pense pas que ceux qui sont tombés pour la cause de Dieu sont morts, ils sont au contraire vivants auprès de leur Seigneur et comblés de faveur. » Extrait du Coran.

En France

Le Mémorial national de la guerre d'Algérie et des combats du Maroc et de la Tunisie a été inauguré le 5 décembre 2002, quai Branly (Paris 7e).

Gravé sur une plaque : « La Nation associe les personnes disparues et les populations civiles victimes de massacres ou d'exactions commis durant la guerre d'Algérie et après le 19 mars 1962 en violation des accords d'Évian, ainsi que les victimes civiles des combats du Maroc et de Tunisie, à l'hommage rendu aux combattants morts pour la France en Afrique du Nord. »

Explication de l'artiste, Bachir Yellès

Le sanctuaire des Martyrs serait composé de trois palmes stylisées hautes de 92 mètres : une tourelle de style islamique d'un diamètre de 10 mètres, d'une hauteur de 25 mètres serait surmontée d'un dôme de 6 mètres [...]. Au centre de l'esplanade circulaire d'où partent les trois palmes en hommage aux martyrs, a été prévu un lieu de recueillement d'où jaillit une flamme qui symbolise le flambeau du patrimoine porté par ceux qui sont tombés au champ d'honneur et qui le transmettent aux générations présentes et à venir.

Bachir Yellès, « Ancrage d'une mémoire », Musée national des Beaux-Arts d'Alger, juin 2009.

Explication de l'artiste, Gérard Collin-Thiébaut

Ce mémorial sera constitué d'un espace virtuel uniquement marqué au sol, que l'on traversera, ou que l'on longera, et, au fond, contre les platanes, de trois colonnes alignées [...]. Sur la face avant de chaque colonne, un afficheur électronique, enchâssé sur toute sa hauteur, permettra de faire défiler, en continu, les prénoms et noms des soldats et supplétifs[1] morts pour la France, année par année, et par ordre alphabétique. Les noms sortiront de terre, pour aller s'éteindre dans le ciel.

1. Harkis.
G Collin-Thiébaut, http://www.cheminsdememoire.gouv.fr/fr/memorial-national-de-la-guerre-dalgerie-et-des-combats-du-maroc-et-de-la-tunisie

Questions

1. Relevez les points communs et les différences entre les deux mémoriaux, algérien et français.

	Algérie	France
Lieu		
Date d'édification		
Taille		
Matériaux		
Message		

2. Commentez les choix réalisés par chaque pays : pourquoi sont-ils révélateurs d'une mémoire spécifique ?

Exercices

1 Réactiver ses connaissances : le témoignage d'un harki[1]

Au début de 1959, ce témoin s'engage dans l'armée française et devient harki. Il gagne la France en 1962.
Je me souviens que chez moi, près de Tlemcen, tout a commencé au début de 1955 – j'avais 13 ans – à l'occasion d'une fête de village. Le bachaga et un inspecteur de la sûreté sont venus et ont embarqué un individu. Un peu plus tard, la région a été ratissée et les autorités françaises se sont mises à lancer des opérations de dissuasion en bouclant les villages avoisinants et en détruisant ici ou là quelques maisons. Peine perdue, l'agitation a finalement tout emporté. Les villages ont alors été organisés en autodéfense – le nôtre fut le premier – et l'on a distribué de vieux fusils de 14-18. Mon père a été désigné chef de l'autodéfense. Mais un membre du village, sympathisant des rebelles FLN, s'était infiltré, à leur demande, dans le système pour espionner. Un jour – c'était avant que les villageois reviennent des champs et prennent les armes qui étaient entreposées dans un local fermé – un groupe FLN est arrivé et s'est emparé de notre armement. Au fur et à mesure que les hommes, rentrés de leur travail, venaient récupérer leurs fusils, les membres du commando leur sautaient dessus. Nous avons été rassemblés au milieu du village, et les rebelles, pour nous terroriser, ont exécuté à la baïonnette mon père et mon grand-père. J'étais là.

Témoignage recueilli par D. Bermond, *L'Algérie des Français*, Le Seuil, coll. « Points »,1993.

1. Harki, voir définition p. 280.

Consigne BAC

À partir du document ci-dessus, vous montrerez quel est l'engrenage de la violence en Algérie.

2 Analyser une affiche de propagande

Tract de l'armée française, 1957
B. Stora, *Algérie 1954-1962. Lettres, carnets et récits des Français et des Algériens dans la guerre*, Éd. Les Arènes, 2010.

Consigne BAC

Après avoir présenté ce document, décrivez comment l'armée française cherche à gagner l'adhésion des populations musulmanes.

Pour vous aider

1. Présentez le document (nature, sujet, date et contexte, auteur, destinataire).
2. Décrivez le document en vous attachant à son organisation, à la typographie, au rapport entre le texte et l'image.
3. Interprétez le document en montrant qu'il s'agit d'un document de propagande.
4. Critiquez le document : les indépendantistes sont-ils les seuls auteurs de violence ?

3 Réaliser une carte mentale

Tâche complexe

À l'aide de vos connaissances, construisez une carte mentale mettant en évidence la violence de la guerre d'Algérie.

Pour vous aider

1. Recensez les auteurs de violence, ainsi que les victimes.
2. Regroupez ces acteurs en fonction de leur appartenance idéologique.
3. Organisez le résultat de votre réflexion en allant du général au particulier, à l'aide des ramifications de la carte mentale.
4. Pensez à utiliser des couleurs pour différencier des informations.

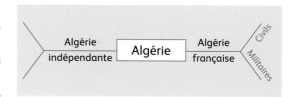

1 Départ des pieds-noirs, port d'Alger, juin 1962.

Consigne BAC

En vous appuyant sur les documents, expliquez quelles sont les conséquences de la guerre d'Algérie pour la population européenne.

Pour vous aider

1. Présentez les documents en insistant sur le contexte.

2. Relevez dans la chanson les éléments qui témoignent d'une colonie de peuplement.

3. Relevez dans la chanson et dans la photographie les éléments qui illustrent le drame humain.

4. Expliquez en utilisant vos connaissances.

2 *Adieu mon pays*

J'ai quitté mon pays
J'ai quitté ma maison
Ma vie, ma triste vie
Se traîne sans raison
J'ai quitté mon soleil
J'ai quitté ma mer bleue
Leurs souvenirs se réveillent
Bien après mon adieu
Soleil, soleil de mon pays perdu
Des villes blanches que j'aimais
Des filles que j'ai jadis connues
J'ai quitté une amie

Je vois encore ses yeux
Ses yeux mouillés de pluie
De la pluie de l'adieu […]
Mais du bord du bateau
Qui m'éloignait du quai
Une chaîne dans l'eau
A claqué comme un fou
J'ai longtemps regardé
Ses yeux bleus qui fouillent
La mer les a noyés
Dans le flot des regrets

Adieu mon pays, Enrico Macias,
© 1962 EMI Music Publishing France.

5 (TICE) Travailler à partir d'un site Internet : le musée de l'Armée

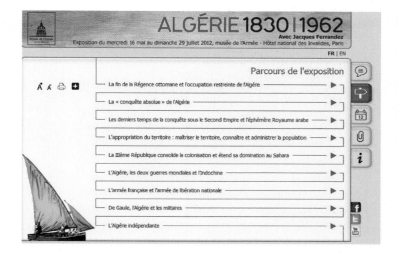

Questions

Aller sur le site http://www.invalides.org/ExpositionAlgerie/presentation-de-l-exposition.html.

Dans le déroulé qui apparaît à droite, cliquez le deuxième onglet « Parcours de l'exposition ».

1. Cliquez sur les 4 dernières lignes de l'exposition. Sur chaque page, visionnez les Actualités et reportages télévisés d'époque. Confrontez-les aux textes explicatifs à côté. Soyez attentifs aux événements présentés et au ton employé.
Pour le discours de De Gaulle sur l'autodétermination, consulter :
http://www.ina.fr/video/CAF90036755

2. Dressez un bilan de l'évolution : montrez que les Actualités françaises passent de la justification de l'Algérie française à l'acceptation de l'indépendance.

Étude critique d'un document L/ES
Analyse d'un document S

Capacité travaillée

II.2.4 Lire un document et en exprimer les idées clés, les parties ou composantes essentielles

> **Consigne** En vous appuyant sur le document et sur vos connaissances, montrez comment le général de Gaulle tente de réaffirmer en Algérie les valeurs de la République.

Je vous ai compris !

Je sais ce qui s'est passé ici. Je vois ce que vous avez voulu faire. Je vois que la route que vous avez ouverte en Algérie, c'est celle de la rénovation et de la fraternité.

Je dis la rénovation à tous égards. Mais très justement vous avez voulu que celle-ci commence par le commencement, c'est-à-dire par nos institutions, et c'est pourquoi me voilà. Et je dis la fraternité parce que vous offrez ce spectacle magnifique d'hommes qui, d'un bout à l'autre, quelles que soient leurs communautés, communient dans la même ardeur et se tiennent par la main[1].

Eh bien ! de tout cela, je prends acte au nom de la France et je déclare, qu'à partir d'aujourd'hui, la France considère que, dans toute l'Algérie, il n'y a qu'une seule catégorie d'habitants : il n'y a que des Français à part entière, des Français à part entière, avec les mêmes droits et les mêmes devoirs.

Cela signifie qu'il faut ouvrir des voies qui, jusqu' à présent, étaient fermées devant beaucoup.

Cela signifie qu'il faut donner les moyens de vivre à ceux qui ne les avaient pas.

Cela signifie qu'il faut reconnaître la dignité de ceux à qui on la contestait.

Cela veut dire qu'il faut assurer une patrie à ceux qui pouvaient douter d'en avoir une.

[...] Français à part entière, dans un seul et même collège[2] !

Nous allons le montrer, pas plus tard que dans trois mois, dans l'occasion solennelle où tous les Français, y compris les 10 millions de Français d'Algérie, auront à décider de leur propre destin.

Pour ces 10 millions de Français, leurs suffrages compteront autant que les suffrages de tous les autres. Ils auront à désigner, à élire, je le répète, en un seul collège leurs représentants pour les pouvoirs publics, comme le feront tous les autres Français. Avec ces représentants élus, nous verrons comment faire le reste. Ah ! Puissent-ils participer en masse à cette immense démonstration tous ceux de vos villes, de vos douars, de vos plaines, de vos djebels ! Puissent-ils même y participer ceux qui, par désespoir, ont cru devoir mener sur ce sol un combat dont je reconnais, moi, qu'il est courageux... car le courage ne manque pas sur la terre d'Algérie, qu'il est courageux mais qu'il n'en est pas moins cruel et fratricide !

Oui, moi, de Gaulle, à ceux-là, j'ouvre les portes de la réconciliation.

Jamais plus qu'ici et jamais plus que ce soir, je n'ai compris combien c'est beau, combien c'est grand, combien c'est généreux, la France !

Vive la République !

Vive la France !

Charles de Gaulle, Discours du Forum d'Alger, 4 juin 1958.

1. Scènes de fraternisation entre Européens et musulmans observées lors du mouvement du 13 main 1958.
2. Allusion au double collège électoral en vigueur (voir pages Repères). De Gaulle met en place le suffrage universel pour tous les habitants de l'Algérie en 1958.

POINT MÉTHODE

Pour vous aider

Pour les L/ES

– Rédigez une introduction dans laquelle vous présenterez le document en le replaçant dans son contexte ; posez ensuite la problématique qui corresponde à la consigne.

– Distinguez deux parties dans lesquelles vous analyserez en vous appuyant sur des citations du document, et en apportant des connaissances précises.

– Rédigez une conclusion dans laquelle vous apporterez une réponse à la problématique et préciserez la portée du document.

Pour les S

– Rédigez une phrase d'introduction pour présenter les documents et analyser le sujet.

– Distinguez deux ou trois paragraphes permettant de répondre à la consigne.

– Rédigez une conclusion de quelques lignes sur la portée de ces documents.

1 Identifier le document pour ne pas faire de contresens

Nature, auteur, destinataires : discours du général de Gaulle prononcé à Alger ; discours largement retransmis par la radio en métropole.

Date et contexte : 4 juin 1958, à la suite des événements du 13 mai 1958. Reprenez les éléments de l'étude p. 278.

2 Identifier les informations

Document	Connaissances
L'évocation d'un contexte conflictuel	
« donner les moyens de vivre à ceux qui ne les avaient pas ». « reconnaître la dignité de ceux à qui on la contestait ». « réconciliation » ...	Fortes inégalités politiques et économiques entre les deux communautés Conflit armé : aspects à préciser avec des exemples ...
Les solutions prônées par le général de Gaulle	
« je vous ai compris » « un seul collège » ...	Rassurer la population européenne et musulmane, Des réformes effectuées par la République ...

3 Rédiger votre travail (voir la méthode p. 81).

L/ES **S**

Capacités travaillées

II.1.2 Prélevez, hiérarchiser et confronter des informations selon des approches spécifiques en fonction du document

II.2.4 Lire un document et en exprimer les idées clés, les parties ou composantes essentielles

> **Consigne** **En vous appuyant sur ces documents et sur vos connaissances, expliquez quelles sont les conséquences de la guerre d'Algérie pour la République en 1961.**

1 : Discours télévisé du général de Gaulle, 23 avril 1961

Un pouvoir insurrectionnel s'est établi en Algérie, par un pronunciamiento[1] militaire. Les coupables de l'usurpation ont exploité la passion des cadres de certaines unités spéciales, l'adhésion enflammée d'une partie de la population de souche européenne, égarée de craintes et de mythes, l'impuissance des responsables submergés par la conjuration militaire. Ce pouvoir a une apparence, un quarteron de généraux en retraite ; il a une réalité, un groupe d'officiers partisans, ambitieux et fanatiques. Ce groupe et ce quarteron possèdent un savoir-faire limité et expéditif, mais ils ne voient et ne connaissent la nation et le monde que déformés au travers de leur frénésie. Leur entreprise ne peut conduire qu'à un désastre national. [...] Au nom de la France, j'ordonne que tous les moyens, je dis tous les moyens, soient employés partout pour barrer la route à ces hommes-là, en attendant de les réduire. J'interdis à tous Français, et d'abord à tous soldats, d'exécuter aucun de leurs ordres. [...] Devant le malheur qui plane sur la patrie, et devant la menace qui pèse sur la République, ayant pris l'avis officiel du Conseil constitutionnel, du Premier ministre, du président du Sénat, du président de l'Assemblée nationale, j'ai décidé de mettre en œuvre l'article 16 de notre Constitution. À partir d'aujourd'hui, je prendrai, au besoin directement, les mesures qui me paraîtront exigées par les circonstances. Par là même, je m'affirme en la légitimité française et républicaine qui m'a été conférée par la Nation, que je maintiendrai quoi qu'il arrive jusqu'au terme de mon mandat ou jusqu'à ce que viennent à me manquer, soit les forces soit la vie, et que je prendrai les moyens de faire en sorte qu'elles demeurent après moi. Françaises, Français, voyez où risque d'aller la France, par rapport à ce qu'elle était en train de redevenir. Françaises, Français, aidez-moi !

> Discours télévisé du général de Gaulle, 23 avril 1961.

1. Terme espagnol qui désigne un coup de force contre l'autorité légale.

2 : Photo à la une de l'*Écho d'Alger* du 25 avril 1961.

Les généraux Zeller, Jouhaud, Salan et Challe (de gauche à droite). Le 22 avril au matin, le général Challe déclare à Radio-Alger : « Je suis à Alger avec les généraux Zeller et Jouhaud et en liaison avec le général Salan pour tenir notre serment, le serment de l'armée de garder l'Algérie ».

POINT
MÉTHODE ....

1 **Identifier les documents pour ne pas faire de contresens**

Nature, auteurs, destinataires : **des médias de nature différente (radio/télévision) avec un public à une échelle différente (Alger/France entière).**

Date et contexte : **23/25 avril 1961, pendant le putsch des généraux à Alger (22 avril).**

2 **Identifier les informations**

– Quels sont les points communs entre les deux documents (nature de l'événement, acteurs) ?

– Quelles sont les différences dans le point de vue de chaque document ? Comment l'événement est-il interprété ?

– Montrez l'intérêt des documents : ils témoignent à la fois d'un moment de crise pour la République, et d'une réaffirmation de l'autorité du pouvoir légitime.

Vous pouvez vous aider du tableau suivant.

Idées à identifier dans les documents + à expliquer avec des connaissances	Doc. 1	Doc. 2
Une crise pour la République		
Un coup de force		
Un divorce entre les partisans de l'Algérie française et la République		
La réaffirmation du pouvoir légitime		
Le recours aux médias pour rallier l'opinion publique		
Le recours à la Constitution		

3 **Rédiger votre travail** en reprenant la méthode page précédente.
En conclusion, montrez les apports et les limites des documents **S** ou portez un regard critique sur ceux-ci **L/ES**.

L/ES   S

La guerre d'Algérie, une guerre de décolonisation longue et douloureuse

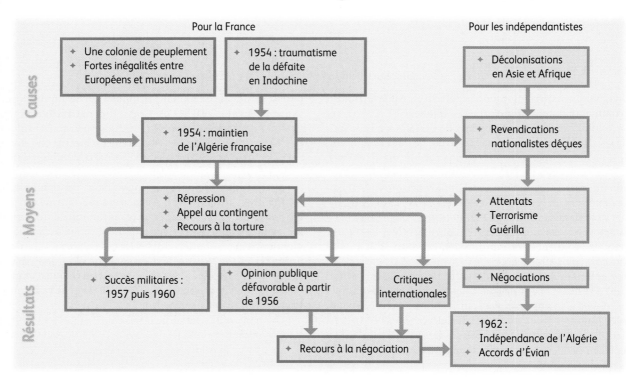

Pour la France

Pour les indépendantistes

Causes

- Une colonie de peuplement
- Fortes inégalités entre Européens et musulmans

- 1954 : traumatisme de la défaite en Indochine

- Décolonisations en Asie et Afrique

- 1954 : maintien de l'Algérie française

- Revendications nationalistes déçues

Moyens

- Répression
- Appel au contingent
- Recours à la torture

- Attentats
- Terrorisme
- Guérilla

Résultats

- Succès militaires : 1957 puis 1960

- Opinion publique défavorable à partir de 1956

- Critiques internationales

- Négociations

- Recours à la négociation

- 1962 : Indépendance de l'Algérie
- Accords d'Évian

Je connais les dates importantes

- **8 mai 1945** : soulèvement de Sétif et Guelma
- **1er novembre 1954** : Toussaint rouge (attentats), début de la guerre
- **Janvier-septembre 1957** : bataille d'Alger
- **13 mai 1958** : soulèvement des Européens à Alger
- **16 septembre 1959** : de Gaulle se prononce pour l'autodétermination de l'Algérie

- **8 janvier 1961** : référendum sur l'autodétermination de l'Algérie
- **21-26 avril 1961** : échec du putsch des généraux à Alger
- **18 mars 1962** : signature des accords d'Évian
- **5 juillet 1962** : indépendance proclamée

Je connais les personnages suivants

- **Général de Gaulle**
  p. 318

- **Messali Hadj**
  p. 280

- **Raoul Salan**
  p. 276

- **Général Massu**
  p. 276

Je connais les points suivants

- L'Algérie est une colonie de peuplement au statut spécifique : elle est composée de départements français.
- Après la Seconde Guerre mondiale, le contexte international est favorable à la décolonisation.
- Les gouvernements de la IIIe République refusent de prendre en compte les revendications nationalistes. En mai 1945, le soulèvement de Sétif est écrasé au prix d'une violente répression.
- Les indépendantistes algériens ont recours à la violence pour faire entendre leurs revendications.
- Les civils européens et musulmans sont victimes de violence des deux camps.
- Il existe une rivalité entre indépendantistes du FLN et du MNA.

- L'usage de la torture discrédite la France.
- La guerre d'Algérie provoque en 1958 la fin de la IVe République et la naissance de la Ve République à l'initiative du général de Gaulle.
- Le général de Gaulle choisit une solution négociée.
- L'OAS refuse l'indépendance et utilise la violence pour tenter de faire échouer les négociations.
- Les accords d'Évian (18 mars 1962) mettent fin au conflit mais des violences perdurent.
- L'indépendance provoque le retour des Européens en métropole : ce sont les « rapatriés ».
- La majorité des harkis, abandonnée par l'armée française, subit les représailles du FLN.

Je sais définir les mots suivants

- **Décolonisation** : processus par lequel un pays anciennement colonisé s'émancipe de la tutelle et de l'occupation par un État étranger.
- **Européens** : terme administratif désignant l'ensemble des descendants de migrants provenant de pays européens et installés en Algérie depuis la fin du XIXe siècle. Ils sont aussi surnommés « pieds-noirs ».
- **FLN** : Front de libération nationale, mouvement indépendantiste algérien qui a préparé l'insurrection du 1er novembre 1954. Le FLN se dote d'une branche armée, l'ALN (armée de libération nationale).
- **MNA** : Mouvement national algérien créé en décembre 1954 par Messali Hadj, leader indépendantiste depuis 1926. Une lutte d'influence tournant à l'affrontement armé oppose les membres du FLN et du MNA.

- **Musulmans** : terme administratif désignant la population qui vivait en Algérie avant la conquête française (1830). Cette appellation dépasse le cadre religieux et englobe des ethnies diverses (Arabes, Kabyles, Touaregs…).
- **Pieds-noirs** : surnom donné aux Européens d'Algérie. Terme d'origine incertaine, qui désignait soit les pieds des premiers militaires en Algérie dont les chaussures en cuir noir décoloraient, soit les colons viticulteurs qui foulaient au pied le raisin. Les pieds-noirs sont d'origines et de statut social très variés, mais ils ont en commun le désir très majoritaire que l'Algérie reste française.
- **Rapatriés** : désigne les habitants d'Algérie qui s'expatrient définitivement vers la France à l'issue de l'indépendance. 800 000 d'entre eux quittent l'Algérie en 1962 et s'installent principalement dans le sud de la France.

Pour aller plus loin

À voir

Fictions

- Mohammed Lakhdar-Hamina, *Le Vent des Aurès*, 1966. Sur la douleur des mères des combattants indépendantistes.
- René Vautier, *Avoir 20 ans dans les Aurès*, 1972. La violence que les appelés sont amenés à infliger.
- Florent Emilio Siri, *L'Ennemi intime*, 2007. Comment un homme ordinaire confronté à la violence devient un bourreau.

À lire

Romans

- Mouloud Mammeri, *L'Opium et le Bâton*, Plon, 1965. Le récit de la guerre de libération dans un village de montagne kabyle.
- Jérôme Ferrari, *Où j'ai laissé mon âme*, Actes Sud, 2010. Le témoignage de soldats français sur l'usage de la torture.

BD

- Jacques Ferrandez, *Carnets d'Orient*, Casterman, 1987-2009, 10 albums

Prépa BAC

L/ES   S

Capacités travaillées

II.2.3 Rédiger un texte construit et argumenté en utilisant le vocabulaire historique spécifique

Sujet

La guerre d'Algérie : une guerre de décolonisation

L/ES
S

A. Analyser les termes du sujet

Bornes temporelles : celles de la guerre, 1954-1962.

Cadre spatial : Algérie mais aussi France métropolitaine.

Guerre : acteurs (soldats), stratégie employée, moyens mis en œuvre, exemples d'affrontement, évolution et dénouement du conflit.

Décolonisation : spécificité des rapports entre colonie et métropole, revendications indépendantistes, moyens dissymétriques + contexte spécifique.

B. Trouver le fil directeur du devoir S ou la problématique L/ES

À partir de l'analyse du sujet, il s'agit de trouver la question qui sera le fil rouge du devoir. Sur ce sujet, le fil rouge peut être les spécificités d'une guerre de décolonisation.

C. Organiser ses idées dans un plan

Trouvez les connaissances qui permettent d'aborder successivement les causes, les aspects et les conséquences de la guerre d'Algérie.

S

Introduction : 2 étapes • Poser le sujet • Poser le fil directeur du devoir	• La guerre d'Algérie oppose entre 1954 et 1962 les partisans de l'indépendance tel le FLN aux partisans de l'Algérie française, dont l'État français, les pieds-noirs et les harkis. La lutte pour l'indépendance montre la volonté de devenir un État souverain et de rompre les liens de dépendance politique qui reliaient l'Algérie à la France. • Nous allons étudier les aspects de la guerre d'Algérie qui reflètent les caractéristiques d'une guerre de décolonisation.
Sauter 2 lignes	
Premier paragraphe • Annoncer l'idée Première idée Exemples précis Deuxième idée Exemples précis	Les causes de la guerre : • Des inégalités importantes entre colons et population indigène, en Algérie entre moins de 1 million d'Européens et 8,4 millions de musulmans, sur le plan économique et politique. • 7 % des cadres supérieurs sont musulmans, 93 % sont européens. Deux collèges séparés, sous-représentation politique des musulmans. • Une incompréhension entre nationalistes algériens et partisans de l'Algérie française. • Ferhat Abbas, de l'assimilation à la revendication d'indépendance / 8 mai 1945, émeutes de Sétif et violence de la répression.
Sauter une ligne	
Deuxième paragraphe Première idée Exemples précis Deuxième idée Exemples précis	Cette situation explosive conduit à une guerre qui présente des aspects spécifiques. • Des moyens inégaux sur le plan humain et matériel, une armée régulière contre une armée clandestine. • 90 000 soldats de l'ALN, plusieurs centaines de milliers pour l'armée française, appelés mais aussi soldats d'élite (paras). Bombardements menés par l'armée française. • Des violences insoutenables entre les deux camps. • Attentats pratiqués par le FLN, civils victimes de la violence (750 attentats pendant la bataille d'Alger en 1957). Usage de la torture par l'armée française (plus de 3 000 disparus pendant la bataille d'Alger).
Sauter une ligne	
Troisième paragraphe Première idée Exemples précis Deuxième idée Exemples précis	Conséquences de la guerre sur le plan politique et humain. • Bouleversements politiques : • La Ve République pour la France (13 mai 1958 et de Gaulle). • L'indépendance pour l'Algérie / accords d'Évian et indépendance en 1962. • Un coût humain très important, surtout pour les musulmans d'Algérie. • Nombre de victimes, harkis abandonnés, Européens rapatriés.
Sauter 2 lignes	
Brève conclusion **Bilan** : reprendre les points essentiels.	La guerre d'Algérie présente les caractéristiques d'une guerre de décolonisation : l'enjeu essentiel du conflit est l'indépendance. Toutefois c'est une guerre de décolonisation exceptionnelle par sa durée et son bilan car l'Algérie était considérée comme un territoire français par la République. C'est la seule guerre coloniale ayant provoqué des troubles et dès divisions importantes en métropole, allant jusqu'à causer un changement de constitution.

L/ES

Introduction : 2 étapes • Poser le sujet • Poser la problématique • Annoncer le plan Tout d'abord = partie 1 Puis = partie 2 Enfin = partie 3	• La France, dont l'empire est à son apogée, célèbre en 1930 le centenaire de la conquête de l'Algérie. Pourtant, de 1954 à 1962, l'Algérie et la France sont déchirées par une guerre de décolonisation longue et meurtrière, opposant les nationalistes algériens aux partisans de l'Algérie française. *À travers l'exemple de l'Algérie, quelles sont les spécificités d'une guerre de décolonisation ?* • Nous étudierons tout d'abord les causes de la guerre d'Algérie, puis nous évoquerons les aspects spécifiques de ce conflit, enfin nous verrons les conséquences de la guerre.

Sauter 2 lignes

Première partie Annonce du thème Première idée Exemples précis Deuxième idée Exemples précis Troisième idée Exemple précis Phrase bilan	Les causes de la guerre : • Des inégalités importantes entre colons et population indigène, en Algérie entre moins de 1 million d'Européens et 8,4 millions de musulmans, sur les plans économique et politique. • 7 % de cadres supérieurs sont musulmans, 93 % sont européens. 5 % de manœuvres chez les Européens, 95 % chez les musulmans. Deux collèges électoraux séparés, sous-représentation politique des musulmans. • Des revendications nationalistes qui se radicalisent après la Seconde Guerre mondiale. • Ferhat Abbas, de l'assimilation à la revendication d'indépendance (Manifeste du peuple algérien, 1943). • Le refus des réformes • 8 mai 1945 : émeutes de Sétif et violence de la répression. • La guerre d'Algérie présente les caractéristiques d'une guerre de décolonisation : il existe des inégalités importantes entre la colonie et la métropole, inégalités qui sont à l'origine des revendications nationalistes.

Sauter une ligne

Deuxième partie Annonce du thème Première idée Exemples précis Deuxième idée Exemples précis Troisième idée : Exemples précis : Phrase bilan	Cette situation explosive conduit à une guerre qui présente des aspects spécifiques. • Des moyens inégaux sur le plan humain et matériel, une armée régulière contre une armée clandestine. • 90 000 soldats de l'ALN, des centaines de milliers pour l'armée française, appelés mais aussi soldats d'élite (paras). Bombardements menés par l'armée française. • Des violences insoutenables entre les deux camps. • Attentats pratiqués par le FLN, civils victimes de la violence (750 attentats pendant la bataille d'Alger en 1957). Usage de la torture par l'armée française (plus de 3 000 disparus pendant la bataille d'Alger). • Des violences à l'intérieur de chaque camp. • Mai 1957 à Melouza le FLN massacre un village partisan du MNA. À partir de 1961 l'OAS s'en prend aux Européens, Français de métropole et musulmans. • La guerre d'Algérie est une guerre asymétrique entre une armée régulière et une armée clandestine. Les civils sont largement impliqués dans le conflit et en sont les principales victimes.

Sauter une ligne

Troisième partie Annonce du thème Première idée Exemples précis Deuxième idée Exemples précis Troisième idée Exemples précis	Conséquences de la guerre sur le plan politique et humain. • La Ve République pour la France. • 13 mai 1958 et de Gaulle. • L'indépendance pour l'Algérie. • Accords d'Évian et indépendance en 1962. • Un coût humain très important, surtout pour les musulmans d'Algérie. • Nombre de victimes, harkis abandonnés, Européens rapatriés.

Sauter 2 lignes

Conclusion • **Bilan** : reprendre les points essentiels qui permettent de répondre à la problématique. • **Ouverture** : élargir sur un point non abordé dans le devoir, mais qui reste dans la même thématique.	• La guerre d'Algérie qui oppose indépendantistes et partisans de l'Algérie française entre 1954 et 1962 présente les caractéristiques d'une guerre de décolonisation dans ses causes, ses aspects et ses conséquences. Le statut particulier de cette colonie de peuplement explique le refus prolongé d'accorder l'indépendance, la violence des méthodes employées par les deux camps, et le bilan très lourd, particulièrement en ce qui concerne les civils. • Ce conflit n'est reconnu par la France comme une « guerre » qu'en 1999, la mémoire du conflit reste encore très différente en France et en Algérie.

L/ES S   **Éléments de valorisation de la copie**

– Faire le lien avec le chapitre précédent (1930 : centenaire conquête Algérie, apogée de l'Empire colonial français, évoquer l'Exposition coloniale internationale de 1931, les positions de Messali Hadj).
– Intégrer une production graphique : par exemple « les espaces de la guerre ».
Le schéma peut être réalisé en début de seconde partie, après l'annonce de l'idée principale, et permet de mieux représenter les aspects du conflit. N'oubliez pas d'y faire allusion dans la copie (« ainsi que l'illustre le schéma, la violence touche aussi la France métropolitaine » / « comme le montre le schéma, les civils sont victimes de violences dans de nombreux espaces »).

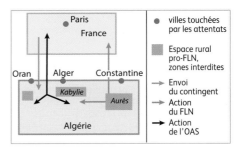

Les espaces de la guerre

9 LA RÉPUBLIQUE, TROIS RÉPUBLIQUES

Alors que les deux premières expériences républicaines ont été brèves (1792-1799 puis 1848-1852), la République devient le régime politique permanent de la France à partir de 1870. Mais de 1870 à 1962, les Français ont changé trois fois de constitution républicaine.

L/ES **S**

▶ **Comment les crises politiques, sociales et militaires, de 1870 à 1962, refondent-elles le régime républicain ?**

1 : **La République s'affirme sur le territoire**

Ce tableau est une commande de l'État destinée à fixer le souvenir de la première célébration officielle de la fête nationale en 1880. À cette occasion, une maquette en plâtre de la statue de la République alors en cours de réalisation par les frères Morice avait été installée sur son socle, place de la République.

Alfred-Philippe Roll, *Le 14 juillet 1880, 1882* (huile sur toile 175 cm x 370 cm), musée du Petit-Palais, Paris.

1. Repérez et identifiez les symboles républicains figurant sur ce tableau.

2. Comment l'artiste évoque-t-il l'adhésion des Français à la fête nationale ?

Notion

• **République** : du latin *res publica*, affaire publique, qui signifie que le gouvernement est chargé de l'intérêt général. Régime politique dans lequel le pouvoir n'est pas héréditaire et doit représenter l'intérêt de la nation. Une république n'est pas nécessairement une démocratie.

1870		

Second empire | **IIIᵉ République**

4 sept. 1870	**1875**	**1879**	**1880**	**1881**	**1881-1882**	**1894-1906**
Proclamation de la IIIᵉ République	Lois constitutionnelles	Les républicains au pouvoir	Loi instituant le 14 juillet comme fête nationale	Liberté de la presse	Lois scolaires	Affaire Dreyfus
						1884 Liberté syndicale

1940 **1946**

IIIᵉ République | **11 juil. 1940** Régime de Vichy | **été 1944** GPRF | **oct. 1946** IVᵉ République

juin1940	**10 juil. 1940**	**mai 1943**	**21 avril 1944**	**1945**	**1946**	**nov. 1954**
Débâcle de l'armée française	Les parlementaires votent les pleins pouvoirs au maréchal Pétain	Fondation du CNR	Droit de vote des femmes*	Fondation de la Sécurité sociale	Constitution de la IVᵉ République	« Toussaint rouge », début de la guerre d'Algérie

1958

IVᵉ République | **Vᵉ République**

13 mai 1958	**3 juin 1958**	**28 sept. 1958**	**21 déc. 1958**	**18 mars 1962**	**28 oct. 1962**
Émeute insurrectionnelle à Alger	Vote des pleins pouvoirs par l'Assemblée à Charles de Gaulle	Constitution adoptée par référendum	Charles de Gaulle élu président de la République	Les accords d'Évian mettent fin à la guerre d'Algérie	Référendum sur l'élection présidentielle au suffrage universel direct

* Une ordonnance du Comité Français de Libération Nationale établit le droit de vote pour les femmes.

2 **La République mise en scène par le général de Gaulle**

De Gaulle appelle les Français à voter oui au référendum sur la constitution de la Vᵉ République, présentée le 4 septembre 1958, place de la République à Paris. Les gardes républicains, de chaque côté du podium du général de Gaulle, sont disposés en « V », symbole de la résistance gaulliste.

1. Relevez et identifiez les symboles républicains qui apparaissent sur cette photographie.

2. Commentez la mise en scène choisie par de Gaulle pour ce meeting. Quel est son objectif ?

L'héritage républicain

Capacité travaillée

I.1.1 Nommer et périodiser les continuités et ruptures chronologiques

Première République (1792-1799)
Deuxième République (1848-1852)
Troisième République (1870-1940)

Les deux premières expériences républicaines, très mouvementées, ont profondément marqué et divisé les Français. De ce fait, plus que dans aucun autre pays du monde, le mot « république » est chargé en France d'espoirs immenses et d'idéaux pour les uns, de fortes inquiétudes pour les autres. En 1870, la République renaît en France à l'occasion de la défaite de Napoléon III contre la Prusse. La défaite ravive les idéaux républicains d'une partie des Français.

« La Première République nous a donné la terre, la deuxième le suffrage, la troisième le savoir. »
Jules Ferry.

A L'héritage de la Ire République : le régime parlementaire

le public

le président de l'Assemblée nationale

l'orateur

banc du gouvernement

les députés d'opinion conservatrice forment la droite de l'assemblée

les députés d'opinion progressiste forment la gauche de l'assemblée

travées où sont assis les députés

1 L'hémicycle de l'Assemblée nationale lors d'une session parlementaire

Notion

• **Régime politique** : mode d'organisation de l'État. Un régime peut être monarchique, impérial ou républicain. Il peut être démocratique ou non.

B L'héritage de la IIe République : le suffrage universel

Ça, c'est pour l'ennemi du dehors ; pour le dedans, voici comme l'on combat loyalement les adversaires....

2 **Le suffrage universel masculin, pour intégrer toutes les classes sociales au régime républicain**

« Ça c'est pour l'ennemi du dehors, pour le dedans, voici comme l'on combat loyalement les adversaires... »
Gravure de Marie Louis Bosredon, avril 1848, BnF.

En 1848, les ouvriers parisiens ont pris une part importante dans la révolution qui a mis fin à la monarchie de Louis-Philippe d'Orléans. Beaucoup ne sont toutefois pas acquis à une République qui ne leur octroierait ni droits politiques ni réformes sociales. Le suffrage universel masculin instauré le 5 mars 1848 a pour but de les faire adhérer au régime et de prémunir ce dernier contre les risques d'insurrection ouvrière.

	Durée	Orientation de la République	Crise mettant fin au régime	Régime suivant
Première République	12 ans de 1792 à 1804. En pratique 7 ans de 1792 à 1799 (Consulat)	République autoritaire	Coup d'État de Napoléon Bonaparte le 18 brumaire (9 novembre 1799)	Autoritaire Consulat puis Empire à partir de 1804
Deuxième République	4 ans et demi de 1848 à 1852	République présidentielle	Coup d'État de Louis-Napoléon Bonaparte le 2 décembre 1851. Il rétablit l'Empire en 1852.	Autoritaire Second Empire à partir de 1852

3 **Les deux premiers régimes républicains français**

C La IIIe République naît de la défaite de Napoléon III

4 **Gambetta proclame la République à l'Hôtel de Ville (1870)**
Dans la nuit du 3 au 4 septembre 1870, sous la pression des députés républicains, le Corps législatif finit par se prononcer pour la déchéance de l'empereur Napoléon III, après sa défaite contre les Prussiens qui l'ont fait prisonnier. Une foule de Parisiens envahit l'Assemblée en réclamant la République : le député Léon Gambetta la proclame à l'Hôtel de Ville. Palais-Bourbon, gravure fin du XIXe siècle.

Les institutrices et instituteurs transmettent les convictions républicaines

La nouveauté de l'école obligatoire et laïque ne réside pas dans l'alphabétisation des Français, largement acquise en 1880, mais dans son projet encyclopédique : il s'agit de familiariser les enfants avec une culture écrite, scientifique et technique. S'y ajoute une dimension politique : les institutrices et instituteurs, issus des classes populaires et redevables à la République de les avoir élevés socialement, transmettent ses valeurs avec engagement.

Capacités travaillées

II.1.2 Prélever et confronter des informations

II.1.3 Cerner le sens général d'un corpus et le mettre en relation avec la situation

▶ **De quelle manière les institutrices et instituteurs ont-ils contribué à faire aimer la République ?**

1866 ────────────────────────────────────── 1886

| 1866
Jean Macé fonde la Ligue de l'enseignement | 1879
Loi qui généralise les écoles normales d'institutrices et d'instituteurs dans chaque département | 1881
École élémentaire gratuite | 1882
École élémentaire obligatoire et laïque jusqu'à 13 ans | 1886
Laïcisation du personnel des écoles publiques |

Vocabulaire et notions

- **École laïque** : école qui respecte une stricte neutralité religieuse.
- **Encyclopédique** : qui concerne des connaissances très étendues et variées.
- **École normale** : établissement public qui forme les futurs institutrices et instituteurs. Les études sont gratuites, favorisant un recrutement auprès des meilleurs élèves issus des classes populaires.

1 **Une école primaire en 1909**

2 La IIIᵉ République systématise et améliore la formation des maîtresses et des maîtres

1833	La loi Guizot oblige chaque département à entretenir une école normale d'instituteurs. L'instruction des filles est souvent confiée aux religieuses.
1879	La loi Paul Bert oblige chaque département à entretenir également une école normale d'institutrices.
1881	Les études et la pension (cantine et internat) deviennent gratuites. Les études durent 3 ans, souvent de 16 à 19 ans, puis les élèves normaliens sont maîtres/maîtresses stagiaires pendant 2 ans.
1940-1944	Les écoles normales sont fermées sur décision du gouvernement de Vichy.

3 Des instituteurs participent à la rédaction des manuels de morale civique

Résumé (à réciter)

1 – Avant la Révolution, personne ne jouissait de la Liberté ; les monstrueuses lettres de cachet permettaient d'arrêter et d'emprisonner un homme, même s'il était innocent.

2 – On ne pouvait pas faire le travail qu'on voulait ; les corporations empêchaient le commerce et l'industrie.

3 – Il fallait être de la même religion que le roi sous peine d'être exécuté.

4 – Avant la Révolution, la France était une monarchie absolue héréditaire.

5 – Les Français étaient les sujets du roi qui était le propriétaire de leur personne et de leurs biens.

6 – Le peuple payait des impôts écrasants ; la justice n'était pas égale pour tous. Seuls les nobles pouvaient devenir officiers, juges, évêque, etc.

7 – Quand les riches sont heureux pendant que le peuple souffre, quand la société repose sur l'inégalité et l'injustice, c'est que les hommes des différentes classes ne s'aiment pas. La fraternité n'existait donc pas avant 1789.

Réflexion

La fraternité est fille de la bonté et de l'amour du prochain.

Lecture

Liberté-Égalité-Fraternité. (Jean-Aicard – Poésies)

Extrait du manuel *Morale et instruction civique par l'exemple et le résumé, cours moyen*, par MM. Lançon, Z. Avronsart, et un groupe d'instituteurs, Druez, 1914.

4 : Le 14 juillet dans un village vendéen

Les instituteurs, avec les grands élèves, aidaient aux préparatifs, qui commençaient à la sortie de la classe du 13. La musique avait un kiosque démontable, la Société un mât de cocagne, des porte-flambeaux en forme de croix de Lorraine hauts de 2 mètres et pourtant légers. Les écoliers plaçaient, la veille, lanternes et bougies. Dès le matin du 14, des ouvriers venaient sur la place principale monter le kiosque et le mât de cocagne. La gare avait la charge de tirer le canon de la veille et du matin, modeste pièce faite d'un vieux tampon de wagon à tige taraudée. La fête commençait au début de l'après-midi par des compétitions et des jeux divers entre les enfants, dirigés par les instituteurs et les pompiers. [...] *La Marseillaise* était écoutée tête découverte, applaudie frénétiquement et répétée. [...] Alors les écoles laïques entraient en scène. Les institutrices, aidées par les parents, avaient fait allumer les 4 ou 500 bougies des lampions, et le cortège se formait pour la retraite. En avant, la musique, dont les exécutants se relayaient pour jouer sans arrêt, les pompiers avec des torches, les instituteurs à la tête des élèves (garçons et filles) portant les flambeaux se mettaient en marche, suivis d'une foule longue et joyeuse.

Témoignage d'un instituteur du bocage vendéen sur le début de sa carrière (1904-1914), cité par Jacques Ozouf, *Nous les maîtres d'école, autobiographies d'instituteurs de la Belle Époque*, Gallimard, 1973.

L'INSTITUTEUR. — Il n'y a qu'une morale : celle de l'État ; et qu'une vérité : celle du Gouvernement.

5 : Des maîtres d'école au service de la propagande de l'État ?

Dessin de Grandjouan, dans *L'Assiette au beurre* n° 155, 1904.

Matières	Cours élémentaire garçons	Cours élémentaire filles	Cours moyen garçons	Cours moyen filles
Instruction morale et civique	1 h ¼	1 h ¼	1 h ¼	1 h ¼
Lecture	7 h	6 h ½	3 h	3 h
Écriture	2 h ½	2 h ½	1 h ½	1 h ½
Langue française	5 h	5 h	7 h ½	7 h
Histoire et géographie	2 h ½	2 h ½	3 h	3 h
Calcul, arithmétique et géométrie	3 h ½	3 h ½	4 h ½	4 h ½
Sciences physiques et naturelles	1 h ½	1 h ½	2 h ½	2 h
Dessin	1 h	1 h	1 h	1 h
Travail manuel	1 h	1 h ½	1 h	2 h
Chant et musique	1 h	1 h	1 h	1 h
Exercices gymnastiques et militaires	2 h	2 h	2 h	2 h
Récréations	1 h ¾	1 h ¾	1 h ¾	1 h ¾

6 : Un programme qui se veut encyclopédique et patriotique

Volume horaire hebdomadaire par discipline enseignée selon le décret du 18 janvier 1887.

BAC

Consigne 1. Après avoir présenté le document 4, expliquez en quoi les instituteurs témoignaient d'un véritable engagement républicain.

Consigne 2. Après avoir présenté les documents 1 et 3, expliquez comment l'école publique transmettait les valeurs républicaines.

Consigne 3. Après avoir décrit ces documents 5 et 6, indiquez dans quelle mesure les instituteurs mettaient en œuvre une propagande républicaine.

Émile Zola et Maurice Barrès, deux intellectuels dans l'affaire Dreyfus

Capacité travaillée

II.1.3 Cerner le sens général d'un corpus documentaire et le mettre en relation avec la situation historique étudiée

L'affaire Dreyfus est un moment décisif dans l'engagement politique des intellectuels : certains défendent les principes républicains tandis que d'autres leur opposent les valeurs traditionnelles du catholicisme et de l'armée. Émile Zola s'engage aux côtés des dreyfusards, tandis que Maurice Barrès rejoint les rangs nationalistes antidreyfusards et participe à l'élaboration de l'idéologie de l'extrême-droite antisémite. Après l'Affaire, l'identité républicaine se recompose autour du dreyfusisme.

▶ **Comment les intellectuels opposent-ils valeurs républicaines et valeurs nationalistes à travers l'affaire Dreyfus ?**

1894				1906
1894 Le capitaine Dreyfus est condamné par le conseil de guerre à la dégradation et à la déportation à vie en Guyane, pour espionnage au profit de l'Allemagne	**1896** Le colonel Picquart découvre que le commandant Esterhazy est le véritable coupable	**1898** Esterhazy est acquitté par le tribunal militaire, É. Zola publie « J'accuse… ! » Fondation de la Ligue des Droits de l'Homme par des intellectuels dreyfusards	**1899** Nouveau procès de Dreyfus, condamné à 10 ans de prison. Il est gracié par le président de la République	**1906** Réhabilitation de Dreyfus

Étudier un texte polémique

1 « J'accuse » : Émile Zola interpelle la République

J'accuse le général Billot d'avoir eu entre les mains les preuves certaines de l'innocence de Dreyfus et de les avoir étouffées, de s'être rendu coupable de ce crime de lèse-humanité et de lèse-justice, dans un but politique et pour sauver l'état-major compromis. J'accuse le général de Boisdeffre et le général Gonse de s'être rendus complices du même crime, l'un sans doute par passion cléricale[1], l'autre peut-être par cet esprit de corps qui fait des bureaux de la guerre l'arche sainte[2], inattaquable. […] J'accuse enfin le premier conseil de guerre d'avoir violé le droit, en condamnant un accusé sur une pièce restée secrète, et j'accuse le second conseil de guerre d'avoir couvert cette illégalité, par ordre, en commettant à son tour le crime juridique d'acquitter sciemment un coupable. En portant ces accusations, je n'ignore pas que je me mets sous le coup des articles 30 et 31 de la loi sur la presse du 29 juillet 1881, qui punit les délits de diffamation. Et c'est volontairement que je m'expose. Quant aux gens que j'accuse, je ne les connais pas, je ne les ai jamais vus, je n'ai contre eux ni rancune ni haine. Ils ne sont pour moi que des entités, des esprits de malfaisance sociale. Et l'acte que j'accomplis ici n'est qu'un moyen révolutionnaire pour hâter l'explosion de la vérité et de la justice. Je n'ai qu'une passion, celle de la lumière, au nom de l'humanité qui a tant souffert et qui a droit au bonheur. Ma protestation enflammée n'est que le cri de mon âme. Qu'on ose donc me traduire en cour d'assises et que l'enquête ait lieu au grand jour ! J'attends.

Extrait de l'article d'É. Zola « J'accuse », lettre ouverte au président de la République, publié le 13 janvier 1898 dans *L'Aurore*, journal fondé par Clemenceau.

1. Les cléricalistes sont partisans de l'influence de l'Église catholique dans les affaires politiques.
2. Dans une synagogue, lieu le plus sacré et fermé aux fidèles, qui renferme les rouleaux de la Torah (Ancien Testament).

Consigne BAC

Après avoir présenté le contexte de ce document, vous montrerez comment l'auteur défend l'innocence du capitaine Dreyfus.

Méthode

1 Présenter le contexte du document
- Résumer brièvement l'affaire Dreyfus depuis 1894.
- Expliquer quel événement a amené Zola à rédiger cet article.
- À qui s'adresse Émile Zola et pourquoi ? Expliquer son choix de publier la lettre ouverte dans un journal quotidien.

2 Éclairer les arguments de l'auteur
- Comment Zola caractérise-t-il l'état-major de l'armée ?
- Repérer les arguments d'ordre juridique. Comment l'auteur montre-t-il qu'il s'agit d'une conspiration ?
- Retrouver les arguments d'ordre politique et philosophique : dans quel courant philosophique Zola place-t-il son combat ?

3 Montrer la portée de ce texte
Reportez-vous à la chronologie de l'affaire Dreyfus.
- Comment Zola tente-t-il dans cet article de relancer l'Affaire et d'obtenir une révision du procès ?
- Comment a-t-il favorisé, en définitive, la résolution de l'Affaire ?

2 : Maurice Barrès contre Zola et Dreyfus

M. Émile Zola est intervenu avec un immense éclat en faveur de Dreyfus et contre l'armée. [...] M. Zola était prédestiné pour le dreyfusisme. Il obéit à de profondes nécessités intérieures. Qu'est-ce que M. Émile Zola ? Je le regarde à ses racines : cet homme n'est pas un Français. [...] Il se prétend bon Français ; je ne fais pas le procès de ses prétentions, ni même de ses intentions. Je reconnais que son dreyfusisme est le produit de sa sincérité. Mais je dis à cette sincérité : il y a une frontière entre vous et moi. Quelle frontière ? Les Alpes. Nous ne tenons pas nos idées et nos raisonnements de la nationalité que nous adoptons, et quand je me ferais naturaliser Chinois en me conformant scrupuleusement aux prescriptions de la légalité chinoise, je ne cesserais pas d'élaborer des idées françaises et de les associer en français. Parce que son père et la série de ses ancêtres sont des Vénitiens, Émile Zola pense tout naturellement en Vénitien déraciné. [...] Je n'ai pas besoin qu'on me dise pourquoi Dreyfus a trahi. En psychologie, il me suffit de savoir qu'il est capable de trahir et il me suffit de savoir qu'il a trahi, l'intervalle est rempli. Que Dreyfus est capable de trahir, je le conclus de sa race. [...] Quant à ceux qui disent que Dreyfus n'est pas un traître, le tout, c'est de s'entendre. Soit ! ils ont raison : Dreyfus n'appartient pas à notre nation et dès lors comment la trahirait-il ? Les Juifs sont de la patrie où ils trouvent leur plus grand intérêt. Et par là on peut dire qu'un Juif n'est jamais un traître.

Maurice Barrès, *Scènes et doctrines du nationalisme*, 1902, Paris, Félix Juven éditeur.

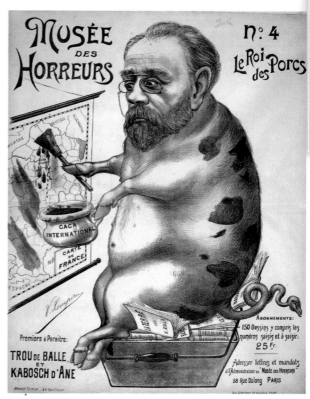

3 : Émile Zola, cible des antidreyfusards

Lithographie de Victor Lenepveu caricaturant Émile Zola, parue dans le journal satirique *Musée des horreurs* en 1899.

4 : Maurice Barrès déplorant l'entrée de Zola au Panthéon en 1908

Vocabulaire et notions

• **Intellectuels** : terme utilisé par Georges Clemenceau, directeur du journal *L'Aurore*, pour qualifier les savants, artistes et universitaires (Charles Péguy, Marcel Proust..) qui, en janvier 1898, signent la pétition en faveur de la révision du procès Dreyfus.

• **Dreyfusards** : partisans de la réhabilitation de Dreyfus, ils mettent en avant les preuves de son innocence et de la machination judiciaire orchestrée par l'armée.

• **Antidreyfusards** : partisans du maintien de l'accusation contre Dreyfus, souvent par antisémitisme, ils refusent que l'armée soit remise en cause.

• **Dreyfusisme** : courant de pensée qui ambitionne de réformer la société par la justice et le progrès, notamment par le biais d'une éducation populaire.

• **Nationalisme** : principe politique, à l'origine opposé à la royauté et revendiquant les droits souverains du peuple. À la fin du XIXᵉ siècle, un nationalisme xénophobe exalte la communauté nationale par opposition aux autres populations.

• **Antisémitisme** : racisme à l'égard des juifs.

Biographies

Émile Zola (1840-1902)
Journaliste et écrivain, condamné à un an de prison pour diffamation suite à son article « J'accuse… ! » Il s'exile pendant un an en Angleterre. En 1908, la République l'inhume au Panthéon.

Maurice Barrès (1862-1923)
Écrivain alors très célèbre, ce Lorrain est obnubilé par la revanche contre l'Allemagne. Député boulangiste, membre de la ligue des Patriotes, il est le chantre de l'antidreyfusisme.

BAC

Consigne 1. Après avoir présenté le contexte des documents 2 et 3, montrez par quels procédés les antidreyfusards défendent la culpabilité du capitaine Dreyfus.

Consigne 2. Après avoir présenté le contexte des documents 1 et 2 et leurs auteurs, montrez comment à l'occasion de l'affaire Dreyfus les intellectuels s'opposent autour des principes républicains.

Les écoles et les mairies depuis les années 1880 : une architecture républicaine

Capacités travaillées

II.1.3 Cerner le sens général d'un document et le mettre en relation avec la situation historique étudiée

II.2.4 Lire un document, passer de l'observation à la description

Les républicains affirment leurs valeurs et leur légitimité en inscrivant la République dans l'espace français à travers des bâtiments. Cette volonté est illustrée par le dense réseau de mairies et d'écoles qui sont édifiées sur tout le territoire dans les décennies 1880 et 1890, ainsi que dans les réalisations monumentales destinées à frapper les esprits : hôtels de ville, préfectures et tribunaux, palais construits à l'occasion des expositions universelles (Grand Palais, palais de Chaillot, etc.).

▶ **Comment l'architecture met-elle en valeur l'idéologie républicaine ?**

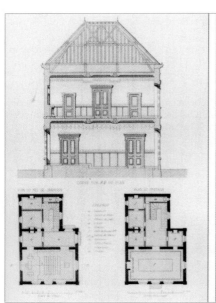

1 a **La mairie-école du village de Verneuil-sur-Seine (Seine-et-Oise), construite en 1884.** Carte postale de l'époque.

b **Types de mairie-école publié par l'architecte Félix Narjoux** dans son ouvrage : *Règlements pour la construction et l'ameublement des maisons d'école, arrêté par le ministre de l'Instruction publique et des Beaux-Arts, le 17 juin 1880*, Paris, A. Morel, 1880.

HISTOIRE DES ARTS L'architecture républicaine

- Selon les historiens Madeleine Rebérioux et Maurice Agulhon, l'architecture républicaine rassemble les édifices publics dont la finalité est républicaine et qui expriment, par leurs dimensions et leur décor, un message républicain. Cette architecture cherche à exprimer tout à la fois la solennité, la générosité et l'unité de la République. Elle est plus ou moins monumentale en fonction de l'échelle des pouvoirs publics concernés : préfecture et palais de justice, mairie et école, autres bâtiments communaux (halles, bains-douches, fontaines…).

- En 1880, le ministre de l'Instruction publique Jules Ferry établit un règlement pour la construction des « maisons d'école » qui définit notamment les dimensions, l'éclairage et l'ameublement.

- La mairie-école possède souvent une horloge qui offre le pendant moderne des cloches de l'église du village et parfois un ou des frontons en référence à la démocratie athénienne et à la République romaine. Les symboles républicains sont plus ou moins ostensibles en fonction du penchant politique de la municipalité, républicain ou monarchiste.

- Près de 20 000 écoles ont été construites entre 1880 et 1914.

2 : La mairie-école : la républicanisation des campagnes

C'est par l'une et par l'autre (la mairie et l'école) que la démocratie s'est implantée solidement dans les milieux ruraux, que l'idée républicaine, d'abord accueillie avec réserves, et même avec hostilité, est devenue familière, et que la vie laïque a pu rayonner dans un pays aux si fortes traditions catholiques. [...] Cette mairie, centre modeste d'une vie civique encore rudimentaire, a naturellement pour voisine cette école où commence l'éducation des citoyens de demain. Nulle ligne de discontinuité : l'homme fait sacré souverain de la cité, franchit le même seuil que dix ou vingt ans plus tôt, lorsqu'il faisait son apprentissage intellectuel et moral. L'une ne va pas sans l'autre : elles sont indissolublement liées dans leur essence, comme dans leur but ; deux institutions sœurs se prêtant secours, l'une servant d'assise et éclairant l'autre qui veille à sa prospérité matérielle, à son rayonnement moral.

M.-T. Laurin, « La mairie-école et l'instituteur secrétaire de mairie », dans *Revue de l'enseignement primaire et primaire supérieur*, 1918.

Point méthode : Analyser une architecture républicaine

A Présenter l'édifice
Architecte, commanditaire, destination du bâtiment, contexte de construction

B Décrire le bâtiment
– Les dimensions (du bâtiment, des fenêtres, des cheminées…) : modestes ? monumentales ?
– Les matériaux : traditionnels ? modernes ?

– Les éléments de décor : sont-ils fournis ou bien discrets ? Portent-ils un message explicite ?

C Interpréter l'architecture
– Pourquoi l'architecte/le commanditaire a-t-il choisi ces dimensions, ces matériaux, ce décor ?
– Quelles préoccupations l'ont guidé ?
– Quel message voulait-il transmettre ?
– En quoi s'agit-il d'une architecture républicaine ?

3 : L'hôtel de ville de Tours, construit entre 1896 et 1904 par l'architecte Victor Laloux

BAC

Consigne 1. À l'aide des documents 1 et 2, montrez comment les mairies-écoles ont contribué à l'enracinement de la République dans la France rurale.

Consigne 2. Montrez en quoi l'hôtel de ville de Tours correspond à une architecture républicaine (doc. 3).

▶ **Par quels moyens la IIIᵉ République enracine-t-elle les principes républicains chez les Français ?**

A Stabiliser une République fragile et menacée

doc. 3

■ **Proclamée le 4 septembre 1870, la IIIᵉ République est menacée**. Née de la défaite face à la Prusse, elle subit l'occupation allemande jusqu'en 1873. Par ailleurs, elle est contestée sur sa droite, les monarchistes étant majoritaires aux élections législatives de février 1871, et sur sa gauche, avec l'insurrection de la Commune, à Paris et dans plusieurs grandes villes, entre mars et mai 1871.

■ **Les lois constitutionnelles ne sont votées qu'en 1875 et sont pensées comme une solution provisoire**. Car la République est dirigée par des monarchistes. Président depuis 1873, le maréchal de Mac-Mahon est un légitimiste, tandis que le gouvernement mène une politique d'« ordre moral », très conservatrice et ultrareligieuse. En juin 1877 Mac-Mahon dissout la Chambre des députés, majoritairement républicains depuis 1876. C'est un échec car les élections d'octobre 1877 confirment la majorité républicaine.

■ En janvier 1879 le Sénat devient à son tour républicain. Jules Grévy, président de la République après la démission de Mac Mahon, renonce au pouvoir de dissolution de l'Assemblée : **la IIIᵉ République devient un véritable** régime parlementaire.

B Des lois qui républicanisent la France

(Études) pages 296-297 et 300-301 + doc. 2

■ **Soucieux de gagner durablement les Français au régime, les républicains diffusent une véritable** culture républicaine **(lois de 1879-1880)** : elle combine des lieux (mairie, école), des symboles (Marianne, le drapeau tricolore, La Marseillaise), des fêtes (le 14 juillet).

■ **Afin de former des citoyens éclairés, le président du Conseil Jules Ferry fait de l'école publique élémentaire une école gratuite, obligatoire et** laïque. La laïcité de l'instruction et des instituteurs permet de limiter l'emprise de l'Église, alors très antirépublicaine, sur les générations nouvelles.

■ **Les libertés fondamentales donnent à la IIIᵉ République un caractère profondément démocratique** : liberté de la presse, de réunion, des syndicats, du divorce, etc. La démocratie municipale favorise une vie politique très active dans les campagnes. Enfin avec la séparation des Églises et de l'État en 1905, la République devient laïque.

C La République s'affirme en résistant à des crises

(Étude) pages 298-299 + doc. 1 et 4

■ **Mais des scandales politiques éclaboussent la jeune République** : scandale des décorations (1887) ou de Panama (1892). Ces crises favorisent un antiparlementarisme qui s'exprime notamment lorsque le général Boulanger, revanchard et très populaire, réclame la révision de la constitution (1888-1889). Mais il refuse de se lancer dans le coup d'État que souhaitent ses partisans à l'extrême gauche (radicaux, certains socialistes) comme à l'extrême droite (monarchistes et bonapartistes) et, menacé d'arrestation, s'exile.

■ **L'affaire Dreyfus (1894-1906), qui entraîne une vague d'antisémitisme, ébranle le régime, mais les valeurs républicaines sont réaffirmées par les** dreyfusards. La réhabilitation de Dreyfus en 1906 renforce la République, celle-ci ayant fait triompher la justice sur la raison d'État.

■ **C'est en fait sur la question sociale que buttent les républicains**. La répression des grèves par les forces de l'ordre, parfois sanglante, amène les ouvriers à se défier d'une république bourgeoise. Cependant l'anarchisme s'essouffle après les attentats meurtriers des années 1892-1894 (assassinat du président Sadi Carnot en 1894), tandis que la synthèse du socialisme et des valeurs républicaines proposée par Jean Jaurès gagne du terrain. En définitive, lorsque débute le premier conflit mondial, les ouvriers se résignent à défendre la République : c'est l'Union sacrée.

L'ASSAUT DE LA RÉPUBLIQUE

1 **La contestation boulangiste de la République**
Dessin paru dans *Le Grelot*, journal satirique républicain, en 1888. Il montre les monarchistes, les cléricaux et les bonapartistes utilisant le général Boulanger pour fomenter un coup d'État antirépublicain.

Vocabulaire et notions

• **Régime parlementaire** : régime politique caractérisé par un équilibre des pouvoirs entre le gouvernement et le Parlement, le gouvernement étant responsable de ses décisions devant le Parlement, qui peut le renverser par un vote dit de défiance.

• **Culture républicaine** : ensemble des références, des représentations et des pratiques liées au régime républicain.

• **Légitimiste** : monarchiste favorable au retour de la dynastie des Bourbons au pouvoir et hostile à l'héritage révolutionnaire.

• **État laïque** : État qui garantit la liberté de croyance (foi) et de culte (pratique) sans être lié lui-même à aucune religion (neutralité religieuse de l'espace et des autorités publics).

• **Revanchard** : personne qui souhaite la revanche de la France contre l'Allemagne après la défaite de 1870.

• **Scrutin proportionnel** : mode d'élection (scrutin) attribuant les sièges à pourvoir selon le nombre de voix recueillies par chacune des différentes formations politiques. Il favorise le multipartisme, plus représentatif, mais rend difficile l'émergence d'une majorité stable pour gouverner.

• **Raison d'État** : principe qui prétend s'affranchir de la morale traditionnelle au nom des intérêts supérieurs de l'État.

• **Anarchisme** : idéologie qui prône la disparition de l'État, considéré comme oppresseur, par une révolution.

1879	*La Marseillaise*, hymne national.
1880	14 juillet fête nationale. Elle fait référence autant au 14 juillet 1789 (prise de la Bastille, référence pour la gauche républicaine) qu'au 14 juillet 1790 (fête de la Fédération et serment de fidélité à la nation, à la loi et au roi, référence plus acceptable pour les conservateurs).
1881	Liberté de la presse, de l'édition et de l'affichage, à condition de ne pas publier de propos diffamatoires.
1881	Liberté de réunion. Cela permet les réunions politiques, facilite l'expression du pluralisme des opinions.
1881	École élémentaire publique gratuite. Le réseau des écoles était en grande partie formé avant cette loi.
1882	École publique obligatoire (jusqu'à 13 ans) et laïque. La plupart des garçons étaient déjà scolarisés, mais l'obligation concerne également les filles, dont le niveau d'instruction s'élève.
1882	Élection des maires par les conseils municipaux : les maires ne sont plus désignés par l'État mais par les élus du peuple.
1884	Autonomie des conseils municipaux : dans la limite du respect des lois de la République, les conseils municipaux décident des affaires locales.
1884	Autorisation des syndicats ouvriers, qui étaient interdits depuis la loi Le Chapelier (1791).
1901	Liberté d'association. Elle permet notamment la création des premiers partis politiques.
1905	Séparation des Églises et de l'État : l'État ne reconnaît ni ne subventionne aucun culte, il devient laïque. La pratique du culte est libre si elle ne contrevient pas à l'ordre public.

2 **Les grandes lois républicaines**

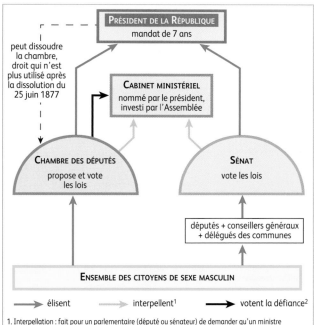

1. Interpellation : fait pour un parlementaire (député ou sénateur) de demander qu'un ministre s'explique devant les assemblées sur sa politique.
2. Défiance : vote par lequel l'Assemblée signifie son désaccord avec la politique du gouvernement.

3 **La IIIᵉ République, un régime parlementaire**

Le président de la République, avec un long mandat et un pouvoir de dissolution, est une institution destinée à rassurer les monarchistes. Mais les pouvoirs de la Chambre des députés sont très importants. Le scrutin est proportionnel, favorisant la diversité politique et conduisant à d'instables majorités de coalition.

4 **La dénonciation d'une République bourgeoise par les syndicats ouvriers**

La CGT, Confédération générale du travail, constituée en 1895, est de tendance anarcho-syndicaliste. Elle dénonce ici la répression sanglante d'une grève ouvrière à Villeneuve-Saint-Georges en 1908 par l'armée.
Affiche de Grandjouan pour la CGT du département de la Seine (Île-de-France), 1908.

Questions

1. Montrez comment la IIIᵉ République a apporté à la fois des droits individuels et une démocratisation de la société française (doc. 2).

2. Montrez que la IIIᵉ République est un régime parlementaire (doc. 3).

3. Après avoir décrit le document, expliquez comment la CGT justifie sa position hostile à la IIIᵉ République (doc. 4).

Vichy, une remise en cause radicale de la République

Capacités travaillées

II.1.3 Cerner le sens général d'un document et le mettre en relation avec la situation historique étudiée

II.2.1 Décrire et mettre en récit une situation historique

Le 11 juillet 1940 le maréchal Pétain fonde l'« État français ». Il s'agit d'un État antidémocratique, corporatiste, inspiré par la doctrine sociale de l'Église et légitimé par le culte de la personnalité de Pétain. Cet État met en œuvre une législation antisémite. Si, sous le choc de la défaite, les Français font majoritairement confiance à Pétain en 1940, les outrances de la collaboration et les premières victoires des Alliés les amènent à s'en défier de plus en plus à partir de 1942.

▶ **En quoi le régime de Vichy est-il fondamentalement antirépublicain ?**

1940				1941	1942	1944

10 juillet
Les parlementaires votent les pleins pouvoirs au maréchal Pétain

11 juillet
Abrogation des lois constitutionnelles de 1875

3 octobre
1er statut des juifs

24 octobre
Entrevue de Montoire : Pétain et Hitler s'accordent sur la collaboration

octobre
Charte du travail

septembre
Service du travail obligatoire

août-sept.
Pétain est transféré en Allemagne par les Allemands

Biographie

Philippe Pétain
(1856-1951)

Officier très populaire depuis la bataille de Verdun, il est nommé président du Conseil le 16 juin 1940. Il demande le lendemain l'armistice à l'Allemagne. Le 11 juillet 1940, il met fin à la République et fonde l'État français, régime antirépublicain, corporatiste et antisémite. Il engage la France dans la collaboration. Condamné à mort pour trahison en 1945, il voit sa peine commuée en détention à vie par le général de Gaulle.

1 : **L'image omniprésente du maréchal**
Dès 1940, les services de propagande de l'État français font éditer de nombreux livres pour enfants à la gloire du chef de l'État.
Abécédaire du maréchal Pétain, Bureau de documentation du chef de l'État, 1943. BnF.

2 : **Des conceptions politiques antidémocratiques**

Messieurs, je vous ai réunis pour m'aider à élaborer la Constitution nouvelle qui doit être soumise à la ratification de la Nation. C'est une entreprise difficile, car il faut qu'elle exprime avec plénitude la signification de la Révolution Nationale. [...] Le régime électoral représentatif, majoritaire, parlementaire, qui vient d'être détruit par la défaite, était condamné depuis longtemps par l'évolution générale et accélérée des esprits et des faits dans la plupart des pays d'Europe et par l'impossibilité de se réformer. [...] Les problèmes à résoudre découlent les uns des autres. Le premier consiste à remplacer « le peuple souverain » exerçant des droits absolus dans l'irresponsabilité totale par un peuple dont les droits dérivent de ses devoirs. Un peuple n'est pas un nombre déterminé d'individus. [...] Un peuple est une hiérarchie de familles, de professions, de communes, de responsabilités administratives, de familles spirituelles, articulées et fédérées pour former une patrie animée d'un mouvement, d'une âme, d'un idéal, moteurs de l'avenir, pour produire à tous les échelons une hiérarchie des hommes qui se sélectionnent par les services rendus à la communauté, dont un petit nombre conseillent, quelques-uns commandent et, au sommet, un chef qui gouverne.

Discours de Philippe Pétain le 8 juillet 1941 devant la commission nationale chargée d'élaborer une nouvelle constitution.

Vocabulaire et notions

• **Aryaniser** : exproprier les juifs pour transmettre leurs biens à des non-juifs.

• **État français** : nom que se donne le régime autoritaire de Vichy pour éviter le terme de « République ».

• **Corporatisme** : doctrine qui s'oppose aux droits égaux des individus et leur substitue des communautés et une hiérarchie considérées comme naturelles.

• **Doctrine sociale de l'Église** : doctrine définie par le pape Léon XIII dans l'encyclique *Rerum novarum* en 1891 qui affirme la nécessité d'un « juste salaire » et prône la mise en place de corporations regroupant ouvriers et patrons afin d'empêcher la lutte des classes et la diffusion des idées socialistes parmi les ouvriers.

• **Collaboration** : pendant la Seconde Guerre mondiale, attitude ou politique qui vise à aider l'occupant allemand, par intérêt ou par idéologie.

PRÉFECTURE DE LA SAVOIE

Cabinet du Préfet

COMMUNE
d'Albertville

DÉCLARATION

en vue de l'application de la loi du 3 octobre 1940
sur le statut des Juifs

Nom du déclarant

Prénoms _Alphonse_

Date et lieu de naissance _31 Janvier 1907 Chambéry_

Grade ou emploi _Concierge_

Domicile _Albertville_

Ascendants dans la ligne paternelle
- Votre grand-père dans la ligne paternelle est-il ou était-il de race juive ? _Non_ (1)
- Votre grand'mère dans la ligne paternelle est-elle ou était-elle de race juive ? _Non_ (1)

Ascendants dans la ligne maternelle
- Votre grand-père dans la ligne maternelle est-il ou était-il de race juive ? _Non_ (1)
- Votre grand'mère dans la ligne maternelle est-elle ou était-elle de race juive ? _Non_ (1)

Conjoint { Votre conjoint est-il juif ? _Non_ (1)

Pouvez-vous vous prévaloir de l'article 3 de la loi du 3 octobre 1940, en excipant d'une des conditions suivantes :

1° Etes-vous titulaire de la carte du combattant 1914-1918 ? _Non_ (1)

2° Avez-vous été cité au cours de la campagne 1914-1918 ? _Non_ (1)

3° Avez-vous été cité à l'ordre du jour au cours de la campagne 1939-1940 ? _Non_ (1)

4° Etes-vous décoré de la Légion d'Honneur à titre militaire ou de la Médaille Militaire ? _Non_ (1)

Fait à _Albertville_ le _8 Novembre 1943_

Sous la foi du serment.

Le Déclarant,

Rosset

(1) Répondre par **Oui** ou par **Non.**

NOTA. — Toute fausse déclaration entraînera la déchéance des droits à retraite ou du payement du traitement.

---

3 : Un État antisémite

Déclaration individuelle de non-appartenance à la « race » juive, obligatoire pour occuper un emploi public. Le statut des juifs du 3 octobre 1940 n'a nullement été imposé par l'occupant mais relève de la libre initiative du régime de Pétain.

4 : La Charte du travail : la mise en œuvre du corporatisme

La Charte du travail est instituée en octobre 1941. Elle confirme la dissolution des syndicats ouvriers et leur remplacement par des corporations et interdit la grève.

Affiche éditée par les services de communication du gouvernement de Vichy, 1941.

---

6 : Les spoliations des juifs de France pendant la Seconde Guerre mondiale

Population juive de France en 1940	Entre 300 et 330 000 personnes
Comptes bancaires spoliés	80 000
Autres biens aryanisés	50 000
Objets d'arts spoliés	Plus de 100 000
Livres pillés	Plusieurs millions
Appartements vidés	38 000

Source : rapport de Jean Mattéoli sur la mission d'étude sur la spoliation des juifs de France, la documentation française, avril 2000.

COMMISSARIAT GÉNÉRAL AUX QUESTIONS JUIVES   S/D   ÉTAT FRANÇAIS

DIRECTION RÉGIONALE

BORDEAUX, le 16 Fév. 1944
2, Cours de l'Intendance
+ 887-18

Le DIRECTEUR RÉGIONAL
de BORDEAUX

N° 4.977

à Monsieur le PRÉFET de la
LOIRE INFÉRIEURE
N A N T E S

J'ai l'honneur de vous confirmer ma lettre N° 4.161 du 19 Janvier 1944 vous demandant de bien vouloir me faire connaître le nom et l'adresse de l'administrateur provisoire du fonds de commerce de cycles en gros situé à ST NAZAIRE, rue Dolmène, appartenant au juif ABRAHAM.

Ce renseignement m'étant réclamé à nouveau, je vous serais très obligé de bien vouloir me donner votre réponse.

Le Directeur Régional,

5 : L'aryanisation des biens juifs

BAC

Consigne 1. À l'aide des documents 1 et 2, expliquez comment le régime de Vichy justifie la suppression des droits individuels républicains.

Consigne 2. À l'aide des documents 3 et 5, présentez les différents aspects de la législation antisémite de Vichy.

Consigne 3. Après avoir présenté le document 4 dans son contexte, expliquez les objectifs de la Charte du travail.

L/ES ▶ Quelles sont les caractéristiques du régime de Vichy ?

S p. 320

A Un régime né de la défaite doc. 2

🔶 Lançant l'offensive contre la France le 10 mai 1940, la *Wehrmacht* met en déroute l'armée française. **Huit millions de civils**, effrayés par l'avancée allemande et hantés par les souvenirs de l'occupation du nord-est de la France pendant la Première Guerre mondiale, **fuient vers le sud du pays : c'est l'Exode.**

🔶 Le 16 juin, le maréchal Pétain succède à Paul Reynaud à la présidence du Conseil. Le lendemain, il annonce à la radio qu'il demande un armistice à l'Allemagne, signé à Rethondes le 22 juin. Le pays est coupé en deux, la zone nord sous occupation allemande, la zone sud, dite « libre », administrée par le gouvernement de Vichy. Le 10 juillet 1940, 569 députés et sénateurs (sur plus de 900 parlementaires au total – seuls 80 votent contre), réunis à Vichy, votent les pleins pouvoirs à Pétain. **Le lendemain, celui-ci abroge les lois constitutionnelles de 1875 : c'est la fin de la IIIe République**. Les actes constitutionnels du nouveau régime suspendent les assemblées et confèrent les pouvoirs exécutifs et législatifs au maréchal Pétain, chef de l'État français.

B Une idéologie antirépublicaine

Étude pages 304-305 doc. 3 + doc. 1, 2 et 3

🔶 Rendant les républicains, en particulier les hommes du Front populaire, responsables de la défaite, **l'État français ne reconnaît plus les libertés individuelles auxquelles il substitue le respect des hiérarchies traditionnelles : la famille, l'Église, l'armée**. Les symboles républicains sont interdits, à l'exception du drapeau national. Les services de propagande du nouveau régime organisent un véritable culte de la personnalité autour de la figure du maréchal Pétain.

🔶 Dans le cadre de sa « Révolution nationale », **le nouveau régime met en œuvre une dictature corporatiste** : les syndicats sont dissous dès novembre 1940, tandis que la Charte du travail, en octobre 1941, interdit la grève et instaure des corporations qui regroupent ouvriers, cadres et employeurs, afin de mettre fin à la lutte des classes.

🔶 **Le gouvernement de Vichy adopte des mesures xénophobes.** Les réfugiés étrangers et les « nomades » (Tsiganes) sont internés dans des camps. Dès le 3 octobre 1940, avec le premier statut des juifs, **le gouvernement mène une politique antisémite** : les juifs sont exclus de nombreuses professions et de la vie politique. Des juifs naturalisés depuis 1927 sont déchus de leur nationalité française. De nombreux juifs étrangers sont internés dans des camps. Au nom de la collaboration, la police française doit organiser des rafles : ainsi le 16 juillet 1942, 13 000 juifs sont arrêtés à Paris et regroupés au Vélodrome d'Hiver, avant d'être envoyés au camp de transit de Drancy puis déportés vers les camps d'extermination allemands.

C Un régime de collaboration

doc. 4

🔶 **En octobre 1940, le maréchal Pétain s'engage dans la** collaboration **avec l'Allemagne** avec le dessein d'alléger les conditions de l'armistice et de négocier le retour des prisonniers de guerre français. En réalité, cette politique facilite le pillage de l'économie française par l'Allemagne nazie, aggravant la pénurie et le rationnement subis par les Français. Pour contribuer à l'effort de guerre allemand, la France envoie plus de 600 000 jeunes hommes travailler dans les usines en Allemagne, dans le cadre du STO.

🔶 **La collaboration est également un choix politique de la part d'hommes d'extrême droite**, comme Joseph Darnand, fondateur de la Milice. Mais d'anciens républicains ont aussi rejoint, dès 1940, le régime de Pétain : c'est le cas de Pierre Laval, président du Conseil sous la IIIe République, numéro deux du régime en 1940 puis de 1942 à la fin de l'Occupation. Après l'invasion de la zone sud par l'armée allemande en novembre 1942, des collaborationnistes (Darnand, Henriot), qui justifient l'idéologie nazie, occupent une place croissante. Bien que le maréchal Pétain bénéficie encore de l'estime de nombreux Français, son gouvernement devient de plus en plus impopulaire.

1 Un régime xénophobe et d'exclusion

Enfants tsiganes dans le camp d'internement de Rivesaltes (Pyrénées-Orientales), 1941 ou 1942.

Vocabulaire et notions

• **Vichy** : petite ville thermale du Massif central choisie comme capitale de l'État français en raison de l'abondance de ses hôtels où sont établis les ministères.

• **La Milice** : police politique créée par Joseph Darnand en janvier 1943. Elle traque les résistants et les juifs et emploie des méthodes imitées de celles de la Gestapo.

• **STO** : Service du travail obligatoire institué par Laval (lois de 1942 et 1943) afin de fournir à l'Allemagne la main-d'œuvre dont elle avait besoin pour maintenir sa production de guerre. Il remplace « la relève » volontaire instaurée en juin 1942.

• **Collaborationniste** : favorable à la collaboration avec l'Allemagne nazie pour des raisons idéologiques.

• **Révolution nationale** : idéologie réactionnaire (cléricaliste, corporatiste, xénophobe et sexiste) mise en œuvre par le gouvernement de Vichy.

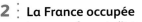

2 : La France occupée

Les camps français d'internement en août 1942.

Légende :
- ✱ Camps d'internement des juifs
- ▪ Camps d'internement des nomades
- → Transferts des juifs de la zone non occupée
- ➜ Convois de déportation de Drancy (août 1942)
- ┈┈ Ligne de démarcation
- Zone occupée
- Gouvernement de Vichy, zone occupée à partir du 11 novembre 1942
- Territoires annexés

Source : Denis Peschanski, *La France des camps, l'internement 1938-1946*, Gallimard, 2002

COMMISSARIAT GÉNÉRAL A LA FAMILLE

JOURNÉE DES MÈRES
DIMANCHE 30 MAI 1943

3 : Une politique familiale réactionnaire

La « journée des mères » inscrite au calendrier en 1941 a pour but de valoriser le rôle assigné aux femmes : procréer et élever les enfants. Affiche de Pierre Philippe Amédée Grach.

Libérer tes aînés ?
Vivre l'aventure
SI TU LE VEUX
EN PARTICIPANT À

JEUNE
Veux-tu...

Apprendre un métier ?
d'un pays nouveau ?
TU LE PEUX
LA RELÈVE

4 : L'envoi de travailleurs français en Allemagne

À partir de juin 1942, Vichy encourage les départs volontaires en Allemagne sous prétexte de faire rentrer des prisonniers en échange (la « Relève »), mais rencontre peu de succès.

Tract édité par les services de communication du gouvernement de Vichy, 1942.

Questions

1. Montrez que les clauses de l'armistice sont inacceptables pour les Français. De quelle manière l'« État français » a-t-il contribué au génocide des juifs et à la persécution des Tsiganes (doc. 2) ?

2. Quel rôle est assigné aux femmes par le gouvernement de Vichy ? Montrez que ce dessin ne reflète pas tout à fait la réalité de la vie quotidienne des familles françaises à l'époque (doc. 3).

3. Après avoir décrit le dépliant et interprété son message, expliquez en quoi l'envoi de travailleurs est une forme essentielle de la collaboration de l'État français avec l'Allemagne nazie (doc. 4).

Des résistantes qui défendent et repensent les valeurs républicaines

L/ES S

Capacités travaillées

II.1.2 Prélever et confronter des informations

II.1.3 Cerner le sens général d'un document et le mettre en relation avec la situation historique étudiée

Si les Françaises et les Français sont majoritairement confiants en Pétain en 1940, ils acceptent mal l'occupation allemande. Une petite minorité d'entre eux organise la Résistance à l'occupant et à la collaboration. Près de 20 % des résistants sont des femmes, malgré les réticences de nombre de leurs frères d'armes.

▶ **Comment les femmes ont-elles contribué aux combats de la Résistance ?**

1940	1941	1943		1944	
août Aidé de Bertie Albrecht, Henri Frenay fonde le futur mouvement Combat	**22 juin** Le PCF achève de rejoindre la Résistance	**6 janvier** Des femmes se couchent sur les rails lors de la manifestation à Montluçon contre le départ d'un train du STO	**mai** Naissance du CNR, qui ne compte aucune femme	**mars** Programme du CNR, qui ne mentionne pas le vote des femmes	**21 avril** De Gaulle signe à Alger l'ordonnance donnant le droit de vote aux femmes
18 juin Appel du général de Gaulle					

1 Faire grève sous l'Occupation

Du 27 mai au 10 juin 1941, 100 000 mineurs (80 % de l'effectif) firent grève dans le Pas-de-Calais, département appartenant à la zone interdite et rattaché au commandement militaire de Bruxelles. La grève fait perdre 500 000 tonnes de charbon aux Allemands. Elle entraîne une sévère répression (arrestations, déportations, exécutions).

Si j'insiste sur les jeunes communistes qui n'ont jamais été aussi heureux qu'en 1941, quand ils ont animé cette grève, c'est parce qu'il faut mettre fin à une imposture. On assimile souvent ce mouvement au début de l'attaque hitlérienne contre l'Union soviétique[1]. Or, cette grève, les mineurs l'avaient faite avant cette date, sans attendre aucune consigne extérieure. Et l'on ne soulignera jamais assez le rôle des femmes. Je vois encore le piquet de grève féminin à la sortie de la cité. Composé de mineurs à l'entrée du « carreau d'fosse », il aurait été aux prises aussitôt avec les Allemands, et la gendarmerie française serait intervenue. Ça se passait dans les corons et les cités, et ce sont les femmes qui ont dit : « Je ne veux plus envoyer mon mari, ou mon gamin galibot travailler à l'fosse avec deux fo rin din sin briquet » (le briquet c'était la petite « mallette » dans laquelle le mineur mettait ce qu'il mangeait au fond), « je ne veux plus réclamer du savon pour nettoyer les loqu's ed'fosse » ! C'étaient les premières revendications. Mais en même temps elles étaient dirigées contre les occupants : « Pour les boches, in f'ra toudis trop d'carbon. » [« on fera toujours trop de charbon »]

Jules Clauwaert, « Témoignage – Démocrates-Chrétiens et Résistance », in Robert Vandenbussche (dir.), *L'engagement dans la Résistance (France du Nord - Belgique)*, Villeneuve d'Ascq, IRHiS (« Histoire et littérature de l'Europe du Nord-Ouest », n° 33), 2003.

1. Le 22 juin 1941, l'Allemagne nazie attaque l'URSS, mettant ainsi fin au pacte germano-soviétique. Les partis communistes européens entrent alors en résistance.

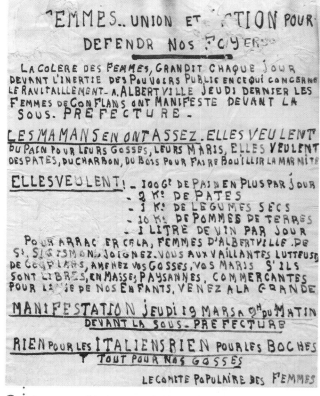

2 Les manifestations des femmes contre l'aggravation du rationnement en 1942

Tract diffusé en mars 1942. De nombreuses manifestations de femmes contre les pénuries ont eu lieu en Savoie en 1942-1943.

3 : Lucie Aubrac organise pour la troisième fois l'évasion de son mari

Lucie Samuel, dite « Aubrac », républicaine de gauche, est cofondatrice du mouvement « Libération ». En octobre 1943, déjà mère de famille et enceinte de 5 mois, elle organise la libération de son mari, le résistant Raymond Aubrac, arrêté par la Gestapo à Caluire le 21 juin avec Jean Moulin.

À cinq heures et demie, je suis assise à l'arrière de la traction, derrière le chauffeur. Pourvu que le portail de l'École de santé s'ouvre vite et que nous n'attirions pas l'attention si nous sommes là longtemps ! [...] Le portail s'ouvre, voilà la camionnette qui sort de la rue perpendiculaire à l'avenue. Elle s'engage dans l'avenue et prend de la vitesse, nous suivons. Aucun de nous ne parle. Daniel tient sa mitraillette sur ses genoux. Je serre le pistolet dans ma main. Virage à gauche, nous sommes boulevard des Hirondelles. Je dis à Christophe : « À nous. » Il accélère. Nous arrivons à hauteur de la cabine du chauffeur. Daniel tire, on n'entend aucun bruit de détonation. [...] nous voyons s'effondrer sur le volant le chauffeur allemand, tandis que le soldat voisin se couche sur lui. À l'arrière, les gardes, surpris de cet arrêt sans raison, sautent, leurs armes à la main. Les copains, eux, ont déjà pris position derrière leur voiture ; l'un des gardes, plus rapide, fait un roulé-boulé et disparaît dans la tranchée du chemin de fer. En deux minutes nous avons vidé nos chargeurs, les Allemands aussi. Mais ils sont tués. En plein combat, à la lueur des phares de nos voitures, je vois Raymond sauter avec un autre homme lié à lui.

Lucie Aubrac, *Ils partiront dans l'ivresse, journal*,
Le Seuil, Points, 1984.

4 : Des « Rochambelles » soignent un blessé

En juillet 1944, le groupe d'infirmières « Rochambeau » de la 2e division blindée française dirigée par le général Leclerc participe à la libération de la France.

6 : La proportion des femmes dans la Résistance française

15 à 20 % des résistants français étaient des femmes.
15 % des déportés non-juifs
25 % des FTP-MOI[1]
Aucune résistante n'est chef d'un mouvement, ni commissaire de la République dans une région libérée. Seules 6 des 1 032 Compagnons de la Libération décorés par de Gaulle sont des femmes.

1. Source : Claude Collin, « Carmagnole et Liberté : les FTP-MOI à Lyon et Grenoble », in Philippe Joutard-François Marcot (éd.), *Les étrangers dans la Résistance en France*, catalogue de l'exposition du musée de la Résistance et de la Déportation, Besançon, octobre 1992.

5 : Les résistantes des FTP-MOI participent à la libération de Marseille

Les femmes du FTP-MOI étaient chargées de l'assemblage des bombes et des explosifs et surtout de leur transport, avant et après l'attaque. Elles ont participé activement à la libération de Marseille (21-28 août 1944).
Des femmes du FTP-MOI défilent à Marseille en août 1944. Photographie de presse d'origine polonaise, Julia Pirotte, membre des FTP-MOI, participe à l'insurrection de Marseille et photographie la libération de la ville.

Vocabulaire et notions

• **Résistance** : ensemble des mouvements et des actions contre les occupants et contre le régime de Vichy.

• **CNR** : Conseil national de la Résistance. Fondé en mai 1943, il regroupe les différents mouvements de Résistance intérieure sous la houlette du général de Gaulle.

• **FFL/FFI** : les Forces françaises libres sont organisées par de Gaulle, dès 1940, depuis Londres puis l'Afrique du Nord. Les Forces françaises de l'intérieur regroupent les mouvements armés de Résistance intérieure unifiés à partir de 1943 sous l'égide de De Gaulle.

• **FTP-MOI** : les Francs-tireurs et partisans de la main-d'œuvre immigrée sont des résistants communistes, pour la plupart étrangers, souvent d'origine juive. Ils organisent des attentats contre l'occupant et contre le régime de Vichy.

BAC

Consigne 1. À l'aide du document 1, expliquez en quoi la grève, à travers la diversité de ses motivations et de ses acteurs, est une véritable forme de résistance.

Consigne 2. À partir des documents 2 et 3, montrez la diversité des motivations et des actions des femmes dans la Résistance.

Consigne 3. À l'aide des documents 4 et 5, montrez que les femmes ont pris toute leur place dans les combats de la libération.

La IVᵉ République dans la tourmente

L/ES   S

Adoptée par référendum de justesse et avec une forte abstention (53,5 % du corps électoral mais 33 % d'abstention), la constitution de la IVᵉ République souffre d'un manque de légitimité dès ses débuts. Confrontée à la reconstruction du pays et à un contexte international complexe, la IVᵉ République ne survit que 12 ans (1946-1958). Elle réalise pourtant une œuvre économique et sociale durable.

▶ **Pourquoi la IVᵉ République disparaît-elle si vite alors que beaucoup de ses réalisations améliorent la vie des Français ?**

Capacités travaillées
I.2.1 Prélever et confronter des informations
II.2.1 Décrire et mettre en récit une situation historique

1944 — 1958

| 2 juin 1944 Création à Alger du GPRF | 21 oct. 1945 Élection d'une assemblée constituante | oct. 1945 Début de la mise en œuvre de la Sécurité sociale | oct. 1946 Adoption de la constitution de la IVᵉ République par référendum | 1ᵉʳ nov. 1954 «Toussaint rouge» : début de la guerre d'Algérie | 13 mai 1958 Insurrection d'Alger préparant un coup d'État en métropole | 1ᵉʳ juin 1958 De Gaulle chef du gouvernement | 3 juin 1958 De Gaulle est chargé de proposer une nouvelle constitution |

---

1 : Une République sociale

[...] La loi garantit à la femme, dans tous les domaines, des droits égaux à ceux de l'homme.

Tout homme persécuté en raison de son action en faveur de la liberté a droit d'asile sur les territoires de la République. Chacun a le devoir de travailler et le droit d'obtenir un emploi. Nul ne peut être lésé, dans son travail ou son emploi, en raison de ses origines, de ses opinions ou de ses croyances.

Tout homme peut défendre ses droits et ses intérêts par l'action syndicale et adhérer au syndicat de son choix.

Le droit de grève s'exerce dans le cadre des lois qui le réglementent.

Tout travailleur participe, par l'intermédiaire de ses délégués, à la détermination collective des conditions de travail ainsi qu'à la gestion des entreprises.

Tout bien, toute entreprise, dont l'exploitation a ou acquiert les caractères d'un service public national ou d'un monopole de fait, doit devenir la propriété de la collectivité.

La Nation assure à l'individu et à la famille les conditions nécessaires à leur développement.

Elle garantit à tous, notamment à l'enfant, à la mère et aux vieux travailleurs, la protection de la santé, la sécurité matérielle, le repos et les loisirs. Tout être humain qui, en raison de son âge, de son état physique ou mental, de la situation économique, se trouve dans l'incapacité de travailler a le droit d'obtenir de la collectivité des moyens convenables d'existence. [...]

La Nation garantit l'égal accès de l'enfant et de l'adulte à l'instruction, à la formation professionnelle et à la culture. L'organisation de l'enseignement public gratuit et laïque à tous les degrés est un devoir de l'État. [...]

Préambule de la constitution du 27 octobre 1946.
Ce préambule est aussi celui de notre actuelle constitution de la Vᵉ République. Source : site du Conseil constitutionnel.

2 : Affiche pour les élections à la Sécurité sociale de 1947

La Sécurité sociale

Prévue par le programme du CNR, la Sécurité sociale unifie et complète les dispositions de protection sociale mises en place progressivement depuis la fin du XIXᵉ siècle. Elle garantit chacun contre les risques de l'existence et du travail, et assure les retraites. Toute personne résidant et travaillant en France y est obligatoirement affiliée. Elle est financée par les cotisations des employeurs et des salariés, et gérée à parité par les représentants de leurs syndicats respectifs.

3 · Des institutions contestées par le général de Gaulle (1946)

[Il nous paraît nécessaire que le chef de l'État en soit un, c'est-à-dire qu'il soit élu et choisi pour représenter réellement la France et l'Union française, qu'il lui appartienne, dans notre pays si divisé, si affaibli et si menacé, d'assurer au-dessus des partis le fonctionnement régulier des institutions et de faire valoir, au milieu des contingences politiques, les intérêts permanents de la nation. Pour que le président de la République puisse remplir de tels devoirs, il faut qu'il ait l'attribution d'investir les gouvernements successifs, d'en présider les Conseils et d'en signer les décrets, qu'il ait la possibilité de dissoudre l'Assemblée élue au suffrage direct au cas où nulle majorité cohérente ne permettrait à celle-ci de jouer normalement son rôle législatif ou de soutenir aucun gouvernement, enfin qu'il ait la charge d'être, quoi qu'il arrive, le garant de l'indépendance nationale, de l'intégrité du territoire et des traités signés par la France. […] Il nous paraît nécessaire que le Parlement en soit un, c'est-à-dire qu'il fasse les lois et contrôle le gouvernement sans gouverner lui-même, ni directement, ni par personnes interposées. Ceci est un point essentiel et qui implique, évidemment, que le pouvoir exécutif ne procède pas du législatif, même par une voie détournée qui serait inévitablement celle des empiétements et des marchandages. […] Quant à nous, nous déclarons que malgré quelques progrès réalisés par rapport au précédent, le projet de Constitution qui a été adopté la nuit dernière par l'Assemblée nationale ne nous paraît pas satisfaisant.

Discours d'Épinal, 29 septembre 1946.

4 · Les tensions de la guerre froide (1947)

En avril 1947, dans les usines Renault de Boulogne-Billancourt, une grève éclate contre le blocage des salaires. Dans le contexte de la guerre froide, le Parti communiste, alors au gouvernement, finit par soutenir la grève. Il est exclu du nouveau gouvernement formé en mai 1947 par le socialiste Paul Ramadier.

Vocabulaire et notions

• **Constitution** : texte qui a force de loi et qui fixe l'organisation, la répartition et le fonctionnement des pouvoirs dans un État ainsi que les libertés, droits et devoirs garantis à chaque citoyen. La plus ancienne constitution républicaine encore en vigueur est celle des États-Unis (1787). La première constitution française (monarchiste) date de 1791.

• **Référendum** : vote proposé aux citoyens sous la forme d'une question à laquelle ils répondent par oui ou par non.

• **Sécurité sociale** : institution financée par les cotisations des salariés et des employeurs permettant de protéger tous les citoyens face aux risques sociaux (maladie, accidents, allocations familiales, vieillesse).

• **PCF** : Parti communiste français. Parti d'idéologie communiste révolutionnaire, strictement lié au Parti communiste soviétique.

5 · La « Toussaint rouge » et l'enlisement dans la guerre d'Algérie (1954)

Le 1er novembre 1954, une série d'attentats sanglants organisés par le Front de libération nationale en Algérie marque le début de l'engagement de l'armée française dans la guerre d'Algérie. *France-soir*, 2 novembre 1954.

BAC

Consigne 1. À l'aide des documents 1 et 2, montrez que la IVe République améliore la vie des Français après la guerre.

Consigne 2. Après avoir présenté le contexte des documents 4 et 5, décrivez les situations coloniales et socio-économiques et expliquez comment elles ont fragilisé la IVe République.

Consigne 3. En comparant le document 3 et le schéma des institutions (page 313), montrez que de Gaulle critique les institutions parlementaires de la IVe République, justifiant ainsi son refus d'y participer.

L/ES ⋮ ▶ Comment la Résistance a-t-elle permis la renaissance de la République ?
S p. 320

A La Résistance extérieure : refuser l'Armistice et le régime de Vichy doc. 1

▪ **En mai-juin 1940, le gouvernement de Paul Reynaud est divisé** entre l'idée d'une capitulation de l'armée en métropole, qui permettrait de poursuivre la guerre aux côtés des Britanniques et depuis les colonies africaines, et l'acceptation de la défaite par la signature de l'Armistice. La majorité des parlementaires souhaite poursuivre le combat et décide d'envoyer une délégation de 27 d'entre eux (Pierre Mendès France, Édouard Daladier…), qui embarque en juin à bord du *Massilia*, afin de préparer un gouvernement de combat en Afrique du Nord. De son côté, le sous-secrétaire d'État à la Guerre Charles de Gaulle rejoint Londres pour demander l'aide des Britanniques. Les hommes du *Massilia* sont arrêtés et jugés (procès politiques de Clermont et de Riom) sur ordre de Pétain. Le 18 juin, à la BBC, de Gaulle appelle les soldats et officiers français à le rejoindre. Peu de Français entendent cet appel, mais progressivement des hommes rallient Londres pour combattre au sein des FFL.

B Une Résistance intérieure très diversifiée mais majoritairement républicaine

Étude pages 308-309 et Travailler à partir d'un témoignage de résistant p. 322

▪ **Une minorité de Français organise la Résistance à l'intérieur du pays.** Il s'agit d'abord d'individus isolés, de toutes orientations politiques. « Combat » est ainsi issu d'un mouvement fondé en août 1940 par le nationaliste Henri Frenay. C'est aussi le cas des syndicalistes non communistes de la CGT et de la CFTC, syndicats dissous en novembre 1940, qui sont à l'origine des mouvements « Libération-Nord » et « Libération-Sud ». Les communistes, d'abord hostiles à la Résistance en raison du pacte germano-soviétique, constituent après l'invasion de l'URSS en juin 1941 le mouvement « Francs-tireurs et partisans » (FTP). Environ 40 000 réfractaires au STO (un sixième des réfractaires) viennent gonfler les effectifs des maquis à partir de février 1943.

▪ **En 1942, de Gaulle entreprend d'unifier les mouvements de Résistance intérieure, dont certains se défient de lui, avec l'aide de Jean Moulin.** Il y parvient en mai 1943 avec la création du CNR. Sur ce modèle les groupes armés de la Résistance s'unifient sous la bannière des FFI qui participent aux combats de la Libération de l'été 1944.

C La Libération : la refondation de la République

Étude pages 310-311 + doc. 2, 3 et 4

▪ Le rétablissement de la légalité républicaine s'opère dès l'été 1944 même si une minorité de maquisards n'acceptent pas d'emblée l'autorité du général de Gaulle, tandis que l'épuration sauvage favorise des règlements de compte violents. **Le GPRF, dirigé par de Gaulle, rétablit la légalité républicaine en s'appuyant sur les partis politiques ayant participé à la Résistance :** SFIO, PCF et MRP. De Gaulle s'oppose à l'Assemblée constituante, élue en octobre 1945, sur la nature de la future République, car il ne veut pas d'un régime trop parlementaire, et démissionne en janvier 1946. Finalement le 13 octobre 1946, les Français approuvent, de justesse, la constitution de la IVe République.

▪ Le refus de participer aux gouvernements de la part des principales forces politiques du pays (les communistes, dans le contexte de la guerre froide, et le général de Gaulle, qui souhaite une autre constitution) **rend les gouvernements moins légitimes et plus instables.** Le régime affronte aussi la décolonisation (guerre d'Indochine (1946-1954), guerre d'Algérie (1954-1962).

▪ **Malgré ces difficultés, la IVe République reconstruit rapidement le pays.** Grâce au plan Marshall et à une croissance soutenue, les infrastructures économiques sont modernisées sous l'impulsion de l'État : il lance la recherche sur l'atome, planifie souplement l'économie et met en œuvre des progrès sociaux considérables, comme la Sécurité sociale, héritage du programme du CNR.

1 ⋮ **La Résistance extérieure appelle les Français à rejoindre les FFL**
Les FFL combattent en Afrique puis en Europe aux côtés des Alliés.
Affiche (1943) de Louvat pour les Forces françaises libres.

Vocabulaire et notions

• **GPRF** : Gouvernement provisoire de la République française. Proclamé le 3 juin 1944, il rassemble les dirigeants des partis politiques et des mouvements de résistance qui ont participé à la Résistance et est dirigé par de Gaulle.

• **Maquis** : lieu difficile d'accès comme le massif du Vercors dans les Alpes où s'organisent clandestinement des mouvements de résistance armée.

• **CNR** : Conseil national de la Résistance. Fondé en mai 1943, il regroupe les différents mouvements de Résistance intérieure sous la houlette du général de Gaulle.

• **MRP** : Mouvement républicain populaire. C'est un parti d'idéologie chrétienne démocrate.

• **SFIO** : Section française de l'internationale ouvrière. C'est un parti socialiste réformiste.

• **Planification économique** : coordination des projets économiques d'un pays par l'État : investissements, secteurs prioritaires, etc. Planification souple et non autoritaire dans le cas de l'économie française d'après-guerre.

• **Plan Marshall** : aide américaine en argent et en matériel apportée aux Européens de 1948 à 1952 pour les aider à pallier les pénuries de l'après-guerre et à mener la reconstruction.

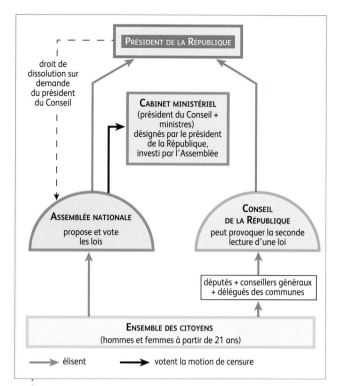

2 La IVᵉ République, un régime proche de celui de la IIIᵉ République

Période	Commissaire au plan	Objectifs	Résultats
Iᵉʳ Plan 1947-1952	Jean Monnet	– Accroissement de la production industrielle de 25 % par rapport à 1929 dès 1950. – 8 secteurs prioritaires : • charbon • électricité • acier • ciment • transports • machinisme agricole • carburants • engrais azotés	– Objectifs sectoriels atteints. – Production encore inférieure à celle de 1929 en 1950, mais la dépassant en 1952.
IIᵉ Plan 1954-1957	Étienne Hirsch	– Croissance de la production agricole et industrielle au rythme moyen de 4,4 %. – Actions en faveur de la productivité, de la recherche, de la conversion de la main-d'œuvre.	– Objectifs dépassés (taux de croissance de la production de 5,4 %). – Déséquilibre des finances publiques et des échanges extérieurs.

3 La planification économique

4 L'instabilité ministérielle sous la IVᵉ République

« Par roulements ?
– J'ai trouvé ! Présidents du Conseil : de 8 h à 9 h 30, Robert Schuman. De 9 h 30 à 11 h, André Marie. De 11 h à 13 h 30, Paul Ramadier. De 13 h 30 à 15 h, Dabo Sissoko. »
Dessin de Sennep, *Le Figaro*, 9 septembre 1948.

Questions

1. Expliquez en quoi la toute-puissance de l'Assemblée a pu être un facteur de fragilité de la IVᵉ République (doc. 2).

2. Expliquez comment la IVᵉ République a favorisé la modernisation de l'industrie et de l'agriculture (doc. 3).

3. Après avoir présenté le contexte du dessin, expliquez le point de vue de Sennep concernant les gouvernements de la IVᵉ République (doc. 4).

La crise du 13 mai 1958 à l'origine de la Vᵉ République

L/ES   S

Le 13 mai 1958, les pieds-noirs d'Alger s'insurgent contre l'éventualité d'une négociation avec les indépendantistes du FLN. Des généraux, des hommes d'extrême droite et des gaullistes forment un Comité de salut public en rupture avec le gouvernement qui réclame le général de Gaulle au pouvoir. Devant les risques de coup d'État et de guerre civile, les parlementaires investissent de Gaulle président du Conseil puis lui donnent les pleins pouvoirs pour rédiger une nouvelle constitution.

Capacités travaillées

I.2.1 Situer un événement dans le temps court

I.1.3 Situer et caractériser une date dans son contexte historique

▶ Les événements de mai 1958 et le retour du général de Gaulle au pouvoir selon la presse : coup de force gaulliste ou solution républicaine à une crise de régime ?

1958

13 mai	15 mai	19 mai	24 mai	1ᵉʳ juin	28 sept.
Insurrection des pied-noirs à Alger	De Gaulle annonce qu'il est prêt à assumer les pouvoirs de la République	De Gaulle justifie sa proposition de prendre la tête du gouvernement dans une conférence de presse	Coup de force en Corse organisé par les parachutistes d'Algérie qui menacent d'une intervention en métropole	L'assemblée investit de Gaulle président du Conseil	Constitution de la Vᵉ République adoptée par référendum

1 Le 13 mai 1958, une manifestation insurrectionnelle à Alger

Vocabulaire et notions

• **Pieds-noirs** : nom donné aux Européens par opposition aux « musulmans » d'Algérie.

• **FLN** : Front de libération nationale. Mouvement politique armé, algérien, prônant l'indépendance complète de l'Algérie.

• **Comité de salut public** : forme de gouvernement provisoire établi en situation insurrectionnelle. Cette expression se réfère au premier Comité de salut public institué par la Convention le 6 avril 1793 au cours de la Révolution française.

2 Charles de Gaulle justifie sa proposition de prendre la tête d'un gouvernement

Ce qui se passe en ce moment en Algérie par rapport à la Métropole et dans la Métropole par rapport à l'Algérie peut conduire à une crise nationale extrêmement grave. Mais aussi, ce peut être le début d'une sorte de résurrection. Voilà pourquoi le moment m'a semblé venu où il pourrait m'être possible d'être utile encore une fois directement à la France. Utile, pourquoi ? Parce que, naguère, certaines choses ont été accomplies, que les Français le savent bien, que les peuples qui sont associés au nôtre ne l'ont pas oublié et que l'étranger s'en souvient. […] Utile, aussi, parce que c'est un fait que le régime exclusif des partis n'a pas résolu, ne résout pas, ne résoudra pas, les énormes problèmes avec lesquels nous sommes confrontés, notamment celui de l'association de la France avec les peuples d'Afrique, celui aussi de la vie en commun des diverses communautés en Algérie et, même, celui de la concorde à l'intérieur de chacune de ces communautés. Les combats qui se livrent en Algérie et la fièvre qui y bouillonne ne sont que les conséquences de cette carence. […]

Q.– Ne pensez-vous pas, qu'au moment précis où vous avez lancé votre appel, la rébellion, la mutinerie algérienne était en train de s'effriter ? Vous avez redonné courage aux factieux. Votre conférence de presse les renforcera…

R.– Je souhaite donner courage et vigueur aux Français qui veulent l'unité nationale, qu'ils soient d'un bord ou de l'autre de la Méditerranée. […]

Q.– Certains craignent que, si vous reveniez au pouvoir, vous attentiez aux libertés publiques.

R.– L'ai-je jamais fait ? Au contraire, je les ai rétablies quand elles avaient disparu. Croit-on qu'à 67 ans, je vais commencer une carrière de dictateur ?

Conférence de presse du 19 mai 1958.

Le général de Gaulle : « Je me tiens prêt à assumer les pouvoirs de la République »

L'ÉCHO D'ALGER
Le plus fort tirage de l'Afrique du Nord — Directeur général : Alain de SÉRIGNY — 20, rue de la Liberté
Trois éditions quotidiennes — 20 francs ; En métropole : 25 francs — Téléphone : 373-50 à 85
Vendredi 16 Mai 1958

Magnifique journée d'enthousiasme patriotique et d'amitié franco-musulmane, hier, à Alger

Le général Salan a fait acclamer
par la foule, massée au forum le nom du général DE GAULLE

De Gaulle le libérateur

Une ovation indescriptible a accueilli la lecture par M. Delbecque du message de l'"homme du 18 juin"

Le commandant Mahdi acclamé aux côtés du général Salan : "Nous lutterons jusqu'au bout

3 : De Gaulle, une solution à la crise ?
L'Écho d'Alger est dirigé par Alain de Sérigny, ancien pétainiste rallié à la cause gaulliste en 1958. Il participe au Comité de salut public proclamé le soir du 13 mai 1958.

OUI ou NON ?

— Acceptez-vous de prendre pour mari et légitime époux... ?

4 : Un retour au pouvoir sous la menace d'un coup de force
Le 1er juin 1958, l'Assemblée nationale investit de Gaulle président du Conseil, dans le contexte d'une menace de coup de force militaire.
Dessin de Jean Effel, *L'Express* (magazine alors classé à gauche), septembre 1958.

❶ Massu, général de l'armée française en Algérie, membre du Comité de salut public à Alger. Gaulliste (ancien des FFL), il réclame un gouvernement dirigé par le général de Gaulle ❷.
❸ Félix Gaillard, dirigeant du parti radical-socialiste et ❹ Guy Mollet, dirigeant de la SFIO, tous deux ralliés à l'investiture de De Gaulle.

S'initier au travail de l'historien

Analyser les débats autour d'un événement politique

A Vous analysez les propos de De Gaulle lors de la conférence de presse du 19 mai 1958
1. Comment caractérise-t-il la crise de mai 1958 (doc. 2) ?
2. Comment justifie-t-il l'éventualité de son retour au pouvoir (doc. 2) ?

B Vous prenez connaissance de différents points de vue concernant le retour du général de Gaulle au pouvoir
3. Comment *L'Écho d'Alger* considère-t-il la solution proposée par le général de Gaulle (doc. 3) ? Caractérisez et expliquez ce point de vue.
4. Comment *L'Express* explique-t-il les événements de mai 1958 et l'investiture de de Gaulle comme président du Conseil (doc. 4) ? Caractérisez ce point de vue.

C Confrontez les différentes analyses par une démarche critique
5. Montrez combien diffèrent la vision de De Gaulle et celle de *L'Express* à propos du rôle des événements d'Alger dans le retour au pouvoir du Général.

Consigne BAC

À l'aide des documents 3 et 4, expliquez quel rôle a joué la presse dans les événements de mai 1958 et le retour du général de Gaulle au pouvoir.

Le général de Gaulle, incarnation d'une continuité républicaine

Capacités travaillées
II.1.2 Prélever et confronter des informations
II.1.4 Critiquer des documents

Issu d'une famille de tradition monarchiste, très critique envers le parlementarisme, c'est par patriotisme que de Gaulle rompt avec le gouvernement de Pétain. Ce sont les mouvements de Résistance intérieure qui l'amènent à envisager une refondation républicaine. Si de Gaulle incarne la République à la Libération, il doit attendre 1958 pour mettre en œuvre son projet gaulliste d'une République libérée du « système » des partis et du pouvoir des parlementaires.

▶ À travers quel parcours le général de Gaulle a-t-il incarné la République ?

1 : De Gaulle en 1940 : le chef de la France libre

En constituant le 27 octobre 1940 à Brazzaville (Congo français) un « Conseil de défense de l'Empire », de Gaulle s'affirme comme le seul représentant légitime de la nation.

Nous, Général de Gaulle, Chef des Français Libres Considérant [...] que, malgré les attentats commis à Vichy, la constitution demeure légalement en vigueur, que, dans ces conditions, tout Français, et, notamment, tout Français libre, est dégagé de tout devoir envers le pseudo-gouvernement de Vichy, issu d'une parodie d'Assemblée nationale, faisant fi des Droits de l'Homme et du Citoyen et du droit de libre disposition du peuple [...]. En conséquence, Nous,

Général de Gaulle, Chef des Français Libres, le Conseil de Défense de l'Empire entendu ; Constatons que, de tous les points du globe, par démarches individuelles ou collectives, des millions de Français ou de sujets français et des territoires français Nous ont appelé à la charge de les diriger dans la guerre ; [...] Déclarons que Nous accomplirons cette mission dans le respect des institutions de la France et que nous rendrons compte de tous nos actes aux représentants de la nation française dès que celle-ci aura la possibilité d'en désigner librement et normalement.

Déclaration organique de Brazzaville, 16 novembre 1940.

2 : De Gaulle se rallie au projet d'une démocratie sociale

De Gaulle veut fédérer sous son autorité les mouvements de Résistance intérieure, qui se méfient de ses positions politiques. C'est pourquoi il rédige cette déclaration adressée aux mouvements.

Un régime moral, social, politique, économique, a abdiqué dans la défaite, après s'être lui-même paralysé dans la licence. Un autre, sorti d'une criminelle capitulation, s'exalte en pouvoir personnel. Le peuple français les condamne tous les deux. [...] De même que nous prétendons rendre la France seule et unique maîtresse chez elle, ainsi ferons-nous en sorte que le peuple français soit seul et unique maître chez lui. En même temps que les Français seront libérés de l'oppression ennemie, toutes leurs libertés intérieures devront leur être rendues. Une fois l'ennemi chassé du territoire, tous les hommes et toutes les femmes de chez nous éliront l'Assemblée nationale qui décidera souverainement des destinées du pays. [...] La sécurité nationale et la sécurité sociale sont, pour nous, des buts impératifs et conjugués.

« Déclaration aux mouvements de Résistance », 23 juin 1942,
in Ch. de Gaulle, *Discours et Messages*, t. 1,
« Pendant la guerre », juin 1940-janvier 1946, Paris, Plon, 1970.

3 : De Gaulle, allégorie de la Résistance et de la République
Affiche appelant les Français à voter oui au référendum sur la Constitution proposée par Charles de Gaulle, septembre 1958.

Notion

• **Gaullisme** : ensemble des vues et décisions politiques du général de Gaulle, en particulier la volonté d'exalter la grandeur nationale et d'établir un État fort et efficace.

Étudier un portrait officiel : de Gaulle président, 1958

Portrait officiel du président De Gaulle, 1958

Le point sur la photographie officielle

• C'est une tradition républicaine depuis 1848 et la IIᵉ République : le portrait officiel est distribué gracieusement à toutes les mairies du pays ; il est aussi accroché dans les ambassades à l'étranger ou dans les préfectures.

• Cette photo représente davantage la fonction présidentielle que le président lui-même : celui-ci est mis en scène dans un exercice codifié. Jusqu'en 1958, les règles de la photo officielle sont clairement établies :
– décor sombre : un fond neutre ;
– posture du président fixée : il doit être debout, légèrement tourné de ¾, appuyé sur une pile de livres ;
– le président doit porter l'habit de cérémonie.

Point méthode : Analyser une photographie officielle

A **Décrivez la composition de la scène choisie par le photographe (ici, Jean-Marie Marcel)**
Lignes directrices, position du président, etc.

B **Étudiez les objets présents autour du président et les symboles qu'il porte sur son vêtement**

C **Réfléchissez au message que le photographe veut suggérer en plaçant ainsi le président**
Posture, regard, etc.

D **Concluez sur l'impression générale qui se dégage de ce portrait officiel**

---

4 · La légitimité républicaine face au putsch des généraux

Un pouvoir insurrectionnel s'est établi en Algérie par un pronunciamiento[1] militaire. [...] Devant le malheur qui plane sur la patrie et la menace qui pèse sur la République, ayant pris l'avis officiel du Conseil constitutionnel, du Premier ministre, du président du Sénat, du président de l'Assemblée nationale, j'ai décidé de mettre en œuvre l'article 16[2] de notre Constitution. À partir d'aujourd'hui, je prendrai, au besoin directement, les mesures qui paraîtront exigées par les circonstances. Par là même, je m'affirme, pour aujourd'hui et pour demain, en la légitimité française républicaine que la nation m'a conférée, que je maintiens quoi qu'il arrive, jusqu'au terme de mon mandat ou jusqu'à ce que me manquent, soit les forces, soit la vie, et dont je prendrai les moyens d'assurer qu'elle demeure après moi.

Françaises, Français ! Voyez où risque d'aller la France, par rapport à ce qu'elle était en train de redevenir.

Françaises, Français ! Aidez-moi !

Allocution radiotélévisée du 23 avril 1961.

1. Pronunciamiento : mot espagnol – « déclaration » – désignant une tentative de prise du pouvoir civil par l'armée, ce qui était fréquent en Espagne et en Amérique latine aux XIXᵉ et XXᵉ siècles.
2. L'article 16 donne les pleins pouvoirs au président de la République en cas d'atteinte à la sûreté de l'État.

BAC

Consigne 1. Après avoir présenté le contexte des documents 1 et 2, expliquez de quelle manière de Gaulle a progressivement organisé et représenté la Résistance.

Consigne 2. À l'aide des documents 2 et 3, expliquez comment, malgré ses critiques vis-à-vis du système parlementaire, de Gaulle a finalement incarné la République aux yeux des Français.

Consigne 3. À l'aide du document 4, montrez que les institutions de la Vᵉ République, en favorisant la présidentialisation du régime, ont permis à de Gaulle de défendre énergiquement la République.

L/ES ▶ Pourquoi les Français ont-ils plébiscité la Ve République ?

S p. 320

A La crise algérienne : l'effondrement de la IVe République

Étude pages 316-317 + doc. 4

■ Le 13 mai 1958 Pierre Pflimlin (MRP), favorable à un cessez-le-feu avec le FLN, est investi président du Conseil. **Le jour même à Alger une manifestation insurrectionnelle aboutit à la constitution d'un** Comité de salut public, **dirigé par le général Massu, qui réclame que le pouvoir soit remis à de Gaulle**. Le 15 mai, de Gaulle annonce par communiqué qu'il se tient prêt à « assumer les pouvoirs de la République ».

■ Le 24 mai, en Corse, des parachutistes font un coup de force et menacent la métropole d'une opération militaire. **Alors que gouvernement et parlementaires craignent un coup d'État militaire, le 27 mai, de Gaulle affirme par communiqué qu'il est prêt à former un gouvernement**. Pour dénouer la crise, le président René Coty propose le 1er juin à l'Assemblée d'investir de Gaulle président du Conseil. En définitive, la majorité des députés se rallie à cette solution.

B Un régime républicain nouveau et populaire

Étude pages 316-317 – Ouverture de chapitre + doc. 2 et 3

■ **De Gaulle souhaite une nouvelle constitution, conformément à ses idées exprimées depuis 1946 dans les discours de Bayeux et d'Épinal.** Contrairement à la tradition républicaine, ce n'est pas une Assemblée constituante qui est chargée de la rédiger, mais un groupe de juristes et d'hommes politiques, sous la direction du sénateur gaulliste Michel Debré. Quelques dirigeants de la gauche, notamment Pierre Mendès France, critiquent les pouvoirs très importants du président et la réduction du rôle des députés au vote des lois proposées par l'exécutif.

■ De Gaulle rassure les Français sur l'aspect républicain de son projet de constitution par un meeting en forme de cérémonie républicaine le 4 septembre 1958. **Faisant confiance à de Gaulle pour sortir de la crise algérienne et politique, ils approuvent massivement la constitution le 28 septembre 1958 (80 % de « oui »).** L'importance du soutien populaire confère dès le début une forte légitimité aux nouvelles institutions. De Gaulle est élu président de la République le 21 décembre par un collège de 80 000 grands électeurs.

■ **De Gaulle met aussi en œuvre une forte personnalisation du pouvoir politique, en rupture avec les pratiques de la démocratie représentative** : il multiplie les déplacements en province, les allocutions diffusées à la radio et à la télévision et organise des référendums qui renforcent sa légitimité auprès du peuple.

C La réforme de 1962 renforce le lien entre le président et les Français doc. 1

■ **Profitant de l'émotion suscitée par l'attentat du Petit-Clamart organisé par l'OAS contre lui, le 22 août 1962, de Gaulle propose une réforme des institutions : l'élection du président de la République au suffrage universel direct.** Les députés y voient une dérive césariste et votent une motion de censure le 4 octobre. Pour la contrer, de Gaulle dissout l'Assemblée nationale (art. 12) et organise un référendum et de nouvelles élections législatives. La réforme est adoptée par les Français le 28 octobre, avec 62 % de « oui » et les élections débouchent sur une domination renforcée de la majorité présidentielle.

■ **L'élection du président au suffrage universel direct est un tournant majeur car elle fait, encore plus qu'auparavant, du président de la République la clé de voûte des institutions et de la vie politique françaises.** La gauche dénonce un « coup d'État permanent » (François Mitterrand, 1964). L'élection présidentielle devient l'élection phare autour de laquelle s'organise toute la vie politique nationale, faisant de la République un régime semi-présidentiel, « une monarchie républicaine » selon le juriste Maurice Duverger en 1974.

1 **La République dissoute dans sa présidentialisation ?**

Dessin de Siné, *L'Express*, 11 octobre 1962 (au lendemain de la dissolution de l'Assemblée).

Biographie

Charles de Gaulle (1890-1970)

Sous-secrétaire d'État à la Guerre en juin 1940, il refuse l'armistice et lance le 18 juin, à Londres, un appel aux soldats français à poursuivre le combat sous son autorité. En 1943 avec l'aide de Jean Moulin, il unifie sous son égide la Résistance intérieure au sein du CNR et des FFI. De 1944 à 1946 il dirige le GPRF, mais s'oppose au projet de constitution. Revenu au pouvoir en juin 1958 après l'insurrection d'Alger, il fonde la Ve République qu'il préside jusqu'en 1969.

Vocabulaire et notions

• **Césarisme** : pratique politique qui consiste à adopter une posture d'homme providentiel, de sauveur et à entretenir une relation directe avec le peuple, au-dessus des institutions représentatives. De Jules César, devenu dictateur à vie à Rome grâce à l'appui du peuple et de l'armée.

• **Motion de censure** : vote de l'Assemblée nationale pour montrer sa désapprobation envers la politique du gouvernement et l'obliger à démissionner.

• **Scrutin majoritaire** : mode d'élection (scrutin) concentrant les sièges à pourvoir au profit des seules formations politiques ayant recueilli le plus de voix. Il limite la représentation de la diversité des opinions, mais permet d'obtenir une majorité stable.

2 Les Français plébiscitent la constitution proposée par de Gaulle

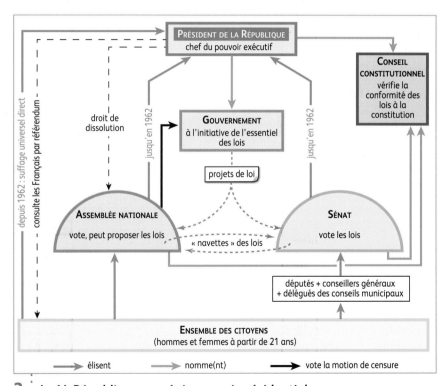

3 La Vᵉ République, un régime semi-présidentiel

Le pouvoir législatif de l'Assemblée est modéré par celui du Sénat et par le droit de dissolution du président. Le scrutin est majoritaire afin d'éviter les coalitions : un parti majoritaire domine l'Assemblée et le gouvernement.

4 Vote de l'investiture de Charles de Gaulle le 1ᵉʳ juin 1958

	POUR	CONTRE
communistes	–	141
socialistes	42	49
radicaux	24	18
UDSR[1]	10	4
RGR[2]	14	–
MRP	70	–
partis de droite	169	12
TOTAL	329	224

Source : site de l'Assemblée nationale.

1. Union démocratique et socialiste de la Résistance.
2. Rassemblement des gauches républicaines.

Questions

1. Montrez que les institutions de la Vᵉ République sont en rupture avec les traditions parlementaires des régimes précédents (doc. 3 et organigrammes p. 303 et 313).

2. Montrez comment le retour au pouvoir du général de Gaulle a été, en définitive, considéré comme légitime (doc. 2 et 4).

5 Trois républiques, de 1870 à 1962

S ▶ **Pourquoi les Français ont-ils changé trois fois de constitution républicaine en moins d'un siècle ?**

A Le difficile enracinement de la République

Études pages 296-297, 298-299 et 300-301 + doc. 1

■ Après la défaite de Napoléon III contre la Prusse, la IIIe République est proclamée le 4 septembre 1870. Confirmée par les lois constitutionnelles en 1875, elle est pourtant menacée par les monarchistes, d'abord majoritaires au Parlement. **Les républicains ancrent l'idée républicaine par des symboles (hymne, fête nationale, drapeau tricolore, Marianne) et surtout en garantissant des droits individuels (liberté de la presse et de conscience, droit syndical, démocratie communale).** L'école publique obligatoire et laïque permet de former des citoyens attachés à la démocratie républicaine.

■ Des affaires de corruption (scandale des décorations en 1887, de Panama en 1892) favorisent un contexte d'antiparlementarisme, qui s'exprime lors du risque de coup d'État boulangiste en 1889. **L'affaire Dreyfus (1894-1906) exacerbe les contestations et l'antisémitisme, mais ce sont les valeurs républicaines affirmées par les dreyfusards qui l'emportent alors.** La République est également critiquée sur sa gauche par les ouvriers dont les grèves et manifestations sont sévèrement réprimées par les forces de l'ordre. Mais l'anarchisme perd en influence après des attentats meurtriers (1892-1894). En définitive, les Français témoignent de leur attachement à la République lors de la Première Guerre mondiale avec l'Union sacrée.

B La République accusée et abolie par Pétain

Études pages 304-305, 308-309 et 316-317

■ La débâcle de juin 1940 précipite la fin du régime. Nommé président du Conseil le 16 juin, le maréchal Pétain signe l'Armistice avec l'Allemagne le 22 juin. **Le 10 juillet, les députés votent les pleins pouvoirs à Pétain qui met fin à la République et établit l'État français.** Il s'agit d'un régime autoritaire, légitimé par le culte de la personnalité du maréchal, qui collabore avec l'Allemagne et met en œuvre une législation corporatiste et antisémite.

■ Peu de responsables politiques décident de résister à l'occupation allemande. Si les parlementaires embarqués à bord du *Massilia* pour former un gouvernement de combat en Afrique du Nord sont arrêtés sur ordre de Pétain, l'initiative de Charles de Gaulle, en revanche, permet de former un noyau de combattants de la France libre, après son appel du 18 juin à la BBC. **À l'aide de Jean Moulin, de Gaulle unifie la Résistance intérieure sous son autorité au sein du CNR en mai 1943.**

C Les fragilités de la IVe République légitiment la Ve République

Études pages 310-311, 314-315 et 316-317

■ À la libération la France est gouvernée par le GPRF, dirigé par De Gaulle et regroupant des responsables de partis ayant participé à la Résistance : SFIO, PCF et MRP. Ce tripartisme domine l'Assemblée constituante élue en octobre 1945, qui élabore la nouvelle constitution. **La IVe République reconstruit et modernise le pays. Elle apporte aussi des progrès sociaux considérables**, conformément au programme du CNR, en particulier avec la mise en place de la Sécurité sociale.

■ Mais le nouveau régime connaît une forte instabilité ministérielle, que la guerre d'Algérie aggrave encore : 23 gouvernements se succèdent en 12 ans. **L'insurrection du 13 mai 1958 à Alger, qui débouche sur la menace d'un coup d'État militaire, amène les parlementaires à investir le général de Gaulle et à lui confier le soin de proposer une nouvelle constitution.** Celle-ci confère beaucoup de pouvoirs au président de la République et limite le rôle des parlementaires au vote des lois proposées par l'exécutif. Elle est approuvée massivement par les Français lors du référendum de septembre 1958. Une nouvelle étape est franchie avec l'élection du président au suffrage universel direct : malgré la contestation des députés qui y voient une dérive césariste, cette réforme est approuvée par référendum en octobre 1962.

1 : Les antidreyfusards contre la République

« On est porté à voir dans la panthéonisation de Zola le côté chienlit, le côté carnavalesque, le côté Descente de la Courtille. » Lettre de Drumont à la Ligue de la patrie française.
Dessin de Bobb, 1908, à l'occasion du transfert des cendres de Zola au Panthéon. BNF.

Vocabulaire et notions

• **Boulangisme** : mouvement politique hétéroclite formé autour du général Boulanger de 1887 à 1889 et doté d'un programme flou (dissolution de l'Assemblée, révision de la constitution).

• **Dreyfusards** : partisans de la réhabilitation de Dreyfus, souvent porteurs d'idéaux progressistes.

• **Union sacrée** : union nationale de toutes les forces politiques entre 1914 et 1917 selon une formule proposée par le président de la République Raymond Poincaré le 4 août 1914.

• **GPRF** : Gouvernement provisoire de la République française. Proclamé le 3 juin 1944, il rassemble les dirigeants des partis politiques qui ont participé à la Résistance et est dirigé par de Gaulle.

2 : Les caractéristiques des trois régimes républicains de 1870 à 1962

	IIIᵉ République	IVᵉ République	Vᵉ République
Président de la République	Peu de pouvoir réel. Élu par les députés et les sénateurs.	Peu de pouvoir réel. Élu par les députés et les sénateurs.	Pouvoirs étendus, impulse la politique du gouvernement. Élu au suffrage universel après 1962.
Parlement	Chambre des députés et Sénat votent les lois et le budget. Les deux assemblées renversent régulièrement les gouvernements.	Assemblée nationale et Conseil de la République votent les lois et le budget. L'Assemblée renverse les gouvernements.	Assemblée nationale et Sénat votent les lois et le budget. Un seul gouvernement a été renversé par l'Assemblée.
Contrôle du parlement sur le gouvernement	Fort notamment après 1879. Abandon de la dissolution. Investiture du président du Conseil par la Chambre.	Contenu puis fort. Réapparition progressive de l'investiture du président du Conseil par les députés.	Faible. Contrôle de la conformité de la loi à la Constitution par le Conseil constitutionnel ; 5 dissolutions de l'Assemblée nationale depuis 1958.
Scrutin	Proportionnel	Proportionnel	Majoritaire
Réussite du régime	Rallier une majorité de Français à la République.	Reconstruire la démocratie après la guerre.	Assurer un gouvernement stable et efficace.
Limites du régime	Peu de renouvellement du projet républicain après 1918.	Une instabilité gouvernementale qui entrave l'action de l'État.	Déséquilibre des pouvoirs au profit de l'exécutif.

MARDI 12 AOUT 1941
LE
MARÉCHAL PÉTAIN
décide:

  1 L'activité des partis politiques est suspendue en zone libre.

 2 L'indemnité parlementaire est supprimée le 30 septembre.

 3 Des sanctions sont prises contre les fonctionnaires coupables de fausses déclarations en matière de sociétés secrètes.

4 La Légion demeure, en zone libre, le meilleur instrument de la Révolution Nationale, mais doit rester à tous les échelons, subordonnée au Gouvernement.

 5 Les moyens d'action de la police seront doublés.

 6 Un centre de commissaires du pouvoir est créé.

 7 Les pouvoirs des préfets régionaux sont renforcés.

 8 La Charte du Travail sera incessamment promulguée.

 9 Le statut provisoire de l'organisation économique sera remanié.

 10 L'organisation des Bureaux nationaux du Ravitaillement sera modifiée.

 11 Avant le 15 octobre, un Conseil de Justice politique soumettra au Maréchal ses propositions pour juger les responsables de notre défaite.

  12 Tous les ministres et hauts fonctionnaires prêteront serment de fidélité au Maréchal.

Vocabulaire et notions

● **Régime semi-présidentiel** : régime parlementaire dans lequel le président de la République est doté de pouvoirs importants et détermine la politique du pays.

● **Césarisme** : pratique politique qui consiste à adopter une posture d'homme providentiel, de sauveur et à entretenir une relation directe avec le peuple, au-dessus des institutions représentatives. De Julius Caius Caesar, soupçonné par ses adversaires d'aspirer à la monarchie à Rome.

3 : De 1940 à 1944, le maréchal Pétain met en œuvre la Révolution nationale. Affiche, Archives départementales de Savoie.

Questions

1. À l'aide du document 3, caractérisez la politique du régime de Vichy.
2. Montrez que ce régime s'oppose à l'héritage de la IIIᵉ République (doc. 3).
3. Montrez que la Vᵉ République rompt avec les traditions républicaines existant jusqu'en 1958 (doc. 2).

Travailler à partir du témoignage d'une résistante

Capacités travaillées

II.1.1 Identifier un document

II.1.3 Cerner le sens général d'un document et le mettre en relation avec la situation historique étudiée

II.1.4 Critiquer un document

Après la Libération, les témoignages d'anciens résistants ont afflué. Jusqu'à la fin des années 1960, ils furent une source essentielle pour les historiens français qui étudiaient cette période. Mais le témoignage repose sur la mémoire individuelle, toujours sélective et qui comporte des oublis et des erreurs. Pourtant, ils sont toujours une source riche de connaissance historique par les expériences individuelles particulières dont ils témoignent.

▶ **Comment utiliser des témoignages pour comprendre la Résistance ?**

1 : Témoignage d'une résistante manchoise

Marie Coupey est membre du réseau de renseignement belge Delbo-Phénix, créé en juin 1942 à l'initiative du service de la Sûreté de l'État belge à Londres. Arrêtée par la Gestapo le 29 janvier 1944, elle en réchappe.

À neuf heures quinze, deux hommes en cirés et bottes noirs pénètrent dans la cour de la ferme de mes parents et se dirigent vers la maison. Je les aperçois aussitôt et je comprends tout de suite ce qui se passe. [...]
– Vous êtes en état d'arrestation. Veuillez nous suivre.
– Mais ce n'est pas possible ! Vous avez dû apprendre par monsieur le maire que je me marie aujourd'hui. Laissez-moi le temps d'aller à la cérémonie.
– Impossible. Ce n'est pas nous qui vous arrêtons, c'est la loi ! [...]
Au tout début de la guerre, le maire, monsieur Creuly me demande si j'accepterais de lui donner de l'aide pour faire le secrétariat de la mairie, distribuer les cartes de ravitaillement et autres formalités de toutes sortes. J'avais ainsi accès aux renseignements du cadastre, aux papiers et aux registres d'identité ; c'était bien pratique pour falsifier des documents. Pour ma part, j'étais chargée au sein du réseau de la collecte des activités de l'armée allemande entre Gonneville et le Mesnil-Au-Val. Je notais les mouvements de troupes, les chantiers en cours et à venir, les types d'armements. Vous savez que ce secteur était très important, ne serait-ce que par la présence de l'aéroport mais aussi de la construction des rampes de lancement au Mesnil et tous les chantiers du mur de l'Atlantique. [...] Je

me souviens par exemple qu'un ouvrier m'avait dit qu'il pensait que les Allemands creusaient une énorme tranchée, semble-t-il, pour enterrer un réservoir à kérosène près de l'aéroport. Je l'ai signalé le lundi et le mercredi, les avions alliés sont venus le bombarder. [...] lorsque j'avais des renseignements à faire valoir, je les amenais chez Paul[1], à la pharmacie, et c'est lui qui se chargeait de les transmettre à Paris. Ensuite, les documents étaient acheminés à Londres via la Belgique où se situait le cœur du réseau. Tout a mal tourné lorsque Delbo-Phénix est tombé aux mains des Allemands.

Témoignage recueilli par *La Presse de la Manche*, 2004 et hors série 70e anniversaire du Débarquement, *Je me souviens...*, 2014.

1. Paul Talluau, responsable de l'antenne de Cherbourg du réseau Delbo-Phénix, arrêté le 6 janvier 1944 et mort au camp de Mauthausen.

2 : Une archive de l'administration sur l'arrestation de Marie Coupey

Courrier des autorités allemandes informant le sous-préfet de Cherbourg de l'arrestation de 3 membres du réseau Delbo-Phénix. Archives départementales de la Manche.

Questions

1. Présentez les documents en les comparant (nature, source et/ou auteur, date, objet du document).

2. Précisez dans les deux cas si la source est objective ou subjective.

3. Montrez que le document 1 apporte des connaissances beaucoup plus détaillées sur les activités des résistants du réseau Delbo-Phénix que le document 2.

4. Montrez que le document 2 permet de corroborer plusieurs aspects du témoignage de Marie Coupey. Quelles autres sources pourraient être utilisées pour confirmer et compléter le témoignage ?

Marianne, figure de la lutte contre l'oppression

L'origine de la figure de Marianne remonte à la Révolution française : il s'agit d'une femme coiffée d'un bonnet phrygien, celui que portaient les esclaves affranchis dans l'Antiquité. Elle personnifie à la fois la liberté et la République. À l'époque de la restauration monarchique, elle est un symbole révolutionnaire, accompagné de divers attributs : les chaînes brisées de l'émancipatrice, le sein nu de la nourricière du peuple. Elle s'impose comme l'effigie de la République à partir des années 1880.

▶ **Quelle est la portée universelle de Marianne ?**

Capacité travaillée
I.2.4 Confronter des situations historiques

1 **Marianne anarchiste**
« La libératrice », affiche de Steinlen, dessinateur anarchiste, pour la commémoration de la Commune, 1901.
Musée d'art et d'histoire de Saint-Denis.

2 **La Liberté guidant les insurgés égyptiens**
Dessin « Le nouveau monde arabe », du Suisse Patrick Chappatte, paru le 5 mars 2011.

3 **« Sout Al Horeya », le son de la liberté**
Chanson filmée, postée sur YouTube par un groupe musical égyptien fin janvier 2011, quelques jours avant le départ du dictateur égyptien Hosni Moubarak.
Vidéo visible à l'adresse http://www.youtube.com/watch?v=Fgw_zfLLvh8. Elle montre des Égyptiens de tous âges, brandissant le drapeau de la nation égyptienne et se défendant, puis fraternisant avec les forces de l'ordre.

« On leva la tête haut vers le ciel
Et la faim ne comptait plus
Le plus important était nos droits
Et l'on écrit notre histoire avec notre sang […]
Refrain :
Dans chaque rue de mon pays
Le son de la liberté nous appelle. »

V. Schweitzer, « En Égypte, la liberté guidant le peuple ? », *Historiens et Géographes*, n° 427, juillet-août 2014.

Questions

1. Repérez l'origine de l'allégorie utilisée dans ces deux dessins (doc. 1 et 2). S'agit-il déjà de Marianne ?

2. Quels éléments sont communs aux valeurs et à la Marianne de la République française (doc. 1, 2) ? Quel message cela permet-il de transmettre ?

3. Quelles sont les différences avec les valeurs et la Marianne républicaine ? Expliquez les raisons d'être de ces différences, dans les deux cas.

4. Montrez que Marianne et les valeurs républicaines ont une portée universelle.

5. Recherchez les points de vue des documents :
   – Montrez que Steinlen critique la IIIe République et expliquez pourquoi (doc. 1).
   – Le document 2 témoigne-t-il de l'attachement des insurgés arabes à la liberté et aux valeurs républicaines ? Justifiez votre réponse.
   – Nuancez cette réponse à l'aide du document 3.

1 Réactiver ses connaissances : La politique antirépublicaine de l'« État français »

anx SP   M. le Secrétaire Général

TELEGRAMME OFFICIEL CHIFFRE RECU LE 14 JANVIER 1941 à 23 H. 30

MINISTRE SECRETAIRE ETAT INTERIEUR A PREFETS ZONE LIBRE.

VICHY 054644 9I I4 I930.

CIRCULAIRE N°234.

CONFIDENTIEL - CIRCULAIRE - Application nouvelle loi municipale précise que doit évincer d'ores et déjà toutes municipalités incontestablement opposées révolution nationale par passé leurs membres ou action présente - Vous demande user ce droit avec justice et fermeté.

Télégraphiez moi avant exécution noms localités et maires à votre nomination dont envisagerez changement.
                                                    Signé: PEYROUTON.

••• Consigne BAC

Consigne. À l'aide de ce document et de vos connaissances, montrez que cette circulaire est représentative de la politique antirépublicaine de l'État français.

Pour vous aider

1. Identifier le document, en tant que document représentatif de la politique de l'« État français ».
2. Expliquer l'objet de cette circulaire.
3. Mettre ce document en relation avec la situation historique.

2 Utiliser la méthode d'analyse d'un texte littéraire

Romain Gary, né à Vilnius dans l'Empire russe, naturalisé français, s'engage dans l'aviation au déclenchement de la guerre. Il raconte son engagement dans les FFL dans son ouvrage librement inspiré de sa vie, La Promesse de l'aube. *Dans cet extrait, il décrit l'atmosphère de désarroi qui emplit son aérodrome, près de Bordeaux, en juin 1940.*

Plus la situation militaire devenait grave et plus ma bêtise s'exaltait à n'y voir qu'une occasion à notre mesure, et j'attendais que le génie de la patrie s'incarnât soudain dans une figure de chef, selon nos meilleures traditions. [...] J'ai cru tour à tour à tous nos chefs et dans chacun je reconnaissais l'homme providentiel. Et lorsque, l'un après l'autre, ils disparaissaient dans le trou du guignol ou s'installaient dans la défaite, je ne me décourageais pas le moins du monde et ne perdais nullement ma foi en nos généraux ; je changeais simplement de général. [...]

J'ai cru au général Huntzinger, au général Blanchard, au général Mittelhauser, au général Noguès, à l'amiral Darlan et – ai-je besoin de le dire – au maréchal Pétain. C'est ainsi que j'aboutis tout naturellement au général de Gaulle, le petit doigt sur la couture du pantalon et sans jamais cesser de saluer. On imagine mon soulagement lorsque ma bêtise congénitale et mon inaptitude au désespoir trouvèrent soudain à qui parler et lorsque des profondeurs de l'abîme, exactement comme je m'y attendais, surgit enfin une extraordinaire figure de chef qui non seulement trouvait dans les événements sa mesure mais encore portait un nom bien de chez nous. [...] Je décidai donc de passer en Angleterre, en compagnie de trois camarades, à bord d'un Den-55, un type d'appareil tout nouveau qu'aucun de nous n'avait piloté auparavant.

Romain Gary, *La Promesse de l'aube*, Gallimard, coll. «Folio», 1960

••• Consigne BAC

Consigne. Expliquez dans quelle mesure cet extrait de roman témoigne de l'engagement dans la France libre en 1940.

Pour vous aider

1. Présenter cet extrait.
2. L'interpréter.
3. Le confronter à la réalité historique.

3 Rédiger un texte

L'Assemblée nationale en 1958

Tâche complexe

Le 1er juin 1958, les députés débattent à l'Assemblée pour savoir s'il convient d'investir ou non le général de Gaulle à la présidence du Conseil. Vous êtes un député favorable à l'investiture de De Gaulle et vous prononcez un discours pour justifier votre vote.

Coup de pouce

■ **Sur le contenu**

Il faut prendre en compte le contexte :
– l'enlisement militaire puis l'insurrection en Algérie à compter du 13 mai 1958 et la constitution d'un Comité de salut public qui ne reconnaît pas la légitimité du gouvernement ;
– le débarquement en Corse et la menace de coup de force en métropole ;
– la proposition de de Gaulle de former un gouvernement et de résoudre la crise, ainsi que son indulgence vis-à-vis des factieux ;
– le crédit dont bénéficie de Gaulle auprès des Français.
Relire les Études p. 314-315 et 316-317.

Il faut choisir le parti politique auquel appartient le député en cohérence avec les groupes parlementaires qui ont effectivement, y compris de manière divisée, voté l'investiture (Leçon p. 318-319 et 320-321).

■ **Sur la forme**

– Un député s'adresse aux autres députés au sein d'une institution officielle : le registre de langue doit être soutenu (mesdames, messieurs, chers collègues), le vocabulaire doit faire référence aux principes républicains et aux traditions parlementaires (la démocratie, le régime, la souveraineté nationale, l'Assemblée représentative de la nation, les citoyens français).
– Il tente de les convaincre du bien-fondé de son vote : vous devez donc trouver des arguments favorables à l'investiture du général de Gaulle (concernant la crise algérienne : Européens d'Algérie, sédition, problème colonial, ainsi que les faiblesses de la IVe République : système des partis, instabilité ministérielle) ainsi que des arguments qui répondent aux craintes d'une atteinte aux principes démocratiques.
Relire l'Étude p. 310-311 et la Leçon p. 318-319 et 320-321.

4 TICE L'engagement des dreyfusards

Le combat des dreyfusards, un combat républicain

Consultez le site sur le capitaine Dreyfus élaboré par le ministère de la Culture : http://www.dreyfus.culture.fr/fr/

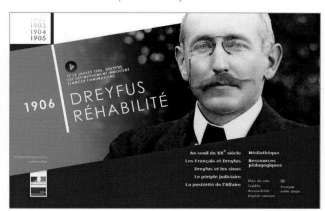

Questions

À l'aide des documents historiques présentés sur ce site :

1. Expliquez les valeurs défendues par les dreyfusards.
2. Retrouvez les différents moyens utilisés par les dreyfusards pour obtenir la réhabilitation de Dreyfus.
3. Présentez le « périple judiciaire » de Dreyfus.

5 TICE Victor Hugo, un écrivain engagé

La république des « grands hommes » : Victor Hugo

Consultez le dossier sur Victor Hugo publié par le Centre national de la documentation pédagogique à partir de son site : http://www.cndp.fr/tdc/tous-les-numeros/lengagement-litteraire/videos/article/les-combats-de-victor-hugo.html.

Sélectionnez et visionnez des vidéos.

Question

Expliquez dans quel but les républicains ont exalté Victor Hugo (ils ont placé sa dépouille au Panthéon et lui ont donné une place importante dans les programmes scolaires) comme un « grand homme ».

Étude critique de deux documents L/ES
Analyse de deux documents S

La propagande de la Résistance et sa portée

L/ES   S

Capacités travaillées

II.1.1 Prélever et confronter
des informations

II.2.1 Décrire et mettre en récit
une situation historique

> **Consigne** À l'aide des documents, montrez que la Résistance, dans ses valeurs et ses pratiques, a fait renaître l'idéal républicain.

1 **Une affiche réalisée par la Résistance locale à Marseille**

Affiche réalisée par Antoine Serra en 1942 à Marseille, reproduite avec l'autorisation de Jacqueline Serra.

2 **La place de la Bourse (aujourd'hui place du Général-de-Gaulle), à Marseille, le 14 juillet 1942**

Les manifestants ont l'air de promeneurs, conformément aux consignes de la Résistance locale et de Radio-Londres, pour échapper aux interpellations. Au fond à droite, on distingue les forces de l'ordre, prêtes à intervenir.

Pour vous aider

La Résistance : identifiez le(s) type(s) de Résistance en action ici.
– Les valeurs de la Résistance : elles sont mises en avant dans le doc 1.
– Les pratiques de la Résistance : plusieurs pratiques sont illustrées ici, relevez-les.

• **L'idéal républicain** : la démocratie, des valeurs et des libertés fondamentales.

• L'affiche est riche en symboles républicains et références à la Révolution française : donnez leur signification.

• Réfléchissez à la situation de Marseille à la date des documents. À cette date, appeler à manifester le 14 juillet est en soi un acte de résistance.

• Ici, la consigne vous incite à répondre en deux parties :
– des résistants qui réaffirment des valeurs républicaines contre Vichy ;
– des Français attachés à des pratiques républicaines interdites par le régime de Vichy.

• Attention ! Une étude de document n'est pas une mini-composition. Vous devez partir des documents, puis les éclairer par vos connaissances.

POINT MÉTHODE

1 **Lire et comprendre le sujet et la consigne posée**
– Repérez le(s) verbe(s) de la consigne : il(s) vous indique(nt) la démarche que vous devrez suivre.
– Faites ressortir le ou les mot(s)-clé(s) du sujet et de la consigne.
– Définir ces mots-clés pour comprendre l'enjeu du sujet.

2 **Analyser les documents en fonction de la consigne**
– Repérez les éléments des documents qui correspondent à la consigne : ici, vous devez donc repérez les valeurs et les pratiques républicaines dans les deux documents.
– À l'aide de vos connaissances, précisez la signification des symboles, des références et des points de comparaison de l'affiche. Les lieux peuvent avoir aussi leur importance.

3 **Organiser la réponse au sujet**
L/ES Établir un plan qui réponde à la consigne. Confrontez les deux documents chaque fois que cela vous est possible.
– Rédiger une phrase d'introduction pour expliquer ces mots-clés et analyser le sujet posé.
– Rédiger une conclusion répondant à la consigne et montrant les possibles limites des documents S ou en les critiquant L/ES, ainsi que l'intérêt de leur confrontation. Enfin, mettre le sujet en perspective, par exemple sur le désir des résistants de rétablir la République à la Libération.

4 **Rédiger au propre**

Étude d'un document L/ES
Analyse d'un document S

Le programme du CNR

L/ES **S**

Capacités travaillées
I.2.1 Identifier un document
II.1.2 Prélever et hiérarchiser des informations
II.2.1 Décrire et mettre en récit une situation historique

Consigne Après avoir **expliqué le contexte** du document, **montrez en quoi** le programme du CNR renouvelle l'idéal républicain.

Le programme du CNR, 15 mars 1944

[…] les représentants des organisations de Résistance, des centrales syndicales et des partis ou tendances politiques groupés au sein du CNR délibérant en assemblée plénière le 15 mars 1944, ont décidé de s'unir sur le programme suivant, qui comporte à la fois un plan d'action immédiate contre l'oppresseur et les mesures destinées à instaurer, dès la libération du territoire, un ordre social plus juste.[…]

Sur le plan économique :
• […] l'intensification de la production nationale selon les lignes d'un plan arrêté par l'État après consultation des représentants de tous les éléments de cette production ;
• le retour à la nation de tous les grands moyens de production monopolisée, fruits du travail commun, des sources d'énergie, des richesses du sous-sol, des compagnies d'assurance et des grandes banques ; […]

Sur le plan social :
• le droit au travail et le droit au repos ;
• la garantie d'un niveau de salaire et de traitement qui assure à chaque travailleur et à sa famille la sécurité, la dignité et la possibilité d'une vie pleinement humaine ;

la garantie du pouvoir d'achat national par une politique tendant à la stabilisation de la monnaie ;
• la reconstitution, dans ses libertés traditionnelles, d'un syndicalisme indépendant, doté de larges pouvoirs dans l'organisation de la vie économique et sociale ; un plan complet de sécurité sociale, visant à assurer les citoyens des moyens d'existence dans tous les cas où ils sont incapables de se les procurer par le travail, avec gestion appartenant aux représentants des intéressés et de l'État ; […]
• une retraite permettant aux vieux travailleurs de finir dignement leurs jours ;
• le dédommagement des sinistrés et des allocations et pensions pour les victimes de la terreur fasciste ;
• une extension des droits politiques, sociaux, économiques des populations indigènes et coloniales ;
• la possibilité effective, pour les enfants français, de bénéficier de l'instruction et d'accéder à la culture la plus développée, quelle que soit la situation de fortune de leurs parents […].

Source : Le programme d'action de la Résistance, publié dans la revue *Espoir* n° 135, fondation Charles de Gaulle.

Pour vous aider

• Expliquer le texte : cela signifie expliquer les circonstances dans lesquelles ce programme a été rédigé.

• Montrez : ce verbe d'action implique une argumentation. Vous devrez donc prouver que le programme du CNR renouvelle l'idéal républicain en trouvant dans le document et vos connaissances les arguments adaptés.

• L'idéal républicain : il s'agit de la démocratie et d'un ensemble de valeurs politiques, de libertés fondamentales. Son renouvellement : le programme du CNR apporterait donc de nouvelles valeurs.

• La nature du texte et son contexte : il s'agit d'un programme politique rédigé par le CNR.

• Ici, il s'agit de repérer les principes et projets de loi qui sont nouveaux par rapport à l'idéal républicain. Certains auteurs cités dans le texte peuvent éclairer l'adoption de ces nouveaux principes et projets.

• Retrouver quels aspects de ce programme du CNR ont été appliqués par le GPRF puis la IVᵉ République.

POINT MÉTHODE

1 Lire et comprendre le sujet et la consigne posée
– Repérer le(s) verbe(s) d'action de la consigne : il(s) vous indique(nt) quelle doit être votre démarche.
– Faire ressortir le ou les mot(s)-clé(s) de la consigne et le(s) définir.

2 Analyser le texte en fonction de la consigne
– Lire et comprendre ce texte dans son contexte.
– Repérer les éléments du texte qui permettent de répondre à la consigne.
– Faire ressortir le ou les mot(s)-clé(s) de la consigne et le(s) définir.
– Identifier la nature du texte et son auteur.
– Comprendre ses objectifs.

3 Organiser la réponse au sujet
– Rédiger une phrase d'introduction qui explique les mots-clés et analyse le sujet posé.
– Rédigez une conclusion de quelques lignes
  - qui réponde au sujet ;
  - qui montre la limite du document **S** ou qui en fait la critique **L/ES** ;
  - qui précise la portée de ce texte.

4 Rédiger au propre en soignant l'expression et la grammaire
– Débuter chaque partie de la réponse par une citation appropriée du texte.
– Interpréter ensuite cette citation à l'aide de vos connaissances.

Capacités travaillées

II.2.1 Décrire et mettre en récit une situation historique

II.2.3 Rédiger un texte construit et argumenté

Composition
Construire un plan thématique et rédiger

Sujet

Faire des républicains (1879-1900)

Étape **1**

Analyser le sujet et dégager une problématique

A. **L/ES** **S** Identifier et définir les termes du sujet pour l'analyser

Pour vous aider

Pensez à vous poser des questions :
Qui ? Pour cerner les acteurs, c'est-à-dire ici les Français qui deviennent républicains, mais aussi ceux qui ont cherché à faire d'eux des républicains.
Quand ? Pour établir les bornes chronologiques du sujet.
Quoi ? Pour comprendre ce que demande d'analyser le sujet donné.

Faire une liste des actions menées par la IIIe République pour que les Français deviennent républicains. Exemple : des symboles (Marianne), des droits (la liberté de la presse), des pratiques (la fête du 14 juillet)…

Faire | des républicains | (1879-1900)

Montrer que les Français n'étaient pas majoritairement républicains avant 1879.

Limites chronologiques du sujet :
– en 1879 les républicains sont enfin majoritaires au Parlement et gouvernent le pays ;
– en 1900 le sentiment républicain s'est enraciné.

B. **L/ES** Trouver une problématique, c'est-à-dire la question centrale du sujet. Elle permet de reformuler ce sujet.

Pour vous aider

La problématique commence en général par une locution ou un adverbe interrogatif, par exemple :
Pourquoi ? (ce qui permet de s'interroger sur les causes).
Comment ? (ce qui permet de s'interroger sur les moyens).
Dans quelle mesure ? Jusqu'où ? (ce qui permet de s'interroger sur les limites).
Ici cela pourrait être « comment la IIIe République a-t-elle transformé les Français en républicains entre 1879 et 1900 ? »

S Trouver un fil directeur.

Étape **2**

Mobiliser au brouillon ses connaissances

A. **L/ES** **S** Faire une liste des notions et des thèmes à aborder en relation avec le sujet posé et la problématique trouvée.

Quelques exemples de notions et thèmes possibles :
– des dirigeants républicains : Jules Ferry ;
– les valeurs républicaines : la démocratie, l'égalité devant la loi, la laïcité ;
– les symboles qui représentent la République : Marianne, le drapeau tricolore, l'hymne républicain ;
– les pratiques républicaines : le vote dans la mairie de la commune, la participation à la fête du 14 juillet, les concours agricoles présidés par les élus locaux ;
– les droits et libertés individuels apportés par la République : liberté d'expression et de presse, liberté de réunion, d'association ;
– le rôle central de l'école républicaine dans la formation des esprits républicains.

Pour vous aider

Repérez dans le chapitre la leçon correspondant au sujet à l'aide de ses bornes chronologiques et de votre analyse du sujet.

Repérez les thèmes à aborder à l'aide des titres et sous-titres de la leçon.

B. L/ES **Regrouper les éléments listés en fonction du plan proposé pour organiser les idées.**

Un plan vous est ici fourni, mais plusieurs sont possibles sur le même sujet :

I. Faire des républicains pour stabiliser la République

A. Car les Français ne sont pas encore républicains en 1879.

B. Donc la République affirme rapidement sa légitimité par des symboles officiels.

C. Ainsi des fêtes et concours enracinent la République dans tout l'espace français.

II. Faire des républicains dès le plus jeune âge

A. L'école républicaine transmet une culture moderne et républicaine.

B. L'école laïque fait reculer l'influence monarchiste dans les campagnes.

C. Les maîtres d'école sont les représentants respectés de la République dans chaque commune.

III. Faire aimer la République en donnant des droits et libertés

A. Les libertés fondamentales et leurs conséquences.

B. La démocratie communale.

C. La séparation de l'Église et de l'État : indépendance politique de l'Église, neutralité religieuse de l'État.

Pour vous aider

- On peut surligner à l'aide de différentes couleurs les thèmes notés au brouillon en fonction du plan pour facilement retrouver les idées à développer lors de la rédaction. Ainsi, l'école républicaine, dernière idée notée au brouillon, sera mise dans la couleur du II.
- Si le terme central du sujet est un verbe, formuler les grands titres en partant d'un verbe.

Étape 3 Rédiger la composition

A. Partir ici du plan fourni ci-dessus et construire chaque partie du devoir.

S Les sous-parties sont facultatives.

L/ES Les sous-parties sont nécessaires.

Une partie est organisée en paragraphes. Chaque paragraphe correspond à une idée développée.

B. Chaque idée repose sur un exemple précis vu dans le cours.

Pour vous aider

- Cela peut être une loi, une date, une pratique, un personnage politique…

C. Toute la composition doit être rédigée.

Il faut faire attention à l'orthographe et à la grammaire. La copie doit être bien écrite et bien présentée : il faut l'aérer, en sautant des lignes entre les différentes parties.

- La première phrase de chaque paragraphe correspond au titre que vous avez donné au paragraphe : elle annonce ainsi le thème du paragraphe.
- La dernière phrase d'une partie doit conclure sur le thème du paragraphe et mettre en valeur le lien entre l'idée de ce paragraphe et celle du suivant : c'est une petite conclusion transitionnelle.

Exemple de rédaction pour le IIB

En 1882, l'école publique devient laïque, ce qui permet aussi de faire reculer l'influence monarchiste, encore forte dans les campagnes françaises lorsque les républicains parviennent au pouvoir. En effet les programmes sont laïques, le catéchisme ayant été remplacé par des leçons d'instruction civique et morale qui mettent en avant les bienfaits de la République et insistent sur les injustices de l'Ancien Régime.

De ce fait, la majorité des enfants sont soustraits, concernant l'acquisition des savoirs fondamentaux, à l'influence de l'Église catholique, qui est alors très favorable à une restauration de la monarchie. C'est particulièrement le cas des filles dont l'éducation était jusqu'alors souvent essentiellement religieuse.

Bien que l'obligation scolaire retire aux parents des « bras » considérés comme indispensables aux travaux des champs, et malgré l'incitation des prêtres à ne pas inscrire les enfants aux « écoles du diable », les familles sont assez reconnaissantes vis-à-vis de l'école publique et gratuite qui offre à leurs enfants un savoir assez diversifié.

Pour vous aider

- Une partie comprend deux ou trois thèmes secondaires : ce sont les sous-parties. Allez à la ligne pour chaque sous-partie.
- Étayez votre argumentation avec des exemples précis.

Sur ce modèle, rédigez le paragraphe I. A

L/ES   S

La république, trois républiques

IIIe RÉPUBLIQUE (1870-1940) :

- Une république née de la défaite de Napoléon III en 1870
- Des monarchistes majoritaires jusqu'en 1879

- 1875 : constitution
- Libertés fondamentales
- École républicaine
- Des crises surmontées

- Crises des années 1930
- Défaite et occupation

▼

Une république d'abord fragile… ➤ … qui s'enracine et apparaît victorieuse en 1918… ➤ … mais qui est brisée par la Seconde Guerre mondiale

GPRF (1944-1945) ET IVe RÉPUBLIQUE (1946-1958) :

- Une république née de la Libération
- Une économie détruite
- Une constitution adoptée de justesse
- Les gaullistes dans l'opposition

- Planification économique
- Sécurité sociale
- Droit de vote des femmes
- Décolonisation en Indochine, au Maroc, en Tunisie

- Guerre froide : PCF dans l'opposition (1947)
- Instabilité gouvernementale
- Crise algérienne

▼

Une naissance difficile ➤ des défis en partie surmontés ➤ des fragilités qui mettent fin au régime

Ve RÉPUBLIQUE (1958-...) :

- Une république née d'un coup de force en Algérie
- Une constitution qui affaiblit le pouvoir de l'Assemblée
- La crainte du césarisme

- La figure populaire du général de Gaulle
- L'espoir de la fin de la crise algérienne
- Une constitution qui permet la stabilité

- Une personnalisation de la vie politique
- 1962 : l'élection du président au suffrage universel direct

▼

Un nouveau régime contesté par une partie de la gauche… ➤ … mais une république plébiscitée par les Français ➤ Un régime semi-présidentiel

---

Je sais définir les mots suivants

- **République** : régime politique dans lequel le pouvoir n'est pas héréditaire et doit représenter l'intérêt de la nation.
- **Constitution** : texte juridique fondamental qui fixe l'organisation et le fonctionnement des pouvoirs dans un État.
- **Régime parlementaire** : régime politique caractérisé par un équilibre des pouvoirs entre le gouvernement et le Parlement, le gouvernement étant responsable de ses décisions devant le Parlement, qui peut le renverser.
- **École laïque** : école qui ne comporte aucun enseignement ni symbole religieux.

- **Libertés fondamentales** : liberté de la presse, liberté de réunion, liberté syndicale, liberté de conscience.
- **CNR** : Conseil national de la Résistance. Fondé en mai 1943, il regroupe les différents mouvements de Résistance intérieure sous la houlette du général de Gaulle. Il est l'auteur d'un programme de gouvernement ou Charte du CNR.
- **Régime semi-présidentiel** : régime parlementaire dans lequel le président de la République est doté de pouvoirs importants et détermine la politique du pays.

Je connais les dates importantes

- **4 septembre 1870** : proclamation de la IIIe République
- **1894-1906** : affaire Dreyfus
- **10 juillet 1940** : vote des pleins pouvoirs au maréchal Pétain par les parlementaires
- **mai 1943** : création du CNR
- **21 avril 1944** : ordonnance accordant le droit de vote aux femmes

- **1945** : ordonnance fondant la Sécurité sociale
- **octobre 1946** : constitution de la IVe République
- **13 mai 1958** : émeute insurrectionnelle à Alger
- **28 septembre 1958** : constitution de la Ve République
- **octobre 1962** : élection du président de la République au suffrage universel

Je connais les points suivants

La IIIe République : l'adhésion des Français aux principes républicains

– 4 septembre 1870 : proclamation de la IIIe République, régime fragile. 1875 : lois constitutionnelles, 1879 : les républicains au pouvoir.

– Républicanisation de la société grâce aux libertés fondamentales, à des lieux (mairie-école), des acteurs (instituteurs), des symboles (Marianne), des pratiques (scrutin, 14 Juillet, chanter La Marseillaise) et par l'école laïque.

– Régime contesté (boulangisme 1888-1889, affaire Dreyfus 1894-1906, revendications ouvrières) mais qui se renforce.

La guerre ébranle puis régénère la République

– 22 juin 1940 : Pétain signe l'Armistice. France occupée au Nord, gouvernement de Vichy au Sud. 11 juillet 1940 : naissance de l'État français, régime autoritaire, corporatiste, antisémite et de collaborationniste.

– La Résistance intérieure réactive l'idéal républicain, la France libre est dirigée par de Gaulle depuis Londres puis l'Afrique. Les résistants participent à la Libération.

– Après le GPRF (été 1944 – octobre 1946) naît la IVe République. Elle modernise l'économie et apporte des droits sociaux mais affronte la guerre froide et la décolonisation.

La Ve République, un régime nouveau

– 13 mai 1958 : insurrection à Alger. 1er juin : de Gaulle nommé président du Conseil. 28 septembre : les Français approuvent massivement la constitution proposée par de Gaulle.

– Ve République : le président a beaucoup de pouvoirs. Sa légitimité est renforcée par l'élection au suffrage universel direct en 1962. Présidentialisation du régime contestée par les parlementaires mais approuvée par les Français.

Je connais les personnages suivants

● **Jules Ferry**
p. 370

● **Émile Zola**
p. 299

● **Maurice Barrès**
p. 299

● **Philippe Pétain**
p. 304

● **Charles de Gaulle** p. 318

Pour aller plus loin

 **À visiter**

● Musée de l'Éducation, **à Rouen.** www.inrp.fr/musee
● Mémorial pour la paix, **à Caen** www.memorial-caen.fr
● Historial Charles de Gaulle, **hôtel des Invalides, Paris.** http://www.musee-armee.fr/collections/les-espaces-du-musee/historial-charles-de-gaulle.html

 **À voir**

● Jean-Pierre Melville, *Le Silence de la mer*, **1947.** Adaptation de la nouvelle de Vercors publiée clandestinement pendant l'Occupation.
● Yves Boisset, *L'Affaire Dreyfus*, **1995.** Téléfilm réalisé sur un scénario de Jorge Semprún d'après le livre *L'Affaire* de Jean-Denis Bredin, sur l'affaire Dreyfus.
● Claude Chabrol, *L'Œil de Vichy*, **1993.** Scénario de R. Paxton (historien) et J.-P. Azéma. Il s'agit d'une sélection des « Actualités » de Vichy, de 1940 à 1944.

 **À lire**

● Octave Mirbeau, *Le Journal d'une femme de chambre*, **éditions du Boucher, société Octave Mirbeau, 2003.** Critique de la société bourgeoise sous la IIIe République.
● **BD : Philippe Richel et François Ravard,** *Les Mystères de la Ve République*, **tome 1, Glénat, 2013.** 1959 : un ancien rappelé revenu meurtri de son expérience militaire en Algérie est retrouvé assassiné.

10 LA RÉPUBLIQUE ET LES ÉVOLUTIONS DE LA SOCIÉTÉ FRANÇAISE

Des années 1880 à aujourd'hui, la République a dû s'adapter aux évolutions de la société française. Les femmes et les ouvriers, longtemps en marge des préoccupations des républicains, y sont tardivement intégrés. La laïcité redéfinit la place des religions dans la société française et suscite des débats toujours d'actualité.

L/ES   S

▶ **Comment la République s'est-elle adaptée aux transformations sociales et culturelles de la France ?**

Notion

• **Laïcité** : neutralité et indépendance de l'État face aux religions ; elle est devenue en France une valeur républicaine, garante d'égalité et de la coexistence harmonieuse.

1 Le droit de vote des femmes, une conquête tardive
Couverture par Georges Dutriac du magazine *Lecture pour tous* – publié par Hachette – de novembre 1931 consacré au vote des femmes.

• Après avoir présenté le document, décrivez l'intention du dessinateur et ce qu'elle révèle du point de vue des hommes.

Le monde ouvrier dans les années 1930

| 1930 | | 1935 | | |

sept. 1931
Arrivée de la crise économique en France

6 fév. 1934
Manifestation des ligues d'extrême droite

avril-mai 1936
Victoire du Front populaire aux législatives

7 juin 1936
Accords de Matignon

12 nov. 1938
Décrets-lois Reynaud, abolition des 40 h

Un siècle de laïcité

| 1900 | 1950 | 2000 |

1882
École primaire laïque et obligatoire

1905
Séparation des Églises et de l'État

1946
La laïcité dans la Constitution

1959
Loi Debré

2004
Loi sur les signes religieux ostensibles à l'école

2010
Loi : « Nul ne peut, dans l'espace public, porter une tenue destinée à dissimuler son visage »

Les combats du féminisme

| 1930 | 1950 | 2000 |

1936
Premières femmes au gouvernement

1944
Droit de vote des femmes

1949
Le Deuxième Sexe

1971
Manifeste des 343

1975
Loi autorisant l'avortement

1980
Marguerite Yourcenar, première femme élue à l'Académie française

2000
Loi sur la parité en politique

2 **Visite à la Grande Mosquée de Paris du président François Hollande**

Le 18 février 2014, le président François Hollande est venu rendre hommage aux soldats musulmans morts pour la nation durant les deux guerres mondiales. À sa gauche le recteur de la mosquée et président du Conseil français du culte musulman, Dalil Boubakeur. La Grande Mosquée, inaugurée en 1926, a été construite sur fonds publics en reconnaissance du sacrifice des soldats musulmans durant la Première Guerre mondiale.

- Décrivez cette image en montrant en quoi, sans contrevenir aux principes de la laïcité, elle en révèle une conception ouverte, soucieuse d'affirmer l'égale dignité et la cohabitation des religions.

Un monde ouvrier précarisé et marginalisé

La IIIᵉ République s'est enracinée, dans les années 1870-1880, en s'appuyant sur les campagnes et en rejetant le modèle révolutionnaire incarné par la Commune de 1871. Pour les républicains, les ouvriers restèrent longtemps suspects. Les grèves, favorisées par des conditions de vie difficiles et un travail dangereux, étaient durement réprimées. Mais l'image du « prolétaire » de la grande industrie véhiculée par *Germinal* doit être relativisée : la France reste majoritairement rurale et ses ouvriers sont nombreux à travailler dans de petites entreprises.

Capacité travaillée

I.1.1 Nommer et périodiser continuités et ruptures chronologiques

1 **Ouvriers couteliers à Thiers**

G. **Bruno**, *Le Tour de la France par deux enfants*, 1877. Réédité 400 fois jusqu'en 1914, ce livre de lecture forge la vision de la France de générations d'écoliers. L'auteur, qui est une femme sous un pseudonyme masculin, valorise les activités artisanales et traditionnelles, comme ici les couteaux de Thiers (Puy-de-Dôme).

2 **a. Évolution de la population active en France par secteur d'activités depuis 1840 (en %)**

Année	Agriculture	Industrie et bâtiment	Services
1840	52	26	22
1906	43	29	28
1936	37	29,5	33,5
1962	21	38	41
2002	4	22	74

b. Répartition des ouvriers selon la taille des entreprises, en 1906 (en %)

	1 à 10 salariés	11 à 100 salariés	Plus de 100 salariés
Cuirs et peaux	41	35	24
Mines	28	46	26
Verrerie	14	30	56
Chimie	11	36	53
Textile	7	34	59

3 **La catastrophe de Courrières**

Le 10 mars 1906, dans une mine du Pas-de-Calais, un coup de grisou tue 1 099 personnes. Trois jours après, les opérations de secours sont abandonnées et une partie de la mine obstruée afin d'éteindre l'incendie et préserver le gisement.

Le 30 mars, treize rescapés sortent par leurs propres moyens. Ces événements causent une crise politique et un mouvement social qui aboutissent à l'instauration du repos hebdomadaire. Supplément illustré du *Petit Journal*, 15 avril 1906.

Vocabulaire

• **Commune de Paris** : mouvement insurrectionnel parisien, de mars à mai 1871, né dans la foulée de la défaite face à l'Allemagne, et qui tenta de mettre en application de nombreuses idées d'extrême gauche populaires chez les ouvriers. Son écrasement et sa répression firent plusieurs milliers de morts.

Des femmes en marge de la République

Capacité travaillée

I.1.1 Nommer et périodiser les continuités et ruptures chronologiques

Les Françaises aux XIXe et XXe siècles vivent une situation paradoxale. Elles assument très tôt une part importante de la production, mais vivent au quotidien comme d'éternelles mineures. Elles vivent dans l'un des premiers pays à établir un suffrage dit universel, mais celui-ci reste plus longtemps qu'ailleurs réservé aux hommes. Actives lors des révolutions (1789, 1830, 1848) et promues au rang d'allégorie de la République, elles sont tenues à l'écart par crainte de leur prétendu conservatisme.

1789 — **1922**

5 et 6 oct. 1789	22 déc. 1789	sept. 1791	21 mars 1804	10 avril 1867	1920	1922
Les Parisiennes vont à Versailles et forcent le roi à s'installer aux Tuileries	Les femmes sont exclues du droit de vote par l'Assemblée nationale	Olympe de Gouges, *Déclaration des droits de la femme et de la citoyenne*	Le Code civil dispose que « la femme doit obéissance à son mari »	La loi Duruy impose la création d'écoles de filles, ce qui accroît leur instruction mais réduit la mixité scolaire	Interdiction de la contraception et de l'avortement	le Sénat s'oppose au suffrage des femmes voté par la Chambre

1 Une éducation pour les filles et les garçons

L'enseignement primaire comprend :

L'instruction civique et morale ;

La lecture et l'écriture ;

La langue et les éléments de la littérature française ;

La géographie, particulièrement celle de la France ;

L'histoire, particulièrement celle de la France jusqu'à nos jours ;

Quelques leçons usuelles de droit et d'économie politique ;

Les éléments de sciences naturelles physiques et mathématiques, leurs applications à l'agriculture, à l'hygiène, aux arts industriels, travaux manuels et usage des outils des principaux métiers ;

La gymnastique ;

Pour les garçons, les exercices militaires ;

Pour les filles, les travaux à l'aiguille.

Article premier de la loi Jules Ferry du 28 mars 1882 sur l'école primaire.

2 Marianne, allégorie de la République

Statue anonyme, palais du Luxembourg (Sénat), Paris. La représentation de la République en une allégorie féminine, appelée Marianne, apparaît avec la Révolution et s'impose au cours du XIXe siècle. Elle constitue un équivalent laïque de la figure mariale.

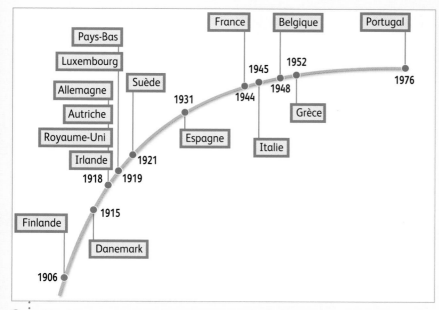

Pays-Bas

Luxembourg

Allemagne

Autriche

Royaume-Uni

Irlande

1918 1919 1921

Suède

1931

Espagne

France

1945 1944 1948

1952

Belgique

Italie

Grèce

Portugal

1976

1915

Finlande

Danemark

1906

3 Le droit de vote des femmes dans quelques pays étrangers

Capacité travaillée
I.1.1 Nommer et périodiser continuités et ruptures chronologiques

La séparation des Églises et de l'État en 1905 met un terme à une situation qui n'est elle-même que le résultat de conflits et de compromis. En réalité, le statut officiel ou non de l'Église, son financement, et son contrôle éventuel par le pouvoir politique, sont de vieilles questions qui opposaient déjà, dès le XVIe siècle, les « gallicans » favorables à une « Église de France », et les ultramontains favorables au pouvoir du pape.

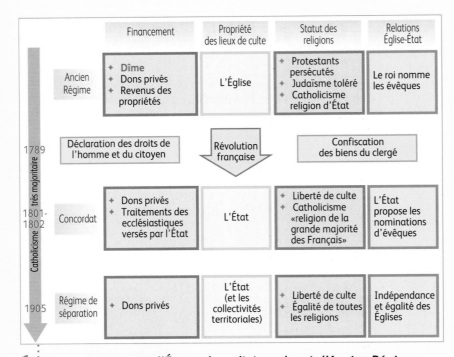

1 Les rapports entre l'État et les religions depuis l'Ancien Régime

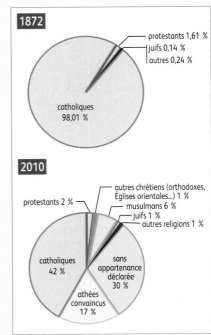

2 La diversité religieuse en France en 1872 et en 2010

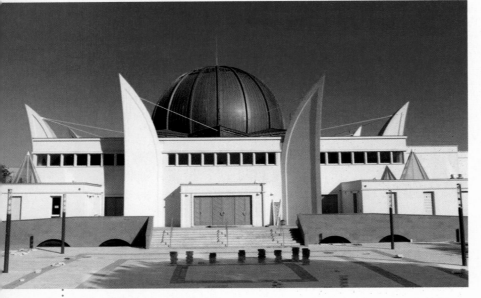

3 La Grande Mosquée de Strasbourg

Parce qu'elles étaient allemandes lors du vote de la loi de séparation de 1905, l'Alsace et la Moselle restent sous le régime du Concordat de 1801. Partiellement financée par des fonds publics, la Grande Mosquée de Strasbourg a été inaugurée en 2011.

Vocabulaire

- **Dîme** : impôt, en général d'un dixième (d'où son nom) sur les récoltes ou autres revenus, versé à l'Église.

- **Ultramontain** : partisan du pouvoir pontifical (« outre-monts », c'est-à-dire en Italie au-delà des Alpes) - par opposition au gallicanisme qui défend une Église de France.

Les caractères spécifiques de la société française

S

Voir aussi études
p. 54 et p. 72

Capacité travaillée
II.1.1 Nommer et périodiser continuités et ruptures chronologiques

À la différence de ses voisins européens, la France connaît au XIXe siècle une baisse rapide de sa natalité, qui accompagne celle de son taux de mortalité. Après la défaite de 1871, le gouvernement français s'inquiète de cette faiblesse démographique face à l'Allemagne. De plus, la faible croissance démographique du pays engendre un manque de main-d'œuvre, notamment dans l'industrie. Aussi, dès la seconde moitié du XIXe siècle, la France devient une terre d'immigration attirant d'abord des actifs frontaliers (Belges, Italiens) puis des immigrés venant de pays de plus en plus éloignés.

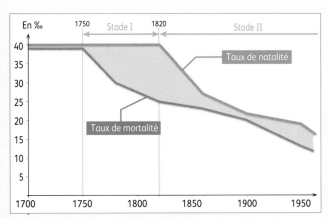

1 Une transition démographique précoce

2 L'attractivité de la France

	Population totale de la France (en millions)	Part d'étrangers[1] présents sur le territoire (en %)
1851	35,7	0,4
1876	36,9	0,8
1901	38,4	1
1931	41,2	2,7
1946	40,1	1,7
1947	52,3	3,4
1990	56,6	3,6
2006	61,4	3,6

1. Les étrangers - hors les touristes - sont des immigrés, mais tous les immigrés ne sont pas des étrangers : certains ont acquis la nationalité française.

D'après O. Marchand et C. Thélot, *Le Travail en France 1800-2000*, Nathan, 1998 et l'INED.

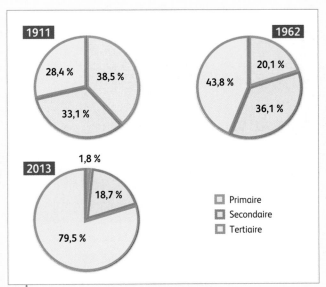

4 L'importance du secteur primaire dans la population active

La population active regroupe toutes les personnes ayant un emploi ou étant à la recherche d'un emploi. Le primaire regroupe l'agriculture, la pêche et les mines ; le secondaire l'industrie ; le tertiaire l'ensemble des services (commerce, santé, éducation, services aux entreprises, banques…).

D'après O. Marchand et C. Thélot, *Le Travail en France 1800-2000*, Nathan, 1998 et INSEE.

3 Une affiche nataliste de 1924

Affiche émanant de l'Alliance nationale pour l'accroissement de la population française, créée en 1896.

L'« esprit de 1936 » à travers la presse

Capacités travaillées

II.1.3 Cerner le sens d'un document ou d'un corpus documentaire et le mettre en relation avec la situation historique étudiée

La presse connaît un développement fulgurant au XIXe siècle, et reste longtemps le principal moyen d'information. L'invention de la similigravure permet d'y reproduire des photographies, ce qui conduit dans les années 1930 à de véritables photoreportages réalisés par des photographes de talent comme Cartier-Bresson ou Capa. En même temps, universitaires et écrivains continuent d'écrire dans les journaux, dont la plupart revendiquent une orientation politique.

▶ Comment la presse a-t-elle témoigné de « l'esprit » du Front populaire ?

Vocabulaire

• Similigravure : technique d'impression par points permettant la reproduction des photographies en noir et blanc.

1 Ouvriers dans une usine métallurgique occupée de Saint-Ouen
Photographie de David Seymour, 12 juin 1936

Point méthode : Analyser une photographie

A Décrire la photographie
– Point de vue : gros plan ou vue d'ensemble ; plongée, contre-plongée.
– Composition : premier plan, second plan, arrière-plan ; lignes directrices, formes géométriques.

B Présenter la photographie : auteur, contexte
– Le photographe est-il un photographe officiel, un propagandiste, un journaliste, un militant, un simple citoyen… ?
Quel était son but ?
– Éventuellement faire la part des conditions techniques de l'époque et des choix du photographe : couleur, temps de pose, etc.

C Analyser les choix du photographe
– Choix du sujet.
– Y a-t-il eu montage ? Mise en scène ?

D La réception de la photographie
– Quels messages et émotions suggère-t-elle ? Évoque-t-elle des images connues ?
– Est-elle devenue célèbre, voire symbolique d'un événement ? Pourquoi ?

Consigne BAC

Montrez que cette photographie de presse (doc. 4) illustre l'esprit des ouvriers durant l'été 1936 : vous évoquerez les conditions de vie et de travail des ouvriers, puis les espoirs suscités par la victoire du Front populaire.

HISTOIRE DES ARTS La photographie de presse dans les années 1930

• Le développement de la similigravure permet dans l'entre-deux-guerres de multiplier les photographies dans les journaux et magazines. Les gravures laissent place à des reportages photographiques en noir et blanc. La réduction du temps de pose et de la taille des appareils permet de prendre des photographies sur le vif. Se développe alors une esthétique réaliste et populaire, qui ne renie pas le souci de la composition (lignes de fuite, formes géométriques) et cherche à faire transparaître l'émotion.
• Le Front populaire est le premier événement qui voit émerger de jeunes photographes bientôt célèbres comme Henri Cartier-Bresson ou Robert Capa, qui fonderont en 1947 l'agence Magnum.

2 : Le 14 juillet 1936 vu par un écrivain

Juif d'origine hongroise, président de la Ligue des droits de l'homme, Victor Basch soutient le Front populaire par des articles. Il sera assassiné par la milice en 1944.

La foule était joyeuse, mais tendue comme toujours sont ceux qui vont au combat, sans savoir quelle serait l'issue de la bataille. Et voici que ce que personne n'avait osé espérer s'était réalisé. Les forces éparses de la démocratie s'étaient rencontrées, non plus provisoirement, non pas pour une journée, mais pour une longue union solidaire. Les partis et les organisations ne s'étaient pas séparés pour s'affronter de nouveau en des luttes stériles, mais ils avaient réussi à élaborer un programme politique, économique et financier reflétant les aspirations qui leur étaient communes.

Et c'est sur ce programme que s'étaient faites, triomphales, les élections. Et c'est ce programme que le gouvernement, composé en majeure partie d'hommes nouveaux, s'était engagé à réaliser. Et cet engagement il l'a tenu. Depuis six semaines qu'il est au pouvoir, il a fait passer dans les faits les revendications les plus pressantes des classes laborieuses.

Victor Basch, *La Terre libre* (journal), 18 juillet 1936.

3 : Une du *Peuple*, journal de la CGT, 8 juin 1936

LES SALOPARDS EN VACANCES

— Vous ne pensiez pas que j'allais me tremper dans la même eau que ces bolcheviks !

4 : Caricature de Pol Ferjac, *Le Canard enchaîné*, 12 août 1936

Biographie

David Seymour, dit Chim (1911-1956)
Né à Varsovie, il s'installe à Berlin avant de fuir en France en 1933, à l'arrivée des nazis – à l'instar de son confrère le Hongrois Robert Capa. Photographes d'actualité, ils couvrent en 1936 le Front populaire puis de nombreux conflits : guerre d'Espagne, Seconde Guerre mondiale, guerres coloniales.

Vocabulaire

• **Agence Magnum** : la première coopérative photographique, créée en 1947. Contrairement aux autres agences photographiques, elle permet aux photographes de garder le contrôle sur l'utilisation de leurs photographies.

BAC

Consigne 1. Confrontez les documents 2 et 3 en montrant comment ils traduisent chacun à leur façon les sentiments des ouvriers en 1936.

Consigne 2. Après l'avoir présenté et décrit, expliquez que le document 4 rappelle le scepticisme d'une partie de la population française face aux avancées du Front populaire.

5 : Les congés payés, été 1936
Le 26 juin 1936, la loi accordant deux semaines de congés payés aux salariés est votée. Elle permet aux travailleurs d'avoir accès à un véritable temps libre.
Photographie d'Henri Cartier-Bresson.

1 La République et les ouvriers : le Front populaire

L/ES

S

▶ **Dans quelle mesure le Front populaire est-il parvenu à intégrer les ouvriers dans la République ?**

A Un monde ouvrier longtemps en marge

Étude pages 338-339 et Repères page 334 + doc. 3

■ **Sous la IIIe République, les ouvriers restent majoritairement en marge de la République**. Gagnés aux idées socialistes, à l'anarchisme et au marxisme, ils sont vus avec méfiance par les gouvernements républicains, qui s'appuient plutôt sur le monde rural et les classes moyennes. De leur côté, les ouvriers ne se reconnaissent pas dans les républicains de gouvernement d'origine bourgeoise. Cette peur réciproque est régulièrement ravivée, comme l'illustre la répression violente de nombreuses grèves, dont celle de Fourmies le 1er mai 1891, qui fait 9 morts.

■ **La révolution bolchevique de novembre 1917 aboutit en France à la division entre communistes, partisans de la révolution, et socialistes réformistes** : scission de la SFIO et du PCF au congrès de Tours en 1920, puis scission de la CGT, principal syndicat ouvrier, et de la CGTU communiste. L'influence de la gauche ouvrière se trouve ainsi réduite quand la crise des années 1930 vient aggraver la situation économique des ouvriers.

B Le Front populaire et ses acquis

Étude pages 338-339 et Travailler à patir d'une chanson page 354 + doc. 1 et 2

■ **La montée des fascismes en Europe ressoude la gauche** : le 6 février 1934, les échauffourées qui entourent la manifestation des ligues d'extrême droite contre le Palais-Bourbon avivent la crainte d'un coup d'État. La SFIO et le PCF se rapprochent et forment en 1935 avec le parti radical le « Front populaire ». Cette alliance électorale leur assure la victoire aux législatives d'avril-mai 1936. Avant même que le socialiste Léon Blum ne forme son gouvernement le 6 juin, la victoire du Front populaire est saluée par une vague de grèves spontanées, avec occupation des lieux de travail.

■ Le 7 juin, le gouvernement se pose en arbitre entre ouvriers et patronat : **les accords de Matignon**, négociés entre partenaires sociaux sous la houlette du gouvernement pour mettre fin aux grèves, prévoient une hausse des salaires, la **signature de** conventions collectives, **l'élection de délégués du personnel et le libre exercice du droit syndical**. De plus, au cours de l'été 1936, le gouvernement assure l'accès des ouvriers et employés aux loisirs. La **limitation à 40 heures du temps de travail hebdomadaire et les deux semaines de congés payés** par an leur donnent du temps libre, que la politique de Jean Zay au ministère de l'Éducation nationale, et celle de Léo Lagrange au nouveau ministère des « Loisirs », permet d'organiser (billets de train à prix réduits, auberges de jeunesse...) en démocratisant la culture.

C Le mouvement ouvrier se rallie à la République

Étude pages 338-339 et Passé/Présent page 355 + doc. 3

■ **L'expérience du Front populaire renforce les organisations ouvrières**. Les syndicats, qui s'imposent comme les interlocuteurs du patronat, voient leurs effectifs augmenter : la CGT devient un syndicat de masse avec 4 millions d'adhérents. Le PCF, en se ralliant à la République, accroît son audience comme représentant d'une classe ouvrière désormais attachée à la République.

■ Les grèves de mai et juin 1936 forgent dans la mémoire collective **une nouvelle fierté d'être ouvrier**. Souvent festives, elles relèvent moins de la revendication politique que d'un sentiment de libération d'une classe ouvrière confrontée aux méthodes déshumanisantes de production (taylorisme) et aux grandes usines.

■ **Devenu constitutif de la mémoire de gauche**, le Front populaire échoue cependant à résorber la crise économique et à maintenir l'union de la gauche : les radicaux, défenseurs des classes moyennes, comme les communistes, se séparent de la SFIO et Blum démissionne le 21 juin 1937. C'est la croissance économique des Trente Glorieuses qui transforme la condition des ouvriers, mais « l'été 36 » a été un moment fondateur pour leur dignité.

Biographie

Léon Blum
(1872-1950)
Dirigeant de la SFIO, il est de juin 1936 à juin 1937 le chef du gouvernement du Front populaire, constitué ainsi de ministres socialistes et radicaux et soutenu par les communistes.

Vocabulaire et notions

• **Anarchisme** : idéologie rejetant les principes d'autorité et de hiérarchie dans la société. Si certains anarchistes ont pratiqué des attentats contre des représentants de l'État, d'autres ont recouru au mouvement syndical : c'est l'anarcho-syndicalisme.

• **CGT/CGTU** : créée en 1895, la Confédération générale du travail est le plus ancien et reste le plus important des grands syndicats de salariés français. Entre 1921 et 1936, les communistes quittent la CGT pour former la CGT « unitaire » (CGTU).

• **Convention collective** : texte négocié entre les syndicats et les employeurs et auquel doivent se référer tous les contrats de travail d'une branche professionnelle.

• **Ligues** : mouvements politiques d'extrême droite, organisés sur le modèle militaire, et hostiles à la démocratie parlementaire.

• **Marxisme** : idéologie créée par le philosophe Karl Marx et qui prône la lutte des classes, la prise de pouvoir par les ouvriers et l'abolition de la propriété privée dans un régime communiste.

• **PCF** : Parti communiste français, créé par scission de la SFIO au congrès de Tours (1920).

• **SFIO** : Section française de l'Internationale ouvrière, parti créé en 1905, il rassemble les divers mouvements socialistes français.

• **Socialisme** : idéologie qui critique le capitalisme et qui cherche à modifier, par la révolution puis par la loi (réformisme), le fonctionnement de l'économie et la répartition des richesses.

• **Taylorisme** : décomposition du travail en une série de tâches simples et chronométrées, souvent répétitives, généralement dans le cadre d'un travail à la chaîne.

1 **Ouvriers et ouvrières dansant dans une usine pendant les grèves de 1936.**
Biscuiteries Huntley et Palmers, La Courneuve, juin 1936.

2 **Les partis du « Front populaire », majoritaire aux élections de mai 1936**

Parti (date de création)	Dirigeant en 1936	Nombre de députés (sur les 608 sièges de la Chambre)	Ministres au gouvernement	Caractéristiques principales du parti
SFIO (1905)	Léon BLUM	149	OUI	– Idéologie socialiste réformiste : souhaite obtenir des progrès sociaux par la voie légale – Électeurs : surtout des fonctionnaires et des employés
Parti radical (1901)	Édouard DALADIER	110	OUI	– Idéologie républicaine centriste et laïque – Électeurs : surtout des employés, fonctionnaires, paysans et commerçants
PCF (1920)	Maurice THOREZ	72	NON Mais vote les lois à la Chambre	– Idéologie communiste révolutionnaire : souhaite obtenir des progrès sociaux par la révolution – Électeurs : surtout des ouvriers, plus certains intellectuels comme des artistes ou des professeurs

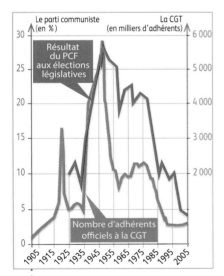

3 **Les résultats du Parti communiste et les effectifs de la CGT au XXᵉ siècle**

4 **L'esprit des grèves de 1936**

Philosophe, Simone Weil (1909-1943) quitta temporairement l'enseignement pour connaître le travail en usine. Lors des grèves de 1936, elle revient sur son ancien lieu de travail.

Comme on se sent entre camarades dans ces ateliers où, quand j'y travaillais, chacun se sentait tellement seul sur sa machine ! Joie de parcourir librement ces ateliers où on était rivé sur sa machine [...]. Joie d'entendre, au lieu du fracas impitoyable des machines, symbole si frappant de la dure nécessité sous laquelle on pliait, de la musique, des chants et des rires. On se promène parmi ces machines auxquelles on a donné pendant tant et tant d'heures le meilleur de sa substance vitale, et elles se taisent, elles ne coupent plus de doigts, elles ne font plus de mal. Joie de passer devant les chefs la tête haute. [...] Joie de vivre, parmi ces machines muettes, au rythme de la vie humaine [...] et non à la cadence imposée par le chronométreur. [...] Enfin, pour la première fois, et pour toujours, il flottera autour de ces lourdes machines d'autres souvenirs que le silence, la contrainte, la soumission. Des souvenirs qui mettront un peu de fierté au cœur, qui laisseront un peu de chaleur humaine sur tout ce métal.

Simone Weil, « La vie et la grève des ouvrières métallos »,
La Révolution prolétarienne, 10 juin 1936.

Questions

1. Identifiez les principales différences idéologiques des partis membres du Front populaire. Montrez ce qui leur a néanmoins permis de se rassembler (doc. 2).

2. Décrivez et expliquez l'évolution des adhésions à la CGT et au PCF de 1905 à 2005 (doc. 3).

3. Après avoir présenté ce document, montrez quels sentiments a suscités chez les ouvriers la vague de grèves de 1936 (doc. 4).

Laïcité tolérante ou laïcité de combat ?

L/ES S

Capacité travaillée

I.1.3 Situer et caractériser une date dans un contexte chronologique

La laïcité en France est née dans un contexte de tensions entre catholiques et anti-cléricaux. Querelle scolaire et crise des inventaires en ont donc donné une image de laïcité de combat. Récemment, des historiens soulignent au contraire la tolérance qui a prévalu chez le législateur.

▶ **Dans quelle mesure la laïcité républicaine repose-t-elle sur une culture du compromis ?**

Vocabulaire

• **Crise des inventaires** : troubles survenus en 1906 dans diverses régions de France à l'occasion de l'inventaire des biens présents dans les lieux de culte.

1 : L'école publique laisse un jour libre par semaine pour le catéchisme

Article 2 Les écoles primaires publiques vaqueront un jour par semaine, en outre du dimanche, afin de permettre aux parents de faire donner, s'ils le désirent, à leurs enfants, l'instruction religieuse en dehors des édifices scolaires.

Loi du 28 mars 1882.

2 : Les débats à la Chambre : deux visions de la laïcité

Le 10 avril 1905, à la Chambre des députés, Aristide Briand, rapporteur de la loi, défend son projet face au socialiste Maurice Allard, qui la trouve trop modérée. C'est la vision de Briand qui l'emporte finalement lors du vote le 9 décembre.

Maurice ALLARD – Qu'est-ce que je demande à la gauche ? [...] De décider que l'Église, danger politique et danger social, doit être combattue de toutes les façons, et je m'étonne qu'au moment où nous entreprenons contre l'Église le combat décisif on nous demande de déposer les armes et d'offrir à l'Église un projet dit libéral [qui] n'est en somme qu'un nouveau régime de privilège. [...] Pourquoi nous républicains et, surtout, nous socialistes voulons-nous déchristianiser ce pays ? [...] Nous combattons les religions parce que nous croyons [...] qu'elles sont un obstacle permanent au progrès et à la civilisation.

Aristide BRIAND – S'il fallait donner un nom au projet de M. Allard, je crois qu'on pourrait justement l'appeler un projet de suppression des Églises par l'État. [...] Nous avons proposé à la Chambre [...] un projet de séparation très net, mais en même temps très large, très équitable, c'est-à-dire sachant concilier les droits et les intérêts de l'État avec le souci de la liberté de conscience.

Annales de la Chambre des députés, 10 avril 1905, pp. 1623, 1625, 1628, 1635.

Biographie

Aristide Briand (1862-1932)

Socialiste indépendant, élu député en 1902, il est rapporteur de la loi de séparation des Églises et de l'État. Son positionnement évolue ensuite vers le centre. Plusieurs fois ministre et président du Conseil entre 1906 et 1932, il dirige notamment le gouvernement entre 1915 et 1917, pendant la guerre. Il s'illustre ensuite comme pacifiste et promoteur du rapprochement franco-allemand. Prix Nobel de la paix en 1926.

3 : Une loi d'apaisement selon une carte postale de 1905

"PUISQU'IL LE FAUT, SÉPAREZ-VOUS, MAIS TACHES DE RESTER BONS AMIS."

4 **Extraits de la loi du 9 décembre 1905 concernant la séparation des Églises et de l'État**

Article 1 – La République assure la liberté de conscience. Elle garantit le libre exercice des cultes sous les seules restrictions édictées ci-après dans l'intérêt de l'ordre public.

Article 2 – La République ne reconnaît, ne salarie ni ne subventionne aucun culte. En conséquence, à partir du 1er janvier qui suivra la promulgation de la présente loi, seront supprimées des budgets de l'État, des départements et des communes, toutes dépenses relatives à l'exercice des cultes.
Pourront toutefois être inscrites auxdits budgets les dépenses relatives à des services d'aumônerie et destinées à assurer le libre exercice des cultes dans les établissements publics tels que lycées, collèges, écoles, hospices, asiles et prisons.

Article 12 – Les […] cathédrales, églises, chapelles, temples, synagogues, archevêchés, évêchés, presbytères, séminaires, ainsi que leurs dépendances immobilières et les objets mobiliers qui les garnissaient au moment où lesdits édifices ont été remis aux cultes, sont et demeurent propriétés de l'État, des départements et des communes. […]

Article 24 – Les édifices affectés à l'exercice du culte appartenant à l'État, aux départements ou aux communes continueront à être exemptés de l'impôt. […]

Article 25 – Les réunions pour la célébration d'un culte tenues dans les locaux appartenant à une association cultuelle ou mis à sa disposition sont publiques. Elles sont dispensées des formalités de [déclaration préalable].

Article 28 – Il est interdit, à l'avenir, d'élever ou d'apposer aucun signe ou emblème religieux sur les monuments publics ou en quelque emplacement public que ce soit, à l'exception des édifices servant au culte, des terrains de sépulture dans les cimetières, des monuments funéraires, ainsi que des musées ou expositions.

Article 31 – Sont punis […] ceux qui, soit par voies de fait, violences ou menaces contre un individu, soit en lui faisant craindre de perdre son emploi ou d'exposer à un dommage sa personne, sa famille ou sa fortune, l'auront déterminé à exercer ou à s'abstenir d'exercer un culte, à faire partie ou à cesser de faire partie d'une association cultuelle, à contribuer ou à s'abstenir de contribuer aux frais d'un culte.

Article 32 – Seront punis des mêmes peines ceux qui auront empêché, retardé ou interrompu les exercices d'un culte par des troubles ou désordres causés dans le local servant à ces exercices.

5 **Caricature anticléricale favorable à la séparation de l'Église et de l'État**
Lithographie de 1904

S'initier au travail de l'historien

A Distinguer des courants de pensée différents (doc. 2)

   1. Quels objectifs le député Maurice Allard assigne-t-il à la séparation des Églises et de l'État ? Montrez qu'il s'agit d'une attitude anticléricale.

   2. Quel est l'objectif au contraire d'Aristide Briand ?

B Analysez le texte des lois laïques (doc. 1 et 4)

   1. Quelles sont les mesures qui mettent en place la séparation entre Églises et État (doc. 4) ?

   2. Quelles mesures font preuve de pragmatisme et de tolérance (doc. 1 et 4) ?

   3. Quels articles garantissent le libre exercice des cultes (doc. 4) ?

C Analysez les caricatures (doc. 3 et 5)

   1. Identifiez les personnages présents sur chaque caricature : qui sont-ils, ou que représentent-ils ?

   2. Comment est représenté le prêtre dans la première caricature ? Comment apparaissent le pape et le moine dans la seconde ?

   3. Comment est représentée la séparation dans les deux caricatures ?

BAC

Analysez et confrontez les documents 3 et 5 sur la loi de 1905, en montrant qu'ils représentent chacun une approche différente de la séparation des Églises et de l'État.

Les nouveaux combats de la laïcité depuis 30 ans

Capacités travaillées

I.1.1 Nommer et périodiser les continuités et ruptures chronologiques

II.1.3 Cerner le sens d'un document ou d'un corpus documentaire et le mettre en relation avec la situation historique étudiée

Après un long apaisement rendu possible par l'Union sacrée de la Première Guerre mondiale et l'émergence d'autres grandes questions de société, la querelle laïque renaît au début des années 1980. Elle concerne d'abord à nouveau le monde catholique avec la défense de l'école libre – c'est-à-dire privée catholique. Puis elle rebondit dans les années 1990 lorsque des jeunes filles musulmanes entendent porter un foulard au sein de l'enceinte scolaire puis le voile intégral dans la rue : ce que les uns interprètent comme une revendication identitaire est perçu par d'autres comme un signe de soumission et un reniement de la laïcité.

▶ Comment la question laïque rebondit-elle à la fin du XXᵉ siècle ?

1984

24 juin 1984	17 juil. 1984	1989	15 mars 2004	Oct 2010
1 million de personnes manifestent contre le projet de loi du ministre de l'Éducation visant à créer un service public unifié de l'enseignement	Démission d'Alain Savary et du Premier ministre Pierre Mauroy	Première affaire de voile à l'école dans un collège de l'Oise (Creil)	Loi prohibant le port de signes religieux ostensibles à l'école	Loi interdisant de se dissimuler le visage dans l'espace public

A Les derniers combats de la laïcité traditionnelle

1 : Le cardinal Lustiger justifie la réaction de l'Église au projet de loi Savary en 1984

La loi Savary prévoit de rapprocher les écoles publiques et les écoles privées sous le nom d'« établissements d'intérêt public ». La loi est vue par ses opposants comme une atteinte à l'autonomie des écoles privées.

Pour que cet enfant devienne ce qu'il est – libre, à l'image de Dieu libre, – il faut que ses parents, premiers responsables, l'initient à cette liberté ! D'où la nécessité de la famille éducative. Tous les psychologues savent bien que l'enfant naît à la conscience de soi devant ses parents. Tous les régimes totalitaires, du nazisme à toutes formes du bolchevisme, savent aussi qu'ils doivent soustraire l'enfant le plus tôt possible à sa famille s'ils veulent le transformer en « l'homme nouveau ». [...]

L'Église, à tous ses niveaux, n'endoctrine pas, comme le pensent ceux qui conçoivent spontanément l'enseignement comme endoctrinement idéologique ; elle tente de développer toutes les dimensions de la conscience, donc la liberté par quoi seul l'homme est l'homme et peut atteindre Dieu.

Propos recueillis par Bruno Frappat, *Le Monde*, 5 juin 1984.

2 : Manifestation parisienne contre le projet de loi Savary le 24 juin 1984

B Les nouveaux défis de la laïcité

3 : La question des signes religieux à l'école

Lors de sa première réunion la commission Stasi[1] était loin d'envisager une loi sur les signes religieux à l'École. [...]. Dès les premières auditions, cependant, un double constat s'est imposé. D'une part, l'ignorance des principes et du droit de la laïcité s'est avérée plus fréquente et plus profonde qu'on ne le soupçonnait ; d'autre part, les revendications d'expression religieuse se sont révélées plus diverses et plus provocatrices parfois que ce qui est généralement relaté. Progressivement, l'idée est apparue de la nécessité d'une intervention du législateur et sur des questions aussi différentes que le port ostensible de signes religieux à l'École. [...]

La laïcité a pour finalité de structurer le vivre-ensemble non sur la séparation des appartenances mais sur un projet collectif qui reconnaît à chacun la liberté de choix. Un pays laïque est un pays qui peut s'enorgueillir d'une grande mixité et d'un pluralisme cultuel qui permet d'approfondir sa foi, de l'abandonner ou d'en choisir une autre sans risquer la mise au ban ou l'ostracisme. On se souvient de la lettre adressée par Jules Ferry aux instituteurs dans laquelle le respect des autres fonde la laïcité : « Avant de proposer un précepte, une maxime quelconque, demandez-vous s'il se trouve un seul honnête homme qui puisse être froissé par ce que vous allez dire. » Les jeunes filles au foulard, comme les prosélytes qui affichent leur croyance ou leur appartenance religieuse, ne s'embarrassent pas de la crainte de heurter les opinions d'autrui. [...]

Ce n'est pas tant l'affichage de conviction qui pose problème que l'instrumentalisation de celle-ci par des groupes politiques qui organisent une sorte de « croisade » contre les droits de l'homme. Ils ne forment que de petites minorités mais des minorités agissantes, qui pratiquent le recrutement auprès des adolescents.

Jacqueline Costa-Lascoux, in A. Houziaux (dir.), *Le voile, que cache-t-il ?*, Éd. de l'Atelier, 2004.

1. Une commission d'experts, créée par le président Jacques Chirac en 2003, pour réfléchir à l'application contemporaine du principe de laïcité. La loi sur les signes religieux à l'école de 2004 est issue de ses travaux.

La République se vit à visage découvert dans tous les lieux publics : voies publiques, transports en commun, commerces et centres commerciaux, établissements scolaires, bureaux de poste, hôpitaux, tribunaux, administrations…

"Nul ne peut, dans l'espace public, porter une tenue destinée à dissimuler son visage." Loi du 11 octobre 2010 *(entrée en vigueur le 11 avril 2011)*

Pour plus d'informations, un site internet est à votre disposition : **www.visage-decouvert.gouv.fr**

4 : La République à visage découvert

5 : La République et les symboles vestimentaires

La loi du 15 mars 2004 interdit le port de tenues et de signes religieux « ostensibles » à l'école publique. Elle s'applique depuis la rentrée scolaire 2004-2005.

Ce qu'il est interdit de porter	Qui est concerné ?	Où s'applique l'interdiction ?
– Le voile sous toutes ses formes (hidjab, tchador…) – Les grandes croix catholiques ou orthodoxes – La kippa – Le turban sikh (dastar) – Le bandana s'il couvre la tête	– Les élèves même de plus de 18 ans de tous les établissements publics – Tout le personnel des établissements, enseignants compris	– Les écoles, collèges et lycées publics (classes préparatoires et BTS compris) mais pas à l'université – Tous les lieux extérieurs accueillant des activités scolaires (gymnases, piscines…) – En France métropolitaine, dans les DROM, y compris l'île de Mayotte en majorité musulmane. Mais pas en Nouvelle-Calédonie.

La loi du 12 octobre 2010 interdit la dissimulation du visage dans l'espace public et notamment le port du voile intégral. Elle s'applique à compter du 11 avril 2011.

Ce qu'il est interdit de porter	Qui est concerné ?	Où s'applique l'interdiction ?
– Tout voile couvrant le visage (niqab, tchadri…) mais pas les foulards masquant les cheveux – Les cagoules – Les masques Exception pour les équipements de sécurité, en cas de pratiques sportives ou de manifestations artistiques	Tout le monde, y compris les touristes musulmanes	– Dans l'espace public : la rue, les transports en commun, la plage, les jardins publics, les commerces, cafés et restaurants, magasins, banques, gares, aéroports, administrations, mairies, tribunaux, préfectures, hôpitaux, musées, bibliothèques. – La loi s'applique sur l'ensemble du territoire de la République, en métropole comme en outre-mer.

BAC

Consigne 1. Identifiez les arguments développés par les manifestants et le cardinal Lustiger à l'été 1984 (doc. 1 et 2) pour s'opposer à la politique du gouvernement de l'époque.

Consigne 2. Après avoir présenté les documents 3 et 4, montrez que le législateur cherche à répondre aux nouveaux défis rencontrés par la laïcité tout s'inscrivant dans la tradition républicaine.

Consigne 3. Après avoir présenté de manière précise les mesures prises par ces deux lois, vous expliquerez pour quelles raisons la laïcité entraîne pour le bien de la collectivité la mise en place de mesures restreignant certaines libertés (doc. 5).

2 République, religions et laïcité depuis 1880

▶ **Comment la laïcité organise-t-elle les relations entre République et religions depuis les années 1880 ?**

A Anticléricalisme et sécularisation

Étude pages 342-343 et Repères pages 336 + doc. 1 et 3

■ **Face à l'hostilité des catholiques au régime, les républicains, souvent libres-penseurs, tel Ferdinand Buisson, s'efforcent d'affaiblir l'influence de l'Église en procédant à une** sécularisation de la société : autorisation de travailler le dimanche (1879), rétablissement du divorce (1884), abolition des prières à la Chambre ou au Sénat (1884), possibilité d'obsèques civiles (1887). En 1880, les congrégations sont soumises à autorisation, les plus hostiles sont expulsées. Les lois Jules Ferry créent une école primaire gratuite, obligatoire et laïque (1881-1882), tenue par des instituteurs formés dans les Écoles normales (1879) – les religieux en sont exclus en 1886.

■ **Malgré l'appel du pape Léon XIII au ralliement des catholiques en 1892, le conflit se réveille avec l'affaire Dreyfus à partir de 1898** : les journaux catholiques (*La Croix, Le Pèlerin*) affichent un antidreyfusisme nourri par l'antisémitisme. Pierre Waldeck-Rousseau, puis Émile Combes, mènent une politique anticléricale : dissolution de congrégations, avancement des officiers selon leur pratique religieuse. La loi de 1901 sur les associations renforce le contrôle sur les congrégations. En 1904, Combes leur interdit d'enseigner, et rompt les relations diplomatiques avec le Saint-Siège.

B Une laïcité tolérante

Étude pages 342-343 + doc. 2 et 3

■ Les radicaux souhaitent mettre fin au régime du Concordat de 1801 qui prévoit le financement par l'État des prêtres, pasteurs et rabbins. À la laïcité de combat de Combes, qui souhaite maintenir un contrôle de l'État sur les Églises, **Aristide Briand oppose une laïcité libérale, qui l'emporte dans la loi de séparation de 1905.** Néanmoins, si protestants et juifs l'acceptent, le pape la condamne et le clergé catholique refuse de créer les associations cultuelles chargées de gérer les églises. L'inventaire des objets de culte en 1906 provoque des incidents.

■ L'épreuve de la guerre ressoude les Français : c'est l'Union sacrée. Les relations diplomatiques avec le Saint-Siège reprennent en 1921, tandis qu'en 1924 l'État accepte de conserver le régime concordataire en Alsace-Moselle. En 1926 le pape condamne le journal monarchiste *L'Action française*. **Les catholiques se rallient à la République** et créent des associations comme les Jeunesses agricole (JAC) ou ouvrière chrétiennes (JOC).

■ **Durant l'Occupation, si l'épiscopat est d'abord pétainiste, beaucoup de chrétiens participent à la Résistance.** Ils s'impliquent ensuite dans la démocratie chrétienne, au sein du Mouvement républicain populaire (MRP) ou rejoignent le gaullisme. La laïcité, acceptée, est intégrée aux constitutions de 1946 et 1958.

C Une religion individualisée

Étude pages 344-345 et Repères pages 336 + doc. 4

■ En 1959, la loi Debré, qui prévoit des contrats d'association des écoles privées avec l'État, et donc leur financement, relance le **débat sur l'école**. En 1984, le projet du socialiste Alain Savary d'un service unifié d'éducation doit être abandonné après le défilé d'un million de parents favorables à l'école « libre ». C'est au contraire en 1993 la mobilisation des partisans de la laïcité qui empêche de relever le plafond du financement des écoles privées par les communes.

■ La déchristianisation et la **perte d'influence de l'Église** sur les pratiques favorisent une individualisation de la religion selon différentes logiques : montée de l'indifférence, fondamentalisme ou bien dérives sectaires. L'immigration a fait de l'**islam la deuxième religion de France**, sans qu'ait été prévue la construction de lieux de culte. En l'absence de clergé sunnite hiérarchisé, l'État a créé en 2003 le Conseil français du culte musulman. Confronté à partir de 1989 à la volonté de certaines musulmanes de porter le voile, l'État a réaffirmé les principes de la laïcité, à l'école, par la loi de mars 2004 sur le port de signes religieux ostensibles, et dans l'espace public par la loi de 2010 qui interdit de dissimuler son visage.

Biographie

Émile Combes (1835-1921)

D'origine modeste, il fait ses études au séminaire pour être prêtre, avant de perdre la foi et de devenir médecin. Maire, puis sénateur radical, il devient président du Conseil de 1902 à 1905. Surnommé par dérision « le petit père Combes », il mène une politique très anticléricale, avant de démissionner quand on apprend qu'il faisait ficher les opinions religieuses et politiques des officiers.

Vocabulaire et notions

• **Anticléricalisme** : opposition combative à l'influence du clergé.

• **Congrégation** : communauté de prêtres, moines ou moniales, ayant prononcé des vœux (chasteté, pauvreté, obéissance…) et suivant une règle de vie commune ; certaines exercent des missions sociales ou éducatives.

• **Démocratie chrétienne** : courant de centre droit qui cherche à promouvoir, dans une société démocratique et pluraliste, une politique conforme au message de l'Évangile et à la doctrine sociale de l'Église.

• **École « libre »** : désigne les écoles privées, généralement confessionnelles. Cette appellation souligne que leur existence garantit aux parents le libre choix de l'éducation de leurs enfants.

• **Fondamentalisme** : interprétation radicale d'une religion prétendant à un retour aux sources d'une pratique originelle souvent mythifiée.

• **Laïcité** : attitude de neutralité et d'indépendance par rapport aux religions.

• **Libre-pensée** : attitude rejetant tout dogme et valorisant l'exercice de la raison ; le libre-penseur peut affirmer qu'il n'y a pas de dieu (athée) ou refuser de se prononcer (agnostique).

• **Secte** : organisation dont les idées ou les pratiques sont dangereuses pour la société ou les adeptes (isolement, manipulation).

• **Sécularisation** : suppression du caractère religieux d'une institution, d'un lieu, d'une personne ; baisse de l'influence de la religion dans la société.

1 Un crucifix retiré d'une école publique à Paris (1881)

En vous dispensant de l'enseignement religieux, on n'a pas songé à vous décharger de l'enseignement moral. [Dans ce domaine,] vous n'avez à enseigner, à proprement parler, rien de nouveau, rien qui ne vous soit familier comme à tous les honnêtes gens. [...] Vous n'êtes point l'apôtre d'un nouvel évangile : le législateur [...] ne vous demande rien qu'on ne puisse demander à tout homme de cœur et de sens. [...] Vous êtes l'auxiliaire et, à certains égards, le suppléant du père de famille : parlez donc à son enfant comme vous voudriez que l'on parlât au vôtre ; avec force et autorité, toutes les fois qu'il s'agit d'une vérité incontestée, d'un précepte de la morale commune ; avec la plus grande réserve, dès que vous risquez d'effleurer un sentiment religieux dont vous n'êtes pas juge.

Si parfois vous étiez embarrassé pour savoir jusqu'où il vous est permis d'aller dans votre enseignement moral, voici une règle pratique à laquelle vous pourrez vous tenir. Au moment de proposer aux élèves un précepte, une maxime quelconque, demandez-vous s'il se trouve à votre connaissance un seul honnête homme qui puisse être froissé de ce que vous allez dire. Demandez-vous si un père de famille, je dis un seul, présent à votre classe et vous écoutant pourrait de bonne foi refuser son assentiment à ce qu'il vous entendrait dire. Si oui, abstenez-vous de le dire, sinon, parlez hardiment : car ce que vous allez communiquer à l'enfant, ce n'est pas votre propre sagesse ; c'est la sagesse du genre humain.

Discours et opinions de Jules Ferry, IV, 1896.

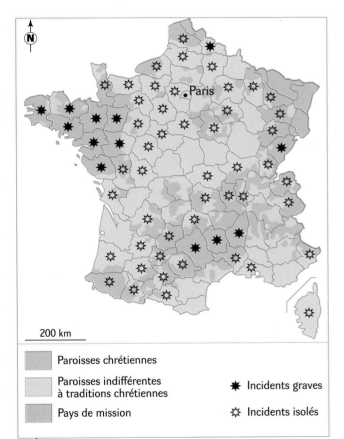

3 La pratique catholique en France et les incidents liés aux inventaires après la loi de 1905

D'après la carte établie en 1947 par le chanoine Boulard.

Légende :
- Paroisses chrétiennes
- Paroisses indifférentes à traditions chrétiennes
- Pays de mission
- ✹ Incidents graves
- ✰ Incidents isolés

200 km

4 L'évolution de la pratique religieuse en France

a. Proportion de catholiques qui vont régulièrement à la messe (en %) :

1948	1968	1988	2007
37	25	13	8

Sondage *Le Monde des religions*, janvier 2007.

b. Proportion (en %) de musulmans qui :

	1989	2006
Effectuent le jeûne du ramadan	81	88
Effectuent les cinq prières par jour	41	43
Vont à la mosquée une fois par semaine	16	17

Sondages IFOP-*Le Monde* (1989) et CSA-*La Vie* (2006).

Questions

1. Montrez que la circulaire de Jules Ferry aux instituteurs (doc. 2) les invite à ne pas froisser les convictions religieuses des élèves et de leurs parents. Quels reproches essaie-t-il ainsi d'éviter ?

2. Quelles sont les régions de France où la pratique catholique est la plus forte ? Celles où elle est plus faible (doc. 3) ?

3. Confrontez cette information à la répartition des incidents lors de la crise des inventaires (doc. 3).

4. Décrivez et commentez l'évolution de la pratique religieuse des catholiques et des musulmans en France (doc. 4).

Les combats féministes

Capacités travaillées

I.1.3 Situer et caractériser une date dans un contexte chronologique

II.1.3 Cerner le sens d'un document ou d'un corpus documentaire et le mettre en relation avec la situation historique étudiée

Si les avancées législatives ont été votées par des assemblées majoritairement, voire exclusivement masculines, elles ont aussi été le fruit d'un féminisme militant porté par les femmes elles-mêmes. Des suffragettes aux militantes de « Ni putes ni soumises », intellectuelles connues ou anonymes, seules ou soutenues par des hommes, elles ont conquis leurs droits en bousculant les certitudes et les habitudes.

▶ **Comment les femmes ont-elles lutté pour exister socialement et politiquement ?**

1900 — 1950 — 2000

1881 Premier journal féministe

1909 Création de l'Union française pour le suffrage des femmes

1936 Premières femmes au gouvernement

1938 L'incapacité juridique des femmes est supprimée. Elles ne doivent plus obéissance à leurs époux

1944 Les femmes obtiennent le droit de vote

1949 Simone de Beauvoir *Le Deuxième Sexe*

1967 Loi autorisant la contraception

1971 Manifeste des 343

1975 Loi autorisant l'avortement

1991 Premier gouvernement dirigé par une femme

2006 Loi relative à l'égalité salariale entre les femmes et les hommes

1 | **Des suffragettes s'en prennent à un bureau de vote (1908)**

Le Petit Journal, supplément illustré, 17 mai 1908.
À Paris, lors des élections municipales de mai 1908, des militantes suffragistes dont Hubertine Auclert s'en prennent à l'urne électorale. L'article du *Petit Journal* se montre hostile à ce qu'il considère comme une « injure au suffrage universel ».

Biographie

Simone de Beauvoir (1908-1986)
Philosophe et écrivain, compagne du philosophe Jean-Paul Sartre qu'elle refuse d'épouser par souci d'indépendance. Femme engagée, l'écriture du *Deuxième Sexe* (1949) en fait une théoricienne du féminisme. Elle rédige le *Manifeste des 343* en 1971. Prix Goncourt en 1954 pour son roman autobiographique *Les Mandarins*.

2 | **« On ne naît pas femme, on le devient »**

Les femmes d'aujourd'hui sont en train de détrôner le mythe de la féminité ; elles commencent à affirmer concrètement leur indépendance ; mais ce n'est pas sans peine qu'elles réussissent à vivre intégralement leur condition d'être humain. Élevées par des femmes, au sein d'un monde féminin, leur destinée normale est le mariage qui les subordonne encore pratiquement à l'homme ; le prestige viril est encore loin d'être effacé : il repose encore sur de solides bases économiques et sociales. Il est donc nécessaire d'étudier avec soin le destin traditionnel de la femme. [...] Quand j'emploie les mots « femmes » ou « féminin », je ne me réfère évidemment à aucun archétype, à aucune immuable essence. [...] On ne naît pas femme : on le devient. Aucun destin biologique, psychique, économique ne définit la figure que revêt au sein de la société la femelle humaine ; c'est l'ensemble de la civilisation qui élabore ce [...] qu'on qualifie de féminin. Seule la médiation d'autrui peut constituer un individu comme un Autre. En tant qu'il existe pour soi, l'enfant ne saurait se saisir comme sexuellement différencié. [...] Jusqu'à douze ans la fillette est aussi robuste que ses frères, elle manifeste les mêmes capacités intellectuelles ; il n'y a aucun domaine où il lui soit interdit de rivaliser avec eux. Si, bien avant la puberté, et parfois même dès sa toute petite enfance, elle nous apparaît déjà comme sexuellement spécifiée, ce n'est pas que de mystérieux instincts immédiatement la vouent à la passivité, à la coquetterie, à la maternité : c'est que l'intervention d'autrui dans la vie de l'enfant est presque originelle et que dès ses premières années sa vocation lui est impérieusement insufflée.

Simone de Beauvoir, *Le Deuxième Sexe*, Gallimard 1949.

Vocabulaire

• **Suffragette** : terme né en Angleterre au début du XXe siècle désignant une personne militant pour le droit de vote (suffrage) des femmes.

Étudier un discours

3 : Lucien Neuwirth présente son projet de loi autorisant la contraception

Député gaulliste (UDR), Lucien Neuwirth prend l'initiative en 1967 de proposer à l'Assemblée nationale une loi autorisant la vente de la pilule contraceptive.

Nous estimons que l'heure est désormais venue de passer de la maternité accidentelle et due souvent au seul hasard, à une maternité consciente et pleinement responsable.

Ce n'est pas par le seul moyen d'une législation répressive – la preuve en est faite – que nous augmenterons le rythme des naissances.

C'est, au contraire, en offrant à chacun la possibilité d'avoir des enfants quand il le désire, mais aussi la certitude de pouvoir les élever dignement.

D'autre part, il est connu que 30 % des cas de stérilité proviennent de l'avortement. Ainsi, un nombre important de femmes que nous préserverons par la contraception seront capables de devenir mères, alors que cette espérance leur était interdite, car je me permettrai de reprendre à mon compte ce postulat établi depuis quelques années : il convient de substituer la contraception à l'avortement, comme l'avortement s'est substitué à l'infanticide. [...]

La crainte, en ce qui concerne la contraception, vient aussi du fait que beaucoup de parents redoutent un relâchement des mœurs ; ils redoutent en particulier que, la peur de la grossesse qui maintenait bon gré mal gré certaines jeunes filles dans la voie de la vertu ayant disparu, celles-ci se laissent aller à des expériences répréhensibles et que le mariage ne devienne qu'une expérience après d'autres expériences.

Débats à l'Assemblée nationale, séance du 1er juillet 1967.

Consigne BAC

Après avoir présenté l'auteur du document, montrez que ce projet de loi vise à améliorer la condition de la femme mais qu'il révèle aussi, par ses motifs, une certaine conception du rôle de la femme à l'époque.

Méthode

1 Introduction

■ Rappelez qui est Lucien Neuwirth, la mouvance politique à laquelle il appartient et le contexte général de son intervention.

2 Relevez les divers arguments avancés par L. Neuwirth en faveur de sa loi.

■ Pourquoi L. Neuwirth peut-il dire que la répression n'est pas efficace ? À l'aide de vos connaissances ou d'une recherche, rappelez quelles solutions s'offraient aux Françaises qui tombaient enceintes de façon non désirée. Montrez que l'accès à ces solutions était très inégal selon leur milieu social.

■ Pourquoi l'auteur souligne-t-il que 30 % des cas de stérilité proviennent d'un avortement ?

3 Quelles préoccupations les arguments de L. Neuwirth révèlent-ils ?

■ Expliquez la phrase : « il convient de substituer la contraception à l'avortement, comme l'avortement s'est substitué à l'infanticide ». L'avortement est-il légal en 1967 ? Quelle est la position morale dominante à ce sujet en 1967 ?

■ Montrez que L. Neuwirth semble favorable à une forte natalité. Montrez que c'est une position fréquente au XXe siècle, et rappelez l'histoire de la politique nataliste en France.

■ Quelle est la dernière crainte relevée par l'auteur ? Rappelez que les événements de 1968 vont faire évoluer les mentalités sur la liberté sexuelle.

4 Conclusion

■ Montrez qu'il y a un contraste entre la « modernité » de la loi de 1967, et le caractère plutôt conservateur des préoccupations dont il se fait l'écho.

4 : Manifestation de « Ni putes ni soumises », le 6 mars 2004

BAC

Consigne 1. Montrez que le texte de Simone de Beauvoir (doc. 2) remet en cause la vision traditionnelle de la femme mais souligne aussi la responsabilité des femmes elles-mêmes dans la construction des stéréotypes.

Consigne 2. Après avoir présenté les documents 1 et 4, identifiez les revendications et moyens utilisés puis montrez que le militantisme féminin n'a jamais eu recours à la violence.

Au-delà du plafond de verre : les femmes aux responsabilités

Capacité travaillée

II.1.2 Prélever, hiérarchiser et confronter des informations selon des approches spécifiques en fonction du document ou du corpus documentaire

Si 30 % des femmes exerçaient déjà une activité professionnelle au début du XXᵉ siècle, l'accès des femmes aux postes à responsabilités ne s'est fait que très progressivement, et reste encore à ce jour, dans certains domaines, un combat d'actualité.

▶ **Les femmes sont-elles encore écartées du pouvoir aujourd'hui ?**

1 : **Claudie Haigneré**

Biographie

Claudie Haigneré (née en 1957)

Médecin spécialiste en aéronautique, docteur en neurosciences, astronaute, Claudie Haigneré est en 1996 la première Française dans l'espace. Elle est entre 2002 et 2005 ministre de la Recherche puis des Affaires européennes.

Christine Lagarde (née en 1956)

Mère de deux enfants, championne de natation synchronisée, Christine Lagarde est avocate d'affaires internationales dans un cabinet américain dont elle prend la tête en 1999. En 2005, elle est nommée ministre déléguée au Commerce extérieur, puis ministre de l'Agriculture et de la Pêche et enfin ministre de l'Économie en 2007, avant de prendre en 2011 la tête du FMI. Première femme à ce poste, elle est la cinquième femme la plus puissante du monde selon le classement du magazine *Forbes*.

2 : **Le plafond de verre expliqué par une sociologue**

Le plafond de verre (*glass ceiling*) est une expression apparue aux États-Unis à la fin des années 1970 pour désigner l'ensemble des obstacles que rencontrent les femmes pour accéder à des postes élevés dans les hiérarchies professionnelles. [...] Les femmes sont de plus en plus diplômées mais [...] les statistiques mettent en évidence une forte prépondérance masculine aux postes de pouvoir et de décision. [...]

Les facteurs d'explication sont à la fois nombreux et hétérogènes. Si les femmes sont parfois l'objet de harcèlement ou de pratiques discriminatoires, il reste que le plafond de verre ne s'explique pas principalement par une discrimination active. Un certain nombre d'études mettent en avant des facteurs psychologiques liés aux poids des stéréotypes et des normes. L'ambition et la compétitivité valorisées dans les carrières apparaissent comme des qualités masculines. [...] Ces stéréotypes auraient un impact à la fois sur le recrutement mais aussi en amont, sur les choix que font les femmes qui les auraient intériorisés. Ce qui expliquerait une moindre ambition professionnelle, une moindre combativité et une moindre confiance en elles.

[...] L'orientation et les choix professionnels expliquent en partie le plafond de verre. Les femmes optent souvent pour des filières moins « rentables » du point de vue de l'évolution des carrières et des salaires. [...] Le plafond de verre s'explique aussi par des obstacles et des blocages liés à l'histoire et au fonctionnement des organisations [...]. Les entreprises valorisent la disponibilité, laquelle est plus difficile à conjuguer pour les femmes qui assurent encore l'essentiel des tâches domestiques. La maternité, parce qu'elle induit des discontinuités dans la carrière, leur est également préjudiciable. [...] L'importance accordée par les entreprises à la mobilité (de plus en plus internationale) pose également problème puisqu'elle suppose en général que le conjoint fasse passer sa carrière au second plan, alors que classiquement c'est la carrière de l'homme qui est favorisée.

Autre facteur mis également en évidence, les femmes auraient une plus grande difficulté à bénéficier des réseaux informels dans un monde dirigeant très fortement masculin et qui favorise l'entre-soi.

Catherine Halpern, « Peut-on en finir avec le plafond de verre ? », *Sciences humaines*, n° 195, juillet 2008.

Vocabulaire

• **Plafond de verre** : expression apparue aux États-Unis à la fin des années 1970. Elle désigne le fait que, dans une structure hiérarchique (entreprise, administration), les niveaux supérieurs ne sont pas accessibles à certaines catégories de personnes (femmes, minorités visibles, etc.) sans que rien ne l'interdise formellement.

3 : Témoignage d'une dirigeante d'entreprise

WOTO – Qu'est-ce que les jeunes femmes doivent concrètement faire dès leur début de carrière pour montrer à leurs managers/leur entreprise qu'elles souhaitent avoir davantage de responsabilités ?

Françoise GRI – Il faut le dire ! Il faut vraiment l'exprimer clairement. Je raconte souvent l'histoire qui va suivre, car elle est très révélatrice. J'étais à l'époque présidente d'IBM France et j'avais un poste qui venait de se libérer dans mon Comité de direction. Il s'est trouvé que tout le monde a rapidement appris que ce poste s'était libéré, et dans le processus de remplacement établi par l'entreprise, il y avait une femme sur la liste des candidats potentiels, et de plus, une femme à laquelle je pensais justement pour ce poste. Dans la semaine qui a suivi l'information de la disponibilité du poste, j'ai reçu plusieurs messages d'hommes, qui n'étaient absolument pas positionnés pour le poste, mais qui m'expliquaient pourquoi ils étaient les meilleurs candidats pour le job. En revanche, la femme en question ne m'a pas écrit, et quand moi je l'ai convoquée pour lui proposer le poste, elle a commencé par me lister tous les problèmes qu'il faudrait résoudre pour qu'elle puisse l'occuper : la difficulté de la remplacer sur son poste précédent, ce pourquoi elle n'était pas tout à fait prête, etc., etc. Et par la suite bien évidemment, elle a réfléchi, pris le poste, et elle y a réussi. J'ai trouvé cette histoire très représentative de la façon dont les hommes et les femmes gèrent leur carrière. Et je me suis dit ce jour-là, que si elle avait eu un homme en face d'elle, avec donc des critères différents, elle n'aurait pas été jugée prête, et se serait fait sortir de l'opportunité de poste rapidement.

> Interview de Françoise Gri, dirigeante de
> « Pierre et Vacances – Center parcs », pour le site
> « Women tomorrow », 18 février 2014.

4 : Christine Lagarde, première femme à la tête du FMI. *Vanity Fair*, 19 novembre 2014.

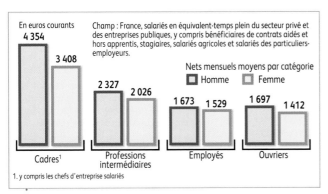

5 : Les écarts de salaires (nets mensuels) moyens par catégorie entre hommes et femmes en France en 2012 (en euros)

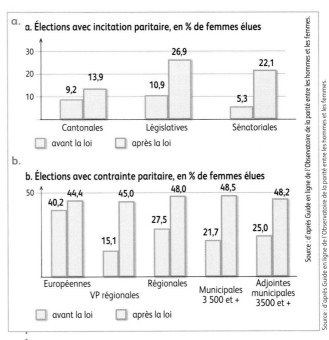

6 : Les résultats de la loi sur la parité en politique (2000). La loi distingue les scrutins où une incitation à la parité est mise en place (a.) de ceux où la parité hommes femmes sur les listes est obligatoire (b.).

Source : d'après Guide en ligne de l'Observatoire de la parité entre les hommes et les femmes.

L/ES **S** : ▶ **Comment les femmes ont-elles acquis l'égalité des droits politiques et sociaux ?**

A La conquête des droits civils et politiques

Études pages 348-349 et 350-351 et *Repères* page 335 + doc. 2

■ Depuis le Code civil de 1804, **les Françaises vivent dans une situation d'infériorité juridique**. L'épouse doit obéissance à son mari. Elle n'a ni autorité parentale ni choix du domicile, ne peut agir en justice, signer un contrat, ouvrir un compte ou travailler sans l'accord de son époux. Veuves et célibataires échappent seules à ce statut d'éternelles mineures.

■ Sous l'impulsion d'Hubertine Auclert (1848-1914) puis de Louise Weiss (1893-1983), **des** suffragistes **réclament le droit de vote**. Sans succès : les conservateurs sont attachés à une vision patriarcale de la famille, et les radicaux craignent l'influence de l'Église sur le vote féminin. En 1936, Léon Blum nomme trois femmes dans son gouvernement, dont Irène Joliot-Curie. Mais ce n'est qu'après la Seconde Guerre mondiale et leur forte implication dans la Résistance que **l'ordonnance du 21 avril 1944 donne aux femmes le droit de vote, qu'elles exercent en 1945**.

■ Mais **la place des femmes en politique stagne**, voire diminue, avant de s'imposer par une action volontariste : nomination de femmes ministres (Simone Veil, Françoise Giroud en 1974) et Premier ministre (Édith Cresson en 1991). En 2000, la loi sur la parité impose l'élection en nombre égal de femmes et d'hommes. Efficace dans les assemblées locales, elle l'est moins pour les exécutifs (maires, chef du gouvernement ou de l'État) et au Parlement.

B L'accès aux études et au travail

Étude pages 350-351 + doc. 1

■ Au début du siècle, les femmes représentent déjà 30 % des actifs. Femmes de paysans, d'artisans et de commerçants contribuent à l'activité familiale. Salariées, elles sont souvent domestiques, couturières ou ouvrières. Mais **leurs salaires sont inférieurs à ceux des hommes**, même à travail égal, ce qui alors est peu contesté. Vouée au foyer, la femme ne travaille qu'avant et après l'éducation de ses enfants, sauf nécessité. N'ayant pas vocation à faire carrière, elle n'a pas de qualification, sauf pour quelques métiers comme sage-femme ou institutrice.

■ **La Première Guerre mondiale**, qui amène les femmes à exercer des métiers d'homme, loin du contrôle de leur mari, **accélère l'évolution des mentalités**. Mais **la féminisation de métiers et d'études considérés comme masculins** s'étale sur tout le siècle : les premières avocate (1900), psychiatre (1906), général (1976), sont autant de jalons qui repoussent le « plafond de verre » et leur ouvrent de nouvelles perspectives. Dans *Le Deuxième Sexe* (1949), Simone de Beauvoir voit dans le travail un moyen d'émancipation. Les Trente Glorieuses favorisent cette évolution par la tertiarisation de l'économie et la simplification des tâches ménagères grâce à l'électroménager. En 1975, la loi Haby rend la mixité obligatoire de la maternelle au lycée, uniformisant les parcours.

C L'indépendance par la maîtrise du corps

Études pages 348-349

■ La **politique nataliste des années 1920 à 1960** (allocations familiales, congé maternité…) **durcit en fait la condition féminine** : interdiction de la contraception et répression pénale de l'avortement (loi de 1920) suscitent des naissances et mariages non choisis, interrompant études et carrières. Avec la création du Planning familial (1960) et du MLF (1970), les femmes veulent « un enfant quand je veux, si je veux ». La loi Neuwirth légalise la contraception hormonale en 1967. Après une campagne marquée en 1971 par le manifeste de 343 femmes connues qui déclarent avoir avorté, et le procès de Bobigny en 1972, **la loi Veil dépénalise l'avortement en 1975**.

■ **L'indépendance des femmes progresse** par la loi : partage de l'autorité parentale (1970), égalité salariale (imposée par la loi en 1972 puis 1983, mais non encore atteinte) et divorce par consentement mutuel (1975) facilitent les séparations. Mais les violences faites aux femmes perdurent, voire se renforcent, et suscitent une nouvelle génération d'associations comme « Ni putes ni soumises » (2003).

Biographie

Simone Veil
(née en 1927)

Rescapée du camp de concentration d'Auschwitz, elle entame ensuite une carrière de magistrat. Nommée en 1974 ministre de la Santé, elle fait adopter l'année suivante la loi dépénalisant le recours à l'interruption volontaire de grossesse. Première présidente du Parlement européen de 1979 à 1982, membre du Conseil constitutionnel de 1998 à 2007, elle est élue à l'Académie française en 2008.

Vocabulaire et notions

● **Contraception hormonale** : « pilule » contraceptive mise au point aux États-Unis et autorisée en 1967 en France qui est un des pays où les femmes l'utilisent le plus.

● **Émancipation** : action de se libérer d'une tutelle ou de contraintes. L'émancipation des femmes revêt divers aspects : politique, juridique, économique, social, culturel.

● **MLF** : formé dans le sillage de mai 1968, le Mouvement de libération des femmes milite pour l'égalité et la liberté économique, sexuelle et culturelle des femmes.

● **Planning familial** : association créée en 1960 en faveur du contrôle des naissances. Militant pour le droit à la contraception et à l'avortement, elle en a facilité l'accès, d'abord clandestinement, puis légalement.

● **Procès de Bobigny** : procès pénal qui se tient au tribunal de Bobigny en 1972, contre une adolescente qui avait avorté après un viol. Son avocate, Gisèle Halimi, en fit avec son accord une tribune politique pour le droit à l'avortement.

● **Suffragistes** : terme inspiré des suffragettes anglo-saxonnes, il désigne les femmes militant pour obtenir le droit de vote.

Premières femmes membres d'un gouvernement	Première femme à la tête d'une institution internationale	Première femme chef de gouvernement	Première femme maire d'une grande ville
Secrétaires d'État : **Suzanne Lacore** ; **Irène Joliot-Curie** ; **Cécile Brunschvicg** en mai 1936	Présidente du Parlement européen : **Simone Veil** de 1979 à 1982	**Édith Cresson** (PS) Premier ministre entre mai 1991 et avril 1992	**Catherine Trautmann** (PS) maire de Strasbourg de 1989 à 1997 puis de 2000 à 2001

1 Les femmes précurseurs aux postes de responsabilités politiques

2 Les principales lois pour l'égalité et la liberté des femmes

1944	Droit de vote. Exercice de mandats électoraux.
1965	Les épouses peuvent travailler sans l'autorisation de leurs maris.
1970	Autorité parentale conjointe.
1975	Légalisation de l'interruption volontaire de grossesse (IVG).
1975	– Divorce par consentement mutuel. – Interdiction de toute discrimination à l'embauche en fonction du sexe.
1982	L'IVG est remboursée par la Sécurité sociale.
1983	Loi sur l'égalité salariale entre hommes et femmes (mal appliquée).
1985	Égalité successorale des époux.
1992	Le harcèlement sexuel devient un délit.
1998	Circulaire du Premier ministre féminisant un certain nombre de noms de métiers et de fonctions.
2000	Loi sur la parité hommes-femmes aux élections.
2008	Renforcement de la parité électorale.
2010	Protection des femmes victimes de violences au sein des couples.
2011	Loi imposant la présence d'au moins 40 % de femmes dans les conseils d'administration des grandes entreprises.

Questions

1. Quelles fonctions politiques ont été le plus longtemps fermées aux femmes (doc. 1) ?

2. Dans quels domaines l'égalité hommes/femmes a-t-elle le plus de difficultés à progresser (doc. 1 et 2) ?

3. Décrivez la couverture du magazine *Voilà* (doc. 1) en montrant qu'elle témoigne du caractère novateur de la nomination de femmes au gouvernement.

Chanson

Travailler à partir d'une chanson
Y a d'la joie de Charles Trenet (1936)

Capacité travaillée

II.1.3 Cerner le sens d'un document ou d'un corpus documentaire et le mettre en relation avec la situation historique étudiée

En octobre 1936, encore inconnu, Charles Trenet commence son service militaire. Il s'y ennuie beaucoup et, un jour qu'il balaye la cour de la caserne, écrit cette chanson optimiste pour se donner du courage. Interprétée dès février 1937, elle devient un succès : elle incarne l'insouciance des premières réformes du Front populaire, la découverte des loisirs, avec une pointe de nostalgie qui répond aux difficultés économiques et au risque de guerre.

▶ **Comment cette chanson peut-elle évoquer l'esprit du Front populaire ?**

 HISTOIRE DES ARTS Le music-hall

• Sorte de théâtre où le spectacle est mêlé de chansons, d'exhibitions, de divertissements. Désigne en particulier les chansons légères qui y étaient chantées.

Biographie

Charles Trenet
(1913-2001)
Auteur-compositeur-interprète de chansons, Charles Trenet enchaîne dès les années 1930 de très grands succès : *Y a d'la joie, Je chante, Boum !...* D'un style à la fois gai et poétique, les chansons de celui qu'on surnomme « le fou chantant » sont devenues des classiques de la chanson française.

Questions

1. Relevez tous les passages de la chanson qui évoquent l'idée de libération. Montrez que cela fait écho à la fois à la situation personnelle de Charles Trenet quand il écrit la chanson, et des Français qui bénéficient des mesures du Front populaire.

2. Relevez les mentions de la nature et des sentiments de l'auteur. Montrez que cela peut évoquer les joies des premiers week-ends.

3. Montrez que la chanson évoque la joie de vivre avec des références à une vie quotidienne sans souci (ex. : le boulanger qui fait son pain – trouvez d'autres exemples). En quoi le contexte politique national et international est-il au contraire source de soucis ?

Refrain

Y a d'la joie
Bonjour bonjour les hirondelles
Y a d'la joie
Dans le ciel par-dessus le toit
Y a d'la joie
Et du soleil dans les ruelles
Y a d'la joie
Partout y a d'la joie
Tout le jour, mon cœur bat, chavire et chancelle
C'est l'amour qui vient avec je ne sais quoi
C'est l'amour bonjour, bonjour les demoiselles
Y a d'la joie
Partout y a d'la joie

Le gris boulanger bat la pâte à pleins bras
Il fait du bon pain du pain si fin que j'ai faim
On voit le facteur qui s'envole là-bas
Comme un ange bleu portant ses lettres au Bon Dieu
Miracle sans nom à la station Javel
On voit le métro qui sort de son tunnel
Grisé de soleil, de chansons et de fleurs
Il court vers le bois, il court à toute vapeur

Y a d'la joie
La tour Eiffel part en balade
Comme une folle elle saute la Seine à pieds joints
Puis elle dit :
« Tant pis pour moi si j'suis malade
J'm'embêtais toute seule dans mon coin » [...]

Mais voilà qu'soudain je m'éveille dans mon lit
Donc j'avais rêvé, oui, car le ciel est gris
Il faut se lever, se laver, se vêtir
Et ne plus chanter si l'on n'a plus rien à dir'
Mais je crois pourtant que ce rêve a du bon
Car il m'a permis de faire une chanson
Chanson de printemps, chansonnette d'amour
Chanson de vingt ans chanson de toujours. [...]

Y a d' la joie, paroles de Charles Trenet, musique de Charles Trenet et Michel Emer © 1936, Éditions Raoul Breton.

Les droits syndicaux hérités du Front populaire

Capacités travaillées

I.2.1 Situer un événement dans le temps court ou le temps long

I.2.3 Mettre en relation des faits ou événements de natures différentes

Le Front populaire est le moment de l'histoire de France où le plus grand nombre de mesures sociales ont été prises en même temps. Certaines étaient entièrement nouvelles (congés payés), d'autres approfondissaient des avancées antérieures (semaine de 40 heures).

▶ Comment les mesures du Front populaire ont-elles influencé la politique sociale en France de 1936 à aujourd'hui ?

1 Les mesures du Front populaire : mises en pratique et évolutions

	Mesures du Front populaire	Mise en pratique	Évolution ultérieure
Accords Matignon de juin 1936	Liberté syndicale : « les employeurs reconnaissent la liberté d'opinion, ainsi que le droit pour les travailleurs d'adhérer librement et d'appartenir à un syndicat. [Ils] s'engagent à ne pas prendre en considération le fait d'appartenir ou de ne pas appartenir à un syndicat ».	Forte augmentation des effectifs, due surtout à l'enthousiasme suscité par la vague de grèves et le Front populaire.	Liberté syndicale reconnue dans le préambule de la Constitution de 1946, reprise dans celle de 1958. Extension du droit de grève aux fonctionnaires en 1950 (à l'exception des militaires).
	Élection de délégués du personnel dans les entreprises de plus de 10 salariés.	Ils peuvent adresser à l'employeur des demandes auxquelles celui-ci est tenu de répondre.	Élus tous les ans, puis à partir de 1993 tous les deux ans, depuis 2005 tous les quatre ans.
Loi du 20 juin 1936	Contrats collectifs	5 000 sont signés entre juin 1936 et l'automne 1937 ; ils encadrent les contrats de travail.	Devenus « conventions collectives » à la Libération. Ils sont rendus obligatoires, même pour les entreprises non signataires.
Loi du 21 juin 1936	Deux semaines de congés payés.		3 semaines en 1956, 4 en 1968 et 5 en 1982.
Loi du 21 juin 1936	Semaine de 40 heures	Application assouplie en 1938 face à la menace de guerre.	39 heures en 1982, puis 35 heures en 2000.

Questions

1 Montrez que le Front populaire a été le pionnier de nouveaux droits qui ont été approfondis par la suite.

2. Identifiez le seul exemple où la législation française est revenue en arrière. Montrez que ce recul s'expliquait par le contexte politique de l'époque, et qu'il ne fut que temporaire.

3. Décrivez et analysez les affiches en explicitant l'image quelles veulent transmettre du syndicalisme et de son rôle.

2 Affiche de la CFDT (Confédération française démocratique du travail), 2010

3 Affiche de la CGT, 2014

Exercices

Annonce de l'exécution d'une « avorteuse » dans un journal sous le régime de Vichy

Le régime de Vichy met en vigueur une politique répressive contre les avortements, assimilés à des assassinats. Son action conduit à des exécutions, les seules pour ce motif en France au XXe* siècle.*

**Hier, à Paris, une femme a été guillotinée.
Elle avait été condamnée à mort pour manœuvres antinatalistes.**

Louise Lampérière, femme Giraud, a été exécutée, hier matin, dans la cour de la prison de la Roquette. Blanchisseuse à Cherbourg, elle avait été condamnée à mort le 8 juin dernier par le tribunal d'État pour avoir « délivré » prématurément vingt-six clientes soucieuses de se soustraire à la maternité.

Communiqué du journal collaborateur *L'Œuvre*, 31 juillet 1943.

Consigne BAC

Après avoir présenté ce document, montrez qu'il illustre les difficultés et les risques encourus par les femmes sur les questions de maternité durant les trois premiers quarts du XXe siècle.

Pour vous aider pensez à :

1. Définir de manière précise le contexte dans lequel cette affaire a éclaté.
2. Expliquer de manière précise les faits évoqués par le document.
3. Définir les arguments mis en avant par l'auteur de l'article pour justifier la décision prise.

3 Rédiger un texte

Tâche complexe

Vous êtes un député. Un débat est organisé à la Chambre des députés avant le vote de la loi sur la séparation des Églises et de l'État (1905). Trouvez des arguments pour défendre votre point de vue.

Coup de pouce

Aide à la mise en œuvre

- Reprendre l'étude p. 342-343 et la leçon p. 346-347 : quel est le contexte ? Quelles sont les revendications ?
- Se renseigner sur l'identité des partis politiques qui ont été actifs dans la genèse de cette loi : ceux qui l'ont combattue, ceux qui l'ont soutenue. Quels sont leurs arguments respectifs ?
- Rédigez votre texte en faisant référence à des exemples précis pour remporter l'adhésion.
- Anticipez sur les arguments du camp adverse pour être pertinent et convaincant.

2 Confronter deux affiches – Publicités Moulinex de 1959 et 1962

Publicité Moulinex de 1959

Publicité Moulinex de 1962

Consigne BAC

Montrez que ces deux publicités illustrent l'évolution de l'image de la femme durant les Trente Glorieuses.

Pour vous aider pensez à :

1. Présenter rapidement l'entreprise et expliquer en quoi les produits Moulinex sont représentatifs des Trente Glorieuses.
2. Expliquer le sens du slogan : « Moulinex libère la femme ! » Mettez-le en lien avec le geste de la femme de la seconde publicité.
3. Relever les slogans de chacune des publicités. Expliquez en quoi ils sont significatifs des changements en cours dans la place de la femme dans la société.
4. Déterminer à qui s'adresse chacune des publicités et qui semble décider des achats dans l'une et l'autre. Expliquez l'évolution des rapports homme-femme au sein du foyer que révèlent ces publicités.

1. Au lendemain de la victoire remportée par les peuples libres sur les régimes qui ont tenté d'asservir et de dégrader la personne humaine, le peuple français proclame à nouveau que tout être humain, sans distinction de race, de religion ni de croyance, possède des droits inaliénables et sacrés. Il réaffirme solennellement les droits et les libertés de l'homme et du citoyen consacrés par la Déclaration des droits de 1789 et les principes fondamentaux reconnus par les lois de la République.

2. Il proclame, en outre, comme particulièrement nécessaires à notre temps les principes politiques, économiques et sociaux ci-après :

3. La loi garantit à la femme, dans tous les domaines, des droits égaux à ceux de l'homme [...].

5. [...] Nul ne peut être lésé, dans son travail ou son emploi, en raison de ses origines, de ses opinions ou de ses croyances. [...]

13. La Nation garantit l'égal accès de l'enfant et de l'adulte à l'instruction, à la formation professionnelle et à la culture. L'organisation de l'enseignement public gratuit et laïque à tous les degrés est un devoir de l'État.

Préambule de la Constitution de la IVe République, adoptée le 27 octobre 1946.

1. La France est une République indivisible, laïque, démocratique et sociale. Elle assure l'égalité devant la loi de tous les citoyens sans distinction d'origine, de race ou de religion. Elle respecte toutes les croyances.

Préambule de la Constitution de la Ve République, adoptée le 4 octobre 1958.

Consigne BAC

Après avoir présenté les documents, montrez qu'ils intègrent les résultats de débats et de revendications concernant les ouvriers, les femmes et la laïcité.

Pour vous aider pensez à :

1. Pour présenter les documents : pensez à définir ce que c'est qu'une constitution et la portée symbolique que revêt son préambule ; rappelez le contexte historique qui a présidé à la rédaction de chacune des constitutions.

2. Relevez les différentes occurrences qui peuvent concerner les questions de la laïcité, des droits des femmes et des revendications ouvrières. Relevez les évolutions et mettez-les en lien avec le contexte historique.

3. Montrez la portée de ces documents et soulignez les acquis récents, les préoccupations d'actualité qui ressortent dans les textes.

Allez sur le site : http://www.dailymotion.com/video/x9mu33_jean-gabin-la-bete-humaine_shortfilms

Regardez de 0'40 à 4'52 : la conduite d'un train à vapeur jusqu'à son arrivée au Havre.

Le mécanicien (Jean Gabin) aux commandes de sa locomotive lancée à pleine vitesse.

Gros plan sur la main du travailleur.

L'arrivée en gare du Havre.

Biographie

Jean Renoir (1898-1979)
Réalisateur, fils du peintre Auguste Renoir, Jean Renoir est proche des idées du Front populaire. Il réalise *La Vie est à nous* pour le PCF en 1936, et *La Marseillaise* avec la CGT en 1937. Il lance un message de paix dans *La Grande Illusion* (1937).

Questions

1. Quels sont les moyens qu'utilise le cinéaste pour que le spectateur ressente au plus près le travail quotidien du cheminot ?

2. Quelle impression donnent le bruit incessant et la quasi-absence de dialogue ?

3. Quelle impression Renoir donne-t-il à l'arrivée au Havre ? En quoi le dernier plan évoque-t-il une arrivée triomphale (forme de la gare, haie d'honneur) ?

4. Bilan : montrez que les premières minutes du film sont consacrées à une héroïsation du travailleur.

Étude critique d'un document L/ES
Analyse d'un document S

Capacité travaillée

II.1.3 Cerner le sens général d'un document et le mettre en relation avec la situation historique étudiée

Le témoignage d'un syndicaliste en 1936

Vint le second tour qui confirmait la victoire du Front populaire et laissait entrevoir la prochaine arrivée au pouvoir du Parti socialiste. [...] Notre petit groupe de syndicalistes était réuni lorsque arriva la nouvelle que l'usine des Compteurs était en grève et occupée par les ouvriers. Il fallait organiser le ravitaillement pour la première nuit, la grève s'étant déclarée brusquement. Nous nous rendîmes à l'usine immédiatement. [...] Certains avaient introduit des instruments de musique, un tour de chant et un bal s'étaient organisés ; mais auparavant, les ateliers et les machines avaient été nettoyés à fond pour montrer aux patrons que les grévistes n'étaient pas des saboteurs. [...] Le comité de grève nous chargea de ramener du pain et quelques victuailles pour permettre aux grévistes de casser la croûte au cours de la nuit. [...]

Un jour, nous eûmes la surprise de recevoir la visite d'un patron. Il venait nous chercher pour régler un conflit qui venait d'éclater chez lui ; [...] les ouvriers s'étaient mis en grève et occupaient l'usine, mais aucun d'eux n'était en mesure de formuler des revendications. J'y allai. Après un court discours, le programme de la CGT : augmentation de salaires, semaine de 40 heures, vacances payées, conventions collectives, fut approuvé par les ouvriers.

Récit d'un membre du comité de la CGT de Montrouge, cité par G. Lefranc, *Juin 36 : l'explosion sociale du Front populaire,* Gallimard, 1976.

Consigne Après avoir présenté le document, montrez qu'il évoque les événements et les avancées sociales de l'année 1936.

Pour vous aider

Un témoignage permet de comprendre un moment de l'histoire.
- **Mais vous devez**

1. faire attention à la date de la rédaction. S'agit-il d'un témoignage à chaud ou d'une vision rétrospective, après les événements ?

2. vous demander, en utilisant vos connaissances, s'il est représentatif de son époque ou au contraire exceptionnel.

POINT MÉTHODE

1 Travail préparatoire (au brouillon)

1. Présentez le document (nature, auteur, date, contexte...). Cela vous aidera à l'analyser, et vous sera utile pour introduire votre commentaire. Si toutefois la consigne ne demande pas de présenter le document, soyez bref : la présentation du document n'a d'intérêt que si elle prépare son analyse.

2. Vous devez montrer le lien entre ce qui est exposé dans le texte et les faits que vous avez appris en cours. Pour commencer, relisez le texte et dressez un tableau énumérant les événements identifiables :

Passage du texte	Fait étudié en cours	Remarques éventuelles (à ajouter dans le commentaire)
« Vint le second tour qui confirmait la victoire du Front populaire et laissait entrevoir la prochaine arrivée au pouvoir du Parti socialiste. »	Second tour des élections législatives des 26 avril et 3 mai 1936	Le Front populaire est une coalition de plusieurs partis. La nomination du socialiste Léon Blum à la tête du gouvernement dépend des résultats aux élections, mais aussi du maintien de cette coalition (qui éclate en 1938). D'où la formulation prudente du syndicaliste.
« arriva la nouvelle que l'usine des Compteurs était en grève et occupée par les ouvriers »	...	...

3. En quoi l'anecdote rapportée par le dernier paragraphe est-elle significative du nouveau rôle d'intermédiaires joué par les syndicats ?

2 Réponse au sujet

Vous devez rédiger un commentaire organisé du texte. Définissez un plan en fonction des principales thématiques dégagées. L'introduction inclura la présentation du document, la conclusion soulignera l'essentiel de ce qu'a apporté votre commentaire, vous permettra le cas échéant de faire une critique du texte L/ES et d'en souligner les limites S, et enfin ouvrira sur la suite des événements.

Étude critique de deux documents

La polémique religieuse et les caricatures

L/ES

Capacité travaillée

II.1.3 Cerner le sens général d'un ensemble documentaire et le mettre en relation avec la situation historique étudiée

Pour vous aider

« Registres » : les caricatures peuvent jouer sur plusieurs registres : la peur, la colère, l'indignation. On peut s'intéresser aussi à la symbolique qui est mobilisée : images religieuses, contes de fées, etc.

Consigne Confrontez les deux documents l'un à l'autre pour montrer qu'ils utilisent les mêmes **registres** dans leur propagande.

1 Caricature d'Achille Lemot, revue *Le Pèlerin*, 7 février 1897

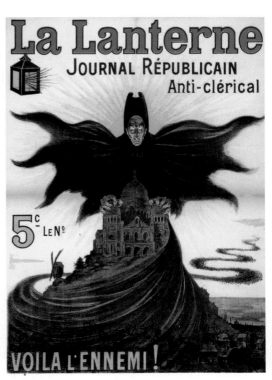

2 Caricature d'Eugène Ogé, affiche pour la revue *La Lanterne*, novembre 1902

MÉTHODE

1 Effectuez une recherche

Identifiez l'orientation politique et éventuellement les propriétaires de chacun des deux journaux.
Montrez qu'ils s'opposent radicalement sur la question religieuse.

2 Comprendre chaque document :

Document 1	Document 2
– Quel personnage de la culture chrétienne est représenté en haut à droite ? – Quel(s) personnage(s) évoque l'individu situé au centre ? Pourquoi tend-il une croix en direction de l'autre personnage ? – Identifiez ce qui permet d'associer ces deux personnages aux deux camps politiques clérical et anticlérical... – Quel est le sens global de la scène ? – Montrez que cela rappelle la condamnation du monde moderne par la papauté.	– Recherchez (sur Internet, etc.) des représentations et des dessins du costume ecclésiastique au XIXe siècle, et montrez qu'il est reconnaissable sur le personnage. – Le monument représenté est le Sacré-Cœur de Montmartre, à Paris. Montrez ce qui permet de l'identifier (architecture, moulin...). Recherchez l'histoire de sa construction et montrez qu'elle a fait alors polémique. – L'expression « Voilà l'ennemi ! » fait allusion à un discours de Gambetta en 1877 : identifiez-le et faites le lien avec le sens de cette caricature.

3 Rédigez un commentaire

Après avoir brièvement présenté en introduction les deux documents et leur sujet :
– vous expliquerez dans une première partie le sens de la première caricature ;
– dans une deuxième partie le sens de la seconde caricature ;
– dans une troisième partie, vous montrerez que ces deux caricatures utilisent les mêmes moyens de propagande.
Concluez en montrant que cette diabolisation réciproque annonce la crise lors de la séparation des Églises et de l'État en 1905.

Composition

Analyser un sujet et faire un plan

Sujet # Les revendications féministes au XXᵉ siècle en France

---

Étape **1**

Analyser le sujet

A. Repérez puis définissez les termes principaux du sujet

B. Quelles sont les bornes géographiques et chronologiques du sujet ?

– géographique : ne pose pas de difficulté. Mais on peut préciser en introduction que dans l'empire colonial français (qui n'est pas explicitement exclu du sujet) les revendications féministes s'effacent derrière les revendications nationalistes.

– chronologique : « XXᵉ siècle » ne correspond pas automatiquement à la période 1901-2000 : on peut par exemple inclure la loi de 2008 sur la parité électorale.

C. Comprendre les nuances dans la formulation d'un sujet

Il faut comparer avec des formulations qui semblent voisines. Ainsi, quelle différence y a-t-il entre « Le féminisme en France au XXᵉ siècle » et « Les revendications féministes en France au XXᵉ siècle » ?

Étape **2**

Définir une problématique **L/ES** ou un fil directeur **S**

Pour vous aider

- Certains sujets sont déjà problématisés **L/ES**, formulés sous forme de question.
- Quand ce n'est pas le cas, on ne peut se contenter de transformer le sujet en phrase interrogative.

Le mot le plus « original » du sujet est celui de « revendications » : c'est donc autour de lui que, dans l'idéal, doit se construire la problématique **L/ES** ou le fil directeur **S**.

Si vous ne parvenez pas à trouver une problématique **L/ES** ou un fil directeur **S**, partez des cinq questions « qui, quoi, quand, comment, pourquoi » :

– « qui » n'a pas de sens ;

– « quand » a peu d'intérêt (purement factuel) ;

– « pourquoi des revendications féministes » vous amènera à voir seulement les causes de ces revendications, ce qui ne couvre pas le sujet ;

– « comment » et « quoi » donnent quelque chose : « quelles ont été les revendications féministes au XXᵉ siècle en France », et « comment ont-elles évolué ? » (NB : la seconde question suffit, puisqu'en demandant « comment ont évolué les revendications féministes », vous vous obligez à expliquer ce qu'ont été ces revendications).

Nous adoptons donc la problématique suivante **L/ES** : « Comment ont évolué les revendications féministes en France au XXᵉ siècle ? » ou le fil directeur suivant **S** : « Nous allons retracer l'évolution des revendications féministes en France au XXᵉ siècle. »

Étape **3**

Définir un plan

Les revendications féministes au XXᵉ siècle ont porté sur trois grands domaines : le droit de vote, le travail et les questions sexuelles et de maternité (contraception, IVG…).

On peut en rester à une approche thématique. Toutefois, comme le sujet porte sur une longue période, il vaut mieux ranger ces trois types de revendications dans l'ordre chronologique, ce qui permet d'avoir un plan mi-thématique, mi-chronologique puisque ces revendications se recouvrent dans le temps : l'égalité salariale par exemple continue à être une revendication aujourd'hui, et la défense de la liberté sexuelle reste un enjeu.

En fonction de ce que vous avez appris, dans quel ordre faut-il ranger ces trois domaines de revendications ?

Une fois le plan trouvé, relevez (éventuellement sous forme de tableau) les éléments du cours utiles à rappeler dans chacune des parties. Cela doit vous amener à définir des sous-parties.

À vous maintenant !

En suivant la problématique **L/ES** ou le fil directeur **S** et le plan adoptés, rédigez une composition répondant au sujet.

Prépa BAC　4　Composition

Rédiger une composition

S

Capacité travaillée
III.1.2 Développer un discours
écrit construit et argumenté

Sujet ▸ # Le Front populaire : un tournant ?

Pour vous aider

- Dans un sujet, les mots les plus petits, voire les signes de ponctuation, sont souvent les plus importants. Ici, les deux points mettent en relation les deux expressions, et le sujet peut être reformulé ainsi : « le Front populaire a-t-il été un tournant ? »

POINT MÉTHODE

1 Méthode et conseils

Une fois le sujet analysé, le fil directeur trouvé et le plan défini, l'essentiel de la réflexion est effectué : grâce à ce travail préalable, on doit pouvoir se concentrer sur la clarté de l'exposé.

Lors de la rédaction, on doit avoir à l'esprit les objectifs suivants :

– tenir le temps imparti : si vous voyez que vous manquez de temps, faites des parties plus courtes, mais ne renoncez pas à finir en sacrifiant la dernière partie. N'hésitez pas à éliminer certaines données (dates, etc.), celles que vous donnerez, si elles sont les plus importantes, suffiront à convaincre le correcteur que vous connaissez le sujet. Quant à la démonstration, plus votre exposé est clair et organisé, plus vous pouvez être allusif : votre plan parle pour vous ;

– avoir un plan équilibré ;

– une idée par paragraphe : donnez des informations précises, mais seulement celles qui ont un intérêt pour le sujet (méfiez-vous des digressions qui n'étaient pas prévues dans votre plan) ;

– être clair dans l'expression. Faites des phrases courtes et précises.

2 Application

Le sujet ci-dessus peut être difficile quant à sa définition du sujet. Par « tournant », il faut comprendre l'idée que le Front populaire a provoqué dans le cours des événements un changement par rapport à ce qui avait cours jusqu'alors et qui aurait pu continuer.

Il est exclu de faire de la fiction (ou uchronie : « que se serait-il passé si le Front populaire avait perdu les élections ? »). En revanche, on peut effectuer une comparaison entre l'avant et l'après, en s'interrogeant sur la mémoire de l'événement (est-ce un tournant, ou a-t-on le sentiment qu'il s'agit d'un tournant à cause de ce qui s'est passé ensuite ?).

Vous évoquerez donc le Front populaire, mais il s'agira plus de s'interroger sur ses effets que sur son déroulement.

3 Fil directeur

Jusqu'où peut-on dire que le Front populaire a constitué un tournant ?

4 Plan

Rédigez le développement à partir du plan ci-dessous. N'oubliez pas que vous pouvez utiliser toutes les connaissances utiles, pas seulement celles que vous avez acquises dans le cours sur le Front populaire : vos connaissances sur la crise économique de 1929 (chapitre 1) ou sur l'enracinement de la République (chapitre 9) y ont toute leur place.

Plan	Indications
I. Les causes et contexte du Front populaire **a.** une gauche ouvrière en marge de la République **b.** crise économique **c.** montée des tensions politiques	– socialisme, Commune, grèves réprimées – crise des années 1930, chômage – montée des extrêmes à l'étranger et en France qui fait peur
II. Les mesures du Front populaire **a.** apparition des loisirs populaires **b.** association des ouvriers à la gestion de l'entreprise **c.** hausse des salaires	– congés payés, semaine de 40 heures : « l'embellie », les loisirs – liberté syndicale, délégués du personnel…
III. La mémoire du Front populaire **a.** une embellie durable ? **b.** l'intégration des ouvriers à la République **c.** le regard rétrospectif	– une législation renforcée par la suite (cf. « Passé/Présent » p. 355) – le souvenir des grèves de 1936 : une vie syndicale pacifiée – le Front populaire donne l'image d'une période d'unité nationale avant la guerre ; en fait il fait débat à l'époque et c'est la reprise de son programme à la Libération qui a achevé d'en faire un moment consensuel de l'histoire de France.

Vous rédigerez ensuite l'introduction (annonce et analyse du sujet, fil directeur, annonce du plan), et la conclusion (réponse à la question posée en introduction, ouverture).

L/ES S

La République et les évolutions de la société française

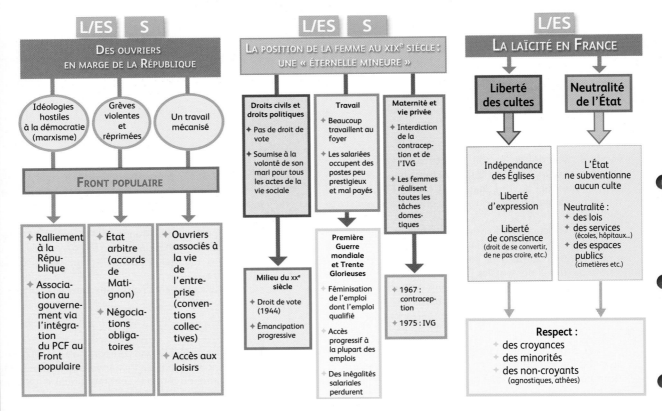

L/ES S — DES OUVRIERS EN MARGE DE LA RÉPUBLIQUE

- Idéologies hostiles à la démocratie (marxisme)
- Grèves violentes et réprimées
- Un travail mécanisé

FRONT POPULAIRE

- Ralliement à la République
- Association au gouvernement via l'intégration du PCF au Front populaire

- État arbitre (accords de Matignon)
- Négociations obligatoires

- Ouvriers associés à la vie de l'entreprise (conventions collectives)
- Accès aux loisirs

L/ES S — LA POSITION DE LA FEMME AU XIXᵉ SIÈCLE : UNE « ÉTERNELLE MINEURE »

Droits civils et droits politiques
- Pas de droit de vote
- Soumise à la volonté de son mari pour tous les actes de la vie sociale

Milieu du XXᵉ siècle
- Droit de vote (1944)
- Émancipation progressive

Travail
- Beaucoup travaillent au foyer
- Les salariées occupent des postes peu prestigieux et mal payés

Première Guerre mondiale et Trente Glorieuses
- Féminisation de l'emploi dont l'emploi qualifié
- Accès progressif à la plupart des emplois
- Des inégalités salariales perdurent

Maternité et vie privée
- Interdiction de la contraception et de l'IVG
- Les femmes réalisent toutes les tâches domestiques

- 1967 : contraception
- 1975 : IVG

L/ES — LA LAÏCITÉ EN FRANCE

Liberté des cultes
- Indépendance des Églises
- Liberté d'expression
- Liberté de conscience (droit de se convertir, de ne pas croire, etc.)

Neutralité de l'État
- L'État ne subventionne aucun culte
- Neutralité :
  - des lois
  - des services (écoles, hôpitaux...)
  - des espaces publics (cimetières etc.)

Respect :
- des croyances
- des minorités
- des non-croyants (agnostiques, athées)

Je sais définir les mots suivants

- **Anticléricalisme** : opposition à l'influence du clergé.
- **Convention collective** : texte négocié entre les syndicats et les employeurs et auquel doivent se référer tous les contrats de travail d'une branche professionnelle.
- **Démocratie chrétienne** : courant qui cherche à promouvoir, dans une société démocratique et pluraliste, une politique conforme au message de l'Évangile et à la doctrine sociale de l'Église, comme le Mouvement républicain populaire (MRP) entre 1944 et 1967.
- **Émancipation** : action de se libérer d'une tutelle ou de contraintes. L'émancipation des femmes revêt divers aspects : politique, juridique, économique, social, culturel.
- **Fondamentalisme** : interprétation radicale d'une religion prétendant à un retour aux sources d'une pratique originelle souvent mythifiée.
- **Laïcité** : attitude de neutralité et d'indépendance par rapport aux religions.

- **Marxisme** : idéologie créée par le philosophe Karl Marx et qui prône la lutte des classes, la prise de pouvoir par les ouvriers et l'abolition de la propriété privée dans un régime communiste.
- **Planning familial** : association créée en 1960 en faveur du contrôle des naissances. Militant pour le droit à la contraception et à l'avortement, elle en a facilité l'accès, d'abord clandestinement, puis légalement.
- **Sécularisation** : suppression du caractère religieux d'une institution, d'un lieu, d'une personne ; baisse de l'influence de la religion dans la société.
- **Socialisme** : idéologie qui critique le capitalisme et qui cherche à modifier, par la révolution puis par la loi (réformisme), le fonctionnement de l'économie et la répartition des richesses.
- **Taylorisme** : décomposition du travail en une série de tâches simples et chronométrées, souvent répétitives, généralement dans le cadre d'un travail à la chaîne.

Je connais les points suivants

La République et les ouvriers : le Front populaire

- Le Front populaire a contribué à réconcilier les ouvriers avec la République.
- Le Front populaire est à l'origine de plusieurs lois sociales qui ont facilité la pratique des loisirs : congés payés, semaine de 40 heures…
- Le Front populaire inaugure de nouvelles relations entre patronat et syndicats.

Les femmes dans la vie politique et sociale en France au XXe siècle

- La France est paradoxalement l'un des derniers pays d'Europe à avoir donné le droit de vote aux femmes.
- Les femmes n'ont accédé que progressivement à l'égalité des droits civils et de famille.
- Le rôle des femmes dans les deux guerres mondiales a contribué à leur émancipation.
- C'est dans les années 1960 et 1970 que les femmes ont obtenu des évolutions législatives favorisant le contrôle des naissances.
- Les femmes étaient déjà nombreuses à travailler au début du XXe siècle, mais elles n'ont obtenu l'accès à tous les emplois que progressivement.

République, religions et laïcité depuis les années 1880

- Les Républicains de la fin du XIXe siècle sécularisent la société.
- La loi de séparation des Églises et de l'État adoptée en 1905 est une loi tolérante, qui assure une totale indépendance et une grande liberté aux Églises.
- L'État assure un enseignement gratuit et laïque, tout en permettant l'existence d'un enseignement privé, confessionnel ou non.
- Le tableau religieux de la France s'est modifié au cours du dernier demi-siècle, avec une diminution de la pratique et l'apparition d'une importante communauté musulmane.

Je connais les personnages suivants

- Émile Combes
  p. 346

- Aristide Briand
  p. 342

Je connais les dates importantes

- **1881-1882** : lois Jules Ferry (école primaire gratuite, laïque et obligatoire)
- **1905** : loi Briand (séparation des Églises et de l'État)
- **Avril-mai 1936** : victoire du Front populaire aux législatives
- **1936** : premières femmes au gouvernement
- **7 juin 1936** : accords de Matignon
- **12 novembre 1938** : décrets-lois Reynaud, abolition des 40 heures
- **1944** : droit de vote des femmes
- **1949** : *Le Deuxième Sexe*
- **1959** : loi Debré (financement public des écoles privées sous contrat d'association avec l'État)
- **1975** : loi sur l'IVG
- **2000** : loi sur la parité en politique
- **2004** : loi prohibant les signes religieux ostensibles à l'école

Pour aller plus loin

À voir

- Jean Renoir, *La Vie est à nous*, 1936
- Julien Duvivier, *La Belle Équipe*, 1936
- Agnès Varda, *L'une chante, l'autre pas*, 1977

À lire

- Victor Margueritte, *La Garçonne*, 1922.
- Simone de Beauvoir, *Le Deuxième Sexe*, 1949.
- Catherine Achin, Sandrine Lévêque, *Femmes en politique*, La Découverte, Paris, 2006.
- J.-S. Bordas, *Le Recul du fusil*, tome 1 : *Les Chambres*, éditions Quadrants (2010) : une BD se déroulant à Paris en 1936.

Prépa BAC

Étude critique d'un document
EXEMPLE CORRIGÉ

L/ES

Capacité travaillée
II.1.3 Cerner le sens général d'un document et le mettre en relation avec la situation historique étudiée

Défendre les droits des femmes au travail

La femme a quitté le foyer, elle travaille au-dehors. C'est un fait. Ce fait est en relation directe avec les transformations économiques. La grande industrie prépare à la machine, en grandes quantités et à bon marché, beaucoup de produits fabriqués autrefois par la femme au foyer ; elle file laine, coton et fil, elle fabrique des bas, des couvertures... Il y a déplacement d'occupations et le travail de la femme devient salarié comme celui de l'homme.

Doit-on le déplorer ? Non, en soi, car il n'est pas mauvais que les femmes vivent moins renfermées, prennent conscience de leur valeur d'être humain, ne soient plus domestiquées. Mais les conditions dans lesquelles s'est produit le déplacement de ce travail féminin sont mauvaises. [...] Car le travail féminin est plus exploité encore que le travail masculin ; c'est pourquoi, il le concurrence par le bas prix de la main-d'œuvre ; c'est dans la couture, la broderie, les modes, que les salaires sont les plus infimes. D'où provient ce fait ? La femme a dû quitter le foyer, poussée par le besoin, avant que son éducation sociale ait été faite. Éloignée de la vie publique de par la volonté de l'homme, elle ignore tout de la lutte sociale où elle se trouve jetée. [...] Cette résignation et cette ignorance, la femme les porte dans sa vie de travailleuse, et c'est tout naturel ; elle est la proie toute faite pour l'exploiteur qui ne se fait pas faute d'en profiter. [...]

N'oublions pas que la femme doit gagner sa vie. Ce n'est pas nous (ni personne) qui ferons refluer le mouvement économique, ni le mouvement des idées vers le passé. La femme, de plus en plus, travaillera au-dehors pour gagner son pain quand elle est seule (il y a plusieurs millions de célibataires et de veuves – veuves avec enfants, bien souvent), pour augmenter l'avoir du ménage lorsqu'elle est mariée. De plus en plus, elle s'apercevra (dans les métiers surtout où elle arrive à gagner un salaire moins infime) que l'argent est le facteur de l'indépendance et elle répétera ce mot que me disait récemment une institutrice (elle n'est pourtant pas militante féministe) : « Apporter de l'argent, ça permet de dire son mot dans le ménage et de sauvegarder sa dignité. »

Certes, tout n'est pas avantage ; la femme doit, en plus de son travail, entretenir le ménage (et à ce propos, pourquoi l'homme ne l'aiderait-il pas ; nombreux sont déjà ceux qui l'ont compris), elle est surmenée et il arrive assez souvent que son gain dépasse de très peu la dépense supplémentaire provenant de son absence du foyer. [...]

Nous sentons la force sociale que représente la femme, nous n'ignorons pas que la femme bourgeoise s'organise peu à peu en parti qui deviendra puissant dans la lutte pour le droit des femmes. Nous voudrions que la femme ouvrière acquière, elle aussi, et plus vite, la compréhension de la vie sociale.

Et, nous, féministes syndiquées, nous qui savons combien sont illusoires tant de réformes dont on vante les bienheureux effets, nous qui avons en le droit de vote une confiance plus que limitée (quant à ses effets), nous réclamons le vote pour les femmes.

Pourquoi ? Parce que nous savons, parce que nous avons pu constater que, seul, l'exercice de ce droit attirera l'attention de la masse des femmes, comme celle de la masse des hommes sur les questions sociales et politiques. [...] On s'intéresse aux choses dont on a à s'occuper.

Marie Guillot, *La Bataille syndicaliste,* revue de la CGT, 28 juillet 1913.

Consigne Après avoir présenté ce document, vous le replacerez dans son contexte en montrant qu'il illustre les difficultés rencontrées par les féministes du XXᵉ siècle pour faire évoluer les mentalités.

Pour vous aider

- Présentation du document : il faut indiquer l'auteur, le type de document, la date, ses destinataires. Mais il faut surtout montrer l'intérêt de ces informations pour la compréhension du document.

- La problématique est amenée par le constat d'un paradoxe, du principal problème que pose le document.

- Il faut utiliser les connaissances (apprises en cours, les années précédentes voire en dehors de l'école) pour éclairer le texte.

Exemple corrigé

● Ce texte féministe du début du XXᵉ siècle a ceci d'original qu'il s'adresse à un lectorat de gauche. Écrit par une femme, Marie Guillot, il est publié en 1913 dans *La Bataille Syndicaliste*, revue de la Confédération Générale Du Travail. Or si la gauche, sur la question des principes, n'est pas hostile aux droits des femmes, elle se montre très méfiante envers le vote féminin. Marie Guillot a le mérite de répondre aux principales inquiétudes des militants CGT. En même temps, son texte soulève des questions et suggère des solutions qui se déploieront durant tout le XXᵉ siècle. Quels arguments peut donc apporter une féministe de 1913 à l'adresse d'un public syndicaliste, et quelle est son analyse pour l'avenir de la place des femmes dans la société ? Nous expliquerons d'abord pourquoi les ouvriers se montrent a priori hostiles au vote et même à l'émancipation des femmes, avant de voir les réponses que leur apporte Marie Guillot. Il conviendra ensuite d'analyser les évolutions ultérieures et de constater que les événements, même imprévisibles pour Marie Guillot, ont eu pour effet de renforcer la justesse de ses vues.

Marie Guillot commence par souligner l'une des caractéristiques des récentes « transformations économiques » : le développement de la grande industrie, et la féminisation du travail en usine. Les deux phénomènes sont en effet liés. Du XVIIIᵉ au milieu du XIXᵉ siècle, les marchands-fabricants du textile s'appuient sur une importante main-d'œuvre féminine qui travaille à domicile. Si ce mode de production proto-industriel avait l'avantage de concilier vie familiale et complément de revenu, Marie Guillot souligne qu'il avait aussi pour effet d'isoler davantage encore les femmes, ainsi tentées de travailler sans limitation de durée dans l'intimité de leur intérieur.

La révolution industrielle, en mécanisant l'activité, notamment textile, prive beaucoup de ces femmes de ces revenus. En revanche, elle conduit à la création de nombreuses grandes industries où travaille une main-d'œuvre nombreuse, peu qualifiée et mal payée. Les femmes aussi rejoignent les rangs du « prolétariat » industriel, où elles occupent les postes les moins qualifiés et les moins rémunérés : Marie Guillot souligne que les activités les plus féminines sont aussi celles où « les salaires sont les plus infimes ».
Plutôt que de revendiquer l'égalité salariale, les ouvriers deviennent donc hostiles au travail féminin, dans lequel ils voient une concurrence, de même qu'ils sont souvent hostiles à la main-d'œuvre immigrée, pour la même raison. Cette hostilité au travail féminin se double d'une méfiance envers les orientations politiques des femmes : peu politisées, peu contestataires, et soupçonnées d'être sous l'influence du clergé, elles sont souvent jugées inaptes à l'exercice du droit de vote.

À cela, Marie Guillot répond par une argumentation optimiste. « Cette résignation et cette ignorance, la femme les porte dans sa vie de travailleuse » : autrement dit, la seule façon de mettre un terme à cette exploitation des femmes par le patronat est de favoriser l'émancipation des femmes dans tous les domaines, à commencer par le foyer lui-même. Si les ouvriers veulent que leurs femmes les soutiennent dans leurs luttes sociales, il faut les former à la liberté et à la vie politique et sociale.

Pour faciliter cette acculturation des femmes à la démocratie, Marie Guillot appelle à leur donner le droit de vote. Cette proposition est doublement à contre-courant. Non seulement elle se heurte à l'hostilité des ouvriers envers le droit de vote des femmes. Mais elle se heurte aussi à la méfiance du syndicalisme révolutionnaire qui voit dans le réformisme par l'exercice du droit de vote un piège « bourgeois ». Marie Guillot souligne au contraire que c'est par l'exercice du droit de vote que les femmes s'intéresseront à la politique, et donc aux revendications sociales. De fait, alors que durant les premières décennies de suffrage féminin en France on observait une tendance des femmes à voter plus à droite, cette tendance s'est réduite, voire inversée, à partir des années 1970. De plus, Marie Guillot souligne que le féminisme est alors le quasi-monopole de femmes de la bourgeoisie. Si le droit de vote des femmes est dans l'air du temps, il convient, pour Marie Guillot, de préparer un vivier de féministes ouvrières.

L'analyse de Marie Guillot est aussi très lucide sur les évolutions à venir. Ainsi du travail féminin. Celui-ci est de plus en plus fréquent durant la Belle Époque : les femmes représentent déjà 30 % de la population active, et il y a un mouvement de féminisation des métiers : Jeanne Chauvin, première femme avocate, prête serment en 1900. Mais c'est la Première Guerre mondiale qui lance vraiment le travail féminin, y compris dans des métiers qualifiés. Il faudra attendre 1965 pour que les femmes puissent travailler sans l'accord de leurs maris. Mais l'hécatombe de la guerre provoque aussi la multiplication des femmes seules qui, comme le suggère Marie Guillot, sont à la fois libres de travailler et contraintes de le faire – donc paradoxalement indépendantes.

Marie Guillot est également novatrice lorsqu'elle aborde la question des tâches ménagères. Sa suggestion d'un partage est alors très marginale : si quelques hommes participent à ces tâches, peu s'en vantent. Ce partage inégal constitue un obstacle à l'accès aux études et aux carrières les plus exigeantes. À cet égard, l'évolution est très lente et tardive, et globalement encore imparfaite aujourd'hui.

Marie Guillot fait aussi allusion au fait qu'« il arrive assez souvent que son gain [de la femme qui travaille] dépasse de très peu la dépense supplémentaire provenant de son absence du foyer ». Elle vise essentiellement les dépenses de garde d'enfants. Cette observation conduit les femmes à formuler deux revendications. À terme, l'égalité salariale, qui ne viendra que progressivement (loi de 1983) et reste imparfaite aujourd'hui : un meilleur salaire permet d'embaucher une baby-sitter, par exemple. L'autre solution consiste dans le développement d'une politique familiale. Très encouragée par les milieux catholiques notamment, elle permet, par des allocations familiales par exemple, ou le développement de crèches, de favoriser l'activité féminine. Cette revendication fut largement entendue durant les après-guerres, époques où il semblait judicieux de favoriser un repeuplement du pays.

• Dans son ensemble, ce document apparaît comme un texte à la fois très clairvoyant sur les principales problématiques qui se poseront aux féministes durant tout le siècle, et aussi très habile pour convertir la gauche à la cause féministe – une conversion qui s'est achevée dans le sillage de mai 1968. L'analyse de ce texte permet de rappeler que cela n'allait pas de soi à l'époque. Si le XXe siècle a certes vu les femmes intégrer tous les espaces de la vie politique et sociale, ce même siècle a aussi vu les ouvriers eux-mêmes s'intégrer à la République, notamment lors du Front populaire. On peut se demander si l'un n'a pas favorisé l'autre : n'oublions pas que Léon Blum fut le premier à nommer trois femmes dans son gouvernement, en 1936.

Pour vous aider

La seconde partie commence par une transition, qui ici prend la forme d'une réponse à la dernière idée introduite par la partie précédente.

• Marie Guillot avance une hypothèse. Notre recul nous permet de la confronter à des informations dont nous disposons, et qu'elle ne pouvait pas connaître.

• Début de la troisième partie.

• N'hésitez pas à apporter des chiffres précis et des exemples concrets à l'appui de votre démonstration. Cela montre la précision de vos connaissances.

• L'ouverture : elle permet de prendre du recul. La question d'ouverture doit dans l'idéal découler du bilan et permettre de monter d'un cran dans la réflexion.

Les épreuves écrites d'histoire du Bac des séries

Durée de l'examen : 4 h
2 types d'épreuves

A. La composition : épreuve longue

🕐 Prévoir 2 h 30 pour traiter le sujet.

À partir d'un sujet donné, il faut sélectionner et organiser ses connaissances autour d'un plan construit, pour répondre à la problématique de ce sujet. Des exemples et des faits précis sont attendus du candidat.

Il faut donc bien gérer son temps pour construire une véritable démonstration argumentée en réponse au sujet posé.

1. TRAVAIL AU BROUILLON 🕐 1 h environ

a) Bien analyser le sujet 🕐 10 min

- Repérer les mots-clés et réfléchir à leur signification.
- Faire attention aux mots de liaison (« et », « ou »…).
- Délimiter le sujet spatialement et chronologiquement.

Exemple : Un sujet sur « Civils et soldats dans la Première Guerre mondiale, guerre totale » (chapitre 3) implique de bien maîtriser la notion de guerre totale, indispensable pour bâtir une réflexion sur l'expérience de ces deux groupes mais aussi sur les liens qui existent entre les civils et les soldats pendant la Première Guerre mondiale.

Exemple : Un intitulé du type « L'URSS de 1928 à 1991 : fonctionnement et fin d'un totalitarisme » (chapitre 6) nécessite de bien connaître la définition de totalitarisme mais aussi de s'interroger sur les limites chronologiques : ici de 1928 à 1991 c'est-à-dire de la politique du « Grand Tournant » de Staline jusqu'à la disparition de l'URSS. Il serait donc hors sujet d'accorder une place importante à la genèse de cet État totalitaire.

b) Dégager une problématique 🕐 5 min

- C'est la question centrale du sujet : elle guide votre argumentation en étant la colonne vertébrale de votre démonstration. Elle est formulée sous forme interrogative.
- Elle doit permettre d'aborder le sujet dans sa globalité, sans laisser de côté un aspect du sujet : c'est l'analyse des mots-clés du sujet et la détermination du cadre spatio-temporel qui vous permettent d'établir les liens qui existent entre ces différents éléments. Les arguments que vous utilisez dans votre composition et qui appuient votre démonstration constituent les différentes étapes de la réponse au sujet posé.

Exemple : Pour le sujet « Civils et soldats pendant la Première Guerre mondiale, guerre totale », on peut poser comme problématique : « Quels sont les impacts de la Première Guerre mondiale liés à son caractère total sur l'expérience des civils et des soldats ? »

> **Pour vous aider**
>
> — Analyser un sujet et déterminer une problématique : Prépa Bac page 44.
> — Analyser un sujet et faire un plan Prépa Bac page 371.

c) Mobiliser ses connaissances et les organiser par un plan logique et structuré 🕐 30 min

- Noter toutes les idées en rapport avec le sujet au brouillon, sans rédiger.
- Mettre à côté un exemple précis (fait, lieu, date…).
- Regrouper ces idées autour de deux ou trois points forts, qui sont les deux ou trois grandes parties de la composition.
- Structurer le plan : établir des sous-parties.

> **Pour vous aider**
>
> — Construire un plan thématique et rédiger Prépa Bac pages 326-327.
> — Analyser un sujet et faire un plan Prépa Bac page 371.

d) Rédiger entièrement l'introduction et la conclusion 🕐 15 min

- L'introduction doit amener le sujet, définir les mots-clés, donner une problématique et annoncer le plan.
- La conclusion est la dernière impression laissée au correcteur : elle doit donc être rédigée dès ce moment, pour ne pas être faite à la va vite à la fin de l'épreuve. La conclusion établit un bilan et propose un élargissement sur une idée nouvelle ou sur une période historique postérieure.

> **Pour vous aider**
>
> — Rédiger l'introduction et la conclusion Prépa Bac pages 180-181.
> — Rédiger une introduction et une conclusion Prépa Bac pages 242-243.

2. RÉDIGER AU PROPRE LA COMPOSITION 🕐 1 h 30 environ

- Soigner l'écriture et la présentation de la copie ; ne jamais rédiger une copie d'histoire au futur : utiliser le présent.
- Recopier l'introduction faite au brouillon.

- Rédiger la composition en suivant le plan détaillé réalisé au brouillon.
- Sauter des lignes entre chaque sous-partie, et deux lignes entre les grandes parties, afin de soigner la présentation de la copie.
- Veiller à appuyer chaque idée d'un exemple précis, d'un argument, d'une justification.
- Rédiger une phrase de transition entre chaque grande partie.
- Commencer chaque partie par l'annonce de l'idée essentielle qui va être présentée ; terminer chaque partie par une phrase de bilan.
- Recopier à la fin la conclusion.
- Bien relire son devoir (10 minutes) pour corriger l'orthographe et la syntaxe.

Pour vous aider

- Composition rédigée : Prépa Bac pages 132-133.
- Rédiger à partir d'un plan donné Prépa Bac pages 218-219.
- Rédiger une introduction et une conclusion Prépa Bac pages 242-243.
- Construire un plan thématique et rédiger Prépa Bac pages 326-327.

B. L'étude critique d'un ou deux documents : épreuve courte

1. TRAVAIL AU BROUILLON 15 min

- Identifier le document de manière précise : auteur, source, date, thème abordé, contexte du ou des deux documents.
- Analyser la consigne donnée : faire attention aux mots-clés et aux mots de liaison ; définir les limites chronologiques et spatiales du sujet.
- Dégager les idées essentielles du ou des deux documents.
- Mettre en relation le document avec la situation historique évoquée : noter les connaissances principales tirées du cours qui sont en relation avec le contexte de manière très rapide (c'est sur la copie au propre qu'elles seront développées).
- Dégager une problématique à partir de l'analyse de la consigne : soit la consigne donne les axes de l'organisation de votre réponse (exemple 1), soit elle est globale et vous devez vous-même déterminer les axes de votre réponse (exemple 2).

Exemple 1 :

En vous appuyant sur les documents et sur vos connaissances, vous montrerez quelles sont les forces et les faiblesses de la contestation anticoloniale en Algérie dans les années 1930. (Consigne Prépa Bac p. 265)

La consigne (avec la présence du mot « et ») vous indique clairement que vous devez traiter les forces puis les faiblesses de la contestation anticoloniale en Algérie dans les années 1930.

Exemple 2 :

Après avoir replacé ces documents dans leur contexte, vous les confronterez pour montrer que la propagande coloniale officielle est contestée. (Consigne Prépa Bac p. 264)

La consigne n'indique pas de plan mais vous devez d'abord présenter la propagande coloniale officielle avant de montrer les critiques qui lui sont adressées.

Il ne faut pas oublier la dimension critique de l'exercice : les aspects non évoqués par le ou les documents mais qui sont essentiels pour comprendre le phénomène historique étudié et ceux qui permettent de nuancer la vision de l'auteur.

2. RÉDIGER L'EXERCICE 1 h 15 min

- L'introduction présente les documents, définit les mots-clés et pose la problématique, en 5-6 lignes environ.
- Le développement est construit en paragraphes (deux ou trois) qui répondent à la consigne ; chaque paragraphe s'appuie sur des éléments tirés des documents (si c'est un texte, il faut le citer entre guillemets ; si c'est un document iconographique, on le décrit) et sur des connaissances personnelles permettant d'expliquer les éléments tirés des documents.
- La conclusion (4-5 lignes) répond au sujet et à la problématique posée en introduction.
- Soigner la présentation, la syntaxe, l'orthographe et la grammaire.

Pour vous aider   Pour un document

- Étude critique d'un graphique Prépa Bac pages 45 et 80.
- Étude critique d'un texte Prépa Bac pages 174, 217, 286, 327, 358, 182 (corrigé) et 364 (corrigé).
- Étude critique d'une œuvre d'art Prépa Bac page 129 (corrigé).

Pour vous aider   Pour deux documents

- Étude critique d'un graphique et d'un texte Prépa Bac page 44.
- Étude critique d'un texte et d'un tract Prépa Bac page 81.
- Étude critique d'un texte et d'une caricature Prépa Bac page 128.
- Étude critique d'une photo et d'un texte Prépa Bac page 175.
- Étude critique de deux affiches Prépa Bac pages 216 et 359.
- Étude critique d'un texte et d'une affiche Prépa Bac page 264.
- Étude critique de deux textes Prépa Bac page 265.
- Étude critique d'un texte et d'une photo Prépa Bac page 287.
- Étude critique d'une affiche et d'une photo Prépa Bac page 326.

Durée de l'examen : 3 h
2 types d'épreuves

A. La composition : épreuve longue

🕐 Prévoir 1h30-1h45 pour traiter le sujet.

À partir d'un sujet donné, il faut sélectionner et organiser ses connaissances autour d'un plan construit, pour répondre au fil directeur de ce sujet. Des exemples et des faits précis sont attendus du candidat.

Il faut donc bien gérer son temps pour construire une véritable démonstration argumentée en réponse au sujet posé.

1. TRAVAIL AU BROUILLON 🕐 45 min environ

a) Bien analyser le sujet 🕐 5 min

• Repérer les mots-clés et réfléchir à leur signification.

• Faire attention aux mots de liaison (« et », « ou »…).

• Délimiter le sujet spatialement et chronologiquement.

Exemple : Un sujet sur « Civils et soldats dans la Première Guerre mondiale, guerre totale » (chapitre 3) implique de bien maîtriser la notion de guerre totale, indispensable pour bâtir une réflexion sur l'expérience de ces deux groupes mais aussi sur les liens qui existent entre les civils et les soldats pendant la Première Guerre mondiale.

Exemple : Le sujet « Les civils pendant les deux guerres mondiales » (chapitre 3) implique la prise en compte de bornes chronologiques différentes. Il ne s'agit plus seulement de l'expérience des civils pendant la Première Guerre mondiale (1914-1918) mais lors des deux conflits mondiaux (1914-1918 et 1939-1945) dans une approche comparative.

b) Dégager un fil directeur 🕐 5 min

• C'est le problème posé par le sujet : il guide votre argumentation en étant la colonne vertébrale de votre démonstration. Il est sous forme affirmative.

• Il doit permettre d'aborder le sujet dans sa globalité, sans laisser de côté un aspect du sujet : c'est l'analyse des mots-clés du sujet et la détermination du cadre spatio-temporel qui vous permettent d'établir les liens qui existent entre ces différents éléments. Les arguments que vous utilisez dans votre composition et qui appuient votre démonstration constituent les différentes étapes de la réponse au sujet posé.

> **Pour vous aider**
>
> Analyser un sujet et déterminer le fil directeur : Prépa Bac page 45.
> Analyser un sujet et faire un plan Prépa Bac page 371.

c) Mobiliser ses connaissances et les organiser par un plan logique et structuré 🕐 20 min

• Noter toutes les idées en rapport avec le sujet au brouillon, sans rédiger.

• Mettre à côté un exemple précis (fait, lieu, date…).

• Regrouper ces idées autour de deux ou trois points forts, qui sont les deux ou trois grandes parties de la composition.

• Structurer le plan : établir des sous-parties.

> **Pour vous aider**
>
> Construire un plan thématique et rédiger Prépa Bac pages 326-327.
> Analyser un sujet et faire un plan Prépa Bac page 371.

d) Rédiger entièrement l'introduction et la conclusion 🕐 15 min

• L'introduction doit amener le sujet, définir les mots-clés, énoncer le fil directeur et annoncer le plan.

• La conclusion est la dernière impression laissée au correcteur : elle doit donc être rédigée dès ce moment, pour ne pas être faite à la va vite à la fin de l'épreuve. La conclusion établit un bilan et propose un élargissement sur une idée nouvelle ou sur une période historique postérieure.

> **Pour vous aider**
>
> Rédiger l'introduction et la conclusion Prépa Bac pages 180-181.

2. RÉDIGER AU PROPRE LA COMPOSITION 🕐 45 min-1 h environ

• Soigner l'écriture et la présentation de la copie ; ne jamais rédiger une copie d'histoire au futur : utiliser le présent.

• Recopier l'introduction faite au brouillon.

• Rédiger la composition en suivant le plan détaillé réalisé au brouillon.

• Sauter des lignes entre chaque sous-partie, et deux lignes entre les grandes parties, afin de soigner la présentation de la copie.

- Veiller à appuyer chaque idée d'un exemple précis, d'un argument, d'une justification.
- Rédiger une phrase de transition entre chaque grande partie.
- Commencer chaque partie par l'annonce de l'idée essentielle qui va être présentée ; terminer chaque partie par une phrase de bilan.
- Recopier à la fin la conclusion.
- Bien relire son devoir (10 minutes) pour corriger l'orthographe et la syntaxe.

> **Pour vous aider**
>
> Composition rédigée : Prépa Bac pages 130-131.
> Rédiger à partir d'un plan donné Prépa Bac pages 218-219.
> Construire un plan thématique et rédiger Prépa Bac pages 328-329.
> Rédiger une composition Prépa Bac pages 373.

B. L'analyse d'un ou deux documents en histoire : épreuve courte

1. TRAVAIL AU BROUILLON 15 min

- Identifier le document de manière précise : auteur, source, date, thème abordé, contexte du ou des deux documents.
- Analyser la consigne donnée : faire attention aux mots-clés et aux mots de liaison ; définir les limites chronologiques et spatiales du sujet.
- Dégager les idées essentielles du ou des deux documents.
- Mettre en relation le document avec la situation historique évoquée : noter les connaissances principales tirées du cours qui sont en relation avec le contexte de manière très rapide (c'est sur la copie au propre qu'elles seront développées).
- Dégager une problématique à partir de l'analyse de la consigne : soit la consigne donne les axes de l'organisation de votre réponse (exemple 1), soit elle est globale et vous devez vous-même déterminer les axes de votre réponse (exemple 2).

Exemple 1 :

En vous appuyant sur les documents et sur vos connaissances, vous montrerez quelles sont les forces et les faiblesses de la contestation anticoloniale en Algérie dans les années 1930. (Consigne Prépa Bac p. 265)

La consigne (avec la présence du mot « et ») vous indique clairement que vous devez traiter les forces <u>puis</u> les faiblesses de la contestation anticoloniale en Algérie dans les années 1930.

Exemple 2 :

Après avoir replacé ces documents dans leur contexte, vous les confronterez pour montrer que la propagande coloniale officielle est contestée. (Consigne Prépa Bac p. 264)

La consigne n'indique pas de plan mais vous devez d'abord présenter la propagande coloniale officielle avant de montrer les critiques qui lui sont adressées.

Il faut mentionner les apports et les limites du/des document/s : En quoi ce(s) document(s) sont-ils caractéristiques de la situation historique étudiée mais aussi les aspects non évoqués par le ou les documents mais qui sont essentiels pour comprendre le phénomène historique étudié.

2. RÉDIGER L'EXERCICE 1 h

- L'introduction présente les documents, définit les mots-clés et pose la problématique, en 5-6 lignes environ.
- Le développement est construit en paragraphes (deux ou trois) qui répondent à la consigne ; chaque paragraphe s'appuie sur des éléments tirés des documents (si c'est un texte, il faut le citer entre guillemets ; si c'est un document iconographique, on le décrit) et sur des connaissances personnelles permettant d'expliquer les éléments tirés des documents.
- La conclusion (4-5 lignes) répond au sujet et à la problématique posée en introduction.
- Soigner la présentation, la syntaxe, l'orthographe et la grammaire.

> **Pour vous aider** | Pour un document
>
> Analyse d'un texte Prépa Bac pages 217, 286, 327, 358 et 364 (corrigé).
> Analyse d'un graphique Prépa Bac page 80.
> Analyse d'une œuvre d'art Prépa Bac page 129 (corrigé).

> **Pour vous aider** | Pour deux documents
>
> Analyse d'un graphique et d'un texte Prépa Bac page 44.
> Analyse d'un texte et d'un tract Prépa Bac page 81.
> Analyse d'un texte et d'une caricature Prépa Bac page 128.
> Analyse de deux affiches publicitaires Prépa Bac page 216.
> Analyse d'un texte et d'une affiche Prépa Bac page 264.
> Analyse de deux textes Prépa Bac page 265.
> Analyse d'un texte et d'une photo Prépa Bac page 287.
> Analyse d'une affiche et d'une photo Prépa Bac page 326.

BIOGRAPHIES

Adenauer Konrad (1876-1967)

Cet ancien maire de Cologne et opposant au nazisme est régulièrement réélu chancelier entre 1949 et 1963, « l'ère Adenauer » de la RFA. Ce chrétien-démocrate (CDU) engage son pays dans le camp occidental et se réconcilie avec la France du général de Gaulle. Voir p. 144

Barrès Maurice (1862-1923)

Écrivain alors très célèbre, ce Lorrain est obnubilé par la revanche contre l'Allemagne. Député boulangiste, membre de la ligue des Patriotes, il est le chantre de l'antidreyfusisme. Voir p. 299

Beauvoir Simone de (1908-1986)

Philosophe et écrivain, compagne du philosophe Jean-Paul Sartre qu'elle refuse d'épouser par souci d'indépendance. Femme engagée, l'écriture du *Deuxième Sexe* (1949) en fait une théoricienne du féminisme. Elle rédige le Manifeste des 343 en 1971. Elle reçoit le prix Goncourt en 1954 pour son roman autobiographique *Les Mandarins*. . Voir p. 348

Ben Laden Oussama (1957-2011)

Issu d'une très riche famille saoudienne, il combat les Soviétiques en Afghanistan dans les années 1980 et fonde Al-Qaïda en 1988. En 1990, pendant la guerre du Golfe, il rompt avec les États-Unis. Déchu de sa nationalité, il se réfugie au Soudan puis en Afghanistan, et organise plusieurs attentats anti-américains meurtriers, dont ceux du 11 septembre 2001. Après la chute de ses alliés talibans fin 2001, il se cache au Pakistan où les forces spéciales américaines l'abattent dans la nuit du 1er au 2 mai 2011. Voir p. 163

Blum Léon (1872-1950)

Dirigeant de la SFIO, il est de juin 1936 à juin 1937 le chef du gouvernement du Front populaire, constitué de ministres socialistes et radicaux et soutenu par les communistes. Voir p. 340

Briand Aristide (1862-1932)

Socialiste indépendant, élu député en 1902, il est rapporteur de la loi de séparation des Églises et de l'État. Son positionnement évolue ensuite vers le centre. Plusieurs fois ministre et président du Conseil entre 1906 et 1932, il dirige notamment le gouvernement entre 1915 et 1917, pendant la guerre. Il s'illustre ensuite comme pacifiste et promoteur du rapprochement franco-allemand. Prix Nobel de la paix en 1926. Voir p. 342

Bush George H. (né en 1924)

Républicain, il est directeur de la CIA de 1976 à 1977 puis vice-président de Ronald Reagan de 1981 à 1989. Élu président en 1988, il décide d'intervenir pour libérer le Koweït de l'invasion irakienne. C'est le père du président George Walker Bush (2001-2009). La crise économique entraîne sa défaite à la présidentielle de 1992 face au démocrate William Clinton. Voir p. 154

Bush George W. (né en 1946)

Fils du président George H. Bush, il noue des liens avec l'industrie pétrolière, notamment lorsqu'il est gouverneur du Texas. Il est élu à la présidence en 2000. Il riposte aux attentats du 11 septembre 2001 par la guerre en Afghanistan. En 2003, il envahit l'Irak. Il est réélu en 2004. Voir p. 163

Cavanna François (1923-2014)

Fils d'un terrassier italien et d'une Française, il devient écrivain et raconte son enfance de fils d'immigré face à la xénophobie des années 1930. Journaliste, il a fondé *Hara-Kiri*, ancêtre de *Charlie Hebdo*. Voir p. 71

Charpak Georges (1924-2010)

Né en Pologne, George Charpak immigre en France avec ses parents en 1931. Résistant durant la guerre, il est déporté au camp de concentration de Dachau. Après des études à l'École des Mines, il se consacre après la guerre à la recherche en physique notamment au Conseil européen pour la recherche nucléaire (CERN). Il devient en 1992, l'un des treize Français depuis 1901 lauréat du prix Nobel de physique. Voir p. 74

Churchill Winston (1874-1965)

Membre du parti conservateur, il est critiqué en 1915 après l'échec des Dardanelles. Durant les années 1930, il dénonce en vain le danger hitlérien. Premier ministre en 1940, incarnant la résistance britannique, il est un des trois Grands de la guerre avec Roosevelt et Staline. Voir p. 110

Clemenceau Georges (18841-1929)

Chef des Radicaux sous la IIIe République, il est très influent. Il défend Dreyfus, devient président du Conseil en 1906. Le président Poincaré l'appelle en 1917 à la tête du gouvernement, en raison de son patriotisme. Il incarne l'esprit de résistance, contribue à la victoire et négocie le Traité de Versailles. Voir p. 181

Combes Émile (1835-1921)

D'origine modeste, il fait ses études au séminaire pour être prêtre, avant de perdre la foi et de devenir médecin. Maire, puis sénateur radical, il devient président du Conseil de 1902 à 1905. Surnommé par dérision « le petit père Combes », il mène une politique très anticléricale, avant de démissionner quand on apprend qu'il faisait ficher les opinions religieuses et politiques des officiers. Voir p. 346

Edison Thomas (1847-1931)

Thomas Edison dépose près de 1 000 brevets concernant le phonographe, le télégraphe, la pile alcaline, l'ampoule à incandescence… Type même de l'inventeur entrepreneur, il fonde la firme General Electric dès 1889 et y coordonne des centaines de chercheurs : « C'était notre Edison », déclare le président Obama en 2011 à la mort de Steve Jobs. Voir p. 32

Eisenstein (1898-1948)

Engagé dans l'Armée rouge dès 1917, Eisenstein met rapidement son art cinématographique au service de la propagande communiste. Ses principales œuvres sont *Le cuirassé Potemkine* en 1925 et *Octobre* en 1927. Voir p. 215

Eltsine Boris Nikolaievitch (1931-2007)

Pendant la perestroïka, cet ex-apparatchik se pose en représentant des réformateurs radicaux et en rival de Gorbatchev. Premier président russe élu (juin 1991), il joue un rôle déterminant dans l'échec du putsch conservateur d'août et dans la disparition de l'URSS. Réélu en 1996, il voit durant ses deux mandats la Russie postcommuniste s'enfoncer dans une grave crise économique, sociale et politique. Miné par l'alcool et la maladie, il démissionne le 31 décembre 1999 et est remplacé par son dernier Premier ministre, Vladimir Poutine. Voir p. 236

Ferry Jules (1832-1893)

Avocat, chef du camp des républicains « opportunistes », plusieurs fois Président du Conseil et ministre de l'Instruction Publique entre 1880 et 1885. Influencé par les philosophes positivistes (Auguste Comte), il est le promoteur de l'école obligatoire et laïque, ainsi que de la politique coloniale de la IIIe République. Voir p. 331

Ford Henry (1863-1947)

Fils de fermiers immigrés d'Europe, il travaille d'abord comme ingénieur dans une des sociétés de Thomas Edison. Puis il fonde la Ford Motor Company en 1903. Il y adapte les théories de l'organisation scientifique du travail de F.W. Taylor – le taylorisme –, inaugurant le 7 octobre 1913 la première ligne de montage de l'histoire dans son usine d'Highland Park (Michigan). Voir p. 28

Fourier Charles (1772-1837)

Penseur socialiste. Il imagine une organisation sociale utopique où l'humanité vivrait dans des phalanstères, immenses bâtiments autonomes assurant le bien-être d'environ 2 000 personnes. Voir p 64

Gaulle Charles de (1890-1970)

Sous-secrétaire d'État à la Guerre en juin 1940, il refuse l'armistice et lance le 18 juin, à Londres, un appel aux soldats français à poursuivre le combat sous son autorité. En 1943 avec l'aide de Jean Moulin, il unifie sous son égide la Résistance intérieure au sein du CNR et des FFI. De 1944 à 1946 il dirige le GPRF, mais s'oppose au projet de constitution. Revenu au pouvoir en juin 1958 après l'insurrection d'Alger, il fonde la Ve République qu'il préside jusqu'en 1969. Voir p. 318

Godin Jean-Baptiste (1817-1888)

Né dans une famille d'artisans serruriers, il crée une usine de fabrication de poêles à Guise dans l'Aisne en 1846. Intéressé par les idées de Charles Fourier, il construit à côté de l'usine un espace de vie pour ses ouvriers, le familistère. Il associe ses employés à la gestion à la fois de l'usine et du familistère. Le familistère de Guise accueille des travailleurs jusqu'en 1968. Voir p. 64

Gorbatchev Mikhaïl Sergueïevitch (né en 1931)

Fils de paysans kolkhoziens, il adhère au PCUS en 1952. Sa carrière d'apparatchik le conduit à la tête du Parti et de l'URSS de 1985 à 1991. Résolument réformateur, il lance la perestroïka et la glasnost (la transparence) pour libéraliser un système figé. À l'extérieur, il met fin à la guerre froide et laisse en 1989 l'Europe de l'Est reprendre sa liberté. Très populaire en Occident, il reçoit le prix Nobel de la paix en 1990. Mais en URSS, ses réformes conduisent à la chute du niveau de vie et à l'implosion du pays. Il démissionne de la présidence de l'Union soviétique le 25 décembre 1991. Sa candidature à la présidentielle russe de 1996 ne reçoit que 0,5 % des suffrages. Voir p. 234

Göring Hermann (1893-1946)

Héros de l'aviation de guerre en 1914-1918, il se rallie en 1923 à Hitler, qui en fait le n° 2 du régime et son successeur désigné, puis le disgracie pendant la guerre pour ses échecs répétés. Il est l'accusé principal du procès de Nuremberg. Voir p. 226

Grenadou Ephraïm (1897-1993)

Grenadou est un paysan de la Beauce mobilisé durant la Première Guerre mondiale. Fils d'un ouvrier agricole, il a été charretier à l'âge de 14 ans. Parti quasiment de rien, il finit à la tête d'une exploitation de plus de 170 hectares, avec six tracteurs. Son ascension est emblématique des transformations de l'agriculture française de la Belle Époque aux Trente Glorieuses. Ephraïm Grenadou connaît la notoriété lorsque son voisin, l'écrivain Alain Prévost, recueille ses souvenirs et publie en 1966 le best-seller *Grenadou, paysan français*. Voir p. 62

Haber Fritz (1868-1934)

Brillant chimiste, il participe à la guerre en travaillant à l'élaboration des gaz de combat. Son épouse, Clara, rejetant cette dérive de la science, se suicide. Prix Nobel de chimie, il quitte son pays en 1934 car, d'origine juive, il est expulsé de l'université. Voir p. 107

Hadj Messali (1896-1974)

Né en 1896 dans une famille pauvre d'Algérie, Messali Hadj émigre en France pour travailler en 1918. En 1926, il fonde le mouvement nationaliste l'Étoile nord-africaine. Plusieurs fois emprisonné, il fonde en 1954 le Mouvement national algérien. Au cours de la guerre d'Algérie, les « messalistes » sont éliminés par le mouvement nationaliste concurrent : le FLN. Voir p. 280

Haigneré Claudie (née en 1957)

Médecin spécialiste en aéronautique, docteur en neurosciences, astronaute, Claudie Haigneré est en 1996 la première Française dans l'espace. Elle est entre 2002 et 2005 ministre de la Recherche puis des Affaires européennes. Voir p. 350

Himmler Heinrich (1900-1945)

Nazi dès 1923, il devient chef de la SS en 1929 et de la Gestapo en 1934. Dirigeant la répression dans toute l'Europe, il est le principal responsable de la « Solution finale ». Arrêté par les Britanniques en 1945, il se suicide. Voir p. 116

BIOGRAPHIES

Hitler Adolf, le Führer allemand (1889-1945)

Né en Autriche, engagé volontaire dans l'armée allemande pendant la Première Guerre mondiale qu'il termine avec le grade de caporal, il prend en 1921 la tête du parti national-socialiste des travailleurs allemands, le NSDAP, et fonde le nazisme. Il est brièvement emprisonné pour avoir tenté un coup d'État à Munich en 1923. Il en profite pour écrire *Mein Kampf* (*Mon combat*, 1925), où il développe ses théories racistes et antisémites. Chancelier le 30 janvier 1933, il instaure une dictature, et précipite l'Europe dans la guerre. Voir p. 191

Hô Chi Minh (1890-1969)

Dirigeant communiste, il proclame l'indépendance de son pays le 2 septembre 1945. Mais l'échec des négociations avec la France provoque la guerre d'Indochine en 1946. Il conduit alors la guerre d'indépendance jusqu'à la victoire de 1954 et devient le chef de la République populaire du Nord-Vietnam après la partition du pays. Au début des années 1960, il soutient la guérilla communiste menée au Sud-Vietnam. Il accepte en 1968 des négociations de paix. Elles n'aboutissent qu'en janvier 1973, quatre ans après sa mort. Voir p. 149

Hussein Saddam (1937-2006)

À la tête de l'Irak en 1968, avec le titre de président à partir de 1979, il instaure une dictature particulièrement répressive et déclenche une guerre contre l'Iran (1980-1988), puis contre le Koweït (1990-1991). Ce sunnite – une confession minoritaire en Irak – écrase dans le sang les révoltes kurdes et chiites qui suivent ses défaites et continue à diriger une Irak isolée et soumise à un embargo drastique de l'ONU. En 2003, il est capturé par les États-Unis après l'invasion de son pays. Jugé par un tribunal irakien pour l'un de ses nombreux massacres, il est pendu le 30 décembre 2006. Voir p. 156

Joffre Joseph (1852-1931)

Chef d'état-major général depuis 1911, il conserve son calme malgré l'échec de la bataille des frontières, et arrête l'invasion allemande sur la Marne. Coûteuses en vies, ses offensives sans succès en Champagne, en Artois et sur la Somme entraînent sa mise à l'écart fin 1916. Il est fait maréchal en compensation. Voir p. 102

Kennedy John Fitzgerald (1917-1963)

Issu d'une riche famille catholique d'origine irlandaise, démocrate, il est élu à la Chambre des représentants en 1946 puis au Sénat en 1952. En novembre 1960, il devient le plus jeune président des États-Unis. Il tient un discours ferme face à l'URSS lors de la crise de Cuba en octobre 1962 et à Berlin en juin 1963. Il facilite alors la détente. Le 22 novembre 1963, il est assassiné à Dallas au Texas. Voir p. 144

Khrouchtchev Nikita (1894-1971)

Secrétaire général du Parti communiste soviétique à la mort de Staline en 1953. En février 1956, au XXe congrès du PCUS, il dénonce une partie des crimes de Staline et souhaite réformer le système. Il engage aussi la « coexistence pacifique » avec les États-Unis, mais les oppositions sont fortes pendant les crises de Berlin en 1961 et de Cuba en 1962. En 1964, un complot interne au Parti le démet de toutes ses fonctions. Voir p. 152

Kondratiev Nicolaï (1892-1938)

Économiste soviétique qui a établi sur le long terme le caractère cyclique de l'économie capitaliste. À une phase d'expansion de 25 à 30 ans succède une phase de décroissance ou de stagnation pendant la même durée. Voir p. 20

Lagarde Christine (née en 1956)

Mère de deux enfants, championne de natation synchronisée, Christine Lagarde est avocate d'affaires internationales dans un cabinet américain dont elle prend la tête en 1999. En 2005, elle est nommée ministre déléguée au Commerce extérieur, puis ministre de l'Agriculture et de la Pêche et enfin ministre de l'Économie, avant de prendre en 2011 la tête du FMI. Première femme à ce poste, elle est la cinquième femme la plus puissante du monde selon le classement du magazine *Forbes*. Voir p. 350

Lénine Oulianov Vladimir Ilitch dit, (1870-1924)

Chef du parti bolchevik, il revient d'exil en avril 1917. En octobre, il dirige la révolution qui fait de la Russie le premier pays communiste au monde. Il fonde l'URSS en 1922, année où la maladie l'écarte du pouvoir. Voir p. 188

Lyautey Hubert (1854-1934)

Officier français, il devient en 1912 résident général de France au Maroc. Maréchal de France en 1921, il est rappelé du Maroc en 1925 en raison de son impuissance face à la rébellion d'Abd el-Krim (finalement réprimée). En 1931, il accepte d'être commissaire général de l'Exposition coloniale de Vincennes. Voir p. 254

Massu Jacques (1908-2002)

Militaire de carrière. Il rallie la France libre pendant la Seconde Guerre mondiale. Il est affecté à la tête de la 10e division de parachutistes en 1957 à Alger afin de démanteler les réseaux du FLN. À cette fin il couvre l'utilisation de moyens expéditifs dont la torture. Le 13 mai 1958 il prend la tête du Comité de salut public et soutient l'appel au général de Gaulle. Voir p. 276

Moulin Jean (1899-1943)

Jeune préfet, brillant, il s'oppose dès 1940 aux Allemands. Mis en disponibilité par Vichy, il rejoint Londres. De Gaulle le charge d'unir les forces de la résistance. Il crée ainsi le Conseil national de la résistance avant d'être arrêté par la Gestapo. Torturé, il ne parle pas et meurt lors de son transfert en Allemagne. Ses cendres sont depuis 1964 au Panthéon. Voir p. 181

Mussolini Benito, le Duce italien (1883-1945)

D'abord révolutionnaire et pacifiste, il est exclu du parti socialiste pour avoir voulu l'entrée de l'Italie dans le conflit mondial, survenue en 1915. Après la guerre, il s'appuie sur d'anciens combattants nationalistes pour créer en 1919 les faisceaux de combat, qui deviennent en 1920 le parti fasciste. Il est nommé chef du gouvernement en 1922, après la marche sur Rome. Il instaure la dictature en 1925. Voir p. 190

NDiaye Marie

Née en 1967 de mère française et de père immigré sénégalais qui se sont rencontrés à l'Université, Marie NDiaye est un écrivain français qui a notamment reçu en 2009 le prix Goncourt pour son roman *Trois femmes puissantes*, tiré à plus de 500 000 exemplaires. Voir p. 74

Obama Barack (né en 1961)

Ancien travailleur social, professeur de droit puis sénateur de l'Illinois, il est en novembre 2008 le premier président afro-américain. Opposé à la guerre en Irak en 2003, prix Nobel de la paix en 2009, il s'attache à sortir son pays des guerres d'Irak et d'Afghanistan, tout en luttant contre la crise financière mondiale. Il organise l'élimination d'Oussama Ben Laden en mai 2011. Réélu en 2012, il effectue en 2014 des frappes aériennes contre l'État islamique en Irak et en Syrie et dénonce l'action des prorusses en Ukraine. Voir p. 166

Pasternak Boris (1890-1960)

Ce poète et romancier russe tombe en disgrâce auprès des autorités soviétiques durant les années 1930. Il parvient néanmoins à échapper au Goulag. En 1957, il publie en Italie *Le Docteur Jivago* qui lui vaut le prix Nobel de littérature l'année suivante. Les autorités soviétiques accusent l'auteur d'être un agent de l'Occident et un anticommuniste. Il est obligé de décliner la récompense. *Le Docteur Jivago* ne paraîtra en URSS qu'en 1985. Voir p. 141

Paulus Friedrich (1890-1957)

Officier durant la Première Guerre mondiale, il reste dans l'armée durant l'entre-deux-guerres. Il commande la VIe armée qui attaque Stalingrad. Encerclé, il suit les ordres d'Hitler de ne pas évacuer la ville. Il est nommé Generalfeldmarschall, sans doute pour l'inciter à ne pas se rendre, mais il est le premier maréchal allemand à capituler depuis les guerres napoléoniennes. Un an après, prisonnier des Soviétiques, il incite les Allemands à cesser le combat. Il finit ses jours en République démocratique allemande (État créé dans la zone d'occupation soviétique en 1949). Voir p. 105

Pétain Philippe (1856-1951)

Officier très populaire depuis la bataille de Verdun, il est nommé président du Conseil le 16 juin 1940. Il demande le lendemain l'armistice à l'Allemagne. Le 11 juillet 1940, il met fin à la République et fonde l'État français, régime antirépublicain, corporatiste et antisémite. Il engage la France dans la collaboration. Condamné à mort pour trahison en 1945, il voit sa peine commuée en détention à vie par le général de Gaulle. Voir p. 304

Pitchoul Vassili (né en 1961)

Il incarne la nouvelle génération de cinéastes indépendants apparue en Russie après le relâchement de la censure au cinéma, en mai 1986. Autorisé après six mois d'interdiction, *La Petite Vera* est son premier film. Voir p. 232

Ponticelli Lazare (1897-2008)

Lazare Ponticelli naît en Italie du Nord en 1897. Une partie de sa famille, très pauvre, émigre vers la France. À l'âge de neuf ans, il décide seul de la rejoindre et arrive à Paris où, recueilli par une famille italienne, il commence divers métiers et obtient un permis de travail en 1911. À la déclaration de la guerre, Ponticelli décide de s'engager dans la Légion étrangère : il est présent sur le front de l'ouest jusqu'en 1915. Avec l'entrée en guerre de l'Italie, la France le démobilise et, malgré son refus, le renvoie vers le territoire italien où il va combattre les Autrichiens. Démobilisé en 1920, il retourne en France et fonde, en 1921, avec ses frères une entreprise. Il se marie en 1923 avec une Française. Naturalisé français en 1939, lui et sa famille doivent se réfugier pendant la guerre dans le sud de la France. Il participe à des actions de la Résistance dont la libération de la capitale. Il meurt en 2008, à l'âge de 110 ans. Voir p. 70

Renoir Jean (1898-1979)

Réalisateur, fils du peintre Auguste Renoir, Jean Renoir est proche des idées du Front populaire. Il réalise *La vie est à nous* pour le PCF en 1936, et *La Marseillaise* avec la CGT en 1937. Il lance un message de paix dans *La Grande Illusion* (1937). Voir p. 357

Riefensthal Leni (1902-2003)

Actrice et réalisatrice allemande, elle réalise un grand documentaire de propagande pro-nazi, *Le Triomphe de la volonté* (1934), qui glorifie le congrès de Nuremberg. Si elle n'a jamais adhéré au NSDAP, elle partage nombre de valeurs avec les nazis, et fait partie des intimes de Hitler.

L'État nazi met à sa disposition des moyens matériels et financiers colossaux pour la réalisation d'*Olympia*. Après la guerre et la fin du nazisme, critiquée, elle se reconvertit dans la photographie puis dans le film sous-marin. Voir p. 212

Rolland Romain (1866-1944)

Écrivain français, lié à Sigmund Freud et à Stefan Zweig, il est en Suisse quand la guerre éclate. Il critique les deux camps pour leur volonté d'une victoire totale qui empêche toute négociation. Ses textes, même s'ils ne sont pas antipatriotiques, attirent les pacifistes d'extrême gauche. Il obtient le prix Nobel de littérature en 1915. Voir p. 118

Sakharov Andreï (1921-1989)

C'est un brillant physicien qui conçoit la bombe à hydrogène soviétique en 1953. Il entre en dissidence en défendant les droits de l'homme et le désarmement international. Prix Nobel de la paix en 1975, il est mis en résidence surveillée de 1980 à 1986. Les réformes de Gorbatchev lui permettent d'être élu député. Voir p. 141

Salan Raoul (1899-1984)

Commandant en chef en Algérie en 1956. Partisan de l'Algérie française, il participe au Comité de salut public d'Alger en mai 1958. Déçu par la politique de négociations du général de Gaulle, il prend la tête du putsch des généraux en avril 1961 puis dirige l'OAS. Arrêté en avril 1962, il est condamné à la prison à perpétuité, puis amnistié en 1968. Voir p. 276

Sélassié Hailé (1892-1975)

Empereur d'Éthiopie, il affronte l'attaque italienne en 1935-1936 mais est vaincu. Il revient d'exil grâce à la victoire alliée en 1941. Il tente de moderniser son pays mais meurt lors d'un coup d'État communiste. Voir p. 120

BIOGRAPHIES

Seymour David, dit Chim (1911-1956)
Né à Varsovie, il s'installe à Berlin avant de fuir en France en 1933, à l'arrivée des nazis – à l'instar de son confrère le Hongrois Robert Capa. Photographes d'actualité, ils couvrent en 1936 le Front populaire puis de nombreux conflits : guerre d'Espagne, Seconde Guerre mondiale, guerres coloniales. Voir p. 339

Soljenitsyne Alexandre (1918-2008)
Il est condamné en 1945 à huit ans de camp pour avoir critiqué les capacités militaires de Staline. En 1961, le dirigeant soviétique Nikita Khrouchtchev l'autorise à publier *Une journée d'Ivan Denissovitch*, récit sur le Goulag dont l'impact est immense. Il obtient le prix Nobel de littérature en 1970 mais ne peut aller le recevoir à Stockholm sous peine de ne pas pouvoir revenir à Moscou. En décembre 1973 paraît à Paris la version française de *L'Archipel du Goulag*, un manuscrit qu'il n'a pu publier en URSS et dans lequel il décrit le système concentrationnaire soviétique. Il est expulsé d'URSS en 1974 et émigre aux États-Unis. Voir p. 141

Staline Joseph Djougachvili dit, le Vojd soviétique (1879-1953)
Né en Géorgie, il joue un rôle secondaire lors de la révolution bolchevique d'octobre 1917, mais s'impose en 1922 au poste de Premier Secrétaire du Comité central du Parti communiste. Après la mort de Lénine en 1924, il se débarrasse de ses rivaux. Dès 1928-1929, il obtient ainsi le pouvoir absolu, qu'il conserve jusqu'à sa mort en 1953. Voir p. 188

Trenet Charles (1913-2001)
Auteur-compositeur-interprète de chansons, Charles Trenet enchaîne dès les années 1930 de très grands succès : *Y a d'la joie*, *Je chante*, *Boum !*… D'un style à la fois gai et poétique, les chansons de celui qu'on surnomme « le fou chantant » sont devenues des classiques de la chanson française. Voir p. 354

Turing Alan (1912-1954)
Brillant mathématicien anglais, il appartient à l'équipe de chercheurs qui casse les codes de la machine Enigma puis travaille sur les premiers ordinateurs. Condamné en justice pour homosexualité, il se suicide. Il est gracié à titre posthume en 2013. Voir p. 107

Veil Simone (née en 1927)
Rescapée du camp de concentration d'Auschwitz, elle entame ensuite une carrière de magistrat. Nommée en 1974 ministre de la Santé, elle fait adopter l'année suivante la loi dépénalisant le recours à l'interruption volontaire de grossesse. Première présidente du Parlement européen de 1979 à 1982, membre du Conseil constitutionnel de 1998 à 2007, elle est élue à l'Académie française en 2008. Voir p. 352

Villermé Louis (1782-1863)
À la demande du gouvernement, ce chirurgien s'intéresse aux conditions de vie et de travail de la classe ouvrière, dans l'industrie textile. Son rapport est à l'origine de la première loi sur le travail des enfants. Voir p. 66

Wilson Woodrow (1856-1924)
Président démocrate, élu en 1912 et 1916, pacifiste, il maintient d'abord son pays en dehors du conflit. Les attaques sous-marines allemandes entraînent son intervention, mais il entend mener une « guerre du droit » et se méfie des appétits de ses alliés. Son action, lors du traité de Versailles, est désavouée par la majorité républicaine du Sénat américain. Voir p. 122

Zola Émile (1840-1902)
Journaliste et écrivain, condamné à un an de prison pour diffamation suite à son article « J'accuse… ! ». Il s'exile pendant un an en Angleterre. En 1908, la République l'inhume au Panthéon. Voir p. 299

LEXIQUE

Accords de Dayton : accords de paix entre les responsables serbes, bosniaques et croates mettant fin à la guerre civile et instaurant une force de protection internationale des populations de Bosnie-Herzégovine : l'OTAN avec la SFOR succède à la FORPRONU discréditée par son impuissance. Voir p. 159

Action Reinhardt : extermination des juifs polonais ordonnée par Himmler. 1,7 million de personnes, déportées des ghettos, sont tuées dans les centres de mise à mort entre décembre 1941 et octobre 1943. Voir p. 116

Agence Magnum : la première coopérative photographique, créée en 1947. Contrairement aux autres agences photographiques, elle permet aux photographes de garder le contrôle sur l'utilisation de leurs photographies. Voir p. 339

Al-Qaïda : nébuleuse de mouvements islamistes terroristes fédérés en 1988 par Oussama Ben Laden selon lequel les pays occidentaux, avec à leur tête les États-Unis, sont des ennemis du monde musulman. Al-Qaïda attaque aussi des régimes musulmans alliés de l'Occident. Voir p. 162

American way of life : désigne le « mode de vie américain », c'est-à-dire la conception américaine de la vie, de la liberté et de la quête du bonheur, ainsi que la société de consommation inventée et promue aux États-Unis. Voir p. 138

Anarchisme : idéologie rejetant les principes d'autorité et de hiérarchie dans la société. Si certains anarchistes ont pratiqué des attentats contre des représentants de l'État, d'autres ont recouru au mouvement syndical : c'est l'anarcho-syndicalisme. Voir p. 302 et 340

Anticléricalisme : opposition combative à l'influence du clergé. Voir p. 346

Antidreyfusards : partisans du maintien de l'accusation contre Dreyfus, souvent par antisémitisme, ils refusent que l'armée soit remise en cause. Voir p. 299

Antisémitisme : haine des juifs, vus comme une « race » nuisible et inassimilable aux autres peuples. Cette haine se distingue de l'antijudaïsme, religieux, qui veut la conversion des juifs au christianisme. Voir p. 201 et 299

Apparatchik : cadre supérieur de l'appareil du Parti ou de l'État. Voir p. 234

Arméniens : présent depuis l'Antiquité en Asie méridionale, ce peuple converti dès le IVe siècle au christianisme passe à partir du XVe siècle sous contrôle turc. Voir p. 100

Armistice : suspension des opérations militaires pour négocier la paix. Voir p. 87

Arrière : le terme peut désigner les lignes arrière à l'écart de la zone de combat mais aussi le monde des civils. Voir p. 92

Aryaniser : exproprier les juifs pour transmettre leurs biens à des non-juifs. Voir p. 304

Assimilation : politique qui consiste à rendre les indigènes semblables aux habitants de la métropole sur le plan culturel (langue, mode de vie), mais aussi égaux sur le plan politique. La finalité est que les indigènes deviennent des citoyens à part entière. Voir p. 75 et 258

Autarcie : rupture de tout échange économique avec l'extérieur, pour ne dépendre que de ses propres ressources. Voir p. 201

Axe : alliance de l'Italie fasciste et de l'Allemagne nazie, rejointes par le Japon. Ce terme désigne ensuite tous les pays les soutenant pendant la guerre. Voir p. 88

Ayatollah : haut dignitaire religieux chiite. Voir p. 168

Balkanisation : notion politique dérivée de la région des Balkans dans le Sud-Est de l'Europe. Elle désigne un processus de morcellement politique et géographique d'un État en une multitude d'entités autonomes ou indépendantes en général antagonistes. Voir p. 156

Banque mondiale et Fonds monétaire international (FMI) : institutions économiques du système onusien dont le siège est à Washington. Elles sont créées en 1944 pour assurer le développement et les grands équilibres financiers du monde. Voir p. 32

Banques de dépôt : type de banques qui apparaît au XIXe siècle. Elles reçoivent l'épargne des particuliers ou des petites entreprises et prêtent à long terme l'argent déposé à court terme. Voir p. 20

Blitzkrieg ou guerre-éclair : guerres courtes et foudroyantes, reposant sur l'emploi simultané de divisions blindées et de l'aviation d'attaque. Voir p. 88

Blocus : opération qui vise à bloquer par la force les voies de communication et le ravitaillement d'un territoire. Voir p. 142

Bolchevik : terme russe signifiant « majoritaire » (au congrès du parti social démocrate russe de 1903). Il désigne d'abord les socialistes les plus radicaux avant de devenir le synonyme de « communiste » après la prise de pouvoir par Lénine en 1917. Voir p. 188

Boulangisme : mouvement politique hétéroclite formé autour du général Boulanger de 1887 à 1889 et doté d'un programme flou (dissolution de l'Assemblée, révision de la constitution). Voir p. 320

Bureaucratie : fonctionnaires contrôlant la société civile et jouissant de privilèges. Voir p. 192

Burka : vêtement afghan dissimulant intégralement le visage, les yeux et le corps féminin. Voir p. 168

Cachemire : État à majorité musulmane dont le souverain hindou a opté pour l'Inde en 1947. La possession du Cachemire, encore divisé de nos jours, reste le principal désaccord empêchant la réconciliation de l'Inde et du Pakistan. Voir p. 270

Camp de concentration : camp ouvert après 1933 par les nazis pour interner opposants, juifs, suspects, droit commun, etc. Pendant la guerre, ces « camps de la mort lente » visent la déshumanisation radicale et l'anéantissement des détenus qui meurent en masse des maltraitances, de la faim et du travail forcé. Il faut les distinguer des camps d'extermination où la grande majorité des détenus sont tués dès leur arrivée. Voir p. 228

Capital : un des deux facteurs (avec le travail) qui permettent de produire des biens et des services. Voir p. 20

Capitalisme : système économique fondé sur la propriété privée des moyens de production, la libre concurrence et la recherche du profit. Voir p. 138

Casques bleus : force envoyée par le Conseil de sécurité pour maintenir ou rétablir la paix. Elle est composée de soldats fournis par les États membres, portant un casque bleu, les distinguant des belligérants. Voir p. 122

Centralisme bureaucratique : règle qui interdit de défendre une opinion rejetée par la direction du parti après un vote. Voir p. 202

Centre de mise à mort : expression forgée par l'historien Raoul Hilberg pour désigner les camps d'extermination nazis. Au contraire des camps de concentration, le but n'est pas d'interner les déportés, mais de tous les tuer immédiatement dans les chambres à gaz. Les centres de mise à mort sont spécifiques à la Shoah et au nazisme, et incarnent la dimension industrielle du génocide. Voir p. 115

Césarisme : pratique politique qui consiste à adopter une posture d'homme providentiel, de sauveur et à entretenir une relation directe avec le peuple, au-dessus des institutions représentatives. De Jules César, devenu dictateur à vie à Rome grâce à l'appui du peuple et de l'armée. Voir p. 318 et 321

CFDT : créée en 1964 la Confédération française du travail n'est pas communiste, mais réformiste. Elle se tourne vers les nouveaux publics du monde du travail (femmes, immigrés). Voir p. 64

CGT : Confédération générale du travail, organisation syndicale créée en 1895 et qui porte les revendications ouvrières durant

LEXIQUE

tout le XXe siècle. Elle est d'abord de tendance anarcho-syndicaliste puis à partir de 1920 communiste. Voir p. 64

CGT/CGTU : créée en 1895, la Confédération générale du travail est le plus ancien et reste le plus important des grands syndicats de salariés français. Entre 1921 et 1936, les communistes quittent la CGT pour former la CGT « unitaire » (CGTU). Voir p. 340

Charia : loi islamique. Les islamistes exigent son application intégrale, notamment celle de son volet pénal (lapidation des femmes adultères, amputation de la main droite pour les voleurs). Voir p. 168

Charte d'Amiens : texte adopté à l'issue du congrès d'Amiens de la CGT en 1906. Le syndicat refuse tout lien avec un parti politique et prône la grève générale comme moyen d'action privilégié et révolutionnaire. Voir p. 68

Charte de l'Atlantique : en août 1941, Churchill et Roosevelt se rencontrent sur un navire de guerre. Leur texte précise des principes pour l'avenir des relations internationales : droit des peuples à choisir leur gouvernement, coopération entre les nations. Voir p. 122

Checkpoint Charlie : poste frontière principal à Berlin qui permettait de franchir le mur entre les secteurs est et ouest de la ville. Voir p. 142

Chiisme : confession minoritaire de l'islam représentant environ 10 % des musulmans, mais 60 % des Irakiens et la quasi-totalité des Iraniens. Voir p. 160

CIA (Central Intelligence Agency) : services secrets américains à l'étranger créés en 1947 dans le contexte de la guerre froide. Voir p. 152

Classe sociale : ensemble de personnes partageant les mêmes caractéristiques de profession et/ou de revenus. Voir p. 201

CNR : Conseil national de la Résistance. Fondé en mai 1943, il regroupe les différents mouvements de Résistance intérieure sous la houlette du général de Gaulle. Voir p. 309, 312

Collaborateurs : individus et groupes dans les pays conquis par les États de l'Axe, travaillant pour les occupants par opportunisme, appât du gain ou choix idéologique. Voir p. 116

Collaboration : pendant la Seconde Guerre mondiale, attitude ou politique qui vise à aider l'occupant allemand, par intérêt ou par idéologie. Voir p. 304

Collaborationniste : favorable à la collaboration avec l'Allemagne nazie pour des raisons idéologiques. Voir p. 306

Colon : habitant d'une colonie qui est originaire de la métropole ou dont les ancêtres sont originaires de la métropole. Voir p. 258

Colonie : territoire privé de souveraineté, soumis à la domination d'un autre pays (la métropole) sur le plan de la politique intérieure et étrangère. Il est directement administré par la métropole et repose sur une organisation économique et sociale très inégalitaire. Voir p. 249

Colonisation : principe consistant à s'emparer du contrôle d'un pays étranger et le soumettre à une domination économique, politique et culturelle. Voir p. 252

Comité de salut public : forme de gouvernement provisoire établi en situation insurrectionnelle. Cette expression se réfère au premier Comité de salut public institué par la Convention le 6 avril 1793 au cours de la Révolution française. Voir p. 314

Commune de Paris : mouvement insurrectionnel parisien, de mars à mai 1871, né dans la foulée de la défaite face à l'Allemagne, et qui tenta de mettre en application de nombreuses idées d'extrême gauche populaires chez les ouvriers. Son écrasement et sa répression firent plusieurs milliers de morts. Voir p. 334

Communisme : doctrine politique opposée à la propriété privée des moyens de production (usines, entreprises…) et visant l'instauration d'une société sans classe par la révolution. Voir p. 141 et 188

Concessions : le gouvernement colonial concède à des sociétés privées l'exploitation de ressources coloniales. Ces sociétés peuvent abuser de la main-d'œuvre coloniale sans limites légales. Voir p. 258

Conférence de Potsdam : elle se déroule dans la banlieue de Berlin du 17 juillet au 2 août 1945 entre Harry Truman (président des États-Unis), Joseph Staline (chef de l'URSS) et Winston Churchill puis Clement Attlee (Premiers ministres britanniques). Son but est d'organiser l'Allemagne de l'après-guerre en la partageant (ainsi que Berlin), notamment en quatre zones d'occupation la France se joignant à ces trois puissances pour l'occuper. Voir p. 142

Congrégation : communauté de prêtres, moines ou moniales, ayant prononcé des vœux (chasteté, pauvreté, obéissance…) et suivant une règle de vie commune ; certaines exercent des missions sociales ou éducatives. Voir p. 346

Conscrits : jeunes gens reconnus aptes à faire leur service militaire. Les victoires de la Révolution reposent sur la levée en masse. En 1798, la loi Jourdan crée la conscription obligatoire pour tous les Français. Mais le tirage au sort fait qu'une partie des jeunes échappe au service militaire : les familles riches peuvent payer un remplaçant si leurs fils ont tiré un « mauvais numéro ». Après la défaite de 1870 et l'avènement de la République, le service national devient véritablement obligatoire même si sa durée varie : 2 ans en 1905, 3

ans en 1913. La défense du pays repose sur une armée de citoyens-soldats et l'armée est une institution importante de la République. Voir p. 125

Constitution : texte qui a force de loi et qui fixe l'organisation, la répartition et le fonctionnement des pouvoirs dans un État ainsi que les libertés, droits et devoirs garantis à chaque citoyen. La plus ancienne constitution républicaine encore en vigueur est celle des États-Unis (1787). La première constitution française (monarchiste) date de 1791. Voir p. 311

Contraception hormonale : « pilule » contraceptive mise au point aux États-Unis et autorisée en 1967 en France qui est un des pays où les femmes l'utilisent le plus. Voir p. 352

Contrat à durée déterminée (CDD) : contrat de travail entre un salarié et un employeur dans lequel l'emploi est temporaire avec une date de fin de contrat prévue à l'avance. Voir p. 68

Convention collective : texte négocié entre les syndicats et les employeurs et auquel doivent se référer tous les contrats de travail d'une branche professionnelle. Voir p. 340

Corporation : organisation créée dans l'Italie fasciste et regroupant par métiers patrons et ouvriers. Voir p. 210

Corporatisme : doctrine qui s'oppose aux droits légaux des individus et leur substitue des communautés et une hiérarchie considérées comme naturelles. Voir p. 304

Crime de guerre : violation grave des coutumes et lois de la guerre. Voir p. 100

Crime contre l'humanité : notion élaborée par le tribunal de Nuremberg lors du procès, et depuis intégrée au droit international. Imprescriptible, le crime contre l'humanité couvre le génocide, les persécutions, la réduction en esclavage de populations entières, ou encore l'enlèvement d'enfants d'un peuple pour les faire élever au sein d'un autre. Voir p. 122 et 226

Crise des inventaires : troubles survenus en 1906 dans diverses régions de France à l'occasion de l'inventaire des biens présents dans les lieux de culte. Voir p. 342

Crise économique : moment de renversement de la conjoncture économique de la prospérité à la récession. Voir p. 20

Croissance : accroissement des richesses produites dans un pays par les agents économiques (administrations, entreprises) nationaux ou étrangers. Voir p. 20

Croix-Rouge : le Suisse Henri Dunant (1828-1910) fonde cette organisation internationale à vocation humanitaire à Genève en 1863 pour secourir les blessés et victimes de guerre. Elle joue un rôle majeur durant la Grande Guerre dans l'aide aux prisonniers et participe à la mise en œuvre d'un droit humanitaire. Voir p. 97

Culte du chef : vénération d'un dirigeant politique charismatique (Vojd, Duce ou Führer), vu comme le sauveur infaillible qui guide son peuple vers un nouveau monde idéal. Ses partisans lui prêtent des qualités surhumaines. Voir p. 194

Culture républicaine : ensemble des références, des représentations et des pratiques liées au régime républicain. Voir p.302

Décolonisation : processus par lequel un pays anciennement colonisé s'émancipe de la tutelle et de l'occupation par un État étranger. Voir p. 280

Décroissance : théorie qui refuse la poursuite de la croissance économique et même démographique de l'humanité au nom de la préservation, voire de la primauté de la nature. Voir p. 38

Démocratie chrétienne : courant de centre droit qui cherche à promouvoir, dans une société démocratique et pluraliste, une politique conforme au message de l'évangile et à la doctrine sociale de l'Église. Voir p. 346

Démocratie libérale : forme de gouvernement qui repose sur un système d'élections libres, qui assure la séparation des pouvoirs, et dans lequel les représentants du peuple garantissent les libertés et les droits de l'individu. Voir p. 138

Démographie : étude de la composition et de l'évolution d'une population. Voir p. 52

Dénazification : action d'extirper le nazisme des lois et des mentalités, ainsi que d'écarter les anciens nazis des responsabilités et de les poursuivre en justice. Voir p. 222

Désindustrialisation : destruction des activités et des emplois industriels. Voir p. 62

Déstalinisation : mouvement amorcé par Khrouchtchev au XXᵉ congrès du PCUS (1956). Il vise à reconnaître une partie au moins des crimes de Staline, à réhabiliter ses victimes et à abolir tout hommage à sa personne. Voir p. 236

Détente : phase de la guerre froide qui s'étend de la crise de Cuba en 1962 à l'invasion de l'Afghanistan par l'URSS en 1979 : elle se caractérise par un apaisement dans les relations directes entre les États-Unis et l'URSS, mais sans que cessent les conflits périphériques dans lesquels les deux puissances interviennent. Voir p. 147

Développement : état de satisfaction des besoins sociaux (santé, éducation, alimentation) rendu possible par des équipements (écoles, hôpitaux) et des infrastructures (routes, réseaux de communication). Voir p. 21

Développement durable : notion née en 1987 et désignant un développement compatible avec les capacités écologiques de la planète et ainsi avec les besoins des générations futures. Voir p. 38

Diaspora : du mot grec signifiant « dispersion ». Ensemble des juifs du monde vivant hors de l'ancienne Terre promise et, après 1948, du nouvel État juif, Israël. Voir p. 230

Diktat de Versailles : surnom péjoratif donné par les Allemands au traité de Versailles signé le 28 juin 1919 entre l'Allemagne et ses vainqueurs. Il est considéré par les Allemands comme extrêmement dur envers leur pays, et lui ayant été imposé par la force. sans que l'armée allemande ait été réellement vaincue (ce qui est faux). Voir p. 187

Dîme : impôt, en général d'un dixième (d'où son nom), sur les récoltes ou autres revenus, versé à l'Église. Voir p. 336

Dissidents : citoyens qui critiquent le régime soviétique. Voir p. 236

Distribution : activités commerciales de vente aux particuliers. Voir p. 58

Djihad : de l'arabe « lutte » ou « effort ». L'islam distingue le djihad majeur (lutte spirituelle pour devenir meilleur) du djihad mineur (se battre pour sa religion armes à la main). Voir p. 168

Dominion : territoire issu de la colonisation britannique, qui garde des liens avec la Couronne britannique mais qui est complètement souverain en politique intérieure comme en politique étrangère. Voir p. 26 et 249

Dreyfusards : partisans de la réhabilitation de Dreyfus, ils mettent en avant les preuves de son innocence et de la machination judiciaire orchestrée par l'armée. Voir p. 299 et 320

Droit du sol : système juridique où la nationalité dépend du lieu de naissance et pas seulement de la nationalité des parents (droit du sang). Voir p. 75

Duce : terme venant du latin *dux*, et signifiant le Guide. Surnom donné à Mussolini par la propagande pour montrer sa capacité à diriger l'Italie. Voir p. 190

Économie émergente : pays caractérisé par un PIB par habitant encore inférieur à celui des pays développés ; un rattrapage rapide grâce à une croissance soutenue portée par le commerce international ; des transformations institutionnelles (législation, éducation…). Voir p. 38

Économie-monde : morceau de la planète économiquement autonome au sein duquel les échanges confèrent une certaine unité et polarisé par un centre d'impulsion. Voir p. 15

Économie-monde multipolaire : économie-monde qui n'est plus organisée par une seule puissance économique mais autour de différents pôles de puissance. Voir p. 34

Einsatzgruppen : « groupes spéciaux » de la SS. Ils suivent la Wehrmacht lors de l'invasion de l'URSS. Ils sont chargés d'éliminer tous les « ennemis du Reich », juifs, Tziganes, communistes. Voir p. 112

Émancipation : action de se libérer d'une tutelle ou de contraintes. L'émancipation des femmes revêt divers aspects : politique, juridique, économique, social, culturel. Voir p. 352

Empire : ensemble de territoires rassemblant des peuples différents, dominés et administrés par un même pays. Voir p. 249

Encyclopédique : qui concerne des connaissances très étendues et variées. Voir p. 296

Endiguement : politique mise en place par le président Truman en 1947 pour contenir l'expansion du communisme en aidant les alliés des États-Unis. Voir p. 149

Épuration ethnique : politique consistant à créer un territoire ethniquement homogène par les massacres ou les expulsions forcées. Elle relève en droit international du crime contre l'humanité. Voir p. 156

Équilibre de la terreur : stratégie d'armement commune aux États-Unis et à l'URSS. Elle débouche sur un système de dissuasion nucléaire pour éviter la destruction de chaque camp. Voir p. 152

Espace vital (Lebensraum) : théorie nazie selon laquelle la « race aryenne » supérieure a le droit de conquérir et d'exploiter un vaste territoire nécessaire à son épanouissement. Voir p. 210

État fédéral : État souverain composé de plusieurs entités autonomes dotées de leur propre exécutif local. L'Allemagne ou les États-Unis sont des États fédéraux. Voir p. 156

État français : nom que se donne le régime autoritaire de Vichy pour éviter le terme de « République ». Voir p. 304

« État islamique » : nom que se donne l'organisation armée de djihadistes sunnites qui a proclamé en juin 2014 l'instauration d'un califat sur les territoires irakiens et syriens qu'elle contrôle. Voir p. 165

État laïque : État qui garantit la liberté de croyance (foi) et de culte (pratique) sans être lié lui-même à aucune religion (neutralité religieuse de l'espace et des autorités publics). Voir p. 302

État multinational : État souverain composé de plusieurs communautés nationales. Voir p. 156

Étranger : Personne n'ayant pas la nationalité du pays où elle réside. Voir p. 53

Eugénisme : théorie visant à améliorer l'es-

LEXIQUE

pèce humaine par la sélection biologique. Voir p. 210

Exode rural : déplacement durable des populations de la campagne qui viennent s'installer en ville. Voir p. 55 et 62

Fascisme : mouvement et idéologie nationalistes affirmant la toute-puissance de l'État et de son chef, Benito Mussolini, le Duce. Voir p. 190

FFL/FFI : les Forces françaises libres sont organisées par de Gaulle, dès 1940, depuis Londres puis l'Afrique du Nord. Les Forces françaises de l'intérieur regroupent les mouvements armés de Résistance intérieure unifiés à partir de 1943 sous l'égide de De Gaulle. Voir p. 309

FLN : Front de libération nationale, mouvement indépendantiste algérien qui a préparé l'insurrection du 1er novembre 1954. Le FLN se dote d'une branche armée, l'ALN (armée de libération nationale). Voir p. 268 et 314

Fondamentalisme : interprétation radicale d'une religion prétendant à un retour aux sources d'une pratique originelle souvent mythifiée. Voir p. 346

Fordisme : méthode de production appliquée au départ par Ford dans l'automobile combinant la décomposition du travail industriel en tâches élémentaires (taylorisme) et la distribution d'augmentations de salaires proportionnelles aux gains de productivité. Voir p. 28

FORPRONU : force de protection des Nations unies en ex-Yougoslavie. Il s'agit de casques bleus envoyés dans un premier temps en Croatie, puis en Bosnie pour la protection des populations civiles. Voir p. 156

Front : limite contestée entre deux forces militaires ennemies. Voir p. 87

FTP-MOI : les Francs-tireurs et partisans de la main-d'œuvre immigrée sont des résistants communistes, pour la plupart étrangers, souvent d'origine juive. Ils organisent des attentats contre l'occupant et contre le régime de Vichy. Voir p. 75 et 309

Führer : terme allemand signifiant le Guide. Surnom porté par Hitler pour se présenter en sauveur providentiel de l'Allemagne. Voir p. 191

GATT : accord général sur les tarifs douaniers et le commerce. De 1947 à 1994, cette organisation négocie entre ses membres une baisse graduelle des droits de douanes de 40 % environ à 4 % au moment où l'OMC la remplace. Voir p. 32

Gaullisme : ensemble des vues et décisions politiques du général de Gaulle, en particulier la volonté d'exalter la grandeur nationale et d'établir un État fort et efficace. Voir p. 316

Gaz au chlore : il est diffusé depuis des cylindres placés dans les tranchées : un nuage se diffuse vers les lignes adverses. Il endommage les voies respiratoires des combattants. Voir p. 98

Génocide : extermination physique, systématique et programmée d'une population en raison de ses caractéristiques ethniques, religieuses et sociales. La définition a été donnée par le juriste Raphaël Lemkin en 1944. Voir p.. 88 et 100

Gérontocratie : gouvernement aux mains de personnes âgées. Voir p. 234

Ghettos : les nazis créent des ghettos en Europe de l'Est et aux Pays-Bas pour enfermer les juifs. La misère et la faim y provoquent une forte mortalité. Voir p. 112

Glasnost : mot russe signifiant « transparence ». Il s'agit d'admettre les carences du système soviétique, de libérer la critique et de tenir un discours de vérité sur les réalités passées et présentes du pays. Voir p. 234

Glorious Revolution : c'est la seconde révolution anglaise. Elle se traduit en 1688 par l'avènement d'une nouvelle dynastie, la fin de l'absolutisme et un rôle accru du Parlement : le roi est soumis à la loi. Voir p. 26

Goulag : organisme chargé de la gestion des camps, situés principalement en Sibérie et dans lesquels sont envoyés les opposants au régime, réels ou imaginaires. Les prisonniers sont soumis à des conditions de vie, de travail et d'hygiène très dures. Voir p. 141, 202 et 206

GPRF : Gouvernement provisoire de la République française. Proclamé le 3 juin 1944, il rassemble les dirigeants des partis politiques qui ont participé à la Résistance et est dirigé par de Gaulle. Voir p. 312, 320

Grand magasin : commerce de centre-ville avec une grande surface de vente pour l'équipement de la personne et de la maison. Voir p. 58

Grande Dépression : nom donné à la longue période de faible croissance ponctuée de reculs de l'activité (récessions) que traverse le monde industriel entre 1873 et 1896. L'expression est parfois aussi utilisée pour désigner la crise de 1929, plus brève (une dizaine d'années) mais plus intense, notamment aux États-Unis et en Allemagne. Voir p. 21

Grandes Découvertes : aux XVe et XVIe siècles, période qui voit les Européens explorer et coloniser des territoires jusque-là peu ou pas connus (découverte notamment de l'Amérique en 1492, et de la route des Indes en 1498). Voir p. 250

« Grands » : désigne les deux superpuissances mondiales pendant la guerre froide, les États-Unis et l'URSS. Voir p. 152

Groupe colonial : groupe de députés qui, sous la IIIe République, soutiennent la colonisation. Voir p. 258

Guerre asymétrique : elle oppose l'armée d'un État à des groupes de combattants qui utilisent des tactiques de guérilla et de terrorisme. Voir p. 168

Guerre d'anéantissement : guerre visant à la destruction physique et culturelle de l'adversaire. Son peuple doit subir massacres et destructions à vaste échelle, et les survivants doivent être réduits à la misère et à l'esclavage. Voir p. 110

Guerre de mouvement : guerre où la priorité est donnée à l'offensive, voire à la recherche de la bataille décisive. Les lignes de combat sont mobiles et les avancées ou reculs se font sur des distances importantes. Voir p. 102

Guerre de position : guerre défensive où chaque armée campe sur des positions qui changent peu. Des offensives localisées tentent de relancer la guerre de mouvement. Voir p. 102

Guerre des Boers : guerre menée en Afrique australe par les Britanniques contre les Boers, descendants des colons néerlandais, pour s'emparer de leurs États et unifier toute l'Afrique du Sud à leur profit. Voir p. 250

Guerre froide : conflit fondé sur une opposition idéologique entre les États-Unis et l'URSS, qui représentent des modèles politiques, économiques et sociaux opposés. Il ne dégénère jamais en affrontement armé direct entre les deux pays mais se manifeste par la création de deux blocs antagonistes et l'éclatement de conflits périphériques. Voir p. 137

Guerre totale : conflit qui abolit la distinction entre combattants et civils en raison de la nécessité de faire participer toute la société à l'effort de guerre. Voir p. 84

G20 : en 1999, l'UE et l'ancien G7 des pays industrialisés rejoignent 12 pays émergents pour organiser des réunions périodiques de leurs dirigeants. Ils totalisent les deux tiers de la population et 90 % du PIB mondial. Voir p. 38

Hard power (« puissance dure ») : pouvoir de contraindre le plus souvent militaire. Voir p. 32

Harkis : musulmans qui ont choisi de combattre aux côtés de l'armée française en Algérie. La minorité évacuée en France en 1962 est souvent mal accueillie. Ceux restés en Algérie seront massacrés après les accords d'Évian. Voir p. 280

Hypermarché : commerce de vente au détail en libre-service, surtout de produits alimentaires, d'une surface supérieure. Voir p. 58

Hyperpuissance : notion qui désigne une nation sans réel concurrent et dont l'influence mondiale est incontestable dans les domaines diplomatique, économique, militaire et culturel. Voir p. 160

Idéologie : vision du monde organisée autour d'idées comme la lutte des classes (communisme) ou des « races » (nazisme). Voir p. 201

Immigration : population résidant en dehors de son pays d'origine. Voir p. 52

Immigration de peuplement : immigration définitive par opposition à l'immigration du travail, temporaire voire saisonnière. Voir p. 75

Immigré : personne ayant quitté son pays pour s'installer dans un autre. Voir p. 51

Impérialisme : doctrine et pratique par lesquelles un pays établit sa domination directe ou indirecte sur d'autres territoires. Le colonialisme est la forme la plus directe de l'impérialisme. Voir p. 250

Indigénat : système juridique adopté en 1881 selon lequel les habitants indigènes des colonies conservent leurs droits coutumiers, ne sont pas citoyens français et sont exclus du suffrage universel. Voir p. 253

Informatique : traitement automatique de l'information dont les usages se développent à partir des années 1960. Ses applications sont à la fois les logiciels et les ordinateurs. La mise en réseau de ceux-ci débouche au début des années 1990 sur l'actuel internet grand public. Voir p. 28

Innovation : application d'une invention à un processus de production. Voir p. 24

Intellectuels : terme utilisé par Georges Clemenceau, directeur du journal *L'Aurore*, pour qualifier les savants, artistes et universitaires (Charles Péguy, Marcel Proust..) qui, en janvier 1898, signent la pétition en faveur de la révision du procès Dreyfus. Voir p. 299

Internationalisation (d'une économie) : accroissement des échanges commerciaux avec l'étranger mais aussi des investissements directs extérieurs (IDE). Voir p. 32

Islamisme : mouvement dont se revendiquent des groupes qui ont une vision intolérante de l'islam. Ils en font non plus une religion mais une idéologie politique par l'application stricte de la charia. Ils cherchent à créer des États islamiques, voire un califat universel. Voir p. 168

Isolationnisme : courant de la politique étrangère des États-Unis considérant qu'il ne faut pas se mêler des affaires du monde pour ne pas être entraîné dans des guerres. Voir p. 88

Jeunes-Turcs : courant nationaliste révolutionnaire voulant moderniser l'Empire ottoman mais aussi promouvoir un État turc homogène. Il s'impose aux derniers sultans après la révolution de 1908. Voir p. 100

KGB : « Comité pour la sécurité de l'État », regroupant à la fois la police politique de l'URSS et ses services secrets à l'étranger. Il est le dernier successeur, entre 1954 et 1991, de la Tcheka (1917), remplacée par le Guépéou (1922) et le NKVD (1934). Voir p. 222

Kolkhoze : coopérative agricole rendue obligatoire pour tout paysan dès 1929, dans le cadre de la collectivisation forcée des terres. Un kolkhoze est généralement formé par la réunion de parcelles individuelles et est exploité par les anciens petits propriétaires. La récolte est partagée entre les membres du kolkhoze. Voir p. 199

Kominform : bureau de liaison des partis communistes d'Europe créé par les Soviétiques en 1947 et supprimé en 1956. Il permet en réalité au parti communiste de l'URSS de contrôler les autres partis communistes européens. Voir p. 141

Konzern : groupe d'entreprises contrôlé par une seule famille, typique du capitalisme allemand. Voir p. 24

Koulak : paysan considéré comme riche, que Staline entend « éliminer en tant que classe ». Dans les faits, un koulak n'a souvent que quelques vaches et un peu plus de terres que les autres. Le régime finit par qualifier de « koulak » n'importe quel opposant à la collectivisation des terres. Voir p. 199

Krach : effondrement brutal de la valeur des actions ou d'autres titres financiers. Le mot d'origine allemande est employé à partir de 1873. Voir p. 16

Kurdes : les Kurdes sont un peuple sans État. Ils vivent répartis entre la Turquie, l'Iran, l'Irak et la Syrie. Ils sont environ 25 millions. Voir p. 160

Laïcité : neutralité et indépendance de l'État face aux religions ; elle est devenue en France une valeur républicaine, garante d'égalité et du vivre-ensemble. Voir p. 332 et 346

Légitimiste : monarchiste favorable au retour de la dynastie des Bourbons au pouvoir et hostile à l'héritage révolutionnaire. Voir p. 302

Libéralisme : doctrine politique qui affirme la liberté mais aussi la propriété comme des droits essentiels des individus. Voir p. 26

Libre-échange : absence de droits de douane aux frontières permettant l'accroissement des échanges internationaux. Voir p. 20 et 26

Libre-pensée : attitude rejetant tout dogme et valorisant l'exercice de la raison ; le libre-penseur peut affirmer qu'il n'y a pas de Dieu (athée) ou refuser de se prononcer (agnostique). Voir p. 346

Ligne de fuite : pour donner l'illusion de la profondeur, le peintre crée une ligne horizontale vers laquelle il fait converger des lignes de fuite. Voir p. 57

Ligues : mouvements politiques d'extrême droite, organisés sur le modèle militaire, et hostiles à la démocratie parlementaire. Voir p. 340

Lutte des classes : conception marxiste de la société en classes antagonistes et irréconciliables. Selon les marxistes, la lutte des classes aboutira au renversement de la bourgeoisie par le prolétariat et à une société sans classes. Voir p. 210

Machine de Watt : machine à vapeur perfectionnée construite par James Watt en 1769. Elle sera la base du machinisme jusqu'à l'invention des moteurs thermiques et électriques un siècle plus tard. Voir p. 26

Management : ensemble des méthodes de gestion du personnel au sein de l'entreprise visant à accroître la motivation et l'efficacité, en particulier des cadres. Voir p. 28

Mandat : système de tutelle établi par la Société des Nations après la Première Guerre mondiale. Il transfère la gestion des anciennes colonies allemandes et turques à des États vainqueurs de la guerre. Le mandat conféré stipule que la colonie doit être menée à l'indépendance à moyen terme. Voir p. 253

Maquis : lieu difficile d'accès comme le massif du Vercors dans les Alpes où s'organisent clandestinement des mouvements de résistance armée. Voir p. 312

Marxisme : idéologie créée par le philosophe Karl Marx et qui prône la lutte des classes, la prise de pouvoir par les ouvriers et l'abolition de la propriété privée dans un régime communiste. Voir p. 340

Marxisme-léninisme : terme forgé par Staline après la mort de Lénine. La révolution prédite par Marx doit être menée, selon Lénine, par un parti très discipliné qui sert d'avant-garde au prolétariat. Voir p. 202

Masses : nombre considérable de personnes, partageant les mêmes opinions ou comportements. Voir p. 202

Massification scolaire : accès d'une classe d'âge à un plus grand nombre d'années d'études, qui se traduit par une hausse de l'effectif des diplômés. Voir p. 68

Milice : police politique créée par Joseph Darnand en janvier 1943. Elle traque les résistants et les juifs et emploie des méthodes imitées de celles de la Gestapo. Voir p. 306

LEXIQUE

Miracle économique allemand : période de forte croissance connue par l'Allemagne de l'Ouest de 1950 à 1973. Elle permet au pays de se reconstruire et d'accéder à la société de consommation, et elle contribue à enraciner la démocratie. Voir p. 230

Missionnaire : personne qui appartient à une Église chrétienne et qui est envoyée pour évangéliser et convertir des populations qui n'appartiennent pas à cette Église. Voir p. 252

Mixité sociale : situation où un groupe est socialement diversifié avec des représentants de toutes les classes sociales, populaires, moyennes et supérieures. Voir p. 75

MLF : formé dans le sillage de mai 1968, le Mouvement de libération des femmes milite pour l'égalité et la liberté économique, sexuelle et culturelle des femmes. Voir p. 352

MNA : Mouvement national algérien créé en décembre 1954 par Messali Hadj, leader indépendantiste depuis 1926. Une lutte d'influence tournant à l'affrontement armé oppose les membres du FLN et du MNA. Voir p. 268

Monde rural : territoire constitué d'un paysage de campagnes qui a vu évoluer sa densité de population et les activités selon les époques. Voir p. 55

Mondialisation multipolaire : phase actuelle de la mondialisation où aucun pôle dominant n'organise les échanges exclusivement à son profit. Voir p. 38

Motion de censure : vote de l'Assemblée nationale pour montrer sa désapprobation envers la politique du gouvernement et l'obliger à démissionner. Voir p. 318

Moudjahidin : combattants afghans anti-soviétiques des années 1980. Ils sont rejoints par des islamistes du monde entier, qui font là l'apprentissage de la lutte armée. Voir p. 168

MRP : Mouvement républicain populaire. C'est un parti d'idéologie chrétienne démocrate. Voir p. 312

Multinationale : entreprise dont les activités sont réparties entre plusieurs États. Voir p. 24

Musulmans : terme administratif désignant la population qui vivait en Algérie avant la conquête française (1830). Cette appellation dépasse le cadre religieux et englobe des ethnies diverses (Arabes, Kabyles, Touaregs…). Voir p. 272

Mutinerie : révolte collective de soldats contre leurs officiers ou contre les dirigeants. Voir p. 102

Nationalisme : principe politique, à l'origine opposé à la royauté et revendiquant les droits souverains du peuple. À la fin du XIXe siècle, un nationalisme xénophobe exalte la communauté nationale par opposition aux autres populations. Voir p. 118, 156 et 299

Nationaliste : personne qui milite pour la reconnaissance de la souveraineté d'une nation. Voir p. 249

Nazisme (abréviation de national-socialisme) : doctrine raciste, antisémite et antidémocratique élaborée par Hitler. Voir p. 191

NKVD : Commissariat du Peuple aux Affaires intérieures, qui sert de police politique en URSS. Précédé par la Tcheka (1917) et par le Guépéou (1922). Voir p. 206

Nomenklatura : surnom donné à la bureaucratie privilégiée en URSS. Voir p. 210

Non-ingérence : principe du droit international qui défend l'intégrité territoriale et la souveraineté d'un État. La légitimité d'une intervention humanitaire le remet cependant en cause s'il y a lieu. Voir p. 159

Nord/Sud : expression qui s'est substituée à celle de tiers-monde, dans laquelle le Nord désigne les pays développés et le Sud les pays en développement. Au sein du Sud, les écarts de richesse et de développement entre États justifient l'appellation actuelle de « Suds ». Voir p. 38

Nouvelles conflictualités : expression qui définit la diversité des conflits armés qui caractérisent le monde de l'après-guerre froide, notamment des guerres civiles plutôt qu'interétatiques, ou encore des conflits asymétriques entre États et organisations terroristes. Voir p. 137

NSDAP : parti national-socialiste des travailleurs allemands ou parti nazi, dont le programme est défini par Hitler en 1920. Seul parti autorisé en Allemagne à partir de 1933. Voir p. 191

ONU : Organisation des Nations unies, créée en 1945 à la Conférence de San Francisco, succédant à la SDN, dont elle étend les missions. Voir p. 120

OTAN (ou NATO en anglais) : Organisation du traité de l'Atlantique Nord. Créée en 1949, cette alliance militaire défensive regroupe les États-Unis, le Canada, la Turquie et plusieurs pays d'Europe occidentale et méditerranéenne. Son but est d'assurer leur défense commune contre la menace soviétique. Elle survit à la fin de la guerre froide et compte 28 membres en 2014 dont d'anciens pays communistes comme la Pologne. Voir p. 144

Ouvrier spécialisé (OS) : ouvrier spécialisé dans une seule tâche alimentaire déterminée par l'organisation scientifique du travail (visser un boulon…). Voir p. 62

PAC : politique agricole commune lancée en 1962 dans le cadre de la CEE (Communauté économique européenne) pour moderniser l'agriculture européenne et atteindre l'autosuffisance alimentaire et qui se traduit par des aides financières. Voir p. 55

Pacifistes : militants qui pour des raisons morales ou religieuses refusent la guerre quel qu'en soit l'enjeu. Voir p. 118

Pacte de Varsovie : organisation militaire créée en 1955 entre l'URSS et ses satellites d'Europe de l'Est pour assurer leur sécurité face notamment à la menace américaine. Elle est dissoute en 1990. Voir p. 144

Pangermanisme : mouvement politique né au XIXe siècle visant à regrouper toutes les personnes de sang allemand dans un même pays. Voir p. 210

Patriotisme : amour de la patrie et volonté de la défendre contre les agressions. Voir p. 87 et 202

PCF : Parti communiste français, créé par scission de la SFIO au congrès de Tours (1920). Voir p. 311 et 340

Perestroïka : mot russe signifiant « restructuration ». Ensemble des réformes économiques et sociales initiées par Gorbatchev, et qui prévoient notamment l'autonomie des entreprises, l'acceptation d'initiatives privées et l'ouverture sur l'Occident. Voir p. 234

Philanthropie : action d'aider les autres. Voir p. 64

Pieds-noirs : surnom donné aux Européens d'Algérie. Terme d'origine incertaine, qui désignait soit les pieds des premiers militaires en Algérie dont les chaussures en cuir noir décoloraient, soit les colons viticulteurs qui foulaient au pied le raisin. Les pieds-noirs sont d'origines et de statuts sociaux très variés, mais ils ont en commun le désir que l'Algérie reste française. Voir p. 272 et 314

Plafond de verre : expression apparue aux États-Unis à la fin des années 1970. Elle désigne le fait que, dans une structure hiérarchique (entreprise, administration), les niveaux supérieurs ne sont pas accessibles à certaines catégories de personnes (femmes, minorités visibles, etc.). Voir p. 350

Plan Marshall : de son vrai nom European Recovery Program. Aide financière américaine fournie à partir de 1947 aux 16 pays d'Europe de l'Ouest qui l'acceptent pour les aider à se reconstruire après la Seconde Guerre mondiale. Voir p. 32, 138 et 312

Plan quinquennal : document officiel qui fixe, à partir de 1928, les objectifs impératifs de la production sur une période de cinq ans. Voir p. 141

Planification : plan organisant la production industrielle du pays. Voir p. 201

Planification économique : coordination des projets économiques d'un pays par l'État : investissements, secteurs prioritaires, etc. Planification souple et non autoritaire dans le cas de l'économie française d'après-guerre. Voir p. 312

Planning familial : association créée en 1960 en faveur du contrôle des naissances. Militant pour le droit à la contraception et à l'avortement, elle en a facilité l'accès, d'abord clandestinement, puis légalement. Voir p. 352

Pogrom (« dévastation », en russe) : violente émeute antijuive, spontanée ou organisée par les autorités. En Russie tsariste, les pogroms sont très fréquents des années 1880 à 1917, avec la complicité du pouvoir. En 1919-1920, les pogroms des armées tsaristes blanches tuent des dizaines de milliers de juifs russes. Le pogrom allemand de la Nuit de Cristal marque le début de l'élimination physique des juifs par les nazis. Voir p. 205

Poilus : terme désignant dès l'hiver 1914 les combattants au front, qui sont dans l'impossibilité de se raser. Voir p. 92

Politique agricole commune : politique de soutien à l'agriculture de l'Union européenne, lancée en 1962, qui a permis des prix garantis aux agriculteurs et des aides à la modernisation. Voir p. 62

Population active : population constituée des personnes en âge de travailler exerçant ou recherchant un emploi ; elle comprend donc les chômeurs. Voir p. 51 et 62

Porteurs de valises : militants anticolonialistes français qui aident le FLN en collectant et transportant dans des valises des faux papiers et de l'argent. Voir p. 280

Postindustriel : économie où dominent les emplois de services. Voir p. 62

Précariat : expression désignant les travailleurs tertiaires parfois étrangers et souvent sans qualification et exposés à des emplois précaires et mal payés. Voir p. 62

« Printemps arabe » : ensemble de contestations populaires qui ont eu lieu au printemps 2011 dans plusieurs pays arabes, notamment en Tunisie, en Libye et en Égypte, où des révolutions renversent les dictateurs en place. Voir p. 169

Prix Nobel : récompenses créées par l'industriel et chimiste suédois Alfred Nobel (1833-1896). Attribués chaque année depuis 1901, ils récompensent des auteurs d'œuvres littéraires, philanthropiques et scientifiques. Voir p. 97

Procès de Bobigny : procès pénal qui se tint au tribunal de Bobigny en 1972, contre une adolescente qui avait avorté après un viol. Leur avocate, Gisèle Halimi, en fit avec leur accord une tribune politique pour le droit à l'avortement. Voir p. 352

Produit Intérieur Brut : somme des richesses produites en une année dans les frontières d'une économie donnée par les agents nationaux ou étrangers. Voir p. 21

Prolétariat : dans la Rome antique, citoyens pauvres qui n'ont que leurs enfants (proles) pour toute richesse. Pour les communistes, ouvriers et paysans pauvres exploités par la bourgeoisie capitaliste. Voir p. 201

Propagande : action de diffuser par tous les moyens une doctrine afin d'influencer l'opinion publique. Voir p. 194

Protectorat : situation d'un État qui dispose d'une relative autonomie pour les affaires intérieures mais dépend d'un autre État pour les relations extérieures. Le protectorat garde un chef d'État et un gouvernement propres, mais le pouvoir réel est aux mains du représentant de l'autorité coloniale. Voir p. 253

Raison d'État : principe qui prétend s'affranchir de la morale traditionnelle au nom des intérêts supérieurs de l'État. Voir p. 302

RDA : République démocratique allemande (État communiste) créée le 7 octobre 1949 sur l'ancienne zone d'occupation soviétique. Sa capitale est Berlin-Est. Voir p. 144

Référendum : vote proposé aux citoyens sous la forme d'une question à laquelle ils répondent par oui ou par non. Voir p. 311

Réforme agraire : réforme qui donne des terres aux paysans pour qu'ils les cultivent, en les confisquant à leurs propriétaires et sans indemnisation dans le cas des pays communistes. Voir p. 152

Régime parlementaire : régime politique caractérisé par un équilibre des pouvoirs entre le gouvernement et le Parlement, le gouvernement étant responsable de ses décisions devant le Parlement, qui peut le renverser par un vote dit de défiance. Voir p. 302

Régime politique : mode d'organisation de l'État. Un régime peut être monarchique, impérial ou républicain. Il peut être démocratique ou non. Voir p. 294

Régime semi-présidentiel : régime parlementaire dans lequel le président de la République est doté de pouvoirs importants et détermine la politique du pays. Voir p. 321

Régime totalitaire : régime fondé sur le contrôle total et la transformation radicale de l'individu et de la société par un État tout-puissant, un chef charismatique, un parti unique et une idéologie qui s'impose à tous. Voir p. 184

Regroupement familial : politique consistant à permettre l'arrivée en France des familles des travailleurs immigrés. Voir p. 75

République : du latin res publica, affaire publique, qui signifie que le gouvernement est chargé de l'intérêt général. Régime politique dans lequel le pouvoir n'est pas héréditaire et doit représenter l'intérêt de la nation. Une république n'est pas nécessairement une démocratie. Voir p. 292

République démocratique d'Allemagne (RDA) : État communiste satellite de l'URSS créé en octobre 1949 par les Soviétiques dans leur zone d'occupation en Allemagne de l'Est. Il disparaît le 3 octobre 1990. Voir p. 230

République fédérale allemande (RFA) : État démocratique et capitaliste créé en Allemagne de l'Ouest par les Occidentaux en avril 1949. Il absorbe l'État de RDA en 1990 lors de la réunification allemande. Voir p. 230

Résistance : ensemble des mouvements et des actions contre les occupants et contre le régime de Vichy. Voir p. 309

Revanchard : personne qui souhaite la revanche de la France contre l'Allemagne après la défaite de 1870. Voir p. 302

Révolution nationale : idéologie réactionnaire (cléricaliste, corporatiste, xénophobe et sexiste) mise en œuvre par le gouvernement de Vichy. Voir p. 306

RFA : République fédérale d'Allemagne (démocratie libérale) créée le 23 mai 1949 sur les anciennes zones d'occupation occidentale. Sa capitale est Bonn. Voir p. 144

Salariat : forme de contrat de travail où le travailleur est rémunéré par un salaire en général versé mensuellement sur la base d'un taux horaire fixe. Voir p. 68

Salon officiel : exposition annuelle d'œuvres choisies par un jury issu de l'académie des Beaux-Arts, réticente aux innovations artistiques au XIXe siècle. Voir p. 57

Scrutin majoritaire : mode d'élection (scrutin) concentrant les sièges à pourvoir au profit des seules formations politiques ayant recueilli le plus de voix. Il limite la représentation de la diversité des opinions, mais permet d'obtenir une majorité stable. Voir p. 318

Scrutin proportionnel : mode d'élection (scrutin) attribuant les sièges à pourvoir selon le nombre de voix recueillies par chacune des différentes formations politiques. Il favorise le multipartisme, plus représentatif, mais rend difficile l'émergence d'une majorité stable pour gouverner. Voir p. 302

SDN : Société des Nations, première organisation internationale créée lors de la conférence de paix en 1919 afin de favoriser le désarmement et une pacification des relations internationales. Voir p. 120

Secte : organisation dont les idées ou les pratiques sont dangereuses pour la société ou les adeptes (isolement, manipulation). Voir p. 346

Sécularisation : suppression du caractère religieux d'une institution, d'un lieu, d'une personne ; baisse de l'influence de la religion dans la société. Voir p. 346

Lexique

Sécurité collective : la sécurité des États serait moins assurée par l'existence de forces armées que par la coopération internationale et les réponses collectives aux agressions. Elle inspire en partie les politiques étrangères durant les années 1920. Voir p. 120

Sécurité sociale : institution financée par les cotisations des salariés et des employeurs permettant de protéger tous les citoyens face aux risques sociaux (maladie, accidents, allocations familiales, vieillesse). Voir p. 311

SFIO : Section française de l'Internationale ouvrière, parti créé en 1905, il rassemble les divers mouvements socialistes français. Voir p. 312 et 340

Shoah : « catastrophe » en hébreu. Terme qualifiant le génocide des juifs par les nazis, d'après le titre du documentaire de Claude Lanzmann, *Shoah* (1985). Voir p. 112

« Shoah par balles » : expression des historiens du XXᵉ siècle pour désigner les fusillades massives de juifs par les nazis en URSS occupée. Voir p. 112

Socialisme : idéologie qui critique le capitalisme et qui cherche à modifier, par la révolution puis par la loi (réformisme), le fonctionnement de l'économie et la répartition des richesses. Voir p. 340

Société anonyme par actions : entreprise dont le capital est divisé en actions échangeables à la Bourse. Chaque détenteur d'une action reçoit une fraction des bénéfices (dividendes) de la société. Voir p. 24

Société civile : la société en ce qu'elle est organisée de manière autonome par rapport au pouvoir politique, et capable de s'exprimer ou de se mobiliser d'elle-même, notamment au travers de partis, de syndicats, d'associations, d'Églises, etc. Voir p. 234

Société de consommation : société dans laquelle la croissance économique et la hausse du niveau de vie favorisent l'accès à un grand nombre de biens. Voir p. 58

Société nationalisée : entreprise dont l'État est propriétaire. Voir p. 64

Soft power (« puissance douce ») : capacité d'influence et d'attraction d'un modèle culturel. Voir p. 33

« Solution finale » : formule codée utilisée par les nazis pour désigner la destruction des juifs d'Europe à partir de la conférence de Wannsee. Voir p. 115

Sonacotra : société d'économie mixte créée en 1956 pour faire face au problème de logement des travailleurs immigrés par la construction de foyers. Voir p. 72

Sonderkommando : « commandos spéciaux » formés de déportés juifs, chargés des crématoires. La plupart sont ensuite assassinés à leur tour. Voir p. 115

Soviet : mot russe signifiant « conseil ». En URSS, désigne un organe à la fois législatif et exécutif composé de délégués élus à plusieurs niveaux. Voir p. 141

Soviets : conseils d'ouvriers, paysans et soldats qui se forment dans toute la Russie en 1917, et qui exigent en vain des réformes et la paix. Les bolcheviks prétendent prendre le pouvoir en leur nom. Voir p. 188

Sovkhoze : ferme d'État, mise en place à partir de 1928 dans le cadre de la collectivisation des terres, et créée par la confiscation des grandes propriétés agricoles. Des paysans sans terre à l'origine sont chargés de l'exploitation. Ils sont rétribués par un salaire fixe. Voir p. 199

Spartakisme : mouvement marxiste révolutionnaire allemand qui tire son nom de Spartacus, l'esclave révolté à l'époque romaine, et qui souhaite obtenir des progrès sociaux par la révolution. Voir p. 191

Stalinisme : exercice totalitaire du pouvoir par Staline à partir de la fin des années 1920. Il est marqué par une terreur de masse contre les opposants et les moindres suspects, souvent accusés de crimes imaginaires, et par la purge du parti communiste lui-même. Voir p. 188

STO : Service du travail obligatoire institué par Laval (lois de 1942 et 1943) afin de fournir à l'Allemagne la main-d'œuvre dont elle avait besoin pour maintenir sa production de guerre. Il remplace « la relève » volontaire instaurée en juin 1942. Voir p. 306

Style haussmannien : nom donné aux nouveaux bâtiments construits à Paris dans le cadre de la politique de Napoléon III pour moderniser la capitale et qui fut conduite par le baron Haussmann. La nécessité d'améliorer la circulation et l'hygiène conduit à la destruction de nombreux quartiers pour percer de grands boulevards, le long desquels on reconstruit des immeubles que l'on qualifie de style haussmannien : usage de la pierre de taille, plusieurs étages, balcons en ferronnerie. Voir p. 57

Suffragette : terme né en Angleterre désignant une personne militant (pas nécessairement une femme) pour le droit de vote (suffrage) des femmes. Voir p. 348

Sunnisme : confession majoritaire de l'islam. Voir p. 165

Supermarché : commerce de vente au détail en libre-service, surtout de produits alimentaires, dont la surface est comprise entre 400 et 2 500 m². Voir p. 58

Taliban : mot signifiant « étudiants en théologie ». Créé en 1994 avec l'appui du Pakistan, le mouvement taliban instaure une dictature intégriste extrême en Afghanistan (1996-2001). Il mène depuis la guérilla contre les troupes de l'OTAN. Voir p. 169

Taux de mortalité : rapport entre le nombre de décès et la population totale sur une année. Voir p. 52

Taux de natalité : rapport entre le nombre de naissances et la population totale sur une année. Voir p. 52

Taylorisme : décomposition du travail en une série de tâches simples et chronométrées, souvent répétitives, généralement dans le cadre d'un travail à la chaîne. Voir p. 68 et 340

Technopole : regroupement d'entreprises de haute technologie autour d'un ou plusieurs centres universitaires et de recherches : la Silicon Valley en est le modèle. Voir p. 28

Terroir : espace rural marqué par des caractères spécifiques qui font son unité. Voir p. 55

Terrorisme : usage de la violence et de la terreur à des fins politiques, notamment en organisant des attentats. Voir p. 169

Théorie des dominos : théorie américaine selon laquelle il faut éviter qu'un pays ne bascule dans le communisme pour ne pas déstabiliser les États qui l'entourent. Voir p. 152

Tiers-monde : terme forgé en 1952 par le démographe français Alfred Sauvy, par allusion au Tiers État français d'avant 1789. À côté des deux mondes de la guerre froide (empire américain et empire soviétique) émerge le tiers-monde des pays nouvellement décolonisés et/ou en voie de développement : il cherche à exister sans être dominé par les deux blocs. Le terme de tiers-monde est de nos jours beaucoup moins employé, en raison de la diversité et de l'hétérogénéité croissantes des pays en voie de développement. Voir p. 270

Totalitarisme : système politique dans lequel un homme, un parti soumet l'ensemble de l'État et de la société à une idéologie. Toutes les activités individuelles ou collectives sont subordonnées au contrôle de l'État. Toute opposition est interdite. Voir p. 88

Tranchées : longues excavations utilisées comme lignes de défense lors d'une guerre de position. Voir p. 92

Transition démographique : passage de l'ancien régime démographique au nouveau régime démographique. Le taux de mortalité baisse dans un premier temps avec un maintien d'une natalité élevée d'où une forte croissance de la population. Dans un second temps, le taux de natalité baisse d'où un ralentissement de la croissance démographique. Voir p. 52

Travail : un des deux facteurs (avec le capital) qui permet de produire des biens et des services. Voir p. 20